# PANORAMA DA ARQUITETURA OCIDENTAL
Nikolaus Pevsner

**Tradução:** José Teixeira Coelho Netto e Silvana Garcia

*wmf* **martinsfontes**

Título original: AN OUTLINE OF EUROPEAN ARCHITECTURE.
Copyright © by Nikolaus Pevsner, 1943.
Copyright © 1982, Livraria Martins Fontes Editora Ltda.,
São Paulo, para a presente edição.

1ª edição 1982
3ª edição 2015
2ª tiragem 2021

Tradução
JOSÉ TEIXEIRA COELHO NETTO
SILVANA GARCIA

Revisão da tradução
Luis Lorenzo Rivera
Monica Stahel
**Revisão técnica**
Roberto de Oliveira
**Revisão**
Eliane Rodrigues de Abreu
Maria Luiza Favret
**Produção gráfica**
Geraldo Alves
**Paginação**
Studio 3 Desenvolvimento Editorial
**Capa**
Katia Harumi Terasaka Aniya

Dados Internacionais de Catalogação na Publicação (CIP)
(Câmara Brasileira do Livro, SP, Brasil)

Pevsner, Nikolaus, 1902-1983.
 Panorama da arquitetura ocidental / Nikolaus Pevsner ; tradução
José Teixeira Coelho Netto e Silvana Garcia. – 3ª ed. – São Paulo :
Editora WMF Martins Fontes, 2015. – (Coleção mundo da arte)

 Título original: An outline of european architecture
 Bibliografia.
 ISBN 978-85-7827-950-9

 1. Arquitetura – Europa – História I. Título. II. Série

15-03140                                            CDD-720.94

Índices para catálogo sistemático:
1. Europa : Arquitetura : História   720.94

*Todos os direitos desta edição reservados à*
***Editora WMF Martins Fontes Ltda.***
*Rua Prof. Laerte Ramos de Carvalho, 133  01325-030 São Paulo SP Brasil*
*Tel. (11) 3293.8150  e-mail: info@wmfmartinsfontes.com.br*
*http://www.wmfmartinsfontes.com.br*

# ÍNDICE

*Prefácio* ............................................................. **IX**
*Prefácio a esta edição* ................................... **XIII**
*Introdução* ........................................................ **1**

1. CREPÚSCULO E AURORA ............................ **5**
   Do século IV ao século X
2. O ESTILO ROMÂNICO .................................. **45**
   *c*. 1000-*c*. 1200
3. O ESTILO GÓTICO: DO PRIMITIVO AO CLÁSSICO... **81**
   *c*. 1150-*c*. 1250
4. GÓTICO TARDIO ........................................... **125**
   *c*. 1250-*c*. 1500
5. RENASCENÇA E MANEIRISMO .................. **173**
   *c*. 1420-*c*. 1600
6. O BARROCO NOS PAÍSES CATÓLICOS ....... **241**
   *c*. 1600-*c*. 1760
7. A INGLATERRA E A FRANÇA DO SÉCULO XVI AO SÉCULO XVIII ........................................... **293**
8. O MOVIMENTO ROMÂNTICO, O HISTORICISMO E O INÍCIO DO MOVIMENTO MODERNO ......... **361**
   1760-1914
9. DO FIM DA PRIMEIRA GUERRA MUNDIAL AOS DIAS DE HOJE ............................................. **419**
   PÓS-ESCRITO AMERICANO ........................ **455**

*Alguns termos técnicos* .................................................. **471**
*Bibliografia* ............................................................ **475**
*Créditos das ilustrações* ............................................... **489**
*Índice remissivo* ....................................................... **491**

*A primeira edição deste livro foi dedicada a meus três filhos. As dedicatórias, como os livros, devem ser atualizadas e, assim, dedico esta edição a meus nove netos e seus pais.*

# PREFÁCIO

Uma história da arquitetura européia em um único volume só poderá alcançar seu objetivo se o leitor estiver preparado para fazer três concessões.

Ele não deve esperar encontrar aqui uma menção a todas as obras e a todos os arquitetos importantes. Se isto tivesse sido realizado, todo o espaço disponível teria sido preenchido apenas com nomes de arquitetos, de edifícios e com datas. Muitas vezes é preciso aceitar um único edifício como ilustração suficiente de um estilo ou aspecto particular. Isso significa que, do quadro que o leitor verá, os matizes foram eliminados, ficando apenas cor contra cor. Isso pode ser uma desvantagem, mas espera-se que o leitor admita que a introdução de diferenças mais sutis teria dobrado ou triplicado a espessura, já considerável, deste livro. Assim, a nave de Lincoln será discutida, mas não a de Wells; também S. Spirito, em Florença, será analisada, o mesmo não acontecendo com S. Lorenzo. É discutível, sem dúvida, se a abadia de St. Michel em Coventry é um exemplo mais completo ou adequado de uma igreja paroquial de estilo perpendicular do que a Santíssima Trindade, em Hull, e se o palácio Rucellai é um exemplo melhor da Renascença italiana do que o palácio Strozzi. É impossível haver unanimidade em assuntos desse tipo. Mas, como os valores arquitetônicos só podem ser apreciados através de uma descrição e de uma análise mais exaustiva dos edifícios, tornou-se imperativo reduzir seu número e dedicar o máximo de espaço possível àqueles que foram escolhidos.

Além dessa limitação, outras duas mostraram-se necessárias. Estava fora de cogitação abordar a arquitetura européia de todas as épocas, desde Stonehenge até o século XX, ou a arquitetura de todas as nações que hoje compõem a Europa. Nem era isso o que se esperaria de um livro intitulado *Arquitetura européia*. Como muitos leitores admitirão, o templo grego e o fórum romano pertencem à civilização antiga, e não àquilo que costumamos chamar de civilização européia. Mas deverão concordar também que Grécia e Roma constituem premissas indispensáveis para a compreensão da civilização européia. Assim, ambas aparecem no primeiro capítulo deste livro, embora de modo resumido. O mesmo se aplica à civilização mediterrânea das primeiras décadas cristãs e sua expressão nas igrejas cristãs primitivas de Roma, Ravena, nas igrejas do Oriente Próximo e nas bizantinas. Pertencem a uma civilização diferente da nossa, mas que é uma de suas fontes. Este aspecto também é responsável pelo modo como são abordadas aqui. Caso diferente é, por exemplo, o da Bulgária. Se ela nunca é mencionada nas páginas que se seguem é porque a Bulgária, no passado, pertenceu à órbita bizantina e depois à russa, e porque sua importância é, hoje, tão marginal, que a omissão de seu nome será perdoável. De modo semelhante, será deixado de lado, neste livro, tudo o que tiver um interesse marginal para o desenvolvimento da arquitetura européia, e tudo o que não for europeu ou – no sentido em que me proponho a utilizar o termo europeu – ocidental. Pois somos tentados a dizer que a civilização ocidental é uma unidade distinta, uma unidade biológica. Certamente, não por razões raciais – admitir isso seria materialismo superficial –, mas por razões culturais. Cabe ao historiador responder quais são as nações que compõem a civilização ocidental num dado momento, quais as circunstâncias que fazem com que uma nação passe a fazer parte dessa civilização, e quais as circunstâncias em que deixa de fazer parte dela. Além disso ele também não pode esperar que suas respostas sejam universalmente aceitas. A causa dessa incerteza com relação às categorias históricas é bastante evidente. Embora uma civilização possa surgir com toda a nitidez em suas características essenciais quando se pensa em suas maiores realizações, ela surge de modo indistinto quando se tentam distinguir seus contornos exatos no tempo e no espaço.

Quanto à civilização ocidental, não há dúvida de que a pré-história não faz parte dela, na medida em que a pré-história de toda civilização – como a palavra já diz – é uma fase *prae*, isto é, anterior ao momento em que nasceu aquela civilização. O nascimento de uma civilização coincide com o momento em que uma idéia dominante, um *leitmotiv*, emerge pela primeira vez, idéia que através dos séculos seguintes irá se fortalecer, se difundir, amadurecer, decair, para, afinal – este é o destino, e deve-se encará-lo –, abandonar a civilização de que tinha sido a alma. Quando isto acontece, a civilização morre, e nasce uma outra, em outro lugar ou no mesmo solo, começando a partir de sua própria pré-história para chegar à sua própria primitiva idade das trevas, desenvolvendo então sua própria ideologia, essencialmente nova. Assim foi, lembrando apenas o exemplo mais conhecido, quando o Império Romano caiu, e a civilização ocidental nasceu da escuridão pré-histórica, passando pela infância merovíngia e começando a tomar forma sob Carlos Magno.

Isto explica as omissões no tempo. Quanto às limitações de espaço, bastam algumas poucas palavras. Quem decide escrever uma breve história da arquitetura, da arte, da filosofia, do teatro ou da agricultura européia deve decidir também em que parte da Europa, e em que época, aconteceram aquelas coisas que lhe parecem exprimir mais intensamente a vontade e os sentimentos mais vitais da Europa. Esta é a razão pela qual, com referência à Alemanha, por exemplo, são citadas as construções do século XVIII e não as do século XVI, e é por isso que quase não se toca no gótico italiano, e não se menciona a arquitetura escandinava. Também a Espanha não recebeu o espaço que as qualidades notáveis de muitas de suas construções merecem, pois em tempo nenhum a arquitetura espanhola influi decisivamente no desenvolvimento da arquitetura européia como um todo. A única exceção que este trabalho se permitiu (e que não necessita de uma desculpa especial) foi com relação aos exemplos de obras inglesas que foram introduzidos, sem dificultar o entendimento, no lugar dos exemplos estrangeiros. Mais uma vez, o que interessa, aqui, é a arquitetura ocidental como expressão da civilização ocidental, descrita historicamente em seu desenvolvimento, do século IX até o século XX.

*Londres, janeiro de 1942 e Páscoa de 1960*

# PREFÁCIO A ESTA EDIÇÃO

Faz vinte anos que este livro foi publicado, com 160 páginas, 60 ilustrações em 32 lâminas em papel pardo, com uma fotografia do autor parecendo bem mais moço do que agora. Na medida em que tanto o autor quanto o livro envelheceram, ambos ganharam em volume. A segunda edição (1945) tinha 240 páginas e 48 lâminas, e atribuía à Espanha a parte que merecia e que não lhe coubera antes. A terceira edição, de 1951, recebeu o acréscimo do gótico francês, do século XVII francês e do maneirismo italiano, e chegou a 300 páginas com 64 lâminas. A quarta edição, em 1953, recebeu poucas modificações, mas a quinta, de 1957, deu mais atenção ao período cristão primitivo bem como ao bizantino, e ao final do século XVIII francês, atingindo 72 lâminas. No mesmo ano, através da Prestel Verlag de Munique, o livro surgiu encadernado com cerca de 600 soberbas ilustrações numa edição retomada pela Penguin Books com o acréscimo de mais material inglês do que tinha sido necessário para a edição alemã. Esta edição de Jubileu, como foi chamada por ter sido publicada no ano do 25.º aniversário da Penguin, tinha, como acréscimo, dados novos sobre o barroco alemão e todo um capítulo sobre o período entre 1914 e a metade do século XX. Nas edições publicadas na Holanda (1949), Japão (sem data), Espanha (1957) e Itália (1960) foi acrescentado material referente a cada um desses países.

Nesta sétima edição houve alteração do formato e adotou-se um estilo e uma técnica de ilustração que já se mostraram satisfatórios em outras publicações recentes da Pelican (incluindo meu *Pionners of Modern Design*). Com isso foi possível aumentar, mais uma vez, o número de ilustrações. Elas são, agora, 295, e o número de páginas é de 496. Os principais acréscimos dizem respeito à França, especialmente dos séculos XVI a XVIII. Mas há muitas outras alterações menores, cerca de 60.

Organizar essas alterações é sempre difícil, e há o perigo de, a cada edição, elas se incrustarem sobre as idéias originais, tornando-as irreconhecíveis. Deve-se evitar sobrecarregar o texto com ressalvas e notas de rodapé. Se o lastro não se mantiver bem equilibrado, acaba acontecendo um desastre. No entanto, não cabe a mim diagnosticar o atual estado de saúde do livro, mas sim aos leitores e críticos.

*Londres, verão de 1962*

# INTRODUÇÃO

Um abrigo para bicicletas é uma construção; a catedral de Lincoln é uma obra de arquitetura. Quase tudo aquilo que encerra um espaço, cuja escala seja suficiente para que o ser humano possa se deslocar, é uma construção; o termo arquitetura aplica-se apenas a construções projetadas tendo em vista o interesse estético. Uma construção pode provocar essas sensações estéticas por três aspectos diferentes. Em primeiro lugar, podem ser produzidas pelo tratamento das paredes, pela proporção das janelas, pela relação entre as paredes e as aberturas, entre um andar e outro, pela ornamentação, como os rendilhados das janelas do século XIV ou as guirlandas de folhas e frutos de um pórtico Wren. Em segundo lugar, o tratamento da parte exterior de um edifício, como um todo, é muito significativo em termos estéticos: o contraste entre os volumes, o efeito de um telhado em ponta ou plano, ou de uma cúpula, o ritmo das saliências e reentrâncias. Em terceiro lugar, há o efeito que exercem sobre nossos sentidos o tratamento do interior, a seqüência dos aposentos, a amplitude de uma nave em seu cruzamento, o movimento majestoso de uma escadaria barroca. O primeiro desses aspectos é bidimensional: o domínio do pintor. O segundo é tridimensional, e, na medida em que aborda o edifício enquanto volume, enquanto unidade plástica, é domínio do escultor. O terceiro também é tridimensional, mas diz respeito ao espaço: é o aspecto do arquiteto, aspecto esse que lhe é mais próprio do que os outros dois. Aquilo que distingue a arquitetura da pintura e da escultura é sua característica espacial. Nisso, e apenas nisso, nenhum outro artista pode rivalizar com o arquiteto. Assim, a história da arquitetura é, antes de mais nada, a história do homem moldando o espaço, e o historiador deve manter sempre em primeiro plano os problemas espaciais. Por isso, nenhum livro sobre arquitetura, por mais popular que seja, poderá ser bem-sucedido se não contiver exemplos de plantas.

No entanto, embora a arquitetura seja, antes de mais nada, espacial, ela não é exclusivamente espacial. Em todo edifício, além de circunscrever um espaço interior, o arquiteto molda volumes e organiza superfícies, isto é, projeta um exterior e ornamenta as paredes. Isto significa que se exige do bom arquiteto, além de sua imaginação espacial, o modo de percepção do escultor e do pintor. Assim, a arquitetura é a mais abrangente das artes visuais e tem o direito de proclamar-se superior às demais.

Além disso, essa superioridade estética é suplementada por uma superioridade social. Nem a escultura, nem a pintura, embora ambas enraizadas em instintos criativos e imitativos elementares, nos cercam tão amplamente quanto a arquitetura, nem atuam sobre nós de modo tão constante e onipresente. Podemos evitar o convívio com aquilo que as pessoas chamam de belas-artes, mas não podemos evitar os edifícios e os efeitos sutis mas penetrantes de seu caráter, nobre ou mesquinho, contido ou ostensivo, autêntico ou prostituído. Pode-se conceber uma época sem pintura, embora ninguém que acredite na função da arte como engrandecedora da vida possa querer que isso aconteça. Uma época sem pintura de cavalete pode ser facilmente concebida e, pensando na predominância desse gênero durante o século XIX, poder-se-ia até desejar que isso acontecesse. Mas uma época sem arquitetura é impossível enquanto houver seres humanos habitando este mundo.

O próprio fato de, no século XIX, a pintura de cavalete ter predominado sobre a pintura mural e, em última análise, sobre a arquitetura, mostra o estado de debilidade em que caíram as artes e a civilização ocidental. O próprio fato de as belas-artes estarem hoje reconquistando suas características arquiteturais leva-nos a olhar para o futuro com alguma esperança. Ora, a arquitetura predominava quando a arte grega e a arte medieval floresceram e chegaram ao seu apogeu. Rafael e Miguel Ângelo ainda procuravam, em suas concepções, um equilíbrio entre a pintura e a arquitetura, o que não fizeram Ticiano, Rembrandt ou Velásquez. Pode-se chegar a realizações de alto valor estético com a pintura de cavalete, mas são realizações distanciadas do substrato comum da vida. O século XIX e, ainda com maior razão, algumas das mais recentes tendências das belas-artes demonstraram os perigos da atitude radical do pintor independente e auto-suficiente. A salvação só pode vir da arquitetura, na medida em que é a arte que está vinculada mais de perto às necessidades da vida, tendo utilidade imediata e bases funcionais e estruturais.

Isso não significa, porém, que a evolução da arquitetura seja causada pela função e pela construção. Em arte, um estilo pertence ao mundo da mente, e não ao mundo da matéria. Novos objetivos podem resultar em novos tipos de construção, mas a tarefa do arquiteto é fazer com que esse novos tipos sejam satisfatórios do ponto de vista estético e funcional – e nem todas as épocas consideram, como o faz a nossa, a adequação funcional como sendo indispensável ao prazer estético. O mesmo se dá em relação aos materiais. Novos materiais podem possibilitar e mesmo requerer novas formas. Por isso, entende-se que tantas obras de arquitetura (particularmente na Inglaterra) tenham enfatizado a importância dos materiais. Se, neste livro, eles foram deliberadamente deixados em segundo plano, a razão é que os materiais só podem tornar-se arquiteturalmente efetivos quando o arquiteto lhes confere um significado estético. A arquitetura não é produto de materiais e objetivos – nem mesmo das condições sociais – mas, sim, das mudanças de mentalidade nas mudanças de época. É o espírito de uma época que impregna sua religião, sua ciência e sua arte. O estilo gótico não foi criado porque alguém inventou a abóbada nervurada; o Movimento Moderno não surgiu porque a estrutura de ferro e o concreto armado tinham sido elaborados – eles foram elaborados porque um novo espírito os requeria.

Assim, os capítulos que se seguem abordarão a história da arquitetura européia como sendo uma história da expressão e, antes de mais nada, da expressão espacial.

**4** PANORAMA DA ARQUITETURA OCIDENTAL

1. Atenas, o Partenon, iniciado em 447 a.C.

# 1. CREPÚSCULO E AURORA
Do século IV ao século X

O templo grego é o exemplo mais perfeito já alcançado de uma arquitetura que se realiza na beleza plástica. Seu interior importava infinitamente menos do que seu exterior. A colunata em toda volta não permite perceber onde fica a entrada. Os fiéis não entravam no templo para ficar horas em comunicação com a divindade, como fazem hoje nas igrejas. Nossa concepção ocidental do espaço teria parecido tão ininteligível para um homem do século de Péricles quanto nossa religião. É a própria plasticidade do templo que deve falar, colocada diante de nós com uma presença física mais intensa, mais viva do que a de qualquer outra construção posterior. O isolamento do Partenon ou os templos de Paestum, claramente destacados do solo em que se erguem, as colunas com suas curvas salientes, suficientemente fortes para sustentar, aparentemente sem esforço, o peso das arquitraves, dos frisos e frontões esculpidos – em tudo isso há algo absolutamente humano: a vida, na inspiração mais brilhante da natureza e da mente: nada que choque, nada problemático ou obscuro, nenhuma mancha.

A arquitetura romana também considera o edifício, antes de mais nada, como um corpo esculpido, mas não tão soberanamente independente. Os edifícios são agrupados de maneira mais consciente e suas partes também são menos isoladas. É por isso que as colunas isoladas ligadas por suas arquitraves e com arquitraves entre elas são, muitas vezes, substituídas por pesados pilares quadrados que sustentam arcos. É por isso que a espessura das paredes é realçada, por exemplo, por nichos cavados nelas; e se são usadas colunas, são freqüentemente meias-colunas engastadas na parede, da qual fazem parte. É por isso, enfim, que, para cobrir os espaços, os romanos utilizam no lugar dos tetos planos – cuja horizontalidade perfeitamente clara se opunha a uma verticalidade perfeitamente clara – amplas abóbadas de berço ou de aresta. O arco e a abóbada de grandes dimensões são realizações de engenharia, maiores do que qualquer uma dos gregos. E, quando nos lembramos da arquitetura romana, pensamos nos arcos e abóbadas – tal como aparecem nos aquedutos, termas, basílicas (isto é, salões para reuniões públicas), teatros e palácios –, e não nos templos.

Entretanto, com poucas exceções, as mais grandiosas criações do sentido romano de poder, massa e plasticidade pertencem a um período posterior ao da República, e mesmo posterior ao Alto Império. O Coliseu é do final do século I d.C., o Panteon do começo do século II, as termas de Caracala do começo do século III, a Porta Nigra, em Trier, do começo do século IV.

Nessa época, estava ocorrendo uma mudança fundamental na mentalidade e não mais apenas nas formas. A relativa estabilidade do Império Romano tinha sido destruída após a morte de Marco Aurélio (180); seguiram-se inúmeros soberanos, num ritmo só conhecido durante curtos períodos de guerra civil. Entre Marco Aurélio e Constantino, em 125 anos, houve 47 imperadores: a duração média de cada reinado era de menos de 4 anos. Esses soberanos já não eram eleitos pelo Senado Romano, esse esclarecido corpo de cidadãos politicamente experientes. Eram proclamados por algum exército regional de tropas bárbaras, sendo eles mesmos, freqüentemente, também bárbaros – soldados rudes de origem camponesa –, que ignoravam as realizações da civilização romana e se opunham a elas. Havia, então, um estado constante de guerra interna, e, ao mesmo tempo, os ataques constantes de bárbaros de fora tinham de ser repelidos. As cidades decaíram e acabaram sendo abandonadas, caindo em ruínas os mercados, termas e moradias. Soldados do exército romano saqueavam as cidades romanas. Godos, alamanos, francos, persas saqueavam províncias inteiras. Acabou o comércio, terrestre e marítimo, e as fazendas e aldeias tornavam-se novamente auto-suficientes; os pagamentos em dinheiro foram substituídos pelos pagamentos em espécie; os impostos também eram freqüentemente pagos em espécie. A *burguesia* "culta", dizimada por guerras, execuções, assassinatos e uma taxa de natalidade cada vez menor, não mais participava dos assuntos públicos. Pessoas vindas da Síria, Ásia Menor, Egito, Espanha, Gália e Alemanha assumiam todas as posições importantes. O sutil equilíbrio político do Alto Império não podia mais ser apreciado e mantido.

Quando uma nova estabilidade foi conseguida por Diocleciano e Constantino, por volta do ano 300, foi uma estabilidade de autocracia oriental, com um rígido cerimonial da corte oriental, um exército impiedoso e um Estado que tudo controlava. Roma logo deixou de ser a capital do império; foi substituída por Constantinopla. E então o império dividiu-se em dois: o do Oriente, que se mostrou poderoso, e o do Ocidente, que se tornou presa dos invasores teutônicos, visigodos, vândalos, ostrogodos, lombardos, e que passaria a fazer parte do Oriente, o Império Bizantino.

Durante esses séculos, as paredes maciças, arcos, abóbadas, nichos e absides dos palácios e edifícios públicos romanos, com sua decoração grosseiramente extravagante, ergueram-se por todo o vasto império. Mas embora esse novo estilo tenha deixado sua marca tanto em Trier como em Milão, seu centro foi o Mediterrâneo Oriental: Egito, Síria, Ásia Menor, Palmira – isto é, a região onde o estilo helenístico havia florescido no último século a.C. O estilo romano tardio é, de fato, o sucessor do estilo grego tardio, também chamado helenístico. O Mediterrâneo Oriental também prevalecia no domínio do espírito. Do Oriente veio a nova atitude diante da religião. As pessoas estavam cansadas daquilo que o intelecto humano podia oferecer. O invisível, o misterioso, o irracional eram necessidades de um povo orientalizado, barbarizado. As várias seitas dos gnósticos, o mitraísmo da Pérsia, o judaísmo e o maniqueísmo encontram seguidores. O cristianismo mostrou-se mais forte, encontrou formas duradouras de organização e sobreviveu, sob Constantino, aos riscos de uma aliança com o Império. Mas, em essência, permaneceu oriental. A máxima de Tertuliano, "Creio nisso porque é absurdo", teria sido inaceitável para um romano esclarecido. A de Agostinho, "Não se pode encontrar beleza numa substância material", também contraria o espírito da Antigüidade. Um discípulo e biógrafo de Plotino, o maior dos últimos filósofos pagãos, disse que seu mestre andava como se tivesse vergonha de estar dentro de um corpo. Plotino veio do Egito, Santo Agostinho da Líbia. Santo Atanásio e Orígenes eram egípcios; Basílio nasceu e viveu na Ásia Menor, Diocleciano era da Dalmácia, Constantino e São Jerônimo vieram das planícies húngaras. Julgados de acordo com os padrões da época de Augusto, nenhum deles era romano.

A arquitetura da época era bem representativa do seu fanatismo e despotismo por um lado e, por outro, da sua apaixonada busca do invisível, do imaterial, do mágico. É impossível separar nitidamente o estilo romano tardio do estilo cristão primitivo.

Para termos uma idéia do estilo romano tardio por volta do ano 300, basta olharmos para duas construções: o palácio de Diocleciano em Spalato, na Dalmácia, e a basílica de Maxêncio, em Roma (mais conhecida como basílica de Constantino).

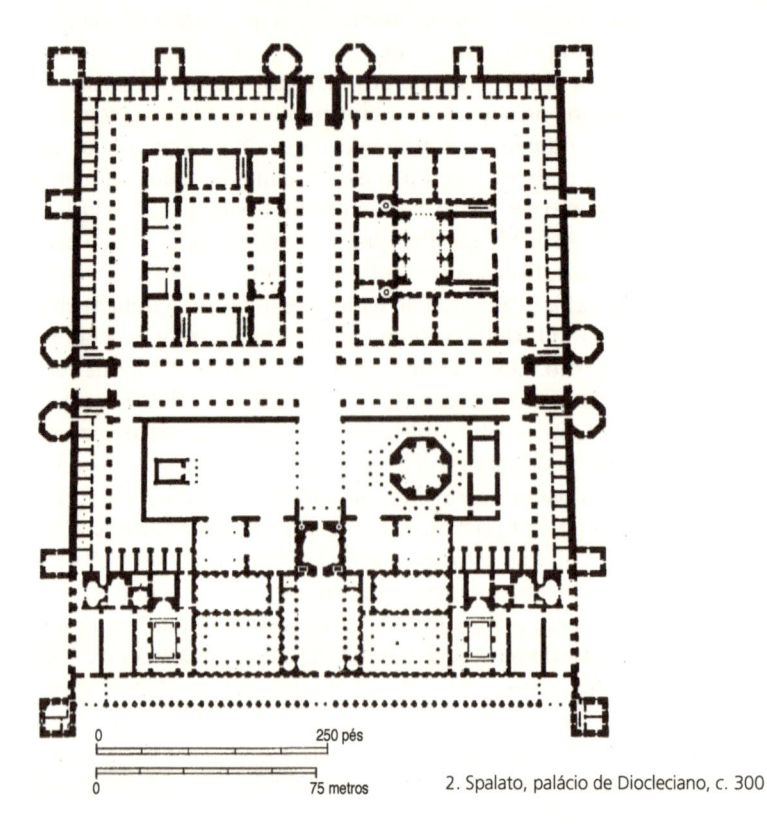

2. Spalato, palácio de Diocleciano, c. 300

3. Spalato, palácio de Diocleciano, c. 300

    O palácio de Spalato tem forma retangular, medindo 215 por 175 metros. É cercado por uma muralha com torres poligonais, como se fosse um campo militar. Mas, na frente que dá para o mar, a fachada, entre duas torres quadradas, abre-se numa comprida galeria de colunas. As colunas sustentam arcos, sendo esta a mais antiga arcada sobre colunas de que se tem conhecimento. Isso cria uma leveza absolutamente estranha aos romanos. Dentro do palácio, duas ruas principais ladeadas por colunas cruzam-se perpendicularmente e, também aqui, as colunatas são em arcadas. A entrada principal fica no lado norte, e o mar no sul. A rua norte-sul atravessa inicialmente casernas e oficinas. Após o cruzamento, há dois pátios monumentais, o do lado oeste, com um pequeno templo, e o do leste, com o mausoléu imperial, uma sala octogonal, com uma cúpula e nichos no interior, cercada por uma colunata exterior. Entre os dois pátios ficava o acesso ao salão de entrada do palácio propriamente dito, um salão circular com cúpula, e quatro nichos nas diagonais. Alguns dos aposentos menores tinham forma de abside ou trevo – uma grande variedade de formas espaciais como que para expressar de modo mais evidente, por meio de um rígido sistema axial, o poder do imperador.

A basílica de Maxêncio é ainda mais esmagadora, por ser mais compacta: é uma grande sala de forma retangular, de 80 metros de comprimento por 35 de altura, encimada por três abóbadas de aresta sustentadas por seis abóbadas de berço, três de cada lado. Cada uma das abóbadas cobre 23 m de vão. O conjunto era pesadamente decorado, como mostram os caixões dos três vãos ainda existentes. A abóbada de aresta existia em Roma desde o primeiro século a.C., e a de berço foi usada no palácio dos Parthas em Hatra, na Pérsia, mais ou menos na época do nascimento de Cristo. No Coliseu, os dois sistemas foram utilizados com habilidade, mas não em escala tão ousada.

Constantino terminou a basílica vários anos após haver derrotado Maxêncio na ponte Mílvio, reconhecendo o cristianismo como religião oficial do Império (Edito de Milão, 313). Constantino construiu inúmeras igrejas grandes, mas nenhuma sobreviveu em sua forma original, embora não se saiba muito a respeito delas. Entre elas havia a igreja do Santo Sepulcro, em Jerusalém, a da Natividade em Belém, a de Santa Irene original, a de Santa Sofia e a dos Santos Apóstolos na recém-criada capital de Bizâncio, ou Constantinopla; a de São Pedro, a de São Paulo fora dos muros e a de São João de Latrão, em Roma. Nenhuma dessas igrejas tinha abóbadas, o que é significativo. Isso quer dizer que os cristãos primitivos consideravam as imponentes abóbadas dos romanos como algo excessivamente mundano. Uma religião do espírito não queria nada de tão imponente, em termos físicos. Tanto quanto se pode observar, as igrejas de Constantino são muito variadas, mas seu tipo básico é aquele conhecido como basílica. Uma vez criado – veremos quando –, permaneceu como modelo para a construção das igrejas cristãs primitivas no Ocidente, bem como em vastas áreas do Oriente.

4. Roma, basílica de Maxêncio, c. 300

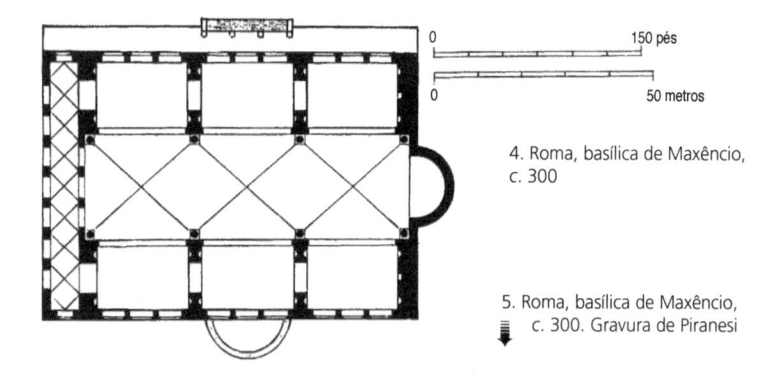

5. Roma, basílica de Maxêncio, c. 300. Gravura de Piranesi

    A igreja de S. Apollinare Nuovo, em Ravena, construída no começo do século VI por Teodorico, rei dos ostrogodos na Itália, é uma basílica de maturidade e perfeição excepcionais. Por mais obscura que possa ser a origem dos godos, por mais selvagens que pos-

6. Ravena, S. Apollinare Nuovo, início do século VI

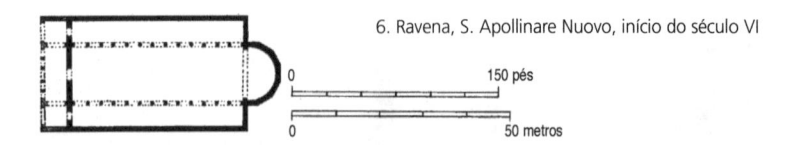

sam ter sido suas primeiras invasões, Teodorico era homem de grande cultura, educado na corte de Constantinopla, tendo recebido o título de cônsul treze anos após tornar-se rei. Uma igreja na forma de basílica consiste numa nave central e em naves laterais separadas por colunatas. No lado ocidental pode abrir-se ou um vestíbulo, conhecido como nártex, ou um pátio com claustros, conhecido como átrio, ou ambas as coisas. Ocasionalmente, pode haver também duas construções em forma de torres, à direita e à esquerda do nártex. Do lado oriental existe uma abside. Nada mais é necessário; um salão para nele se reunirem os fiéis, e o caminho sagrado que leva ao altar. Em algumas das igrejas de Constantino, por exemplo na antiga São Pedro e em S. Paulo fora dos muros, as naves laterais são duplas. Nessas mesmas igrejas e em muitas outras, o transepto assinalava uma espécie de pausa entre a nave e a abside[1]. Um exemplo é a igreja de São Demétrio, em Salônica (c. 410). Eventualmente, no Norte da África, uma segunda abside era acrescentada no lado oeste (Orleansville, 325 e 475). As absides podiam ser redondas ou poligonais, sendo estas últimas preferidas no Oriente. Em muitas igrejas, construídas provavelmente segundo o padrão sírio, a abside oriental era ladeada por duas salas separadas: o *diaconicon* ou sacristia e a *prothesis*, sala destinada a receber as oferendas. Em vez da salas podiam-se encontrar absides (Kalat Seman, Síria, c. 480-490). Muito raramente, e apenas em uma parte da Ásia Menor, surgiam igrejas inteiramente construídas sob a forma de abóbadas de berço (Binbirkilisse, Sudeste da Ásia Menor, século V). Isso deve ter mudado o caráter da construção muito mais do que qualquer outra das variações sobre o tema da basílica. Mesmo assim, pode-se dizer que o tema principal permanecia o mesmo por toda parte, com o rit-

---

1. Transeptos também podem ser vistos na duas grandes igrejas de Trier do começo do século IV, descobertas em escavações feitas após a Segunda Grande Guerra, bem como transeptos com galerias à volta de S. Demétrio em Salônica, c. 410 (ou depois do incêndio de 630, aproximadamente?), e na igreja de S. Menas, no Egito, do começo do século V.

7. Ravena, S. Apollinare Nuovo, início do século VI

mo monótono e magnetizante do percurso entre as arcadas em direção ao altar. Nessa longa colunata, não há uma só articulação que sirva de pausa para os olhos[2], nem aí, nem na longa fila de janelas do clerestório. Em Ravena, as figuras solenes e silenciosas dos mártires e das virgens santas, com seus rostos impassíveis e suas roupas duras, caminham conosco. Não se trata de pinturas, mas de mosaicos compostos por inúmeros e pequenos cubos de vidro[3]. Sua função estética é evidente. Os afrescos, assim como os mosaicos romanos

---

2. A alternância entre pilares e grupos de colunas na igreja de S. Demétrio, em Salônica, é única.
3. Num dos mausoléus do cemitério romano recentemente descoberto sob a igreja de São Pedro, em Roma, há mosaicos de vidro do século III da era cristã, os mais antigos já vistos.

de pedra dos pavimentos formavam uma superfície opaca e, assim, ressaltavam a capacidade de isolamento e a solidez das paredes; os mosaicos de vidro, pelo contrário, com seus reflexos cambiantes, parecem imateriais. Apesar de revestirem a parede, eles a anulam. Assim, era o revestimento ideal para construções destinadas a servir ao espírito e não ao corpo.

De fato, a basílica utilizada pela arquitetura sacra é de origem romana, e não cristã primitiva. O termo basílica é significativo. Era utilizado pelos romanos para designar salas públicas. A palavra é grega e significa "real". Parece ter chegado a Roma com o majestoso esplendor helenístico. No entanto, as basílicas romanas não são, de

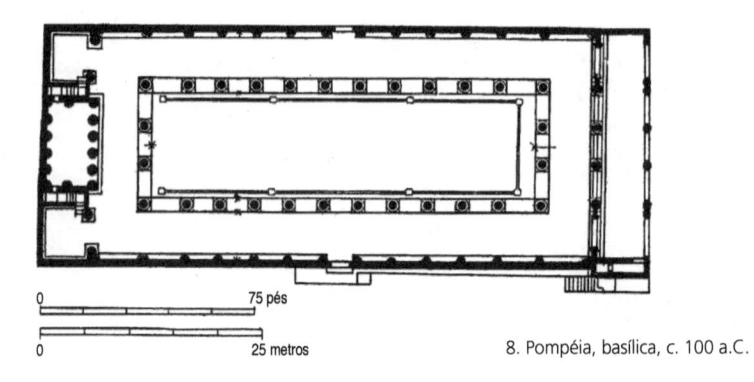

8. Pompéia, basílica, c. 100 a.C.

modo algum, as predecessoras imediatas das igrejas cristãs primitivas. Elas comportam colunatas não apenas entre a nave central e as naves laterais, mas também transversalmente, nas duas extremidades, o que delimita um deambulatório completo como um templo grego virado de dentro para fora, ou melhor, de fora para dentro. As absides não eram raras (às vezes encontravam-se duas absides numa única edificação), mas em geral elas eram isoladas do corpo principal pelas colunatas. A palavra basílica, como termo geral para designar uma sala com naves laterais, foi transferida do paganismo ao cristianismo. No entanto, é muito provável que o mesmo não tenha ocorrido com o tipo de construção como tal. A esse respeito, foram levantadas outras hipóteses: pensou-se que a basílica teria sua origem nas *scholae* ou salas privadas das mansões e palácios (por exemplo, os dois imperadores flavianos no Palatino), salas menores, contendo uma abside, que poderiam muito bem ter-se prestado às cerimônias religiosas privadas dos cristãos.

No entanto, sem dúvida, é muito mais direta e pertinente a relação entre as basílicas cristãs primitivas e as construções erigidas para as seitas religiosas pagãs dos primeiros séculos cristãos. A chamada basílica de Porta Maggiore é uma pequena construção subterrânea medindo apenas 12 metros de comprimento. Com sua nave principal e suas naves laterais, seus pilares e sua abside, ela se assemelha muito a uma capela cristã. Relevos em estuque mostram-nos que ela servia de sala de reuniões para inúmeras seitas místicas vindas do Oriente para Roma, antes e depois do aparecimento da seita dos cristãos. Pode-se dizer que data do século I d.C. O templo de Mitra, um pouco maior (com 20 metros por 8,50 metros), recentemente descoberto em Londres, parece remontar a meados do século II. Também comporta uma nave principal, naves laterais e uma abside. O culto de Mitra, com sua fé num salvador, no sacrifício e na ressurreição, era, nesta luta pela dominação espiritual do Baixo Império, o maior concorrente do cristianismo. Portanto, não é de surpreender que, na origem, a forma das igrejas cristãs tenha sido idêntica à das construções utilizadas para celebrar o culto a Mitra.

Quando Constantino reconheceu o cristianismo, construíram-se igrejas por toda parte. "Quem pode contar o número de igrejas de

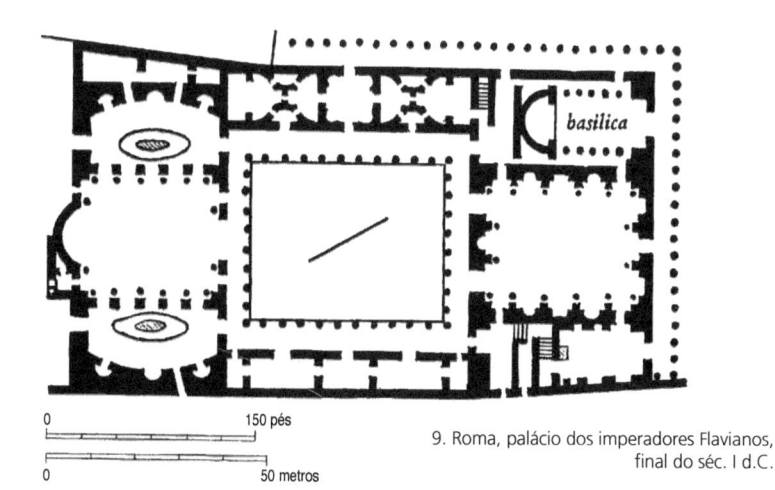

9. Roma, palácio dos imperadores Flavianos, final do séc. I d.C.

10. Roma, basílica de Porta Maggiore, séc. I d.C.

11. Roma, basílica de Porta
Maggiore, séc. I d.C.

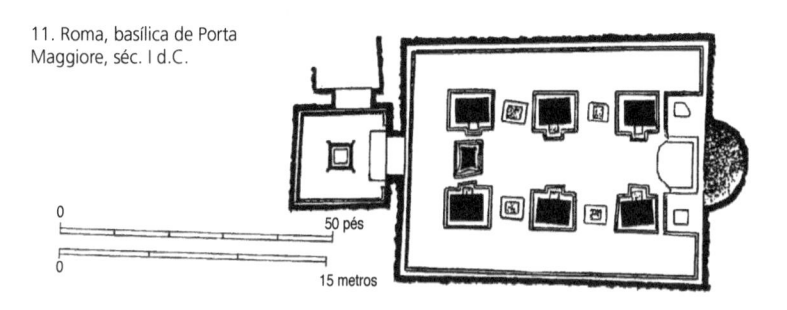

cada cidade?", exclamava Eusébio. A maioria delas eram basílicas, mas havia também uma grande quantidade de igrejas construídas segundo um plano central. A forma era um desenvolvimento de um tipo de mausoléu romano e, por isso, destinava-se freqüentemente a celebrar a memória de um mártir canonizado. Por razões funcionais evidentes, também era utilizada para batistérios. Nessa época, deve ser lembrado, o batismo era praticado por imersão e não por aspersão. Mesmo assim, os modelos variam muito, desde as formas circulares mais simples, com paredes grossas onde foram cavados nichos à moda romana (mausoléu de Teodósio, ao lado da antiga São Pedro, São Jorge de Salônica), formas circulares com um único deambulatório (Santa Constância, em Roma, c. 320, etc.) ou um deambulatório duplo (S. Stefano Rotondo, Roma, c. 475), até octógonos com deambulatórios (batistério de São João de Latrão, construído em c. 325, c. 435 e amplamente reconstruído em c. 465) e quadrifólios (Tigzirt, na África do Norte)[4].

Uma outra variante do plano central é a cruz grega, inscrita e isolada. A cruz grega é uma cruz cujos braços têm o mesmo comprimento. Diz-se que é inscrita quando é traçada dentro de um quadrado. Geralmente, a cruz grega é coberta por uma cúpula em sua intersecção, sendo os quatro cantos cobertos por abóbadas mais baixas e menores. Essa maneira de dispor as abóbadas em *quincôncio* já era conhecida pelos romanos (Tychaeum de Mismieh) e parece

---

4. Os trifólios também eram usados e devem ser aqui mencionados, embora, claro, não sejam estritamente centrais. Apareceram na catacumba de S. Calixto, em Roma, e, em grande escala, nos dois grandes e antigos mosteiros egípcios de Sohag, conhecidos como Mosteiro Branco e Mosteiro Vermelho (século V).

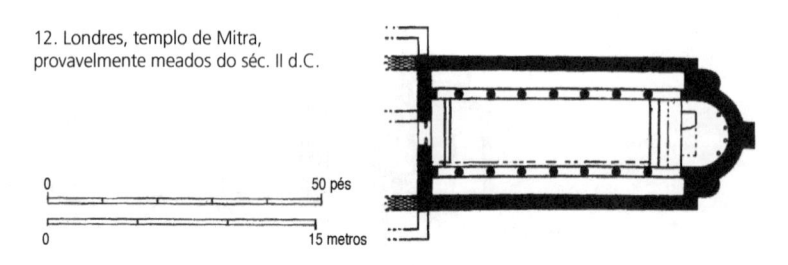

12. Londres, templo de Mitra, provavelmente meados do séc. II d.C.

ter-se tornado mais popular no século V (Gerash em 464, com suas câmaras de canto fechadas)⁵, e é ela que norteará a construção da igreja típica do fim do Império Bizantino até o século XIV. Veremos mais adiante que ela será retomada na Renascença e também mais tarde. Uma forma muito mais simples e direta da cruz grega isolada é, por exemplo, a do chamado mausoléu de Galla Placidia, construído em Ravena por volta do ano 450.

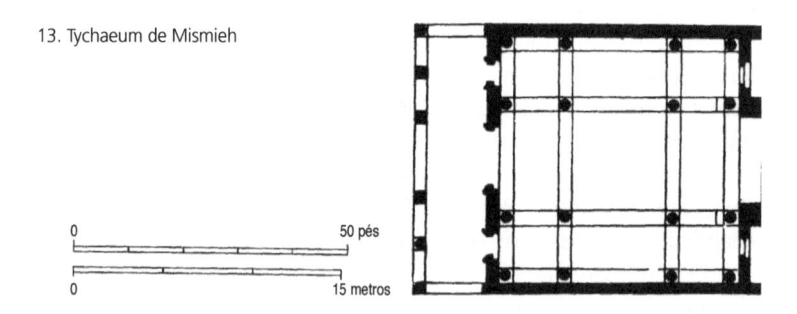

13. Tychaeum de Mismieh

O auge desses experimentos foi alcançado durante o reinado de Justiniano (527-565). De todas as igrejas construídas, as mais importantes foram, em Constantinopla, a dos Santos Apóstolos e de Santa Sofia e, em Ravena, a capital bizantina da Itália, a igreja de S. Vitale. A igreja dos Santos Apóstolos, da qual nada resta, era sem dúvida em cruz grega isolada, encimada por cinco cúpulas. Erguer cúpulas sobre paredes dispostas em forma de quadrado (o Panteon, em Roma, era de forma circular) foi uma inovação oriental. A base

---

5. Semelhante a esta deve ter sido a catedral de Trier, após as alterações de 370.

14. Ravena, S. Vitale, terminada em 547

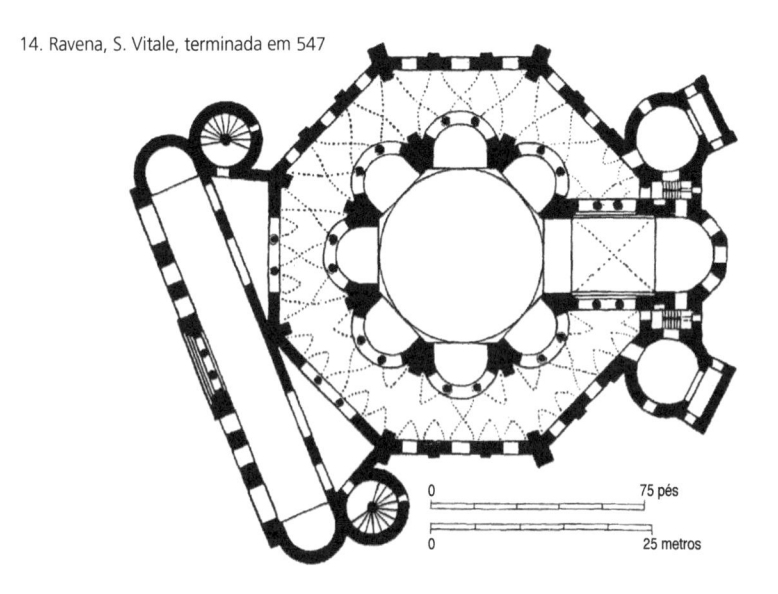

circular da cúpulas podia ser obtida através de trompas, isto é, pequenos arcos cortando cada um dos ângulos, construídos uns sobre os outros, cada um com diâmetro maior do que o precedente, e cada um se projetando ligeiramente à frente até a configuração de uma forma vagamente octogonal a partir da qual se iniciava a cúpula ou, mais elegantemente, através de pendentes, isto é, triângulos esféricos. Este último foi o método adotado pelos bizantinos.

San Vitale, em Ravena, também é de plano central, mas propõe uma solução muito mais elaborada. Basicamente, é um octógono com um deambulatório de mesmo formato, encimado por uma galeria. A parte central é coberta por uma cúpula sobre arcos. A isso acrescenta-se um nártex munido de uma abside em cada uma de suas extremidades e um espaço saliente reservado para o altar, ladeado por uma *prothesis* e um *diaconicon*, ambos de formato circular. O projetista acreditava manifestamente nas possibilidades de expressão das linhas curvas, e separou o octógno central do deambulatório não por arcadas planas, mas por sete absides (a oitava é o coro), cada uma delas se abrindo para o deambulatório através de três arcos. Esta composição, com objetivo puramente estético e não funcional, determina o caráter espacial do interior. Ela substitui

15. Ravena, S. Vitale, terminada em 547

uma nítida divisão espacial por um flutuar e irromper do espaço, a partir do centro para as partes mais distantes, mergulhadas na penumbra. Essa sensação de indefinição é reforçada pelo revestimento das paredes com placas de mármore e mosaicos. As figuras austeras e lúgubres dos mosaicos parecem tão imateriais, mágicas e sem peso quanto as arcadas do octógno que se elevam e descem incessantemente. Os entalhes magistrais dos capitéis confirmam a concepção espacial e espiritual do arquiteto. As viçosas folhagens de acanto dos romanos são substituídas por um desenho plano e intrincado, em entalhes rendados e vazados, nas superfícies planas e oblíquas do capitel, de forma que transpareça misteriosamente o segundo plano indefinido. É a contrapartida exata, na decoração arquitetural, do efeito espacial obtido pelos nichos em arcada que se abrem para o segundo plano do deambulatório. Capitéis do mesmo tipo existem nas principais igrejas de Justiniano, em Bizâncio. San Vitale foi consagrada em 547. A igreja de São Sérgio e São Baco, construída por Justiniano em Bizâncio, é bastante semelhante. A origem das sutis configurações espaciais dessas duas igrejas não está claramente estabelecida. Ela parece estar na Itália, mais do que no Oriente. Na Itália, efeitos semelhantes já haviam sido obtidos numa data bem anterior, por volta de 125 d.C., na *villa* do imperador Adriano, em Tivoli. A igreja de São Lourenço, em Milão, construída aproximadamente entre 450 e 475, e cujo interior foi inteiramente modificado no século XVI, é o antepassado direto de San Vitale. Santa Sofia é ainda mais complexa e atinge, pela sua complexidade dissimulada, um encantamento quase incomparável. Seu plano é essencialmente uma combinação entre o plano da basílica e o plano central. Esse princípio já fora estabelecido sob Constantino, mas na sua igreja do Santo Sepulcro, em Jerusalém, da qual resta muito pouco da construção original, a combinação não era muito mais do que uma justaposição: uma basílica seguida por um pátio e uma ampla rotunda. O plano da igreja da Natividade, em Belém, que data da época de Constantino, ou cerca de 530, consiste em uma basílica com a extremidade oriental em trifólio. É em uma igreja em Koja Kalessi (Sul da Ásia Menor), construída no fim do século V, que vemos um dos primeiros exemplos conhecidos de integração entre os planos longitudinal e central. Uma curta nave de dois vãos, com naves laterais, é seguida por uma cúpula elevada, ladeada por

16. Ravena, S. Vitale, capitel

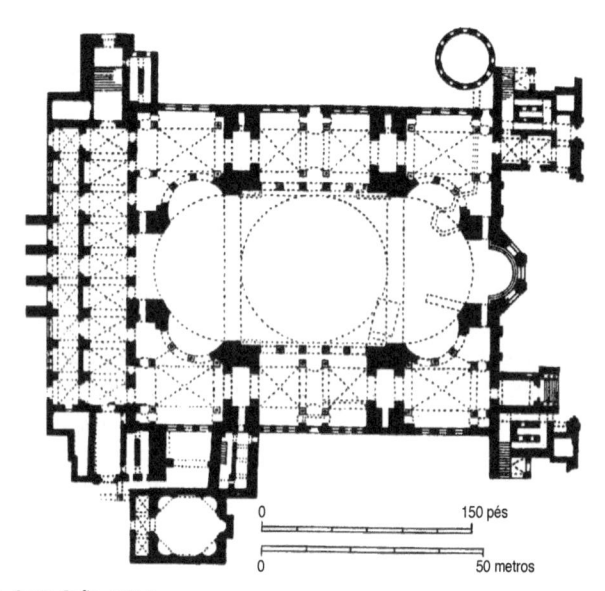

17. Constantinopla, Santa Sofia, 532-7

transeptos que não se projetam para além das paredes da nave. A leste da cúpula há um vão para o coro, e uma abside com salas laterais. O conjunto, como em Santa Sofia, está inscrito num paralelogramo[6]. Santa Sofia mede aproximadamente 100 m por 70 m, e foi construída num tempo incrivelmente curto: em cinco anos, de 532 a 537. Após 558, a cúpula foi soerguida em 6 m, e muita coisa foi reconstruída após 989. Os primeiros arquitetos, Anthemius de Trallas e Isidoro de Mileto, eram da Ásia Menor. Diante de Koja Kalessi, tem-se a impressão de uma cúpula inserida numa basílica, mas Santa Sofia, como veremos, não é uma basílica, embora uma certa ênfase seja dada ao eixo longitudinal. A cúpula central predomina soberanamente; ela não se ergue sobre um tambor, mas flutua suavemente, embora majestosamente, sobre um quadrilátero central. A cúpula, cujo diâmetro é de 33 m, é sustentada, a leste e a oeste, de uma

---

6. Há muitos outros exemplos dos séculos V e VI da penetração longitudinal e central, nenhum deles mais monumental do que as ruínas de S. João em Éfeso (c. 550), que tinha domos por toda parte e derivava da igreja dos Santos Apóstolos, mas com o acréscimo de mais um vão na nave a fim de criar a predominância longitudinal.

maneira engenhosa e bela, por semicúpulas mais baixas. Desse modo, abre-se um amplo espaço longitudinal que ressalta a orientação leste-oeste, conforme exigia o sentido dos ofícios religiosos. Cada semicúpula, por sua vez, é sustentada por dois nichos, absides ou êxedras, com arcadas curvas e abertas, como em San Vitale. Tudo isso é um suporte estruturalmente perfeito para cúpula; e a ambição dos arquitetos era ocultar aos olhos o mecanismo de seu método. Pode-se dizer que foi isso que os arquitetos góticos conseguiram nos interiores, por meio dos arcobotantes. No entanto, nada está mais distante das aspirações da arte gótica do que as curvas suaves das cúpulas e das absides de Santa Sofia. O espaço que elas comportam parece ser amplo, embora não se imponha ostensivamente. Os arquitetos poderiam ter repetido a mesma disposição no lado norte e no lado sul da cúpula, mas não o fizeram, pois uma centralidade perfeita não teria dado a mesma complexidade e mistério que desejavam. Assim, acrescentaram naves acompanhando toda a composição de cúpulas; essas naves encimadas por galerias foram separadas da cúpula central por um anteparo composto por cinco arcadas ao nível do chão e

18. Constantinopla, Santa Sofia, 532-7. Os minaretes turcos foram removidos da fotografia

19. Constantinopla, Santa Sofia, 532-7

sete ao nível do segundo andar. Como em San Vitale, a parte dissimulada atrás das arcadas opõe seu mistério distante à nitidez do espaço central, cheio de janelas.

Os exteriores das igrejas bizantinas são pouco ornamentados – às vezes revestidos de mármore, e quase só isso. Tampouco havia torres. Não se sabe exatamente quando foi introduzido o uso das tor-

20. Turmanin, basílica (em grande parte destruída), séc. VI

res, mas as elevações relativamente baixas situadas nas fachadas de algumas igrejas sírias, à direita e à esquerda dos nártex ou dos pórticos (Turmanin e Santo Apolinário in Classe, perto de Ravena), para as quais já chamamos a atenção, dificilmente podem ser chamadas de torres. Não há nenhum campanário a que se possa atribuir com segurança uma data anterior ao século IX. Hoje, as cúpulas de Santa Sofia estão guardadas por quatro minaretes, mas estes são de origem turca. A igreja de Justiniano e a de Santa Irene, outra grande igreja próxima, que também combina elementos longitudinais com elementos centrais, e, um pouco mais distante, a dos Santos Apóstolos, dominavam as colinas de Bizâncio com suas cúpulas suavemente arredondadas. A capital de Justiniano devia recortar-se contra o céu de um modo bem diverso do que hoje conhecemos, com o ritmo daquelas ondulações constituindo a contrapartida mais convincente dos mistérios dos interiores.

Vinte e um anos após a consagração de San Vitale, os lombardos conquistavam a Itália. Embora igrejas do tipo de Santo Apolinário ainda fossem construídas em Roma, a primeira grande época da arquitetura cristã estava encerrada, e o que aconteceu com o império oriental a partir do século VII não é de nosso interesse. Os muçulmanos invadiram a Síria em 635, o Egito em 639 e a Espanha em 711. Poderiam até mesmo ter-se instalado na França se os francos, sob o comando de Carlos Martel, não os tivessem repelido. Foi bem no Norte, no Loire, que aconteceu a batalha em 732. Carlos Martel era de fato o chefe do reino franco, mas os reis pertenciam à dinas-

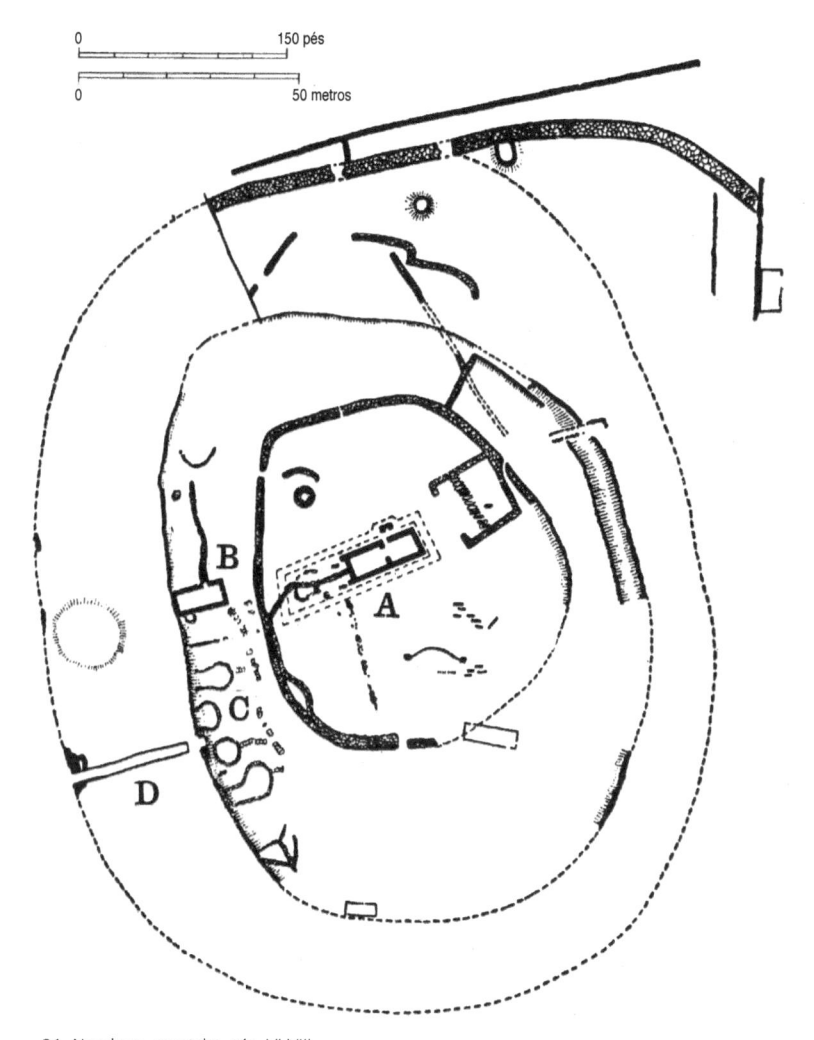

21. Nendrum, mosteiro, séc. VI-VIII

tia merovíngia, e seu ancestral, Clóvis, havia aceitado, em 496, o cristianismo ou, mais exatamente, aquilo que ele entendia por cristianismo. O espírito dessa religião oriental permaneceu estranho aos bárbaros do Norte, embora seja certo que os francos mantinham relações com os povos do Oriente, sobretudo através das colônias prósperas dos mercadores sírios, colônias que se estendiam, ao norte, até Tours, Trier e mesmo Paris onde, em 591, foi consagrado um bispo oriundo da Síria. Mas o estado de espírito e o grau de civilização que essa arquitetura oriental manifestava estavam muito acima da mentalidade dos habitantes da Gália, que, no século VI, era um país pouco civilizado, como demonstra a crônica de Gregório de Tours, repleta de assassinatos, violações e perjúrios.

É difícil imaginar o estado da arquitetura na Gália antes do fim do século VIII. Batistérios e outras pequenas construções, de plano central, como na Itália, ainda subsistem no Sul (Fréjus, Marselha, Vénasque). Algumas igrejas e capelas em forma de basílica podem ser descritas com alguma precisão, com base em escavações. As mais antigas parecem ter sido do tipo oriental com absides poligonais (Santo Irineu em Lyon, c. 200; São Pedro em Metz, c. 400; São Bertrão em Comminges, Vienne, etc.). Nenhuma igreja de Tours, construída por volta de 475, media 53 m de comprimento e tinha 120 colunas; a de Clermont-Ferrand, que é aproximadamente da mesma época, media 50 m, tinha naves laterais e transeptos. Detalhes esculpidos, provenientes de outros lugares, revelam um estilo romano tardio, que declinava, logo caindo na mais completa barbárie.

O mesmo não acontecia na Grã-Bretanha. Algumas das grandes cruzes erguidas para homenagear os mortos ou para assinalar um lugar santo ou um limite contêm entalhes na forma de volutas de folhagens, de pássaros e feras, e mesmo de figuras humanas de grande delicadeza e habilmente executadas (Ruthewell Cross, Bewcastle Cross, Reculver Cross). Datam aproximadamente do ano 700. Nessa época, a Grã-Bretanha anglo-saxônica era, sem dúvida, a mais culta dentre as nações nórdicas. Seu desenvolvimento havia sido, de fato, muito diferente do de outros países. Os invasores anglos ou

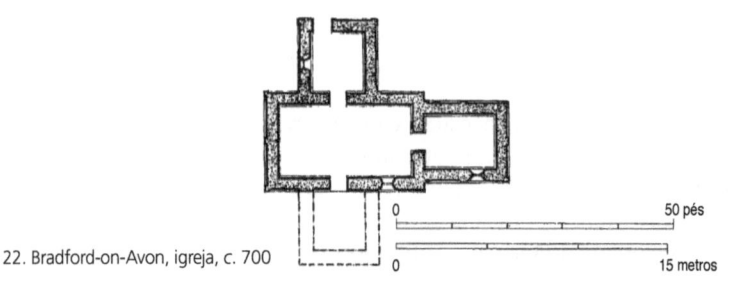

22. Bradford-on-Avon, igreja, c. 700

saxões não eram nem menos cruéis nem menos bárbaros do que as hordas que, desde o século IV, haviam aberto um caminho em direção às províncias do último período do Império Romano, mas seu cristianismo vinha de outra fonte. A vida monástica havia surgido no Egito. Os primeiros monges foram eremitas que viviam na solidão de suas cabanas ou grutas. Logo os eremitas se agruparam sem abandonar, no entanto, suas cabanas individuais. Só as igrejas ou capelas e algumas outras salas eram comunitárias. Os monges desses mosteiros eram chamados cenobitas. Dois desses mosteiros egípcios, o mosteiro Vermelho e o mosteiro Branco, perto de Sohag, ambos do início do século V, já foram mencionados. Essa forma de vida monástica teve sua primeira casa na Europa, nas ilhas Lérins, perto de Marselha, no começo do século V, alcançando, daí, a Irlanda (St. Patrick, 461). Os mosteiros irlandeses floresceram nos séculos VI e VII. Seus missionários foram para a Escócia (St. Columba em Iona, 563), França (St. Columbanus, Luxeuil, 615), Itália (St. Columbanus, Bobbio), Alemanha (St. Killian em Würzburg, 615) e Suíça (St. Gallen, 613). Traços e fragmentos de mosteiros com celas de pedra dos monges e construções comunitárias existem em Skellig Michael, na costa oeste da Irlanda; e foram descobertos em escavações em Nendrum, no condado de Down (a igreja é românica) e em diversos outros lugares (Tintagel, Cornualha).

A Inglaterra começou a ser convertida no século VII por Aidan e Cuthbert, oriundos de Lindisfarne e Durham. Nessa época, uma missão vinda de Roma também estava trabalhando, pregando o cristianismo e uma vida monástica diferente da do Egito ou Irlanda. São Benedito havia fundado o mosteiro de Monte Cassino, nos anos 530. A vida monástica, como nós a conhecemos, é a beneditina. O conflito entre irlandeses e beneditinos, entre o ideal romano e o ideal céltico-oriental, chegou ao fim em 664, no Sínodo de Whitby. De fato, a oposição entre as personalidades e as opiniões estava longe de ser tão violenta quanto se poderia pensar inicialmente. O grande protagonista do lado romano era Teodoro, arcebispo de Canterbury, oriundo de Tarsus, na Síria, e Adriano, que o acompanhava, era originário da África do Norte.

Sabemos tão pouco da primitiva arquitetura anglo-saxônica quanto dos primórdios da arquitetura merovíngia. Dos anos 700, a Inglaterra conservou um número de igrejas maior que o da França, mas a maioria dessas igrejas são pequenas. Em Canterbury e em outros lugares do condado de Kent, a presença de absides, ao que parece, era usual. Em Northumberland e nos condados vizinhos, existem construções compridas e estreitas, retangulares nas extremidades, como as igrejas de Monkwearmouth e Jarrow, fundadas em 674 e 685, respectivamente. O coro está separado da nave, e o interior dá o efeito de uma passagem alta e estreita, que leva a um pequeno aposento. As naves laterais não existem e são substituídas por salas laterais, chamadas *porticus*, às quais se chega através de uma entrada estreita em vez de amplas aberturas em arco[7]. Externamente a construção é rude e primitiva. Localizada geograficamente entre as duas regiões, Brixworth, em Northamptonshire, é a única basílica com naves laterais, parcialmente preservada, construída com tijolos romanos, provavelmente no século VII. No entanto, como na França, as fontes literárias nos falam de construções de uma natureza bem mais ambiciosa que a própria Brixworth. Assim, por exemplo, Alcuíno diz que York, tal como a conheceu, tinha cerca de trinta altares e muitas colunas e arcos e, por volta do ano 700, de Hexham diziam que era *mirabili longitudine et altitudine* e tinha inúmeras colunas. A cripta dessa igreja sobreviveu; ela apresenta passagens abobadadas estreitas, pequenas salas comparáveis às catacumbas romanas e à da primeira cripta de São Pedro em Roma, construída no fim do século VI, formando uma passagem semicircular estreita.

Alcuíno deixou Northumberland em 781 para assumir a direção das escolas palatinas de Carlos Magno; tornou-se depois abade de Saint-Martin de Tours e ali reorganizou as escolas. Carlos Magno, que se tornaria rei em 771, e fora coroado imperador de um novo Santo Império do Ocidente, pelo Papa, em Roma, no Natal de 800, fez vir à sua corte outros homens de grande valor intelectual: Pedro de Pisa e Paulo o Diácono, da Itália, Teodulfo, da Espanha, e Einhard, da Alemanha, o qual, mais tarde, foi seu primeiro biógrafo. Essas nomeações faziam parte de um plano inteiramente deliberado para o renascimento romano, tanto mais notável por ter partido de Carlos

---

7. Escavações na Alemanha após a Segunda Guerra Mundial mostraram que edifícios como esse também foram construídos ali. Exemplos de igrejas compridas, sem naves laterais e terminando num coro quadrangular, são Echeternach, c. 700, S. Salvador (Abdinghof) Paderborn, mencionada em 770, a primeira catedral de Minden, etc.; exemplos de *porticus*: S. German em Speier, século V, e os primeiros edifícios em Romainmôtier, na Suíça, de c. 630 e c. 750, bastante conhecidos.

23. Ingelheim, palácio de Carlos Magno, c. 800

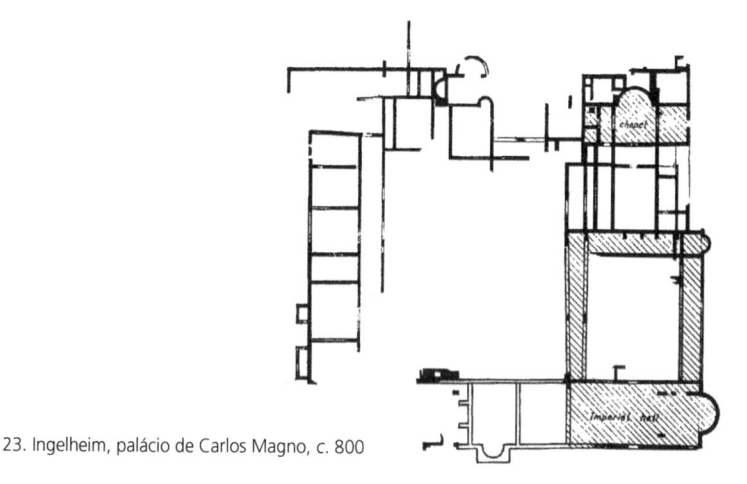

Magno, que só aprendeu a ler e escrever já adulto, que tinha uma existência não menos dissoluta do que a de seus antecessores merovíngios e que, por inclinação natural, era um guerreiro e um administrador mais do que um patrono da instrução e das artes. O estilo e caráter da arquitetura construída para ele e seus sucessores é a imagem do seu programa. Seus palácios – ele não tinha capital fixa – com sala, capela e uma fileira de quartos, têm um plano evidentemente inspirado no dos palácios dos imperadores romanos do Palatino; as vastas colunatas que ligam suas diferentes partes derivam das do Império Romano do Oriente. Para imaginar esses palácios é preciso recorrer às descrições existentes. De fato, de tudo aquilo sobrou apenas uma parte importante de um dos palácios de Carlos Magno: a capela palatina de Aachen (Aix-la-Chapelle), residência principal do imperador no fim de sua vida. Originalmente, uma colunata de quase 120 m de comprimento ligava-se à sala imperial (desta sobraram apenas grandes paredes sem decoração). Uma estátua eqüestre de Teodorico, saqueada de Ravena, foi colocada, significativamente, nesse pátio de entrada, rodeado de colunas. As colunas da capela e, sem dúvida, também a sua própria planta provinham da Itália. O arquiteto, com efeito, inspirou-se manifestamente em San Vitale. Mas como não havia sentido nos nichos côncavos, ele os suprimiu, estabelecendo, desse modo, uma separação nítida entre o octógno central e o deambulatório. Além disso, eliminou as

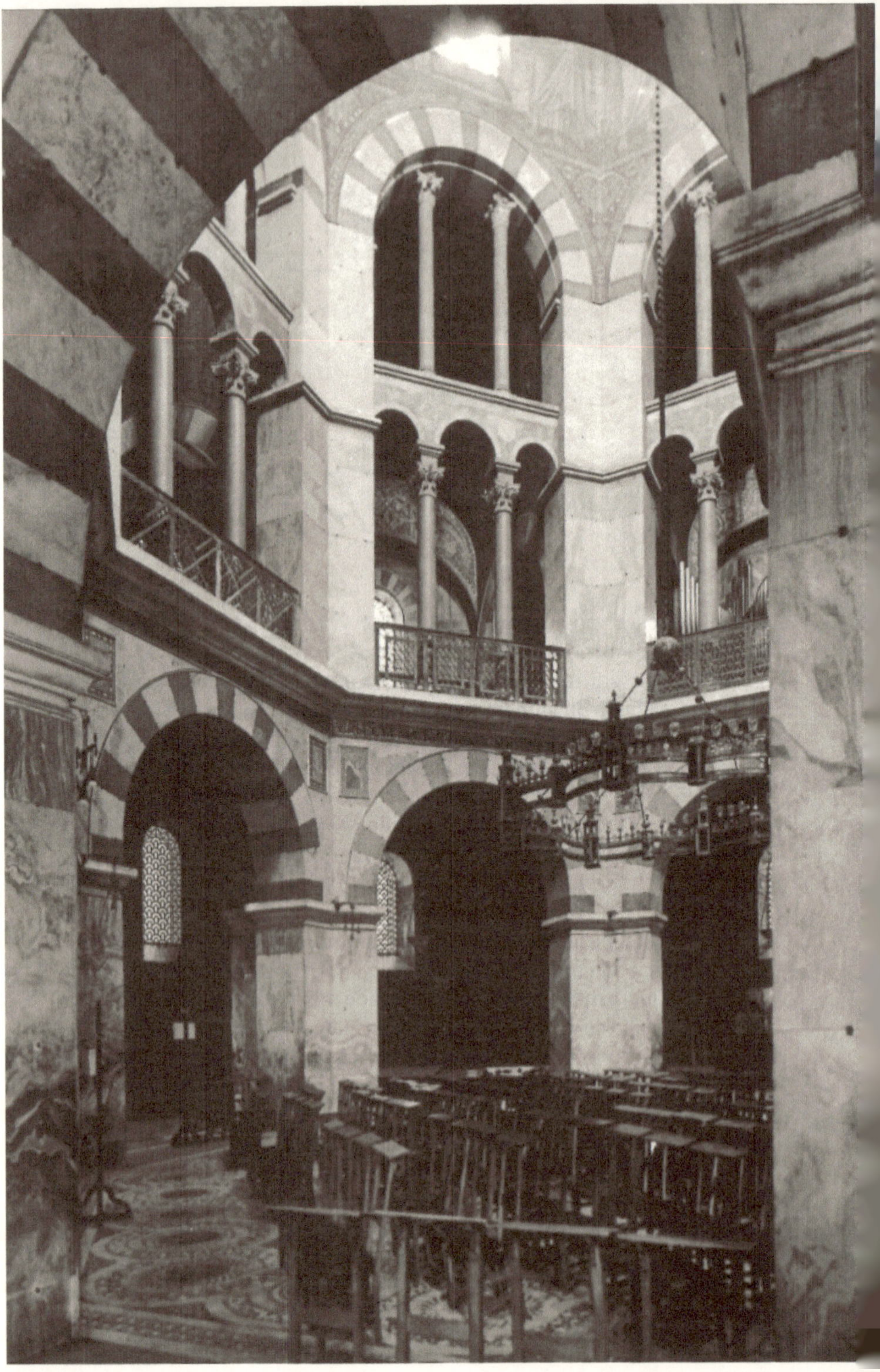

24. Aachen, Capela Palatina, consagrada em 805

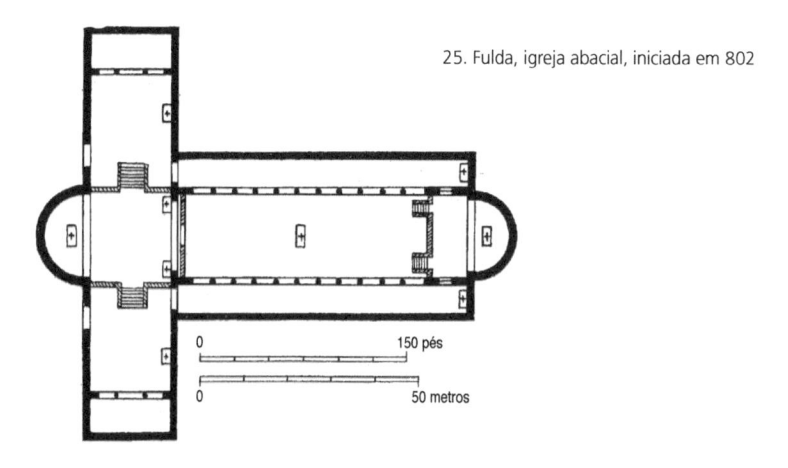

25. Fulda, igreja abacial, iniciada em 802

colunas no pavimento térreo. As amplas aberturas simples alternam-se com pilares baixos e maciços. A simplicidade e a solidez desse piso térreo (como ocorre no grande nicho da fachada) produzem uma impressão que nada tem a ver com a harmonia espacial sutil de San Vitale. No entanto, os andares superiores com suas colunas antigas polidas, superpostas em duas ordens, evocam algo da transparência e flutuação do espaço de uma unidade para a outra que fazem a beleza das igrejas de Justiniano.

A capela de Aachen resume a posição histórica da arquitetura carolíngia ao final do paleocristão e no começo do desenvolvimento do Ocidente. Concepções cristãs romanas são identificáveis em toda parte, mas ora surgem deformadas, ora rejuvenescidas pelo vigor ingênuo de uma juventude um tanto bárbara, inábil, sem dúvida, mas resoluta. Surpreendentemente o plano de algumas das maiores igrejas que conhecemos é puramente paleocristão. Assim, por exemplo, Fulda, iniciada em 802, deriva diretamente de São Pedro e de outras basílicas romanas com transeptos[8].

8. O próprio plano pode ter sido sugerido pela força de St. Denis, próxima de Paris, que parece que já possuía esse plano em 775, na época de uma consagração – exemplo bastante antigo das inovações carolíngias. No entanto, pode ter havido um precedente de Northumberland, ainda mais antigo, se se pode confiar nos planos publicados das escavações em Hexham (aparentemente mal manipulados e mal conservados). Eles mostram uma grande igreja com o mesmo tipo de plano, e não há razão para supor que não seja de Wilfrid, isto é, uma construção do século VII.

26. Abadia de Lorsch, entrada, final do séc. VIII

Não podemos saber como eram as decorações dessas igrejas neopaleocristãs. Mas o que resta da decoração exterior de um encantador hall de entrada da sala de recepção de Lorsch, na Renânia, um dos mosteiros favoritos de Carlos Magno, demonstra que devia ser algo muito elegante. A fachada é revestida por placas de pedra vermelha e branca, e há um sistema de semicolunas, ligadas por arcos, seguindo o sistema, por exemplo, do Coliseu romano, e encimadas por pequenas pilastras redondas. Tanto os capitéis como os triângulos que substituem os arcos (motivos derivados dos sarcófagos romanos e muito utilizados pelos anglo-saxões) não são ortodoxos. E mesmo assim o conjunto da fachada apresenta-se como uma paráfrase notavelmente civilizada dos motivos romanos ou cristãos primitivos.

Por outro lado, Centula (ou Saint-Riquier, perto de Abbeville) era, na maioria de suas características típicas do Norte, original e sem precedentes. Essa igreja, construída pelo abade Angilbert, genro de Carlos Magno, entre 790 e 799, não existe mais e só a conhecemos através de uma gravura reproduzida de um desenho do século XII e de uma descrição ainda mais antiga. Em primeiro lugar, no seu exterior, era dada a mesma ênfase às partes leste e oeste. Ambas eram fortemente marcadas por torres colocadas sobre os cruzamentos da nave e também por torres menores que comportavam escadas – um grupo variado e interessante, e muito diferente do campanário destacado, ou torre de relógio, comum nas igrejas da Itália, naquela época. Havia, a seguir, dois transeptos, um a oeste e outro a leste. A leste, a abside era separada dos transeptos por um coro propriamente dito (isto tornou-se quase um hábito nos séculos seguintes). A parte oeste tinha uma organização espacial bastante complexa, com um pórtico provavelmente baixo e abobadado, e uma capela acima, que se abria para a nave. Esse tipo de *westwork*, como é chamado na Alemanha, conservou-se relativamente bem em Corvey sobre o Weser, e Corvey, derivada de Corbie, na França, foi construída em 873-875. Antigas descrições demonstram a existência de *westworks* também na catedral de Reims e em outras igrejas importantes dos séculos IX e X.

Algumas das idéias aplicadas em Centula aparecem ainda na igreja de Abdinghof, em Paderborn na Vestefália, descoberta em recentes escavações. O próprio Carlos Magno mandou construir essa igreja como catedral. Tinha um altar consagrado em 799 pelo mesmo papa que coroou Carlos Magno. Tinha uma abside ocidental ladeada por torres semelhantes com escadas, um transepto oeste como em Fulda, e um coro a leste com abside, também como em Centula. O todo devia formar um conjunto dinâmico; o mesmo se poderia dizer de St. Gallen, na Suíça, se a igreja tivesse sido reconstruída conforme o plano original, muito interessante, em pergaminho. Este, por volta de 820, havia sido enviado por algum bispo ou abade, freqüentador da corte, ao abade de St. Gallen, como sendo um esquema ideal ("exemplar") para a reconstrução de todo o mosteiro. Também nesse caso a igreja apresenta, a oeste, uma abside, e mais dois campanários redondos destacados e um curioso átrio semicircular em torno da abside oeste; a leste, apresenta um coro curto com uma abside. Este plano assemelha-se de modo notável ao da catedral de Colônia, conforme demonstraram escavações recentes. A construção

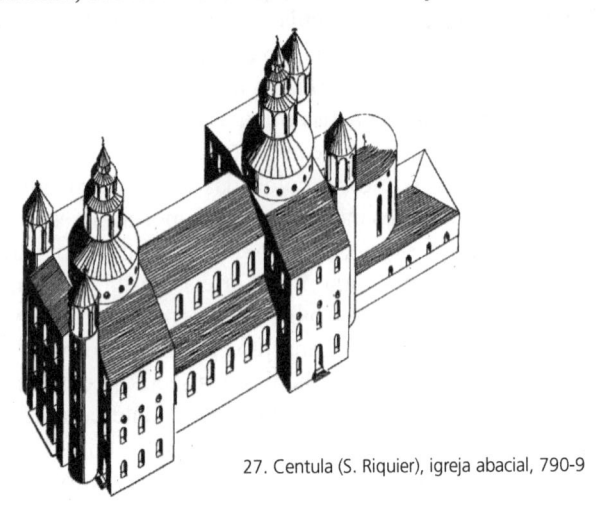

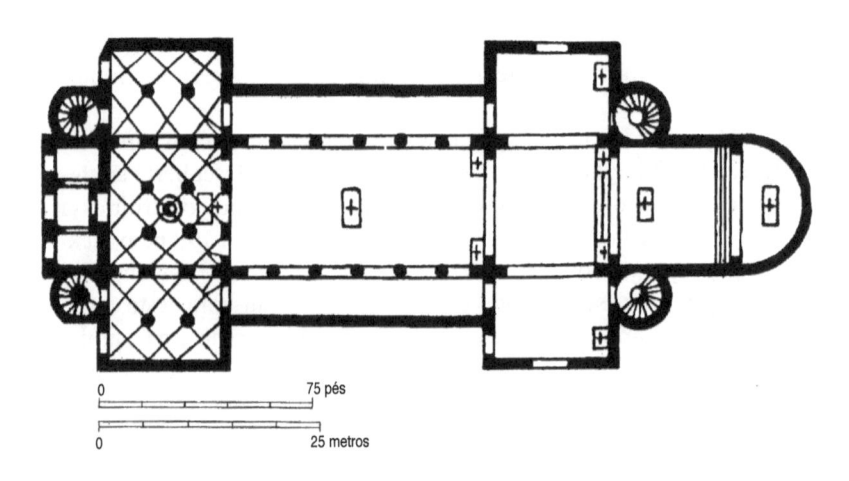

27. Centula (S. Riquier), igreja abacial, 790-9

foi começada no início do século IX, com um átrio semicircular ocidental, exatamente como o do plano, mas a seguir, em 870, ela foi concluída de modo diferente; também possuía um coro precedendo a abside leste.

No plano de St. Gallen, as celas monásticas estão dispostas ao redor da igreja segundo os princípios metódicos e humanos de São Benedito, de forma bem diferente dos planos do Egito ou da Irlanda, que têm muito de aleatório – um contraste característico entre os esquemas dos orientais e do Ocidente. Essa localização dos dormitórios, refeitórios e despensas servirá de modelo durante séculos.

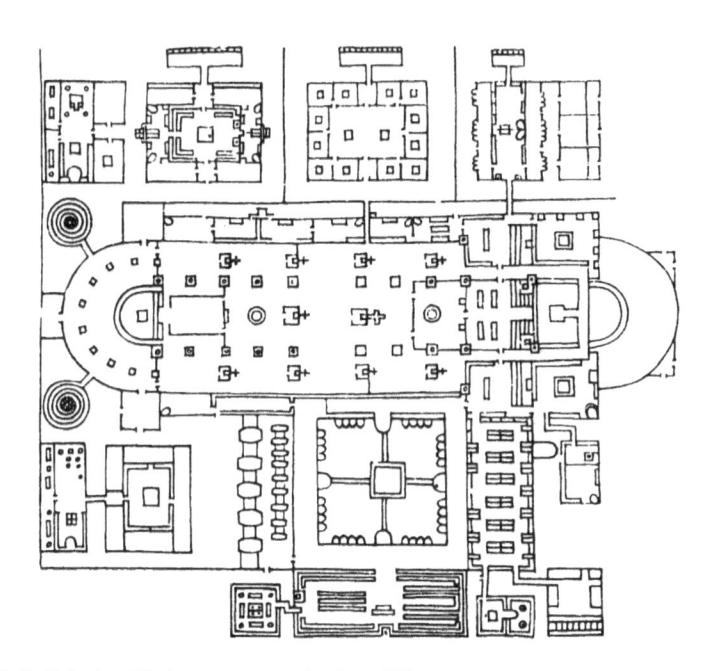

28. St. Gall, plano ideal para uma reconstrução, c. 820

Há um outro plano de igreja carolíngia bem diferente do que vimos até aqui: Germigny-des-Prés, perto de Orléans, consagrada em 806. Esta igreja, construída segundo plano bizantino em quincôncio, isto é, na forma de cruz grega inscrita, possui uma cúpula central elevada, braços abobadados e quatro abóbadas de canto, mais

29. Germogny-des-Prés, igreja, consagrada em 806

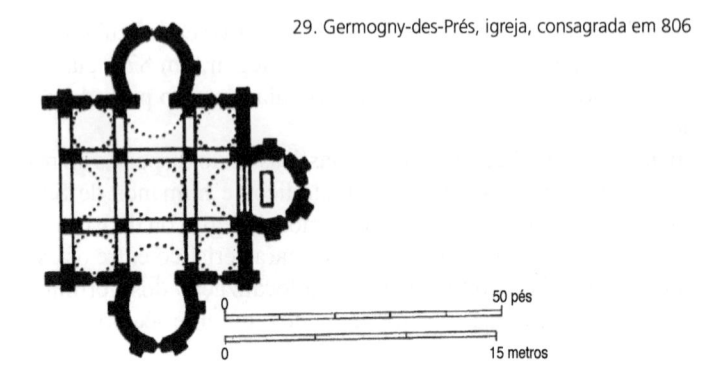

baixas. Possui, além da abside oriental, absides ao sul e ao norte, e as três são em forma de ferradura, como também os arcos do interior. A igreja foi mal restaurada, mas as formas de que falamos aqui são originais e indicam origens que não são nem romanas, nem germânicas. Para explicar essas formas pouco comuns, é necessário lembrar que Germigny foi construída por Teodulfo de Orléans que, como se sabe, provinha da Espanha. Os visigodos dominaram a Espanha desde o início do século V até o início do século VIII, quando o avanço do Islã pôs fim à sua hegemonia. Sabemos pouco sobre

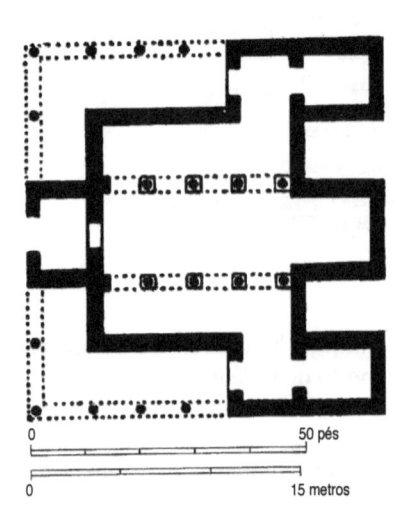

30. S. Juan de Baños, consagrada em 661 (a parte ocidental foi posteriormente alterada)

31. S. Maria de Naranco, perto de Oviedo, c. 842-8

a arquitetura dos visigodos, mas um vestígio precioso é constituído por partes de um grupo de três pequenas igrejas em Tarrasa, na Catalunha. Esse modo de agrupar as igrejas, duas longitudinais e uma central entre elas, era uma tradição das primeiras igrejas, que logo foi abandonada. Restam raros exemplos, dos quais o mais notável, além de Tarrasa, é Grado, no litoral norte do Adriático[9]. Em Trier,

9. Exemplo posterior é S. Stefano, em Bolonha.

32. S. Maria de Naranco, perto de Oviedo, c. 842-8

descobriu-se um grupo com arranjo idêntico, porém em escala muito maior, que remonta ao século IV. Em Tarrasa, a igreja do meio deve datar mais ou menos do período entre meados do século V e fim do século VII. Seu plano é o mesmo de Germigny, excetuando-se o fato de ter apenas uma abside em ferradura. Tem também arcos (em elevação) em forma de ferradura; portanto, a origem espanhola de Germigny de Carlos Magno está fora de dúvida.

33. Earl's Barton, Northamptonshire, torre, séc. X ou começo do séc. XI ▶

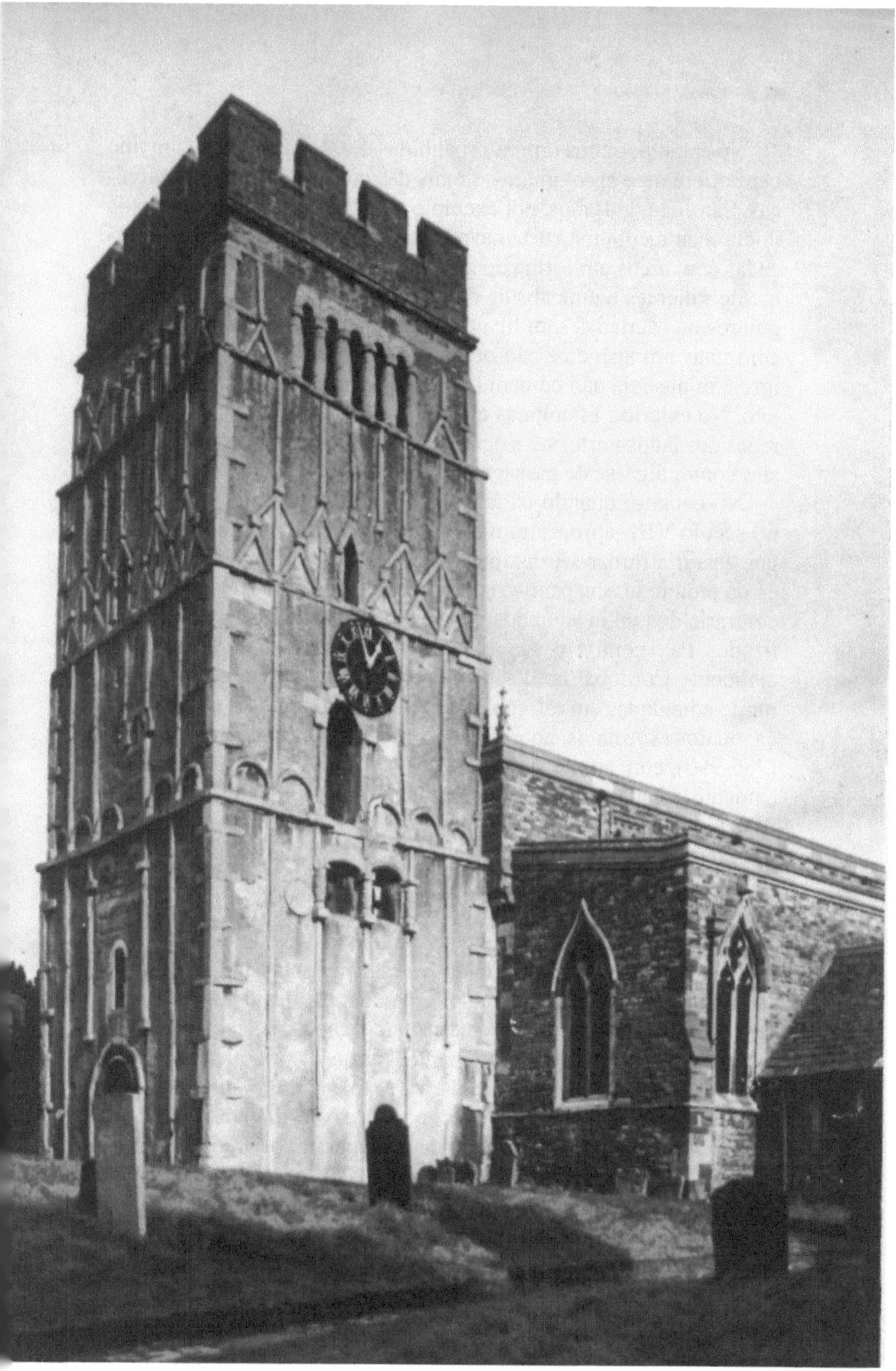

No entanto, outras igrejas espanholas dessa época são de um tipo bem diferente e aproximam-se mais das construções anglo-saxônicas. San Juan de Baños, por exemplo, consagrada em 661, consistia inicialmente em uma curta nave separada das naves laterais por arcadas com arcos em forma de ferradura, com transeptos exageradamente salientes e uma abside quadrada; a leste, duas capelas retangulares ou sacristias sem ligação orgânica com a abside e, a oeste, com mais um apêndice não-orgânico, um pórtico retangular. Nessa igreja minúscula não há nem fluidez espacial, nem unidade de projeto. No exterior, as colunas que, originalmente, margeavam as paredes dos lados norte, sul e oeste, são romano-bizantinas tardias, assim como, diga-se de passagem, o arco em ferradura.

No entanto, quando os árabes conquistaram o Sul da Espanha no século VIII, apropriaram-se de tal modo do tema da ferradura que esta iria tornar-se, durante vários séculos, a marca característica da arquitetura hispano-cristã sob influência árabe. Os árabes, ao contrário dos vikings ou dos húngaros, estavam longe de ser incivilizados. Pelo contrário, sua religião, sua ciência, suas cidades, especialmente Córdoba, com seu meio milhão de habitantes, estavam muito adiantadas em relação às dos francos do século VIII, na França, ou dos asturianos, ao norte da Espanha. A mesquita de Córdoba (786-990), com suas onze naves, de doze vãos cada uma, o entrelaçamento de suas arcadas, as complicadas nervuras de suas abóbadas em estrela, tem uma elegância delicada que se aproxima muito mais da transparência espacial de San Vitale do que da rudeza sólida do Norte.

Devido à sua proximidade do refinamento mourisco, os asturianos demonstram, aqui e ali, uma certa leveza que não existe em nenhuma outra construção cristã da época. Em Santa Maria de Naranco, perto de Oviedo, por exemplo, os contrafortes exteriores arredondados – como elementos da estrutura da construção e motivos de decoração lembravam, remotamente, Roma – e a delicada arcada, no interior, que separa o coro da nave, formam um surpreendente contraste com a pesada abóbada de berço, os estranhos medalhões em forma de sinete ou de escudo de onde partem os arcos duplos da abóbada e os fustes espiralados e desajeitados que alinham, ao longo das paredes, seus grosseiros capitéis feitos num único bloco.

Esta construção tem, aliás, um interesse particular, na medida em que, provavelmente, foi projetada entre 842 e 848 para ser a sala do trono de Ramiro I, rei das Astúrias. É o único exemplo desse tipo de construção da Alta Idade Média que ainda subsiste. Comporta um porão ou cripta baixa e abobadada e, no andar superior, a sala propriamente dita, agora nave da igreja. Chega-se a ele por escadas exteriores que conduzem a pórticos situados no meio de cada um dos compridos lados do edifício. Originalmente, havia, tanto a oeste como a leste, *loggias* abertas que comunicavam com o recinto principal através de arcadas, das quais, como se viu, apenas uma se conservou. O coro atual é, de fato, uma dessas *loggias*, cujas aberturas foram muradas.

É inútil procurar sutilezas como essas na arquitetura britânica dos séculos IX e X. Onde as construções permaneceram tais como eram, ou quase, podemos perceber que seus projetos eram tão incoerentes e estranhos quanto os das construções dos anos 700. É verdade que se podem encontrar, mais freqüentemente, verdadeiras naves laterais, uma organização cruciforme com transeptos e uma espécie de cruzeiro. Também aparecem torres, na extremidade oeste das igrejas, onde antes havia pórticos. As mais antigas parecem datar do século X. No entanto, a decoração, comparada àquela tecnicamente perfeita das cruzes de Ruthwell e Reculver, foi-se degradando. Exemplos típicos são Bradford-on-Avon e a torre de Earl's Barton. Em Bradford, o grupo de arcadas cegas tem pilastras baixas sem nenhuma conicidade e toscos blocos oblongos no lugar dos capitéis. Em Earl's Barton, a única parte estrutural da decoração é o destaque dos três andares através de cordões em toda a volta. Tudo o mais, isto é, as tiras que parecem madeira e que estão dispostas verticalmente em fileiras como pés de feijão ou, mais acima, em losangos toscos, não tem qualquer significado estrutural. No entanto, a relação entre esses motivos e a arquitetura carolíngia é a mesma que havia entre a decoração asturiana e o estilo muçulmano. Mas, enquanto a proximidade cotidiana das civilizações árabe e espanhola fazia nascer o idioma misto de Naranco e o estilo moçárabe do século X, os construtores britânicos reduziam os motivos romanizantes da decoração carolíngia a uma rusticidade deselegante. A decoração denteada da parte superior da torre de Earl's Barton, e de tantas outras torres inglesas da época, é uma outra indicação da rusticidade do espírito e da inabilidade manual desses últimos arquitetos anglo-saxões, se é que se pode chamá-los de arquitetos.

## 2. O ESTILO ROMÂNICO
c. 1000-c. 1200

Em menos de trinta anos após a morte de Carlos Magno, seu império foi dividido. A partir daí, a França e a Alemanha deveriam trilhar caminhos diferentes. As duas nações foram agitadas por lutas internas: condes contra condes, duques contra duques. Por outro lado, vindos do exterior, os vikings devastavam o Noroeste – eram chamados de normandos na França, dinamarqueses na Inglaterra –, os húngaros ameaçavam o Leste, e os sarracenos – isto é, os árabes muçulmanos – ameaçavam o Sul. Nenhum progresso era possível nas artes e na arquitetura. O que conhecemos é quase tão primitivo quanto as obras merovíngias, embora ainda fossem empregadas formas que surgiram na época de Carlos Magno e seus sucessores imediatos. Essas formas, no entanto, eram utilizadas com uma mentalidade grosseira e rude. Além disso, considerando que o intercâmbio com a arquitetura romana não cessou completamente nos séculos carolíngios, este período, que vai de aproximadamente 850 a 950, parece ainda bárbaro.

No entanto, durante esses anos sombrios e perturbados, foram lançadas as bases da civilização medieval. O sistema feudal se desenvolveu, embora não se conheçam suas origens, até tornar-se a organização em torno da qual foi edificada toda a vida social da Idade Média, um sistema tão característico e único quanto a religião e a arte medievais, unindo estreitamente senhor e vassalo, e ao mesmo temo tão vaga, tão dependente de gestos simbólicos que, hoje, parece-nos impossível considerá-la um sistema. Ao término do século X, adquiriu sua forma final. Também nessa época, a estabilidade política foi restabelecida no império. Oto, o Grande, foi coroado em Roma em 962; na mesma época, o primeiro dos movimentos de reforma monástica irradiava-se, a partir de Cluny, na Borgonha. O grande abade Maïeul foi entronizado em 965, e foi por essa época que se criou o estilo românico.

Para descrever um estilo em arquitetura, é preciso descrever suas características próprias. Mas as características, por si sós, não constituem o estilo. É necessário que haja uma idéia central atuando em todas elas. Assim, podem-se reconhecer, isolados, na arquitetura carolíngia, muitos dos motivos essenciais da arte românica primitiva, aos quais somente uma nova combinação irá dar, mais tarde, seu inteiro significado.

No final do século X, as inovações mais significativas são as de planta térrea – sobretudo três delas, todas motivadas por uma nova vontade de articular e ordenar nitidamente os espaços. Este último traço é o mais característico. A civilização ocidental mal começava

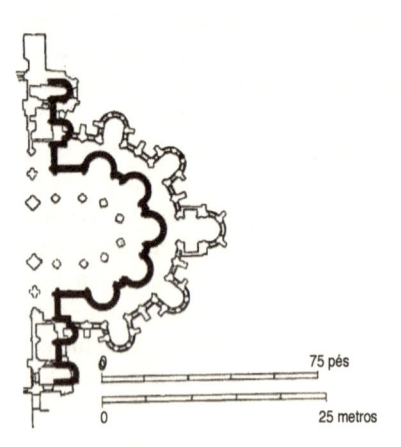

34. Tours, St. Martin. As partes em preto foram iniciadas em 997

a tomar forma e sua arquitetura já se expressava, nesse momento inicial de sua história, em termos de espaço, em oposição ao espírito escultural da arte dos romanos e dos gregos. O espaço torna-se organizado, planificado e agrupado, em oposição ao flutuar mágico do espaço da arte bizantina ou paleocristã. A parte oriental das igrejas românicas ordena-se segundo dois tipos principais, concebidos na França: o plano irradiante e o plano escalonado. Os mais antigos exemplos de plano irradiante de que dispomos encontram-se em Tournus e em Notre Dame de la Couture, em Le Mans, igrejas que datam dos primeiros anos do século XI. A origem desse tipo de igreja talvez remonte à igreja de Saint Martin, de Tours, um dos mais famosos santuários da cristandade, na forma em que foi reconstruída após o incêndio de 997 (consagrações em 1014 e 1020[10]). O plano escalonado aparece pela primeira vez em Cluny, aparentemente na abadia reconstruída pelo abade Maïel e consagrada em 981. As razões funcionais desses dois planos eram, de um lado, o desenvolvimento do culto dos santos e, de outro, o costume cada vez mais difundido entre os padres de dizer a missa diariamente. Tornava-se necessário um maior número de altares, e, para acomodá-los, a solução foi aumentar o número de capelas nas partes orientais das igrejas, isto é, as partes reservadas ao clero. Pode-se imaginar com que inaptidão os arquitetos anglo-saxões ou asturianos te-

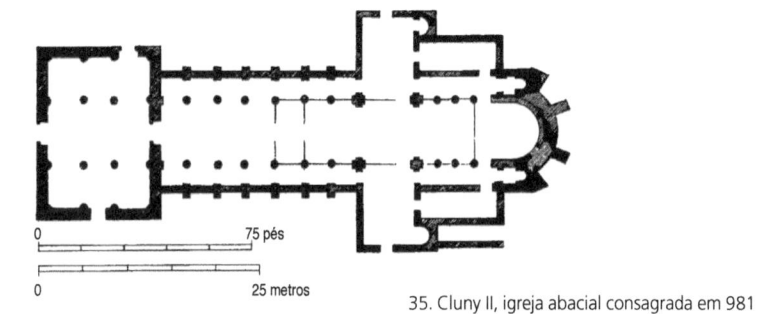

35. Cluny II, igreja abacial consagrada em 981

10. Mas alguns arqueólogos franceses atribuem o mesmo plano à reconstrução da catedral de Clermont-Ferrand em 946, e alguns arqueólogos americanos acham mesmo que sua origem remonta a uma reconstrução mais antiga em Tours, efetuada entre 903-918. Há dúvidas a respeito e para esclarecê-las seria preciso proceder às investigações no próprio local. O que é certo, no entanto, é que já na arquitetura carolíngia, especialmente em St. Philibert de Grandlieu (Déas) em 836-853, em St. Germain Auxerre em 841-859 e em Flavigny antes de 878, a forma de um deambulatório atrás da abside, com capelas de algum modo ligadas à parede, já tinha sido experimentada, ainda que apenas ao nível de cripta. Desenvolvimentos alemães paralelos são assinalados em Corvey, consagrada em 844, Verden, de c. 840, e talvez na catedral de Hildesheim. O passo entre essas soluções e o final românico parece ter sido pequeno, mas foi o passo de uma forma vaga para uma forma espacial firmemente determinada e padronizada. Sobre esse assunto, ver acima.

riam realizado os acréscimos. Mas o arquiteto dos novos tempos irá agrupar as diferentes capelas num todo único e coerente, quer criando um deambulatório ao redor da abside e acrescentando capelas radiais, quer prolongando, para além dos transeptos, as naves laterais terminadas em pequenas absides paralelas, ou quase paralelas, à abside principal; a tudo isso são acrescentadas duas ou mesmo três absides ao longo da parede oriental de cada transepto.

Quase no mesmo momento em que os franceses começavam a propor esses novos esquemas, na Saxônia, província situada no centro do império de Oto, e até a parte norte das montanhas do Harz, foi encontrado um outro sistema para articular o todo de uma igreja, sistema esse adotado pelos arquitetos da Europa Central durante os dois séculos seguintes. A construção da igreja de St. Michael em Hildesheim foi iniciada logo após o ano 1000. Esta igreja, desenvolvimento lógico das idéias aplicadas inicialmente em Centula, tem dois transeptos, dois coros e duas absides[11]. Uma disposição menos simplista e ritmicamente mais interessante vem substituir a monotonia da disposição paleocristã. St. Michael superou decisivamente Centula, com a nave dividida em três quadrados (não são quadrados perfeitos mas, sem dúvida, pretendia-se que fossem), e as naves laterais separadas da nave central por arcadas com alternância de suportes, pilares para acentuar os ângulos dos quadrados, e colunas intermediárias. Os cruzamentos da nave com os transeptos eram nitidamente individualizados através de arcos triunfais, não apenas a leste e a oeste como também ao norte e ao sul. Em construções posteriores, os transeptos também eram quadrados e as naves laterais consistiam em uma seqüência de quadrados. Em Hildesheim, no lado leste, um coro quadrado foi colocado entre o cruzeiro e a abside. Capelas ramificavam-se a partir dos transeptos, paralelamente à abside principal. Era uma planta complexa, mas plenamente dominada pela lógica de uma razão ativa e coerente.

Não sabemos quem concebeu esse sistema. Mas sabemos, e não há razões para duvidar, que St. Bernward, o bispo responsável pela

---

11. A ala ocidental tinha um deambulatório exterior ao redor da abside, tal como havia na Colônia carolíngia e tal como ainda existe em Brixworth. Em Hildesheim, ele abria para a cripta sob a abside e o coro através de pesadas arcadas e era – fato curioso – muito mais alto que a cripta. Tinha um entrada ocidental.

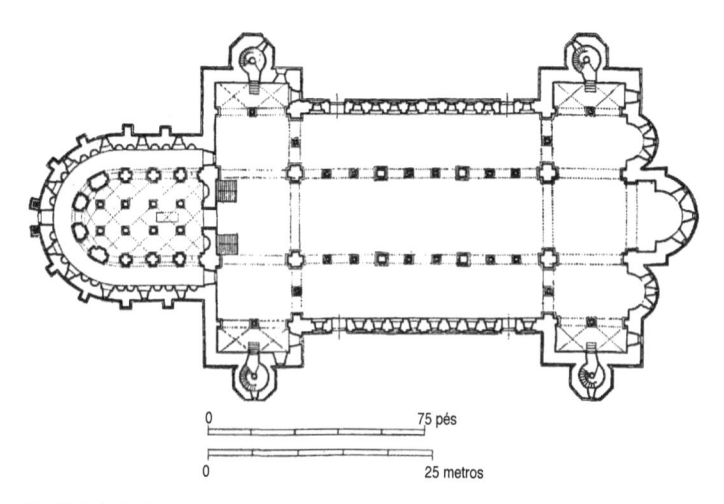

36. Hildesheim, St. Michael, c. 1000

construção de St. Michael, era, segundo seu biógrafo, uma pessoa "eminente na prática das letras, experimentada na arte da pintura, excelente na arte e na ciência da fundição do bronze, bem como em outros tipos de atividades arquiteturais". Sabemos também de Aethelwold, grande bispo inglês, que era um *theoreticus architectus*, versando na arte de construir e reparar mosteiros; de Benno, bispo de Osnabrück, no século XI, sabemos que era um "arquiteto de destaque, hábil projetista (*dispositor*) de trabalhos de construção". Temos também o projeto de St. Gallen, aproximadamente de 820, de que já falamos e que, manifestamente, fora concebido pelo abade ou bispo que o mandara executar. Estas e outras referências da época vêm justificar a hipótese de que enquanto todas as operações de construção propriamente ditas eram sempre confiadas a um artesão, a concepção de igrejas e mosteiros, no início da Idade Média, deve-se, muitas vezes, a sacerdotes – pelo menos na mesma medida em que Lord Burlington foi responsável pelo projeto de sua *villa* de Chiswick. Afinal, naquele tempo quase todos os literatos, os cultos, os inteligentes pertenciam ao clero.

A mesma tendência a uma articulação elementar que se revela nas novas plantas baixas pode ser encontrada nas elevações das igrejas do século XI. Em St. Michael de Hildesheim, o sistema de

37. Catedral de Ely, nave, séc. XII

alternância dos suportes, o ritmo *a-b-b-a-b-b-a* (sendo *a* um pilar quadrado e *b* uma coluna) serve para dividir as paredes em toda a sua extensão e, em última análise, o próprio espaço por elas delimitado, em unidades distintas. Este tornou-se o sistema habitual na arquitetura românica da Europa Central. No Ocidente, particularmente na Inglaterra, um outro método igualmente eficaz foi desenvolvido com a finalidade de se obter o mesmo efeito, método criado na Normandia no começo do século XI. Os normandos, nessa época,

38. Castelo de Hedingham, Essex, c. 1140

tinham vivido no Noroeste da França havia cem anos, e de aventureiros vikings se transformaram em dominadores lúcidos, decididos e progressistas de um amplo território, adotando as realizações francesas que considerassem úteis – o que se aplica ao idioma francês, mais flexível que o seu próprio, ao feudalismo e à reforma de Cluny – impregnando-as com a energia de seu próprio espírito. Nos séculos XI e XII, conquistaram a Sicília e certas partes do Sul da Itália para ali criar uma civilização das mais interessantes, mistura de métodos administrativos normandos mais evoluídos e do pensamento e dos hábitos sarracenos. Nesse meio tempo, também haviam conquistado a Inglaterra e substituíram o modo de vida dos invasores do Norte que os haviam antecedido pelo seu próprio modo de vida, que era superior. O estilo normando em arquitetura é, nos países ocidentais, a versão mais consistente da primeira fase do românico, e, se exerceu uma forte influência na França no século XI, na Inglaterra fez mais do que isso: deu origem à arquitetura medieval inglesa. Não se pode discutir o estilo românico sem levar em consideração as catedrais e abadias normandas na Inglaterra. Os autores franceses freqüentemente se esquecem de que a plena realização do que foi iniciado em Jumièges por volta de 1040, e em Caen ao redor de 1056, deu-se em Winchester, em Ely, em Durham, para citar apenas algumas.

O novo princípio consistia em separar os vãos através de altas colunas, que se erguiam do chão até um teto inteiramente plano; a arte de projetar uma abóbada, com efeito, estava quase perdida. Assim, novamente, criou-se uma articulação que nos transmite, de imediato, uma impressão de certeza e estabilidade. Não há aqui hesitação, assim como não havia hesitação na política sem escrúpulos com a qual Guilherme, o Conquistador, submeteu a Inglaterra a fim de torná-la normanda. As formas utilizadas pelos arquitetos na construção de todos esses edifícios primitivos, eclesiásticos ou civis, são brutais, maciças e esmagadoramente fortes. A fortaleza normanda, outra forma arquitetural que os normandos trouxeram da França, é tão compacta quanto a igreja normanda, e demonstra o mesmo desprezo pela beleza. A mais antiga fortaleza conhecida é a de Langeais, no Loire. Foi construída em 992. As maiores são inglesas, como a White Tower, em Londres (36 m x 32 m), e a de Colchester, em Essex (46 m x 34 m), ambas do último terço do século XI. Sem dúvida, há razões de defesa para que as fortalezas sejam tão despojadas, mas era também uma questão de expressão, isto é, de estética, o que pode ser provado através da comparação com o transepto da catedral de Winchester (1080-1090, aprox.). Em Winchester, embora aberta por arcadas ao nível do chão e ao nível das galerias e, a seguir, por uma passagem estreita diante da janela do clerestório, a parede maciça continua a ser o elemento principal. Por toda parte vemo-nos submetidos à sua forte presença. As altas colunas são embutidas nela e são maciças como enormes troncos de árvores. As colunas das aberturas da galeria são curtas e robustas, seus capitéis são rudes capitéis cúbicos – a mais direta constatação de que, nesse ponto, alguma coisa de secção redonda tem que se ligar a outra de secção quadrada. A forma cúbica elementar é abandonada e substituída pelo capitel estriado, que se tornará a forma favorita do capitel anglo-normando, em sua forma primitiva. Esta simplicidade pertence tipicamente ao século XI; simplicidade de expressão que se traduz no emprego das formas mais simples.

39. Catedral de Winchester, transepto norte, c. 1080-90

Ao final do século, começaram a surgir mudanças, apontando no sentido de uma nova diferenciação. Começam a ser encontradas, por toda parte, formas mais complexas, mais variadas, mais vivas; talvez haja nelas uma força menor mas, em compensação, têm mais expressão individual. Começa agora a época de São Bernardo de Clairvaux (morto em 1153), que se tinha atribuído a tarefa de, enquanto pregador (foi um dos maiores da Idade Média), emocionar os corações, e não de expor as Escrituras; é a época de Abelardo

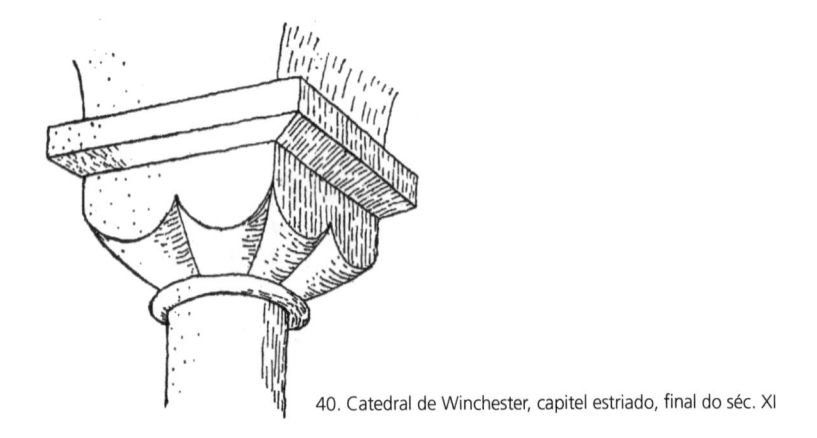

40. Catedral de Winchester, capitel estriado, final do séc. XI

(morto em 1142), o primeiro a escrever um relato autobiográfico de seus estudos e amores; na Inglaterra, é a época de Henrique II e de Thomas Becket (morto em 1170). Eles aparecem para nós como seres humanos, enquanto Guilherme, o Conquistador, aprece como um fenômeno da natureza, irresistível e impiedoso. Um pouco antes do ano 1100 – ano em que a cristandade ocidental se reúne em torno das bandeiras da primeira Cruzada – o trabalho pioneiro já estava realizado em arquitetura; o românico primitivo havia se transformado no românico clássico. Na Inglaterra, a catedral de Durham é o monumento decisivo. Foi iniciado em 1093 e recebeu as abóbadas da parte leste em 1104 e da nave em 1130. A nave parece mais alta do que na realidade é, uma vez que, em vez de ser coberta por um teto plano, como era costume na Inglaterra naquela época – e foi ainda durante algum tempo –, era coberta por uma abóbada ogival. Quando seguimos com o olhar, de baixo para cima, a linha das colunas, o movimento dos olhos não pára onde terminam as paredes, mas continua acompanhando as ogivas da abóbada. Em Durham, as abóbadas do coro (ora restauradas) são provavelmente as mais antigas abóbadas ogivais da Europa, o que justifica o lugar de destaque ocupado por essa construção na história da edificação.

As técnicas de engenharia tinham se desenvolvido consideravelmente durante o século que transcorreu entre os primeiros exemplos do estilo românico e 1100. Construir abóbadas de pedra sobre as naves das igrejas basílicas era a ambição desses artesãos, por uma questão de segurança contra incêndios nos tetos das igrejas, assim como por uma questão de estética. Os romanos souberam, em seu tempo, como fazer abóbadas de grandes dimensões. No Ocidente, até meados do século XI só se encontravam abóbadas nas absides e abóbadas de berço ou de aresta nas naves laterais. Podiam-se encontrar naves estreitas com abóbadas de berço ou abóbadas de aresta, onde não havia naves laterais (por exemplo, Naranco) e naves menores ainda, com abóbadas de berço, onde havia naves laterais[12]. Mas, agora, a técnica para cobrir com abóbadas as naves mais amplas de igrejas maiores fora dominada e – como sempre acontece quando uma inovação é a expressão plena do espírito de uma época – dominada separadamente por vários arquitetos talentosos, em vários centros de atividade de construção, mais ou menos no mesmo momento. A Borgonha permaneceu fiel às pesadas abóbadas de berço. As primeiras a aparecer na França datam do começo do século XI (andar superior do pórtico em Tournus); as de Cluny, quando este mosteiro, o mais grandioso da Europa, foi reconstruído por volta de 1100, tinham um vão de 12 m e uma altura de 30 m, aproximadamente. Speier, catedral imperial no Reno, recebeu nos anos 1080 suas primeiras abóbadas de aresta, que eram ainda mais compridas (14 m) e mais altas (32 m), e que são, de fato, as primeiras abóba-

---

12. Oratórios e criptas franceses, como os de S. Irineu em Lyon, século V, Glanfeuil, século VI, S. Germain em Auxerre, c. 850, e, fora da França, a ala oriental de S. Maria della Valle, em Cividale, século VIII ou IX, a capela de S. Zeno em S. Prassede, em Roma, c. 820, St. Wipert em Quedlinburg, na Saxônia, c. 930, e S. Martin du Canigou, na Catalunha francesa, 1009, um caso atrasado e não um pioneiro, e superestimado em sua importância histórica por Puig y Cadafalch.

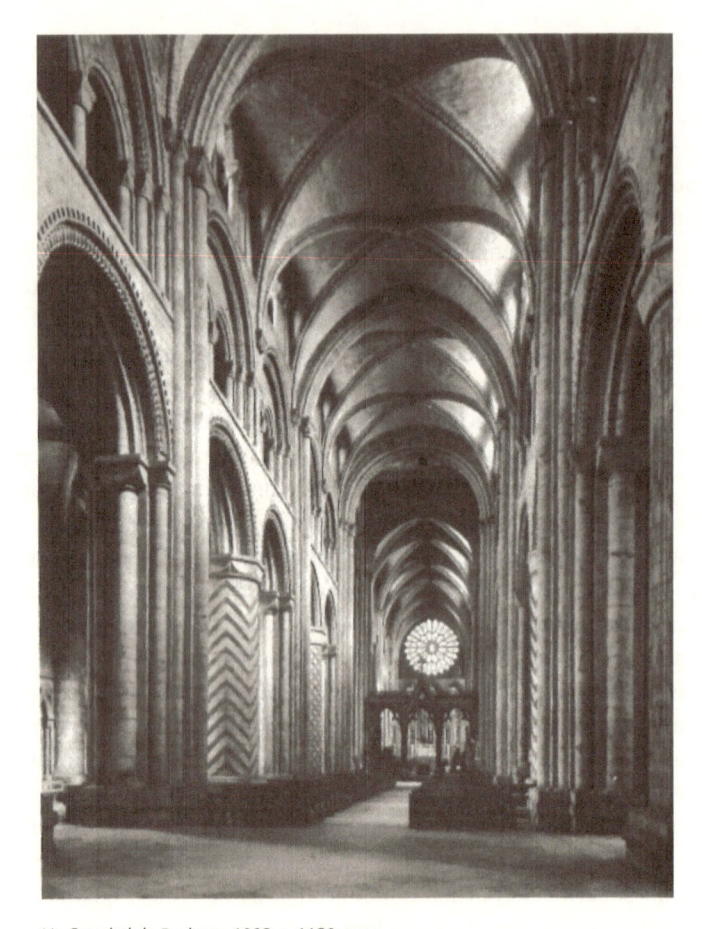

41. Catedral de Durham, 1093-c. 1130, nave

das de aresta construídas em escala tão grande na Europa da Idade Média; um pouco depois, surgiu Durham. Ainda há muitas controvérsias quanto às datas das abóbadas mais antigas (especialmente com respeito a Santo Ambrósio, em Milão; uns consideram suas abóbadas nervuradas um dos trabalhos pioneiros, enquanto outros a atribuem ao segundo ou terceiro quartel do século XII). No entanto, são indiscutíveis as poderosas iniciativas tomadas no decorrer da segunda metade do século XI.

As abóbadas de Durham são particularmente notáveis porque as abóbadas nervuradas, como que opostas às abóbadas de aresta sem nervuras, são geralmente consideradas um dos *leitmotiv* do estilo gótico. Sua vantagens estruturais, especialmente a possibilidade de erguer as nervuras e outros arcos antes e independentemente num cimbre separado, e depois preencher os espaços entre as nervuras com material mais leve, serão abordadas adiante. Como demonstrou John Bilson, essas vantagens já tinham sido plenamente conseguidas em Durham[13], embora nem por isso o estilo de Durham seja gótico. De fato, as inovações técnicas nunca fazem um novo estilo, embora possam ser aceitas e aproveitadas por ele. A principal razão que levou o arquiteto de Durham a introduzir um elemento tão expressivo como a abóbada de nervuras deve ter sido o próprio fato de esta abóbada, por ser tão expressiva, representar a realização última da tendência à articulação, tendência esta que animou os arquitetos românicos durante mais de um século. Agora o vão tornou-se uma unidade não apenas pelo sentido bidimensional das linhas de demarcação ao longo das paredes, mas também pelo sentido tridimensional acrescentado pelos arcos diagonais que atravessam a abóbada. No ponto em que os dois arcos se encontram, lá onde os arquitetos mais tarde colocarão a bossagem, reside o centro desses vãos unificados. Caminhamos através da catedral, não mais levados, sem interrupções, para o altar, como nas igrejas paleocristãs, mas passando de um compartimento espacial a outro, num ritmo novo e medido.

Em Durham, a abóbada de nervuras confere a toda a estrutura da igreja uma vivacidade que se opõe ao peso das paredes inertes que oprime tanto os interiores do século XI. Essa vivacidade encontra-se também no aspecto mais animado das arcadas e suas cornijas, e também na introdução de alguns motivos decorativos acentuados, particularmente o ziguezague. No entanto, apesar desta aceleração do ritmo, a arquitetura, em Durham, está longe de ser alegre ou dinâmica. Os pilares circulares das arcadas continuam a ter uma força dominadora e a própria importância de seus volumes é ressal-

---

13. *Archaeological Journal*, 1922, relatando os resultados de investigações realizadas em 1915. Faço uma menção explícita a esse periódico porque ele contradiz uma teoria erroneamente sustentada por mim e outros (E. Gall) no passado e ainda defendida nas primeiras edições deste livro.

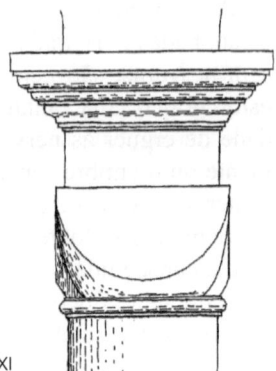

42. Hildesheim, St. Michael, capitel de bloco, início do séc. XI

43. Catedral de Canterbury, cripta, capitel de bloco decorado, c. 1120

tada por uma decoração muito simples em ziguezague, losangos ou caneluras, esculpida com todo o requinte em toda a superfície. Aliás, o fato de toda decoração em Durham ser abstrata não é típico da arquitetura românica em geral, mas apenas da arquitetura normanda da Inglaterra e da Normandia. A Alemanha, de fato, criou, ao final do século X, um tipo de capitel ainda mais rigidamente abstrato, aquele que chamamos de capitel de bloco, conhecido também pela designação menos significativa de capitel de almofada. Mas na França, na Espanha, na Itália, encontram-se inúmeros exemplos de capitéis com folhagens e com figuras ou cenas, que surgem no século X atingindo realizações notáveis na metade do século XI (San Pedro de Nave, Jaca, Saint Isidore Leon, Saint Benoît-sur-Loire). Na Inglaterra, o exemplo mais conhecido dessa técnica encontra-se, significativamente, no interior da cripta de Canterbury, que data aproximadamente de 1120. Através de Canterbury, o estilo do continente já se havia introduzido na Inglaterra nos anos 600: uma penetração análoga deveria manifestar-se em 1175. Os capitéis de

Canterbury têm decoração de folhagens e alguns até mesmo de animais, embora não inspirados diretamente pela natureza. Esses motivos, com efeito, derivam de livros de amostras conservados pelas corporações de pedreiros, compostos a partir de manuscritos com iluminuras, trabalhos em marfim, realizações anteriores da própria corporação, etc. A própria noção de originalidade era desconhecida, o mesmo acontecendo com a observação direta da natureza. O estilo como força de disciplina restrita impunha sua lei e não era discutido, do mesmo modo como não se discutia a autoridade na religião. Além disso, Durham parece mais humana do que Winchester e os capitéis do século XII parecem mais humanos do que os capitéis de bloco do século XI; do mesmo modo, a linguagem de São Bernardo nos parece mais humana e pessoal do que a dos teólogos anteriores.

O exterior da catedral de Durham oferece aos olhos um dos mais belos espetáculos da Inglaterra. Flanqueada em um dos lados pelo castelo episcopal, a igreja se ergue diante de nós no cume de uma alta colina arborizada; o peso de sua poderosa torre, situada sobre o cruzeiro, é equilibrado pelas suas torres mais delgadas, a oeste. Elas não são normandas em sua forma atual. As torres do oeste datam do século XIII e a torre central (outrora encimada por uma flecha) é do século XV. No entanto, geralmente as torres eram previstas pelos arquitetos desde o começo, e onde chegaram a ser construídas elas terminam em flechas de altura média, como as de Southwell, por exemplo. O exterior das igrejas românicas, portanto, diferia tanto do exterior das igrejas paleocristãs quanto do seu interior. Enquanto em S. Apollinare Nuovo o exterior tinha pouca importância (mesmo as torres erguidas separadamente do corpo da igreja), algumas igrejas carolíngias e a maioria das igrejas românicas maiores eram projetadas para ostentar variedade e grandiosidade tanto no exterior quanto no interior. S. Miguel de Hildesheim, com seus dois coros, torres sobre os dois cruzeiros e torres menores com escada, em ambas as extemidades dos dois transeptos, é o exemplo mais antigo que subsiste, de um interior verdadeiramente românico.

A Alemanha foi muito importante para o desenvolvimento das artes e da arquitetura no começo do século XI. Era a época do poder otoniano e sálico, antes que o imperador Henrique IV tivesse que se humilhar diante de um papa da ordem de Cluny. Nada, na arte ita-

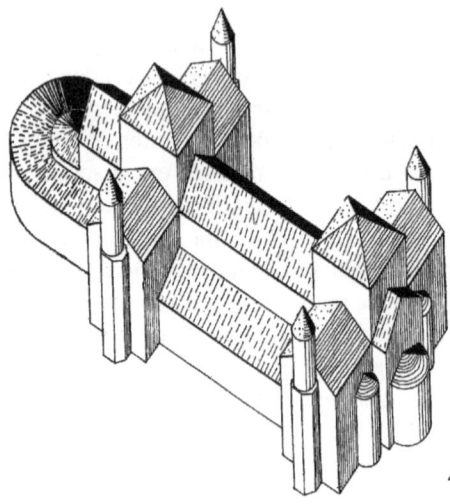

44. Hildesheim, St. Michael, c. 1000, reconstrução

liana ou francesa, pode rivalizar com as portas em bronze da catedral de Hildesheim. Também na arquitetura, Speier, como já dissemos, tinha uma das mais antigas naves em abóbada da Europa. Essas abóbadas eram elementos acrescentados à catedral, construída entre 1030 e 1060 e que, originalmente, apresentava apenas um teto plano em madeira. As vigas-mestras desse teto repousavam sobre fustes de altura impressionante, que se erguiam retos e rigorosamente uniformes em cada vão. Nos panos da parede, entre os fustes, abriam-se grandes arcos cegos formando uma arcada que abraçava embaixo as aberturas para as naves laterais e, em cima, as janelas do clerestório. Este modelo grandioso e austero deriva, com toda a certeza, da arquitetura romana tardia de Trier. Em Colônia, a principal realização da época, Santa Maria no Capitólio (iniciada por volta de 1030), foi igualmente audaciosa e despojada de ornamentos. Sua abside leste com deambulatório repete-se nas extremidades norte e sul do transepto, o que resulta num trifólio com grandes braços cobertos por abóbada de berço e um mínimo de decorações esculpidas, para não desviar a atenção desse conjunto majestoso

45. Caen, St. Etienne, iniciada em c. 1067

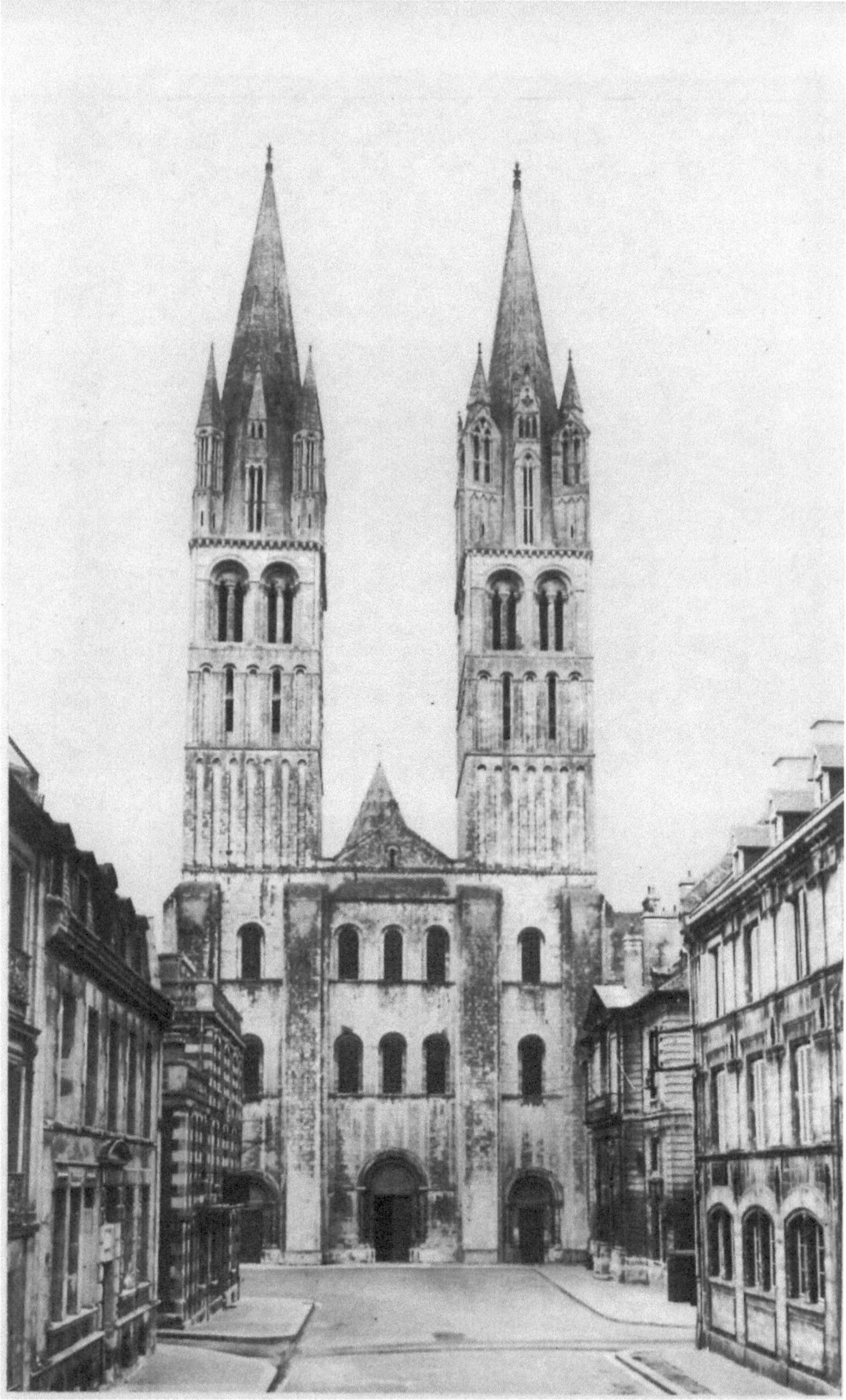

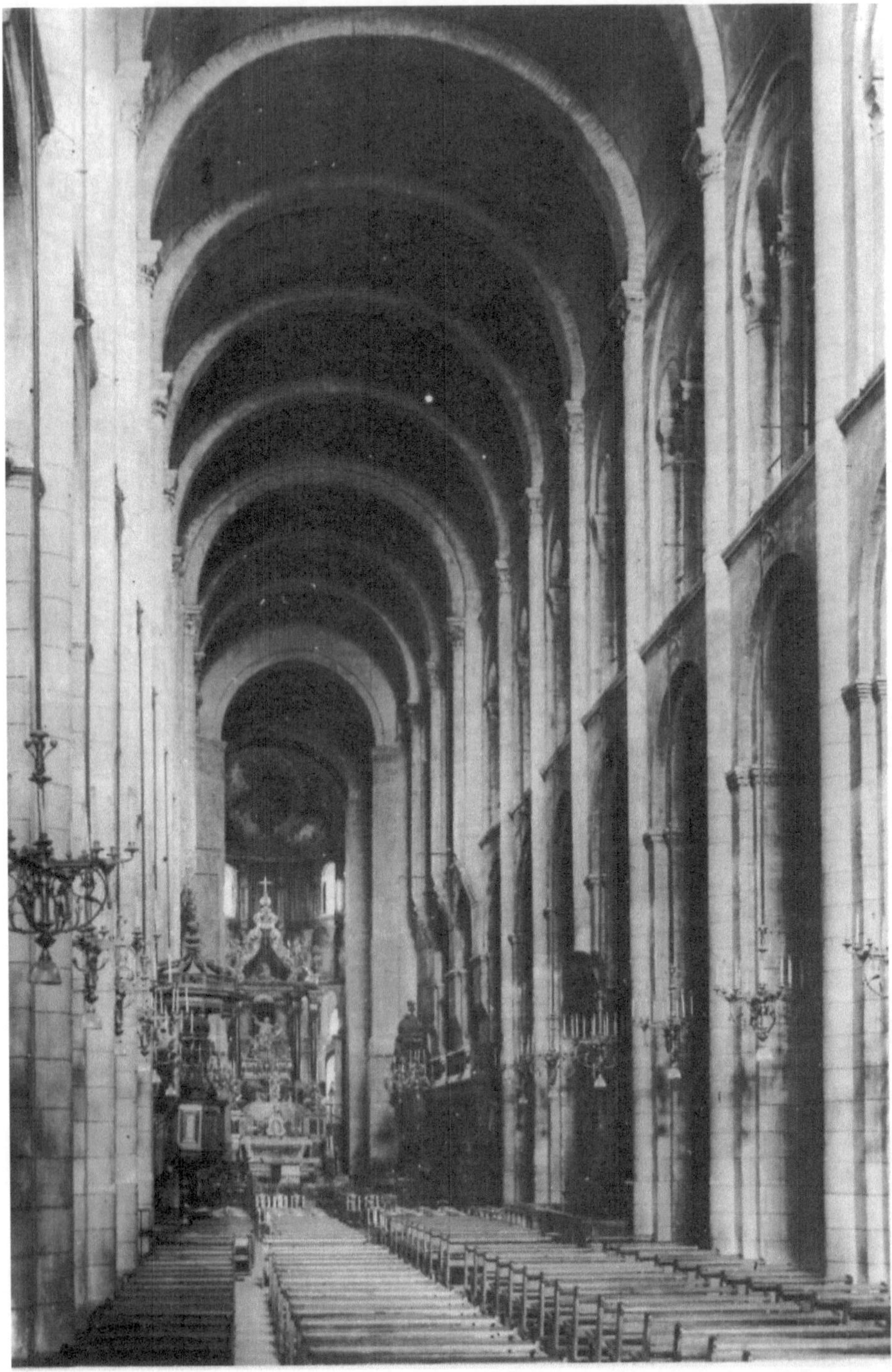

que aponta vigorosamente tanto em direção ao passado bizantino quanto ao futuro renascentista.

Um outro elemento, ainda mais importante para o futuro da arquitetura européia, é a fachada com duas torres. Esse elemento, ao que parece, também foi utilizado pela primeira vez na Alemanha do século XI. Aparece pela primeira vez na catedral de Estrasburgo, na forma que tinha em 1015. Esse tema foi, porém, imediatamente retomado pela mais ativa das províncias francesas, a Normandia. De Jumièges (1040-1067) e das duas abadias de Guilherme, o Conquistador, em Caen (La Trinité, iniciada em 1602, e Saint-Etienne, iniciada em 1067), chegou à Inglaterra.

Talvez não devêssemos falar da França enquanto nação nos séculos XI e XII. O país ainda estava dividido em territórios separados que guerreavam entre si e, com isso, não havia uma escola de arquitetura única como já existia na Inglaterra, graças aos reis normandos. Na França, as mais importantes escolas são as da Normandia, de Borgonha, de Provence, da Aquitânia (i.e., generalizando, todo o Sudoeste), de Auvergne e de Poitou. Os hábitos relativamente estáticos dessas regiões eram cortados por uma forte corrente, vinda do Norte e do Oeste da França, descendo em direção ao Noroeste da Espanha; era a corrente das principais rotas de peregrinação. Na Idade Média, com efeito, as peregrinações eram o principal meio de comunicação cultural e a sua influência no planejamento das igrejas é evidente. Ela pode ser vista de Chartres, para a Espanha, via Orléans, Tours, Poitiers, Saintes; ou de Vézelay, via Le Puy e Conques, ou por Périgueux para Moissac e Espanha; ou de Arles para Saint-Gilles e daí para a Espanha. A meta era Santiago de Compostela, santuário tão célebre quanto Jerusalém e Roma. A ordem de Cluny representou importante papel no desenvolvimento desses itinerários, embora as principais igrejas de peregrinação – Saint-Martial em Limoges (praticamente terminada em 1095 e atualmente destruída); Saint-Sernin em Toulouse (iniciada por volta de 1080, é a de exterior maior); a própria igreja de Santiago (iniciada em 1077) – tivessem em comum certos traços que, paradoxalmente, diferem dos traços da própria Cluny. São altas e sombrias, com galerias sobre as arcadas, e abóbadas de berço sobre as galerias e, portanto, sem as janelas do

◀▥ 46. Toulouse, St. Sernin, iniciada em c. 1080

47. Toulouse, St. Sernin, coro, consagrada em 1096

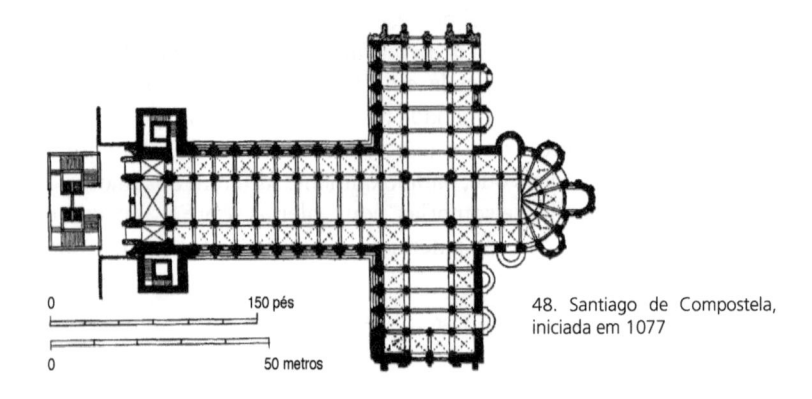

48. Santiago de Compostela, iniciada em 1077

O ESTILO ROMÂNICO **65**

49. Cluny III, igreja abacial, final do séc. XI, início do séc. XII. Reconstrução por Kenneth John Conant

clerestório. Suas extremidades leste são construídas segundo o sistema de Tours, com deambulatório e capelas radiais; e, de fato, Tours tem sido considerado como modelo.

Seja como for, insisto, Cluny não foi o modelo. A abadia de Cluny, tal como foi reconstruída ao final do século XI (altar principal consagrado em 1095) e no começo do século XII (ela foi destruída pelos próprios franceses em 1810) apresentava dois transeptos, coisa que, mais tarde, se tornaria a regra nas catedrais inglesas[14]. Cada in-

---

14. Agradeço à Medieval Academy of America e ao professor Conant por me permitirem reproduzir a sua maquete.

50. Catedral de Autun, começo do séc. XII

tersecção de transeptos era encimada por uma torre octogonal. O transepto ocidental, o mais importante, apresentava, além disso, à esquerda e à direita do cruzamento, duas torres octogonais (uma delas conservou-se até hoje) e, sobre cada um dos braços, duas pequenas absides nas faces orientais. O transepto oriental também tinha quatro absides. Além disso, a abside do coro tinha um deambulatório com cinco capelas radiais. Assim, vista pelo leste, a igreja elevava-se gradualmente e numa lenta progressão cuidadosamente calculada, desde as capelas baixas que se irradiavam a partir do deambulatório, passando pela abside principal, pelo teto do coro e pela torre sobre o cruzeiro oriental, até a torre mais alta, um pouco mais longe, a oeste. Essa estrutura era tão complexa, tão polifônica, que não poderia ter sido concebida em séculos anteriores, no Ocidente, e os gregos seguramente a teriam detestado. No entanto, ela é, sem dúvida, a expressão do mais alto momento da cristandade medieval, quando se afirma a superioridade da tiara papal sobre a coroa imperial e quando os cavaleiros da Europa eram convocados para defender a Terra Santa na primeira Cruzada, em 1095.

Uma outra característica de Cluny que também a distinguia das outras igrejas das rotas das peregrinações é típica da Borgonha: a elevação interior com suas grandes arcadas em ponta, seu falso trifório (isto é, não há galeria) e suas janelas de clerestório. Talvez pela primeira vez na Europa, os arcos transversais da abóbada de berço também eram ogivais. Os detalhes, sobretudo os do trifório, mostram um curioso conhecimento dos precursores romanos; e, de fato, fragmentos romanos podiam ser facilmente estudados na Borgonha. Os motivos romanos tais como as pilastras com caneluras, os arcos ogivais, a abóbada de berço e o trifório substituindo a galeria, também caracterizam a catedral de Autun, que data do começo do século XII. A esplêndida igreja da Madalena, em Vézelay, que é mais ou menos da mesma época, nem mesmo tem trifório, apresentando simplesmente uma arcada e um grande clerestório. Aqui, as abóbadas são de aresta, como em Speier. Supunha-se que as relíquias de Madalena estivessem na igreja, o que fez dela um lugar de peregrinações. Uma cidadezinha estende-se a seus pés, chegando até suas paredes, que se elevam no alto da colina. O acesso principal se faz através de um nártex de três vãos (motivo de Cluny), passando por um dos mais turbulentos portais românicos de esculturas figurativas.

51. Vézelay, La Madeleine, começo do séc. XII

Mas a nave nada tem dessa violência. Com seu coro distante, mais tardio e mais leve, seu comprimento de aproximadamente 60 m (do nártex ao cruzeiro), sua nave de uma altura incomum, seus arcos em pedra cinza e rosa, alternadas, a profusão inesgotável de capitéis cobertos por cenas bíblicas, ela possui proporções nobres e uma magnificência altiva, sem ser menos vigorosa do que Durham.

Além da escola da Borgonha, importante mas sem muita unidade, as outras escolas regionais da França apresentam características

52. Jumièges, igreja abacial, iniciada em c. 1040, consagrada em 1067

53. St. Savin-sur-Gartempe, começo do séc. XII

mais claras e mais consistentes. As igrejas de Auvergne são muito parecidas com as igrejas de peregrinação, embora a lava escura as torne ainda mais sombrias. Suas características regionais específicas (quatro capelas radiais em vez de três ou cinco e um curioso alçamento dos vãos interiores dos transeptos de modo a permitir um apoio, ao norte e ao sul, para as torres do cruzeiro) não têm uma significação maior. As outras escolas são mais individuais. As igrejas da Provence são proporcionalmente altas e estreitas e com abóbadas de berço ogivais. Quando têm naves laterais, estas são estrei-

54. Angoulême, catedral, começo do séc. XII

tas e com abóbadas de berço ou meio-berço. Não têm galerias mas, sim, janelas de clerestório. Os detalhes da decoração evidenciam, como na Borgonha, ou mais ainda, um ressurgimento clássico (o que não surpreende numa região tão rica em resquícios romanos).

Na Normandia, até os fins do século XI, isto é, até a época das abóbadas nervuradas de Durham, parece que os principais espaços foram deixados com teto de madeira. Em Jumièges, como em Saint-Etienne de Caen, encontramos galerias espaçosas e grandes clerestórios. As vigas-mestras, como vimos antes, eram exatamente como as de Speier, colocadas sobre colunas semelhantes a mastros que iam do chão até o teto.

A abóbada mais antiga parece ter sido a abóbada de aresta sobre o coro da igreja da Trindade, em Caen, que data dos últimos anos do século XI. Logo após ter sido empreendida a abóbada nervurada de Durham, época em que foram substituídos os tetos das duas igrejas de Caen, a Trinité e Saint-Etienne, passou-se a utilizar a abóbada sexpartida e não quadripartida. Esse sistema permitia que os vãos fossem quadrados como automaticamente eram nas abóbadas de aresta, e ao mesmo tempo dava-lhes seis pontos de apoio em vez de quatro. Essas abóbadas sexpartidas datam de 1115-1120, aproximadamente.

No Poitou, desenvolveu-se um sistema inteiramente diferente. As naves laterais são mais estreitas e atingem a mesma altura da nave principal. Portanto, não há galerias nem clerestórios. Esse sistema, designado com um termo alemão que significa "igreja-salão", torna os interiores sombrios e austeros, mas parecem impressionantemente francos, honestos. A mais espetacular dessas igrejas é Saint Savin, cuja nave central e cujas naves laterais são recobertas por abóbadas de berço paralelas e separadas entre si por uma arcada de pilares circulares muito altos e muito lisos que formam uma ala um tanto ameaçadora. A sua construção, que data do século XII, é, portanto, posterior às igrejas do oeste da Inglaterra que também adotavam arcadas com altos e maciços pilares circulares (Tewkesbury, 1087, Gloucester, etc.). É uma concepção impressionante, cuja origem seria interessante determinar.

Enfim, é preciso mencionar uma outra escola regional francesa importante, a da Aquitânia, tendo como centro Angoulême e Périgueux. Ali, a preferência era pelas igrejas sem naves laterais – só ocasionalmente há naves laterais da mesma altura que a nave central – divididas em vários vãos cobertos por cúpulas, com ou sem transepto, com ou sem absides, com ou sem capelas radiais (nunca com deambulatório). A majestade solene de suas cúpulas é incomparável. Esta tendência para a centralização, que surge sempre que a cúpula é utilizada, culmina com Saint Front, em Périgueux, onde na primeira metade do século XII foi tomada a decisão de construir uma edificação puramente centralizada (bastante rara na Alta Idade Média), através da eliminação da seção ocidental da nave principal de uma igreja aquitaniana, sem naves laterais, e já com transeptos. Desse modo, obteve-se uma cruz grega com um quadrado no centro

O ESTILO ROMÂNICO **73**

55. Périgueux, St. Front, metade do séc. XII

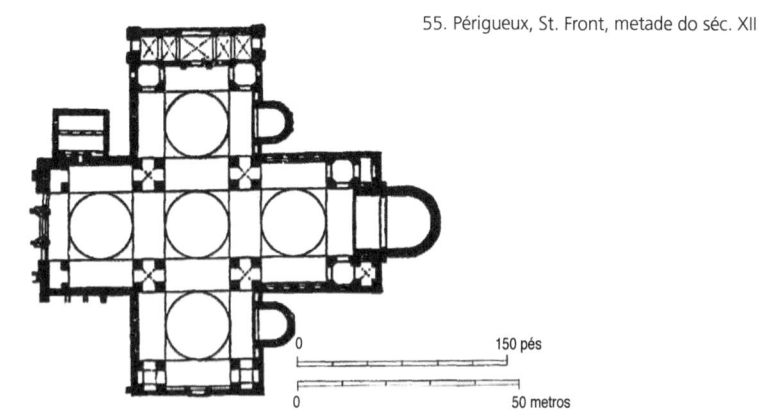

e quatro quadrados formando os braços. Cada quadrado, por sua vez, também tem à sua volta pequenos braços e é coberto por uma grande cúpula. O interior da igreja, pois o exterior foi mal restaurado, é a expressão clássica da clareza e determinação românicas. Com exceção de algumas arcadas ao longo das paredes, não há, em parte alguma, decoração esculpida. Esse sistema remonta a Justiniano e foi criado para o seu mausoléu, a igreja dos Santos Apóstolos, da qual nada restou. Os venezianos inspiraram-se nela quando iniciaram a reconstrução de São Marcos, em 1063. Aliás, é impossível saber se Périgueux inspirou-se em Bizâncio ou em Veneza. A impressão que se tem no interior de São Marcos é, com certeza, completamente diferente da que se tem em Périgueux. Veneza, a mais oriental e a mais romântica de todas as cidades européias, o mais próspero centro de comércio com os países do Oriente, havia dotado sua mais grandiosa igreja com toda a magia oriental: mosaicos, capitéis ricamente decorados, arcadas separando o centro dos braços da cruz e relações espaciais dissimuladas no sentido em que vimos em Ravena. Em Périgueux desfaz-se esse encanto suspeito e a igreja surge em sua pureza e sua nitidez, notável apenas por sua nobreza arquitetônica. São Marcos pertence à arquitetura oriental; Périgueux à ocidental, e há mesmo algo prodigiosamente romano em sua nudez. Não surpreende que, na Renascença, os italianos tenham reinventado esse mesmo plano, de modo quase idêntico.

56. Périgueux, St. Front, segundo quartel do séc. XII

Se uma linha direta parece ligar o românico e o estilo da Renascença, existem relações ainda mais diretas entre o românico e o gótico. É o caso do uso do arco ogival na Borgonha e na Provence e também nas igrejas com cúpulas do Sudoeste e na nave de Durham, do uso de arcobotantes ocultos sob o teto das naves laterais mas ainda cumprindo a função de suportes da abóbada (por exemplo, em Saint-Sernin de Toulouse, no Auvergne, na nave de Durham), e, é claro, do uso de nervuras. Existe ainda um outro vínculo imediato entre os dois estilos: é o portal com esculturas figurativas que se desenvolveu no século XII. No século XI, e mesmo por volta de 1100, a Espanha liderava a Europa, não apenas por sua arte do capitel com figuras mas também pela grande escultura. O claustro de Santo Domingo, de Silos, é o exemplo mais impressionante. Essas figuras compridas e muito estilizadas, com pequenas cabeças, gestos extremamente expressivos e pés colocados como se estivessem numa dança ritual, espalharam-se pelo Sul da França, especialmente em Moissac, por volta de 1115-1125. Aqui, os dois portais são divididos por uma ombreira ou *trumeau* com animais tortuosamente entrelaçados, com uma imagem de santo à esquerda e outra à direita, esculpidas em relevo no mesmo estilo intensamente emocional, nas faixas de parede à esquerda e à direita dos portais. Por essa mesma época, o portal com estátuas e colunas começavam a desenvolver-se na Borgonha. Autun e Vézelay, por volta de 1130-1135, são os primeiros exemplos. Em Vézelay, que já citamos, de cada lado do duplo portal estão representados pares de profetas que conversam entre eles. Trata-se também de relevos mas, como estão colocados em paredes que formam entre si um ângulo reto, parecem ter saído da parede para formar um grupo.

Em Saint Denis, por volta de 1135-1140, eles, de fato, deixaram a parede. Apresentam-se como suportes ou colunas destacadas dela[15]. Mas a Saint Denis que conhecemos hoje não é mais uma construção românica, e sim gótica. No entanto, as figuras ainda são inteiramente românicas, como são as do portal de Chartres, construído por volta de 1145 – figuras compridas, rigorosamente frontais, com pregas paralelas, estilizadas, e cabeças pequenas. Um outro conjunto inteiramente românico, o mesmo tipo de estátuas-coluna,

---

15. Preservaram-se apenas três cabeças, hoje nos museus de Harvard e Baltimore.

porém bem mais vigorosas e sólidas, é o do portal da Glória de Santiago de Compostela, obra de Mestre Mateo, de 1188.

Santiago é o grande edifício românico da Espanha. Pertence, como vimos, ao grupo das igrejas francesas de peregrinação e, no seu granito cinza prateado, é mais impressionante do que as construídas em solo francês.

Isso é o bastante, ou o pouco, para a Espanha. E também para a França. A Alemanha não podia fazer mais do que desenvolver o tema estabelecido em Hildesheim. Na Renânia Central, as catedrais e as igrejas dos mosteiros, principalmente Speier, Mainz, Worms e Laach, fazem uma esplêndida demonstração de torres sobre os cruzeiros e de torres com escadas, de duplos transeptos e duplos coros,

57. St. Gilles du Gard, igreja abacial, c. 1135

58. Catedral de Worms, c. 1170-c. 1230

e uma variedade infinita de proporções e detalhes. A segunda escola alemã em importância, na arquitetura românica, é a de Colônia. Sobre a escola saxônica já falamos um pouco, e as outras são mais provincianas. Antes de 1940, Colônia não tinha rivais quanto ao número de igrejas dos séculos X, XI, XII e do começo do XIII. A sua perda foi uma das mais graves conseqüências da guerra. Sua marca característica (na seqüência de Santa Maria, no Capitólio) era um esquema decididamente centralizante para as extremidades orientais; esquema no qual os dois transeptos e o coro terminam em absides idênticas. Os exteriores eram tão magníficos e variados quanto os das maiores igrejas do Reno.

59. Milão, S. Ambrogio, segundo quartel do séc. XII

O Norte da Itália tem uma igreja do mesmo tipo: S. Fedele, em Como. Alguns tentaram aproximar a arquitetura de Colônia à de Como, mas hoje sabe-se com certeza que, se houve alguma relação entre Colônia e Como, ela se deu no sentido inverso. Em outros aspectos, as relações entre a Lombardia e a Renânia ainda são discutidas. Ninguém pode negá-las, mas a anterioridade dos tipos e dos motivos não pode ser estabelecida de modo inquestionável. A explicação mais plausível é que houve, ao longo das rotas utilizadas durante as campanhas imperiais na Itália, um contínuo intercâmbio de idéias e de mão-de-obra. Provavelmente, a Saxônia e a Renânia assumiram a liderança dessas relações até os fins do século XI, e a

Itália do Norte, no século XII. Por essa época, grupos de pedreiros lombardos se deslocaram percorrendo grandes distâncias, como ocorreria mais tarde durante o período barroco. Encontramos marcas de sua passagem tanto na Alsácia como na Suécia, e um deles, oriundo de Como, aparece na Baviera, em 1133. O *leitmotiv* desse estilo lombardo-renano são as *dwarf-gallery* (galerias miniaturas), isto é, a utilização na decoração das paredes, e especialmente absides, de pequenas colunatas com arcadas colocadas bem no alto, abaixo do beiral.

60. Florença, S. Miniato al Monte, do séc. XI para o séc. XII

Em relação à planta-baixa, o Norte da Itália foi menos empreendedor. Algumas das igrejas mais célebres não têm nem mesmo um transepto saliente, o que indica que elas permaneceram bem próximas da tradição paleocristã. Esta observação vale para a catedral de Módena, por exemplo, e para S. Ambrogio, em Milão. Com seu átrio, sua fachada austera, sua nave baixa e atarracada, seus pilares maciços, suas amplas abóbadas de aresta e suas largas nervuras primitivas, S. Ambrogio é a mais impressionante de todas (ver p. 84). Em geral, são características dos interiores das catedrais da Lombardia as abóbadas de aresta ou de nervuras, galerias sobre as naves laterais, as cúpulas poligonais sobre o cruzeiro; dos exteriores, são características das torres isoladas, de planta redonda ou quadrada, e aquelas arcadas em miniatura que mencionamos antes. Exemplo extremo dessa decoração com arcada é a fachada e a torre inclinada de Pisa, na Toscânia, que datam do século XIII.

Pisa surpreende-nos sobretudo por sua característica alienígena, mais oriental do que toscana. Estranho, também, é o estilo de Veneza, influenciado por Bizâncio, e o da Sicília, com suas conexões árabes. Para ver o românico italiano, onde ele é mais caracteristicamente italiano, isto é, o mais puramente toscano, é preciso ver construções como San Miniato al Monte, de Florença. Esta igreja, apesar de sua idade (o andar térreo talvez seja da mesma época do transepto de Winchester), demonstra uma delicadeza de tratamento, uma moderação tão civilizada na decoração escultural e uma suscetibilidade em relação ao espírito da Antigüidade que não encontram paralelo em qualquer outra parte do Norte – a primeira síntese da graça e do intelecto toscanos com o equilíbrio e a simplicidade dos romanos.

# 3. O ESTILO GÓTICO: DO PRIMITIVO AO CLÁSSICO
c. 1150-c. 1250

Em 1140 foi lançada a pedra fundamental do novo coro da abadia de Saint Denis, perto de Paris, que seria consagrada em 1144. O abade Suger, poderoso conselheiro de dois reis de França, foi a alma do empreendimento. Poucas construções européias têm uma concepção tão revolucionária quanto essa, poucas foram executadas tão rapidamente e com tão pouca hesitação. No século XII, com efeito, quatro anos eram um prazo extraordinariamente curto para a reconstrução do coro de uma grande igreja abacial. Pode-se dizer com segurança que, seja quem for que tenha projetado o coro em Saint Denis, essa pessoa inventou o estilo gótico, embora as características desse estilo já tivessem se manifestado aqui e ali e tenham

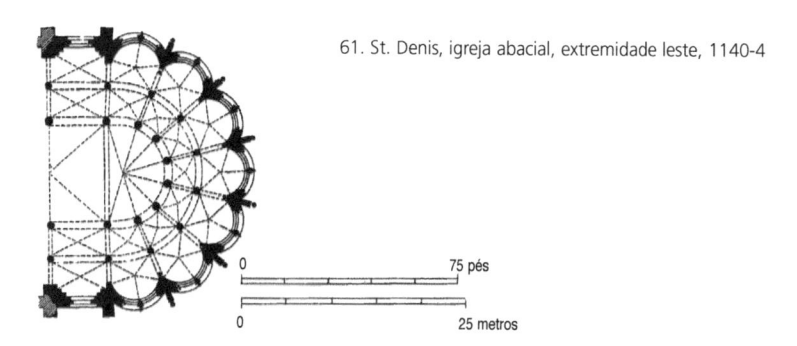

61. St. Denis, igreja abacial, extremidade leste, 1140-4

sido até mesmo desenvolvidas, com uma certa regularidade, no Centro da França, nas províncias ao redor de Saint Denis.

As características que compõem o estilo gótico são bem conhecidas, talvez conhecidas demais, pois a maioria das pessoas se esquece de que um estilo não é apenas um agregado de características, mas um todo integrado. No entanto, talvez seja útil recordá-las e reexaminar o que significam; as principais são o arco ogival, o arcobotante e a abóbada nervurada. Nenhuma das três, aliás, é uma invenção gótica. A novidade decisiva foi a combinação desses motivos numa nova proposta estética. Essa proposta tinha como objetivo animar massas inertes de pedra, acelerar o movimento do espaço e reduzir toda a construção ao que, aparentemente, seria um sistema inervado de linhas de ação. Para se compreender o estilo gótico, essas vantagens estéticas são muito mais significativas do que qualquer das vantagens técnicas derivadas da utilização de nervuras, do arcobotante e do arco ogival. Essas vantagens técnicas existem, mas, no entanto, foram superestimadas por Viollet-le-Duc e seus inúmeros discípulos.

As vantagens técnicas são basicamente três. Antes de mais nada, o peso de uma abóbada de berço se distribui sobre toda a extensão das duas paredes que a sustentam. Ora, o peso das abóbadas de aresta, do românico alemão ou de Vézelay, repousa apenas sobre quatro pontos, mas, para que essas abóbadas fossem construídas de modo satisfatório, eram necessários vãos quadrados. Se se tentar construir uma abóbada românica de aresta, isto é, uma abóbada de aresta essencialmente de arco redondo sobre um vão retangular, será necessário utilizar arcos de três diâmetros diferentes, atravessando o comprimento, a largura e a diagonal do retângulo. Se o arco transversal, isto é, o mais visível deles, for semicircular, o arco diagonal será abatido; e arcos abatidos são estruturalmente perigosos. Isto porque, obviamente, a segurança de um arco é tanto maior quanto mais a sua pressão se aproximar da vertical e tanto menor quanto mais ela se exercer na horizontal. Uma verticalidade completa ofereceria uma segurança total; uma horizontalidade completa seria a causa de um desmoronamento imediato das suas paredes.

O arco ogival, mais que o semicircular, permite ao projetista aproximar-se da verticalidade desejada, como também construir abóbadas sobre vãos que não sejam quadrados. Em vez de arcos sobreelevados ou abatidos, haverá agora simplesmente três diferentes graus de curvatura dos arcos. O vão retangular será mais vantajoso por uma outra razão: os quatro pontos de apoio de um vão quadrado estão bem afastados uns dos outros e, como suportam sozinhos o peso de toda a abóbada, assumem, na manutenção da solidez da construção, uma responsabilidade desproporcional. Com os vãos retangulares, é possível duplicar o número de pontos de apoio e, com isso, reduzir à metade o esforço de cada um.

Além do mais, a abóbada gótica oblonga era construída com nervuras destinadas a reforçar as arestas, o que, tecnicamente, é vantajoso. A abóbada de berço, assim como a abóbada românica de aresta, precisa ser construída sobre um cimbre de madeira, que suporta a totalidade de sua superfície. No caso de uma abóbada gótica, basta estabelecer um cimbre suficientemente forte para manter os arcos transversais e as nervuras diagonais, até que a argamassa esteja seca. A seguir, os espaços entre os arcos transversais e as nervuras podem ser preenchidos com ajuda de um cimbre leve, móvel, fácil de montar e desmontar. A economia de madeira é evidente. Parece duvidoso que, mesmo após a conclusão da abóbada, as nervuras sustentem e tornem esses vãos independentes uns dos outros, reduzindo-os praticamente ao estado de membranas. Em certos casos, após bombardeios ou tiros de canhão, as nervuras permaneceram intactas, enquanto as partes intermediárias desmoronaram; mas, nas mesmas circunstâncias, algumas abóbadas resistiram, embora parte de suas nervuras tenha caído. Portanto, está fora de dúvida que a razão de ser da abóbada gótica foi sua aparência de imaterial leveza, mais do que sua verdadeira leveza; isto é, mais uma vez, uma preocupação de ordem estética mais do que de ordem material.

Essas diversas inovações técnicas e visuais apareceram em Saint Denis, reunidas pela primeira vez num conjunto gótico. Abóbadas ogivais cobrem vãos de diferentes formatos; os contrafortes substituíram as grossas muralhas entre as capelas radiais, que agora constituem, ao redor do deambulatório, uma franja ininterrupta e ondulante. As paredes laterais desapareceram totalmente e, se não fossem suas abóbadas com cinco ramos de ogivas, teríamos a impressão de estar caminhando através de um segundo deambulatório, mais exterior, munido de capelas muito pouco profundas. O efeito no interior da igreja é de leveza, de arejamento, de suavidade de

62. St. Denis, igreja abacial, deambulatório, 1140-4

curvas e de concentração de energia. As partes já não são ostensivamente separadas umas das outras, e sabemos, conforme os resultados de escavações recentes, que o transepto não estava destinado a se projetar para além das paredes da nave e do coro, como fora até então. A articulação permanece, mas trata-se de uma articulação infinitamente mais sutil e apurada. Quem foi o grande gênio que concebeu isto? Teria sido o próprio abade Suger, ele que, com tanto entusiasmo, escreveu um pequeno livro sobre a construção e a consagração de sua igreja? É pouco provável. De fato, ao contrário do românico, o gótico depende a tal ponto da colaboração entre o artista e o engenheiro, é uma tal síntese entre qualidades estéticas e técnicas, que apenas um homem muito versado na arte de construir poderia tê-lo inventado. Encontramo-nos aqui no começo de uma especialização que, cada vez mais, foi decompondo nossas atividades em especializações cada vez menores. Hoje o cliente não é um arquiteto, o arquiteto não é um construtor, o construtor não é um pedreiro. Para não falar das diferenças que existem, por exemplo, entre o supervisor do material, o técnico em aquecimento, o técnico em ar condicionado e os peritos em instalações elétricas ou sanitárias.

A basílica de Saint Denis e as catedrais inglesas e francesas posteriores devem ser atribuídas a um novo tipo de arquiteto: o mestre-artesão, como artista reconhecido. Sem dúvida, já tinha havido antes mestres-artesãos criativos, e que, provavelmente, sempre projetaram a maior parte do que era construído. Mas agora seu status começou a se alterar. Foi um desenvolvimento bem gradativo. Em seu livro, Suger nada diz sobre o arquiteto de Saint Denis e, de fato, nem do projetista da igreja propriamente dita. Isso parece curioso; certamente ele devia saber o quanto era audaciosa a obra que empreendera. Para compreender seu silêncio, é preciso lembrar o anonimato na Idade Média, freqüentemente mencionado, porém mal compreendido. Isso não significa, evidentemente, que as catedrais crescessem como árvores. Todas eram projetadas por alguém, mas, no início da Idade Média, o nome dessas pessoas não contava, embora suas obras fossem imortais. Contentavam-se com ser operários trabalhando por uma causa maior que sua própria fama. No decorrer do século XII, e sobretudo no XIII, a autoconfiança dos indivíduos em si mesmos se fortaleceu, e a personalidade passou a ser cada vez mais considerada. Os nomes dos arquitetos das catedrais de Reims e de Amiens foram registrados, curiosamente, no pavimento das naves. Nicolas de Briart, um pregador, mostra-se indignado com o fato de os mestres-de-obras serem mais bem pagos que os demais trabalhadores, simplesmente pelo fato de ficarem andando de um lado para outro dando ordens, com uma vara na mão e, acrescenta, *nihil laborant!* Um século mais tarde, o rei de França foi padrinho de um desses homens e lhe deu de presente uma quantia considerável em ouro, para que ele pudesse estudar na universidade. Mas foi necessário aguardar dois séculos após a época de Suger para que tamanha intimidade se tornasse possível.

Um dos exemplos mais antigos que nos permitem lembrar diretamente a personalidade de um dos maiores mestres-de-obras do começo do gótico é o de Guilherme de Sens, arquiteto do coro da catedral de Canterbury, obra que foi tão revolucionária para a Inglaterra quanto Saint Denis para a França. O antigo coro havia sido destruído por um incêndio em 1174 e Gervásio, cronista da catedral, relata os acontecimentos que testemunhou. De início, reinou o desespero entre a comunidade, até que, depois de um certo tempo, os monges começaram a fazer consultas sobre "o método que poderia ser empregado para reconstruir a igreja destruída. Foram reunidos arquitetos ingleses e franceses, mas não chegaram a um acordo. Uns defendiam a restauração, outros insistiam em que a igreja fosse demolida, se era que os monges pretendiam rezar em segurança. Essa proposta só lhes causou consternação. Entre aqueles arquitetos, havia um, Guilherme de Sens, que se destacava por sua grande capacidade e por sua habilidade como artesão em pedra e madeira. Despedindo os demais, os monges ficaram com ele. E Guilherme, após ter morado durante vários dias com os monges, estudando cuidadosamente as paredes calcinadas... continuou a guardar só para si aquilo que achava necessário fazer, de medo que a verdade nos pudesse matar, tamanho era o desespero em que estávamos. O que não o impediu de preparar tudo aquilo de que precisava, coisa que ele mesmo fez ou mandou fazer. Finalmente, quando percebeu que os monges começavam a se tranqüilizar, confessou que, se eles desejavam ter uma construção segura e excelente, era preciso destruir todos os pilares avariados e tudo aquilo que eles sustentavam. Ao final, os monges aceitaram... demolir o coro já em ruínas. Tomaram as providências para que lhes fossem enviadas pedras do exterior. O arquiteto inventou máquinas muito engenhosas para carregar e descarregar os barcos e levantar os blocos de pedra ou de argamassa. Também mandou distribuir, entre os pedreiros, modelos (gabaritos em madeira) para talhar a pedra..." A seguir, o cronista relata com detalhes o curso dos acontecimentos durante os quatro anos seguintes. No começo do quinto ano, no entanto, Guilherme caiu do alto de um andaime de 15 metros. Feriu-se gravemente e "teve de confiar o término dos trabalhos a um certo monge, muito engenhoso, que até então havia sido supervisor dos pedreiros... Mas, embora na cama, dava ordens sobre o que devia ser feito primeiro e o que devia ser feito por último... Ao fim de um certo tempo, não conseguindo melhora com seus médicos, voltou para a França para morrer em casa", e em seu lugar foi nomeado um arquiteto inglês[16].

Aqui temos, portanto, o artesão, qualificado para os trabalhos de construção e de engenharia, diplomático com sua clientela, apreciado por todos mas que, enquanto dirigia trabalhos no exterior, não esquecia sua terra natal. Em Sens, sua cidade natal, havia sido iniciada a construção de uma catedral, cerca de 30 anos antes da ida de Guilherme para a Inglaterra, e, sem dúvida, algumas das características desta construção foram retomadas por ele em Canterbury.

Temos a sorte de possuir pelo menos um documento ainda mais completo sobre a personalidade e as obras de um arquiteto gótico; trata-se de um caderno de notas, ou antes, de um manual, redigido por volta de 1235 por Villard de Honnecourt, arquiteto da região de Cambrai, no Norte da França. Esse manual, conservado na Biblioteca Nacional de Paris, é um documento bastante pessoal. Villard dirige-se a seus alunos. Promete ensinar-lhes a arte da construção em pedra e em madeira, o desenho arquitetural de figuras, além da geometria. O livro ilustra esses ensinamentos com exemplos, desenhados e acompanhados por breves comentários. É uma fonte de informação estimável sobre os métodos e atitudes do século XIII. Embora sendo um arquiteto, Villard também desenha uma crucificação, uma madona e figuras dos apóstolos adormecidos, tal como eram representados na cena do Monte das Oliveiras; todos esses desenhos deveriam, evidentemente, servir de modelo para os entalhadores em pedra. Também desenhou figuras do Orgulho e da Humildade, da Igreja Triunfante e da Roda da Fortuna. Também fez cenas profanas, como a dos lutadores, de homens a cavalo, um rei e sua escolta, e animais ora surpreendentemente realistas, ora fantásticos. Há ainda simples motivos geométricos, para servir de base para desenhos de animais ou de rostos humanos. Villard de Honnecourt reproduz ainda detalhes de construções, plantas do coro de certas igrejas, uma torre da catedral de Laon (ele diz: "Estive em muitas terras, como podem ver por este livro, mas nunca vi uma torre como esta"), janelas da catedral de Reims (diz: "Estava a caminho da Hungria quando parei para desenhar isto, porque gostei muito")

---

16. As citações são da edição de Charles Cotton (*Canterbury Papers n.º 3*, publicado pelos Friends of Canterbury Cathedral, 1930).

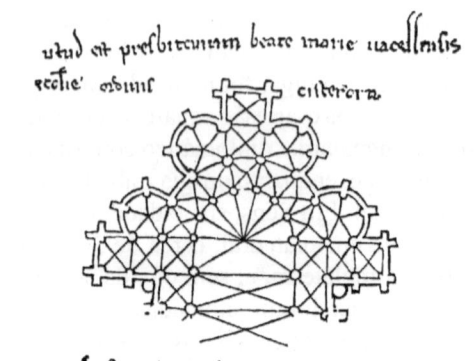

63. Plano cistercience e discípulo no Monte das Oliveiras. Do livro de Villard de Honnecourt, c. 1235

e uma rosácea de Lausanne. Traça um labirinto e desenha folhagens. Desenha um espaldar de cadeira de couro com folhagens e uma estante de coro com as figuras de três evangelistas. Apresenta diagramas de molduras e de construção em madeira. Acrescenta de modo admirável um grande número de máquinas, uma serra circular, um dispositivo para levantar cargas pesadas, e autômatos, tais como uma estante em forma de águia que vira a cabeça e uma esfera de metal para aquecer as mãos dos bispos. Chega até a acrescentar uma receita para a eliminação de pêlos supérfluos.

Assim, eram extensos os conhecimentos dos homens que construíam as catedrais góticas. Eram convidados por outros países para transmitir o novo estilo, e temos um texto alemão de Wimpfen (datado de 1258) relatando que um prior "mandou vir um pedrei-

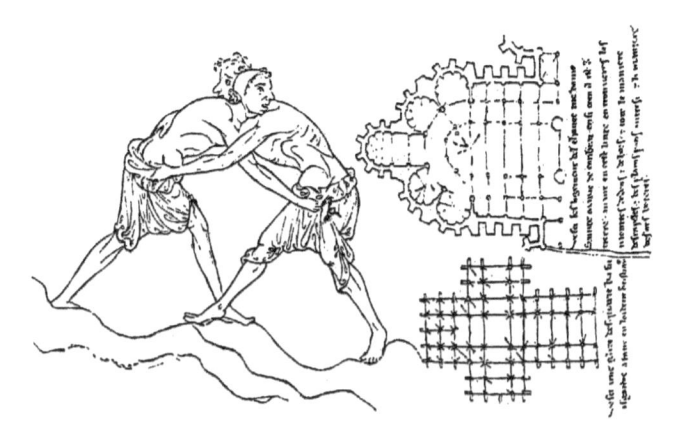

64. Par de lutadores, um plano cisterciense e plano da catedral de Cambrai. Do livro de Villard de Honnecourt, c. 1235

ro dos mais versados na arte da arquitetura e que viera recentemente de Paris (*noviter de villa Parisiensei venerat*)". O prior pediu-lhes que construíssem uma igreja de pedra silhar *more Francigeno*, à maneira dos franceses. Podemos ter certeza de que esses pedreiros itinerantes mantinham os olhos abertos e observavam, com a mesma atenção, construções, esculturas e pinturas. De fato, eles sabiam tanto sobre a escultura de figuras e ornamentos quanto sobre a construção de edifícios, embora sua técnica de desenho ainda fosse elementar.

Saint Denis certamente deve seu aspecto inovador a um mestre-de-obras dessa envergadura e, nessa época, vários bispos e arquitetos ardiam de ambição por superar Suger e sua igreja. Entre 1140 e 1220, novas catedrais foram iniciadas em escala cada vez maior, em Sens, Noyon, Senlis, Paris (Notre Dame, iniciada em 1163), Laon (iniciada por volta de 1170), Chartres (1195), Reims (1211), Amiens (1220) e Beauvais (1247). Essas igrejas estão longe de ser as únicas; há uma série de outras espalhadas pela França. No entanto, somos obrigados a nos limitar a uma breve análise das linhas gerais do desenvolvimento da arte gótica na Île de France e nas regiões próximas que, nessa época, estavam se transformando no centro de um reino nacional francês. Esse desenvolvimento foi tão consistente e conciso quanto o do templo grego.

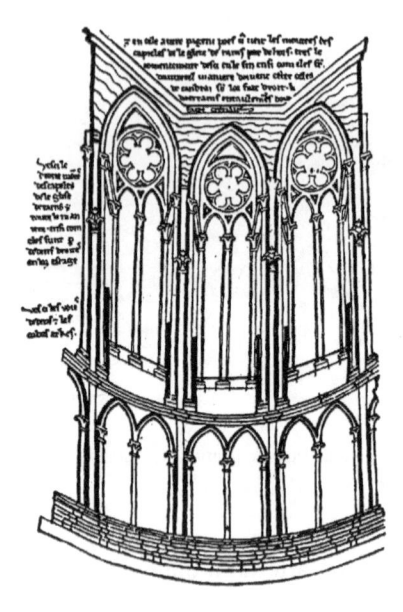

65. Uma das capelas radiais do lado leste da catedral de Reims. Do livro de Villard de Honnecourt, c. 1235

De Saint Denis sobraram apenas o coro e a fachada ocidental, muito restaurada. Esta é do tipo de duas torres, semelhante à de Caen, que então se tornou *de rigueur* nas catedrais do Norte da França. No entanto, ao contrário de Caen, esta fachada é decorada por um portal triplo em pleno cimbre. Já nos referimos a ele quando falamos das estátuas-coluna que certa vez o decoraram. Chartres seguiu Saint Denis de perto. Dessa catedral, construída por volta de 1145, restam apenas os portais ocidentais, o *Portail Royal*, cujas estátuas, soberbamente vigorosas, altivas e vivas já destacamos no capítulo anterior. É possível imaginar como era a nave de Chartres ou a de Saint Denis, graças aos indícios remanescentes nesta última e graças também à catedral de Sens, contemporânea delas. Tinham galerias exatamente como as igrejas românicas normandas, onde os primeiros pedreiros góticos da França, mais do que quaisquer outros, foram buscar sua inspiração. A primeira edificação gótica tinha, portanto, três andares: arcada, galeria e clerestório; as abóbadas, sem dúvida alguma, eram nervuradas. Em Noyon, cerca de 15

# O ESTILO GÓTICO: DO PRIMITIVO AO CLÁSSICO

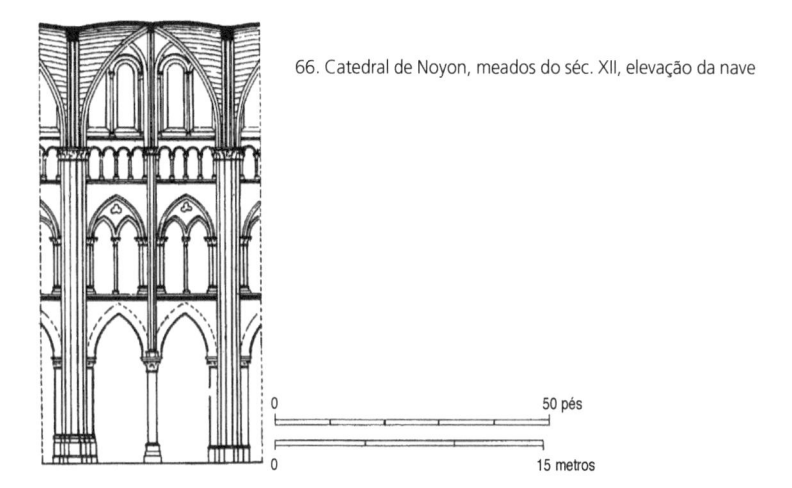

66. Catedral de Noyon, meados do séc. XII, elevação da nave

anos mais tarde, surgiu um elemento novo de grande importância. As paredes ganharam um trifório, isto é, uma passagem baixa aberta na parede, entre a galeria e o clerestório. A divisão da parede em quatro andares, em vez de três, elimina muito da inércia anterior. As arcadas são sustentadas alternadamente por pilares compostos, que definem as divisões maiores. Em harmonia com esse ritmo, a abóbada é sexpartida, como fora já por volta de 1115-1120, nas igrejas românicas da abadia de Caen. Isso significa que, entre dois arcos transversais, as nervuras cruzam diagonalmente de um pilar a outro, enquanto as colunas que repousam sobre pilares cilíndricos têm como prolongamentos nervuras subsidiárias paralelas aos arcos transversais e que encontram as nervuras diagonais no centro do vão. O conjunto produz uma impressão de vivacidade, desconhecida pelo estilo românico.

No entanto, os arquitetos das duas catedrais imediatamente posteriores devem ter sentido que nas paredes, nos pilares e nas abóbadas de Novon ainda havia muito do peso e da estabilidade românicos. Os pilares alternados e as abóbadas sexpartidas formavam vãos quadrados, isto é, estáticos. Assim é que em Laon, após algumas tentativas com suportes alternados, todos os pilares são cilíndricos, embora no andar superior ainda haja uma alternância entre grupos de cinco e de três colunas finas que saem dos pilares circulares e as

67. Catedral de Laon, após 1170, elevação da nave

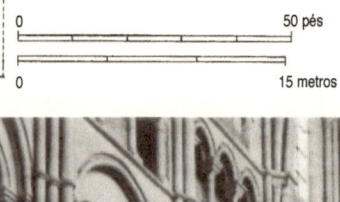

68. Catedral de Laon, nave, após 1170

abóbadas ainda sejam sexpartidas. Os inúmeros pequenos anéis que volteiam os fustes acentuam ainda mais a horizontalidade. Mas é verdade que, à medida que se caminha ao longo da nave, a interrupção marcada por cada suporte principal é evitada. Este foi um passo decisivo. Mas Notre Dame de Paris irá ainda mais longe. As colunas que se apóiam nos pilares cilíndricos já não são diferenciadas, e os anéis foram abandonados. A parede ainda era, ao que parece, originalmente dividida em quatro seções, com uma galeria e, no lugar do trifório, uma fileira de janelas circulares sob as do clerestório; mas as proporções mudaram o suficiente para mostrar a tendência geral que está por trás dessas transformações graduais. No coro, as arcadas da galeria têm aberturas duplas, de acordo com a tradição normanda, enquanto na nave, um pouco posterior, essas aberturas são triplas, portanto, mais delgadas, e as colunetas de separação são excessivamente finas.

A planta baixa de Notre Dame é ainda mais audaciosa que sua elevação. Já em Sens e Noyon havia aparecido uma leve tendência

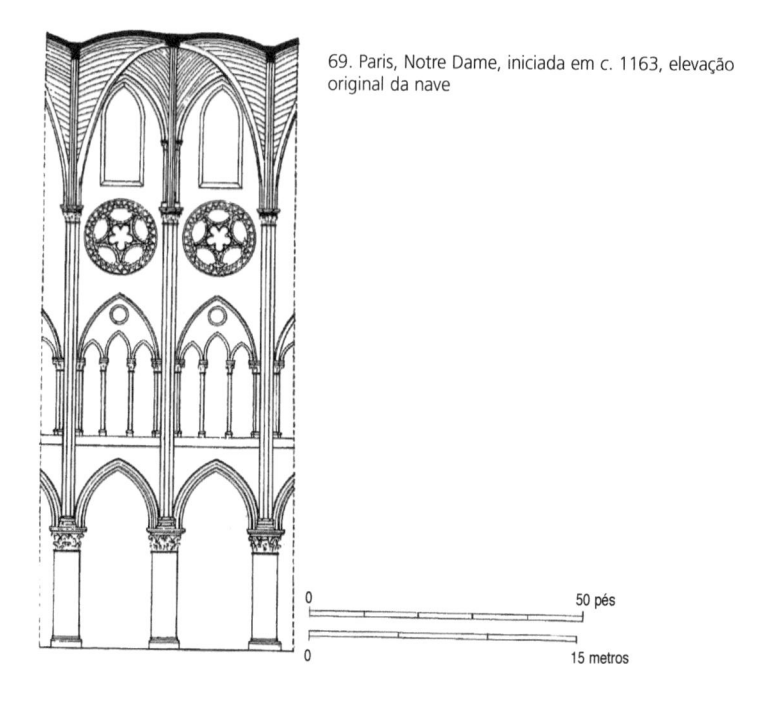

69. Paris, Notre Dame, iniciada em c. 1163, elevação original da nave

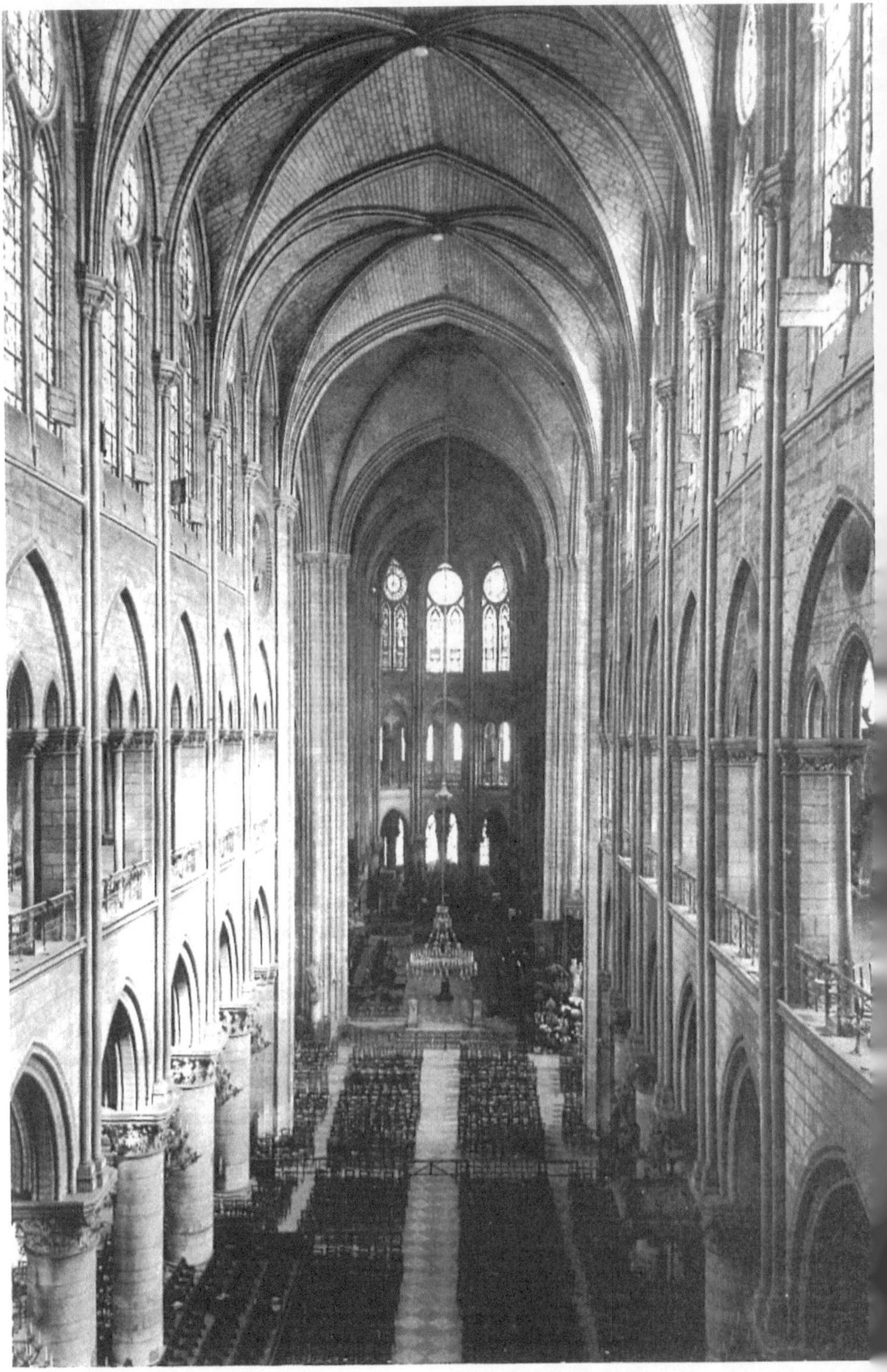

para a centralização – em Sens, através do prolongamento do coro, entre o transepto e o deambulatório; em Noyon, através das extremidades semicirculares dos transeptos ao norte e ao sul. Em Paris, o arquiteto colocou o transepto quase exatamente a meio caminho entre as duas torres ocidentais e a extremidade oriental, adotando uma concepção bastante ambiciosa que consiste em colocar, ao redor da nave e do coro, uma dupla fileira de naves laterais, como na antiga igreja de São Pedro, em Roma, e na igreja da abadia de Cluny. Os transeptos projetam-se apenas um pouco sobre as naves laterais exteriores e, originalmente, não havia capelas radiais. As que vemos hoje, assim como as que estão colocadas entre os contrafortes da nave e do coro, foram acrescentadas posteriormente. Disso resulta um ritmo espacial muito mais suave do que o das catedrais românicas ou da catedral de Noyon. O espaço não mais se divide em numerosas unidades que é preciso como que somar mentalmente para ter a idéia do conjunto, mas concentra-se em algumas – de fato três –, que são: oeste, centro e leste. O transepto funciona como o centro da balança. A fachada e o duplo deambulatório em torno da abside são os dois pratos dessa balança. A uniformidade das colunas das arcadas, bastante próximas umas das outras, desempenha um papel importante na determinação desse ritmo. Ela nos conduz em direção ao altar, de modo tão irresistível como o faziam as colunas das basílicas paleocristãs.

O movimento que se havia desenvolvido de Saint Denis a Noyon e de Noyon a Paris atingiu sua maturidade nas catedrais projetadas a partir do fim do século XII. O gótico primitivo transforma-se no gótico clássico. Chartres foi reconstruída após o incêndio de 1194. O novo coro e a nave abandonam finalmente a abóbada sexpartida para retornar às abóbadas apenas com nervuras diagonais. No entanto, enquanto as abóbadas nervuradas românicas elevam-se sobre vãos quadrados ou quase quadrados, os vãos agora têm quase metade daquela profundidade. Por isso, a intensidade da atração para leste é duplicada. Os pilares continuam cilíndricos, mas têm, de cada lado, uma coluna cilíndrica agregada. Do lado da nave essa coluna alcança o ponto de onde parte a abóbada, como em Jumiè-

70. Paris, Notre Dame, nave, final do séc. XII

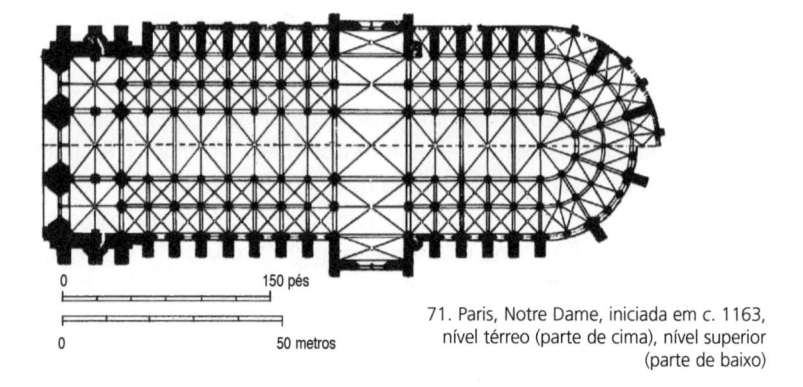

71. Paris, Notre Dame, iniciada em c. 1163, nível térreo (parte de cima), nível superior (parte de baixo)

ges ou Winchester. Desse modo, o isolamento das colunas cilíndricas fica superado; ao nível das arcadas, nada mais interrompe o impulso vertical. As altas e amplas galerias desapareceram. Agora existe apenas um trifório baixo, separando as altas arcadas das altas janelas do clerestório. Estas inovações constituem as principais características do gótico clássico. O plano é, aqui, menos radical que o de Paris mas também tem o transepto a meio caminho entre a fachada ocidental e a extremidade do coro.

Após Chartres, é preciso dizer alguma coisa sobre Bourges, a mais impressionante dessas catedrais góticas francesas, mas que, curiosamente, se mantém à parte da linha principal de desenvolvimento. A catedral foi iniciada em 1195. Seu plano, com naves laterais duplas, sem transepto e com um duplo deambulatório, deriva do plano de Paris. Suas arcadas excessivamente altas – os pilares têm 17 m de altura –, a forma de seus pilares com núcleo circular e as colunas agregadas e o uso do trifório em vez da galeria pertencem ao gótico clássico, no novo sentido inaugurado por Chartres, e constituem um tipo paralelo ao de Chartres, mais do que uma derivação; mas as abóbadas sexpartidas são do gótico primitivo, bem como o destaque especial conferido às linhas horizontais, para contrabalançar o verticalismo da arcada. As naves laterais mais externas são mais baixas que as internas, o que permite que haja um trifório sobre as naves internas, separado do trifório principal. Assim, a elevação apresenta cinco divisões horizontais, em vez de três: arcada externa, trifório externo, arcada principal, trifório princi-

72. Catedral de Chartres, iniciada em c. 1194

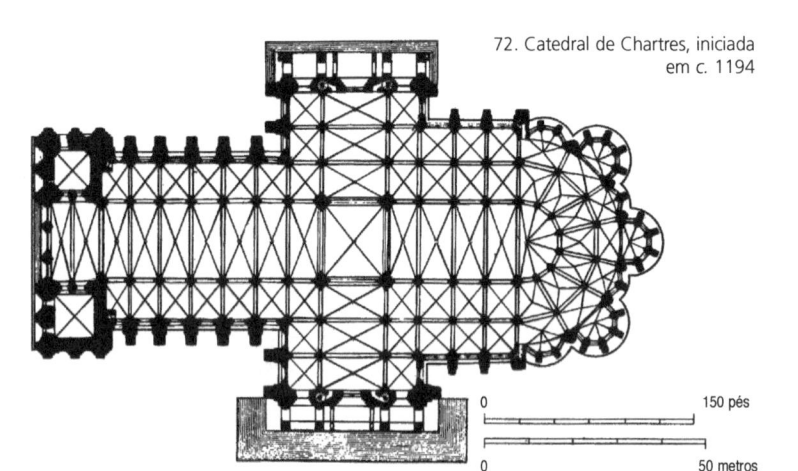

pal, clerestório – um efeito estranho e rico, bem diferente da limpidez de Chartres.

Depois de Chartres ter introduzido seu novo tipo de pilares, sua elevação com três andares e suas abóbadas quadripartidas, Reims, Amiens e Beauvais não fizeram mais do que aperfeiçoar esse tipo para levá-lo aos extremos mais ousados e excitantes. Reims foi iniciada em 1211, Amiens em 1120 e Beauvais em 1247. Tanto nas plantas baixas quanto nos interiores, chegou-se, sem dúvida, a atingir um equilíbrio – mas não o equilíbrio sereno, aparentemente sem esforço e indestrutível dos gregos. O equilíbrio do gótico clássico é um equilíbrio entre dois impulsos de igual força e direções opostas. A primeira impressão é a de uma altura prodigiosa que corta nossa respiração. Em Sens, a relação largura-altura é apenas 1:1,4; em Noyon, 1:2; em Chartres, torna-se 1:2,6; em Paris, 1:2,75; em Amiens, 1:3 e em Beauvais, 1:3,4. E mesmo Beauvais é superada pela Colônia, iniciada em 1248. Aqui, a proporção é de 1:3,8[17]. A altura de Noyon é de aproximadamente 26 m; a de Paris, 35 m; Reims, 38 m; Amiens, 43 m e Beauvais, 48 m. Graças à extrema delicadeza de todos os componentes, o impulso vertical é tão irresistível – ou mais – quanto o era nas primeiras igrejas cristãs o impulso na direção

---

17. Deve-se lembrar, no entanto, que uma altura assim não era estranha a todas as escolas da arquitetura românica. Em Arles, na Provence, a razão é 1:3,5; em Ely, 1:3,2.

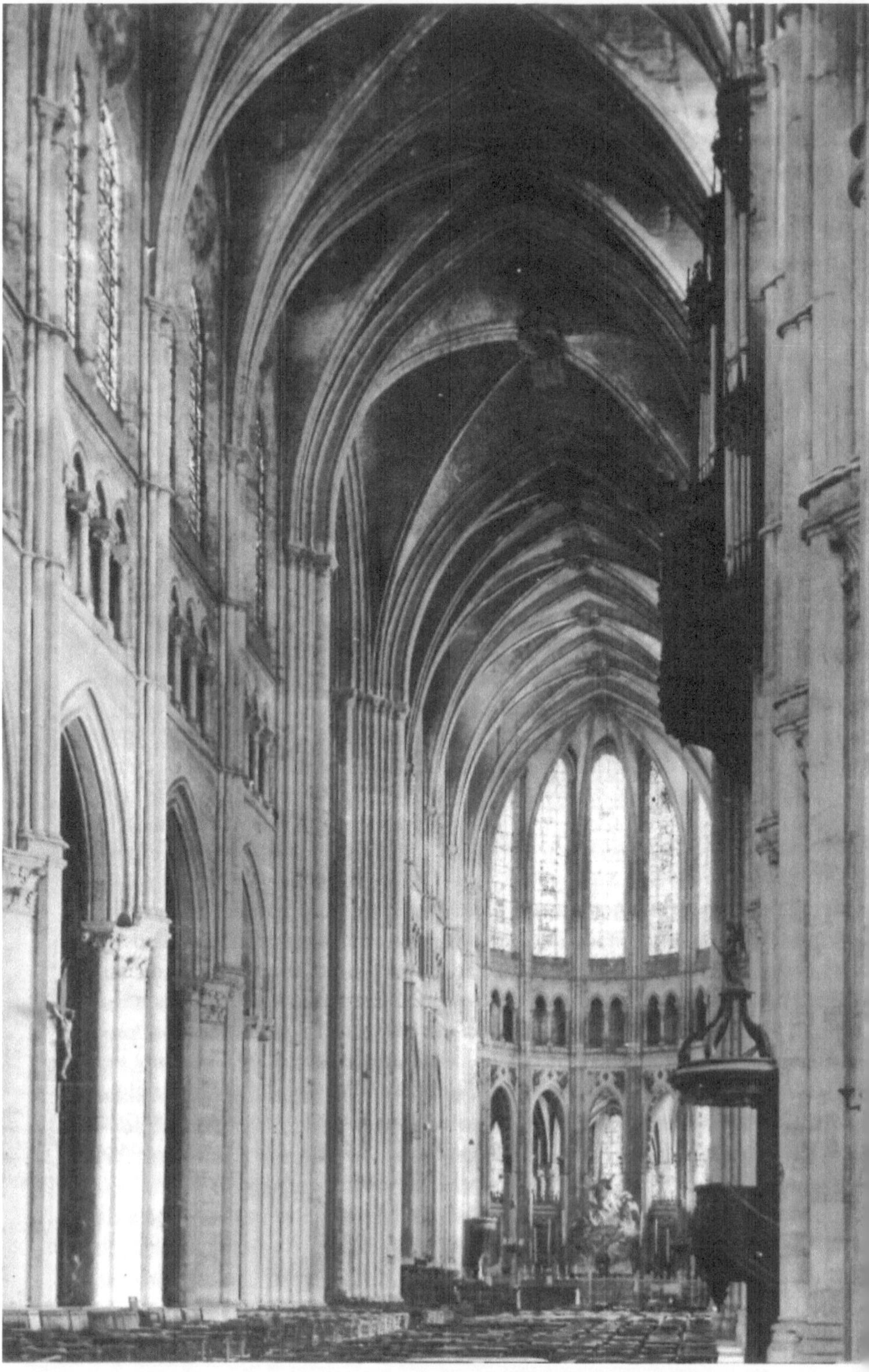

O ESTILO GÓTICO: DO PRIMITIVO AO CLÁSSICO **99**

74. Catedral de Chartres, iniciada em c. 1194, elevação da nave

75. Abóbadas da nave da catedral de Chartres, iniciada em c. 1194, e da catedral de Lincoln, iniciada em 1192

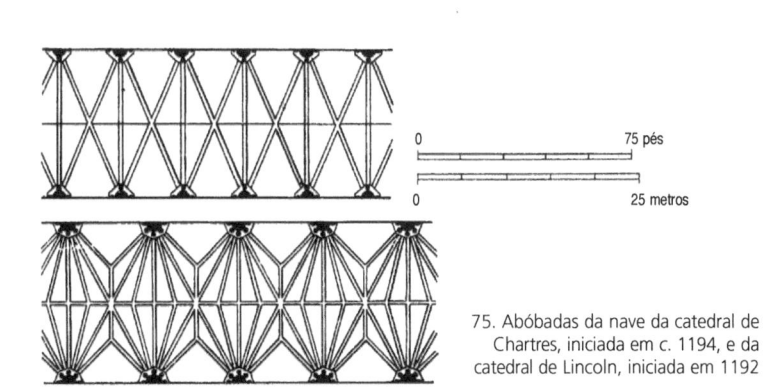

73. Catedral de Chartres, nave, c. 1194-c. 1220

leste. Mesmo assim, o impulso em direção ao leste não diminuiu. A estreiteza das arcadas, a uniformidade dos pilares não parecem incitar a qualquer mudança de direção, ainda que momentânea. Nessa caminhada para a frente, eles nos acompanham, surgindo e desaparecendo como postes telegráficos ao longo de uma linha de trem. Não há tempo para parar e admirá-los. No entanto, nessa pressão para o avançar, o transepto nos faz parar e desvia o nosso olhar para a esquerda e para a direita. Aí nós nos detemos e tentamos, pela primeira vez, apreender o todo. Não havia nada de comparável nas igrejas paleocristãs e, numa igreja românica, o movimento se desenvolvia lentamente, de espaço em espaço, de compartimento em compartimento. Em Amiens, há apenas uma parada desse tipo, e não pode ser demorada. Logo a nave principal e as naves laterais do coro nos envolvem e não chegam a uma última pausa enquanto não ti-

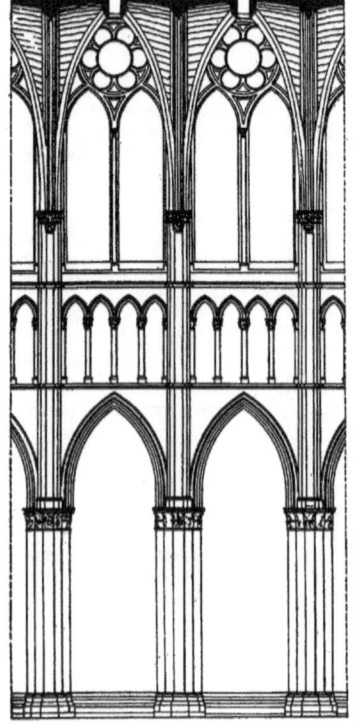

76. Catedral de Reims, iniciada em 1211, elevação da nave

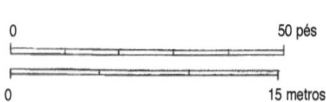

O ESTILO GÓTICO: DO PRIMITIVO AO CLÁSSICO 101

vermos atingido a abside e o deambulatório, que reúnem, com força magnífica, as correntes paralelas de energia que se dirigem para leste, concentrando-as num movimento final de elevação ao longo das colunas tão próximas umas das outras na abside, e as estreitas janelas do leste, e chegando às vertiginosas alturas das nervuras e do bojo da abóbada.

Esta descrição é uma tentativa de analisar uma experiência espacial, sem levar em conta, é claro, o fato de que, no século XIII, um freqüentador comum de uma igreja nunca seria admitido no coro. No entanto, ela demonstra que Reims, Amiens e Beauvais são a realização final de uma evolução, iniciada no século XI na Nor-

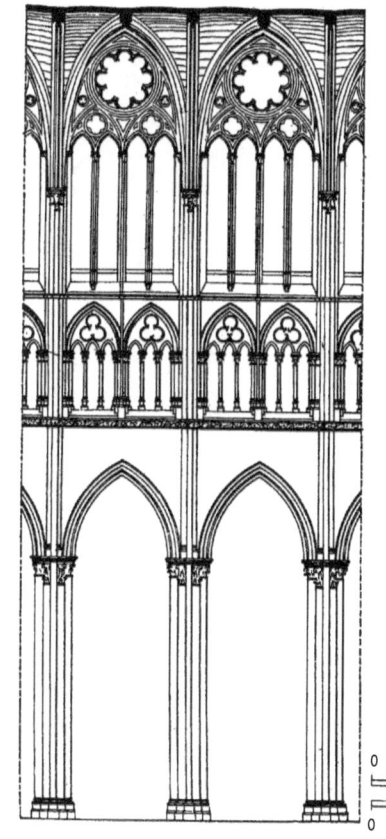

77. Catedral de Amiens, iniciada em 1220, elevação da nave

78. Catedral de Colônia, iniciada em 1248, nave

mandia e em Durham, e que havia produzido, umas após as outras, transformações aparentemente pequenas, mas muito significativas, em Saint Denis, Noyon, Laon, Paris e Chartres. Repetindo, essa realização final está longe de ser repousante. Ela contém em si mesma uma tensão entre duas direções ou dimensões dominantes, uma tensão que se transforma, através de uma suprema realização de energia criadora, num equilíbrio precário. Após tomar consciência

## O ESTILO GÓTICO: DO PRIMITIVO AO CLÁSSICO 103

79. Catedral de Amiens, iniciada em 1220, nave

dessa situação, é possível perceber sua presença em cada detalhe. Os pilares são delgados e eretos, o que participa do movimento de ascensão. O ritmo do movimento vertical é acelerado. Em Reims, os pilares terminam num capitel formado por uma ampla faixa de folhagens e os cinco fustes da abóbada repousam sobre ele. Em Amiens, os fustes são apenas três e o fuste central é o prolongamento de um dos fustes que cercam o pilar circular, separando-se dele apenas por um estreito ábaco. Os pilares e os fustes continuam cilíndricos, sólidos e elegantes, com suas folhagens primorosas e realistas. As molduras das arcadas são variadas e nitidamente recortadas, com suas volutas e reentrâncias profundas, com partes intensamente iluminadas e sombras densas mas bem delineadas. O clerestório foi inteiramente aberto em uma sucessão de imensos vitrais, subdivididos por fustes nitidamente emoldurados e por rendilhados geométricos. A introdução do rendilhado, uma invenção do estilo gótico, é particularmente significativa. É possível seguir o desenvolvimento dessa técnica de Chartres a Reims e de Reims a Amiens. Antes de Reims, o rendilhado não é mais do que o recorte de um certo padrão numa parede cuja superfície permanece intacta. Em Reims, pela primeira vez, encontramos o rendilhado de nervuras, em oposição ao rendilhado plano. A ênfase maior repousa, agora, nas linhas do desenho e não na superfície da parede. Cada janela de dois vãos é encimada por um círculo com um ornamento de seis folhas, um repouso ao término de um movimento compulsório. Em relação a Reims, Amiens assinala ainda um enriquecimento com suas janelas de quatro vãos e três círculos em vez de um. A mesma vitalidade enérgica aparece nas abóbadas. Cada fecho é a própria expressão do equilíbrio gótico: é o lugar onde se enlaçam solidamente quatro linhas de energia, conduzidas inicialmente por fustes e, depois, por nervuras.

O exterior das catedrais góticas do fim do século XII e começo do XIII estava em harmonia perfeita com o interior – pelo menos na forma pela qual eram planejadas, pois dificilmente as catedrais dessa época foram terminadas. Poucos visitantes e mesmo poucos especialistas sabem que, além da catedral de Tournai, na Bélgica, Laon é a única igreja que pode nos dar uma idéia exata de como deveria ser uma catedral francesa. Ela tem cinco torres altas, e deveria ter sete: duas acima da fachada ocidental, uma mais baixa acima do cruzeiro e duas em cada uma das fachadas do transepto; Chartres devia ter oito; Reims, seis. Esse intenso verticalismo dos exteriores, que é uma inovação do gótico francês, só começou a ser questionado, ao que parece, por volta de 1220, na Notre Dame de Paris. A famosa fachada de Notre Dame, além do mais, tem torres seccionadas, quando tudo nos leva a crer que, nas catedrais acima citadas, as torres deveriam terminar em flecha. A flecha é a expressão suprema desse ímpeto em direção ao céu e é uma criação do espírito gótico, uma vez que as flechas românicas eram apenas coberturas de forma cônica ou piramidal. A primeira flecha na França é a da torre sul de Chartres e, na Inglaterra, a da catedral de Oxford. Entendemos muito bem a admiração que Villard de Honnecourt tinha pela torre de Laon, da qual já falamos acima. Quanto à catedral de Reims, é necessário observar as gravuras da fachada da igreja

80. Catedral de Laon, fachada ocidental terminada em c. 1225

paroquial de St. Nicaise, há muito demolida, para ter uma idéia de quanto as flechas teriam modificado sua aparência. Um dos desenhos originais da fachada da catedral de Estrasburgo que se conservou (conhecido pelo nome de desenho B) confirma esta teoria. Se em Laon tentarmos acrescentar imaginariamente as duas torres que faltam, além das flechas sobre essas torres, teremos uma imagem muito próxima da imagem ideal do esplendor dos exteriores góticos, equivalente ao esplendor dos interiores.

Diz-se freqüentemente que os diferentes elementos que compõem o exterior, principalmente os arcobotantes, tal como aparecem pela primeira vez em Notre Dame e em Canterbury, nos anos 1160 e 1170, são apenas necessidades estruturais destinadas a tornar possível o elevado misticismo do interior. Não é correto. Sua construção intrincada é fascinante; não é fantasiosa nem inconseqüente, mas sim orientada pela lógica, e exprime, de fato, a mesma tensão que governa os interiores.

Este equilíbrio de tensões é a expressão do espírito grego. Então, tudo era harmonia, beatitude, repouso; agora, é atividade, suspensa só por um instante. Dominar os contrastes e participar do equilíbrio requer um esforço concentrado. Assim como uma fuga de Bach, a catedral gótica apela para toda a nossa capacidade emocional e intelectual. Ora nos descobrimos perdidos na resplandecência mística, púrpura e azulada dos seus vitrais, ora nossa atenção volta a ser atraída pelo percurso preciso dessas linhas ao mesmo tempo delgadas e suficientemente fortes. Qual o segredo desses vastos templos? Será que ele se esconde nesses interiores miraculosos, de amplas abóbadas de pedra, imensamente altas, paredes todas de vidro e arcadas demasiado delgadas e altas para suportá-las? O arquiteto grego conseguiu uma harmonia entre a carga e o suporte, que convencia de imediato e para sempre; o arquiteto gótico, muito mais audacioso em suas construções, com sua alma ocidental de eterno pesquisador e inventor, sempre em busca do inédito, procura criar um contraste entre um interior espiritual e um exterior racional. De fato, quando estamos no interior da catedral, não podemos compreender, e não se espera que o compreendamos, as leis que a governam em seu conjunto. Pelo contrário, no exterior o me-

---

81. Catedral de Reims, fachada ocidental, c. 1235 e segunda metade do séc. XIII, galeria superior e torres do séc. XV

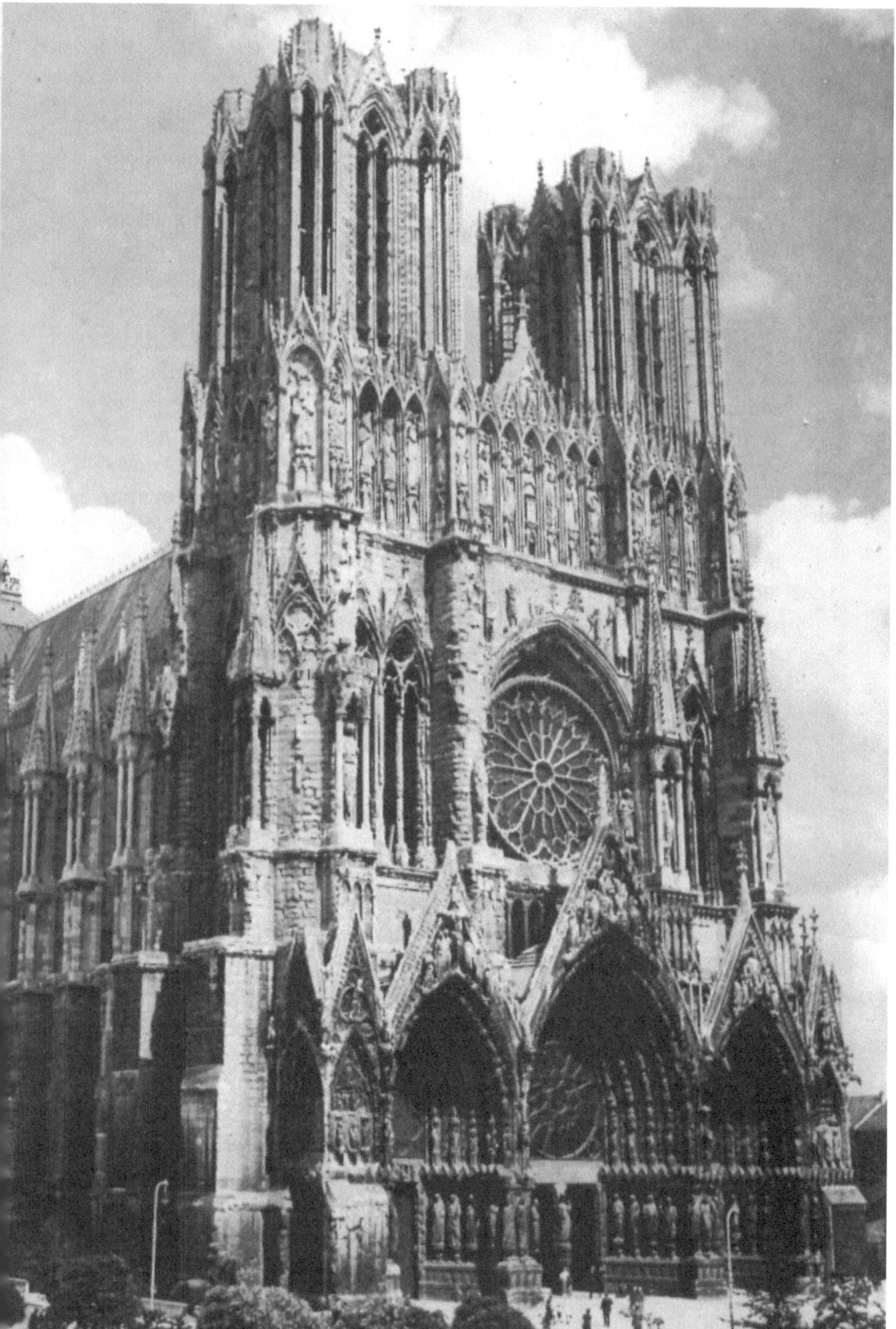

canismo complicado da estrutura nos é exposto com franqueza. Os arcobotantes e os contrafortes, apesar do seu fascínio e composição intrincada, apelam antes de mais nada à razão, transmitindo uma sensação semelhante à do espectador de teatro que vê o equipamento dos bastidores.

Não é preciso assinalar com tantas palavras o quanto a catedral gótica reflete fielmente, em tudo isso, as realizações do pensamento ocidental no século XIII, isto é, a escolástica clássica. A escolástica, combinação tipicamente medieval de teologia e filosofia, desenvolve-se ao mesmo tempo que o estilo românico, sendo que os séculos anteriores ao XI apenas simplificaram, organizaram e, às vezes, modificaram a doutrina dos padres da Igreja e a dos filósofos e poetas de Roma. No decorrer do século XII, quando foi criado e difundido o estilo gótico, a escolástica torna-se algo tão elevado e, ao mesmo tempo, complexo e intrincado quanto as novas catedrais. A primeira metade do século XIII vê o aparecimento dos *compendia*, de todos os conhecimentos humanos e sagrados: a *Summa* de São Tomás de Aquino, as obras de Alberto, o Grande, e de S. Bonaventura, os *Specula* de Vincent de Beauvais e, na poesia, o *Parsifal* de Wolfram von Eschenbach. Uma dessas obras enciclopédicas, o *De proprietatibus rerum*, escrita por volta de 1240 pelo dominicano inglês Bartholomeus Anglicus, começa com um capítulo sobre a essência, a unidade e as três pessoas de Deus. O capítulo seguinte aborda os anjos; o terceiro, o homem, sua alma e seus sentidos. A seguir, vêm capítulos sobre a anatomia e a fisiologia; sobre as eras da humanidade, a alimentação, o sono e outras necessidades físicas similares; as doenças, o Sol, a Lua e as estrelas; sobre os signos do zodíaco, o tempo e suas divisões, sobre a matéria, o fogo, o ar, a água; sobre os pássaros do ar, os peixes da água, os animais terrestres; sobre a geografia, os minerais, as árvores, as cores, os utensílios.

Vincent de Beauvais, que escreve por volta de 1250, divide sua obra em três partes: o Espelho da Natureza, o Espelho da Doutrina e o Espelho da História. Enquanto o Espelho da Natureza remonta a Deus e à criação, o da História começa com a queda do homem e se prolonga até o Juízo Final. A catedral – além de ser a pura expressão arquitetural do espírito de sua época – era uma outra *Summa* e um outro *Speculum*, uma enciclopédia talhada na pedra. A

Virgem ergue-se no pilar central do pórtico principal da catedral de Reims. As estátuas situadas ao lado desse mesmo portal representam cenas como a Anunciação, a Visitação, a Apresentação no Templo. Mais em cima, nos frontões dos três portais, surgem a Crucificação, o Coroamento da Virgem e o Juízo Final. Mas, nas catedrais góticas, aparece também a vida de Cristo, da Virgem e dos Santos, representada nos vitrais e cujas imagens invadem os plintos, os umbrais, a curvatura das abóbadas e sobem ao longo dos contrafortes. Os santos são esculpidos com atributos que permitem sua identificação: São Pedro com a chave, São Nicolau com as três esferas douradas, Santa Bárbara com a torre, Santa Margarida com o dragão. Vêem-se também cenas e personagens do Antigo Testamento: a criação do homem, Jonas e a Baleia, Abraão e Melquisedeque, as Sibilas romanas que, segundo se dizia, haviam previsto a vinda de Cristo, as virgens sábias e as virgens loucas, as sete artes liberais, os meses do ano e as atividades correspondentes a eles – a poda das árvores, a tosquia dos carneiros, a colheita, a matança dos porcos –, e também os signos do zodíaco e os elementos. Nesse resumo de todos os conhecimentos, o profano mistura-se ao sagrado, mas tudo, como dizia São Tomás, "está orientado na direção de Deus". Jonas, com efeito, é representado não por pertencer ao Antigo Testamento, mas porque os três dias que passou no ventre da baleia representam a ressurreição de Cristo. Do mesmo modo, Melquisedeque, ao oferecer pão e vinho a Abraão, simboliza a Última Ceia. Para a mentalidade da Idade Média, tudo era símbolo. A significação verdadeira das coisas ocultava-se por trás da aparência exterior. A imagem das duas espadas, a do papa e a do imperador, era a expressão simbólica de duas teorias políticas. Para Guilherme Durand, a igreja, na forma de cruz, representava a própria cruz, e o galo da flecha representava o pregador que acorda os pecadores adormecidos na noite do pecado. A argamassa, dizia, "compõe-se de cal – isto é, de amor –, de areia – isto é, da tarefa terrena assumida pelo amor –, e de água, traço da união entre o amor celeste e nosso mundo terreno".

Não nos devemos esquecer disso, se quisermos compreender o quanto esse universo é estranho ao nosso, a despeito de todo o nosso entusiasmo pelas catedrais e pelas esculturas. No interior dessas amplas naves, na maior parte do tempo estamos sujeitos a uma reação excessivamente romântica, vaga e sentimental, enquanto para o padre do século XIII provavelmente tudo era muito claro; claro mas transcendental. No século XIII, o bispo e o monge, o cavaleiro e o artesão acreditavam firmemente – naturalmente, cada um na medida de suas capacidades – que não há nada no mundo que não venha de Deus, e cujo sentido e interesse único não derivem da sua significação divina. A concepção medieval da verdade era fundamentalmente diferente da nossa. A verdade não era aquilo que podia ser provado, mas aquilo que estava de acordo com uma revelação já aceita. A pesquisa era feita não para descobrir a verdade, mas para aprofundar mais uma verdade preestabelecida. Assim as autoridades significavam mais para um erudito medieval do que para qualquer um de nós, daí também a confiança dos artistas no "exemplar", isto é, o exemplo a ser copiado. Nem a originalidade, nem o estudo da natureza contavam muito. O próprio Villard de Honnecourt, em seu manual, copiou nove entre dez de suas páginas. As inovações só aconteceram aos poucos e foram muito menos deliberadas do que se imagina.

Mesmo assim, o estilo gótico foi, sem dúvida, uma inovação deliberada, obra de algumas personalidades fortes e seguras de si. Suas manifestações nos permitem supor que isso seja verdade, e, de fato, no interior da doutrina escolástica, que é a principal inovação do século XIII, encontramos um nítido distanciamento da atitude puramente transcendental do românico e dos séculos anteriores. S. Pedro Damiani, na primeira metade do século XI, observara: "O mundo está a tal ponto maculado pelo vício, que um espírito sem mácula se corrompe só em pensar sobre ele". Agora, Vincent de Beauvais diz: "Como é grande até mesmo a mais modesta beleza deste mundo! Todo o meu espírito se volta com suavidade na direção do Criador, rei deste mundo, quando contemplo a magnífica beleza e a permanência de Sua Criação". E a beleza, segundo São Tomás, ou um de seus fiéis discípulos, "consiste numa certa consonância entre elementos divergentes".

Mas nunca é – ainda não – a beleza do mundo em si mesmo que se celebra, mas a beleza da criação divina. Podemos desfrutá-la sem receios, pois o próprio Deus "se regozija com todas as coisas, porque todos estão em unidade real com seu ser" (São Tomás). Os entalhadores em pedra podiam, portanto, reproduzir as mais maravilhosas folhagens, o espinheiro, o carvalho, o bordo e a vinha. Na época de São Pedro Damiani, a decoração era abstrata ou rigorosamente estilizada. Agora, como nas nervuras e colunas da abóbada, uma vitalidade juvenil palpita na decoração. Todavia, mesmo quando mais se aproxima da natureza, a decoração do século XIII nunca é pedante ou supérflua. Ainda está subordinada, nunca adiante, sempre a serviço de uma causa maior: a arquitetura religiosa.

Tudo isso teria sido inconcebível antes da época de São Francisco de Assis e de seu canto "ao irmão sol, à irmã terra e ao irmão vento", antes do *"dolce stil nuovo"* e dos épicos franceses de cavalaria. As primeiras ordens monásticas haviam vivido isoladas em seus claustros; as novas ordens do século XIII, os dominicanos e os franciscanos, estabeleceram seus mosteiros em plena cidade para pregar ao povo. As primeiras Cruzadas haviam sido instigadas a libertar a Terra Santa; a quarta, a de 1203, foi desviada para Constantinopla pelos venezianos, que precisavam daquela cidade para facilitar o seu comércio. No entanto, na quinta Cruzada ainda havia, na pessoa do rei de França, Luís IX, São Luís, um verdadeiro cavaleiro cristão, herói no qual os ideais da religião e da cavalaria ardiam com a mesma intensidade, e o *Parsifal* de Wolfram é o maior poema épico do século XIII. Na época em que se iniciou a catedral de Reims, os jovens cavaleiros aprendiam a "manter sua alma dedicada a Deus sem com isso perder sua ligação com o mundo", aprendiam que, na alegria ou na dor, o meio-termo deveria ser sempre o seu guia. Isso soa como o "nada em excesso" dos gregos,

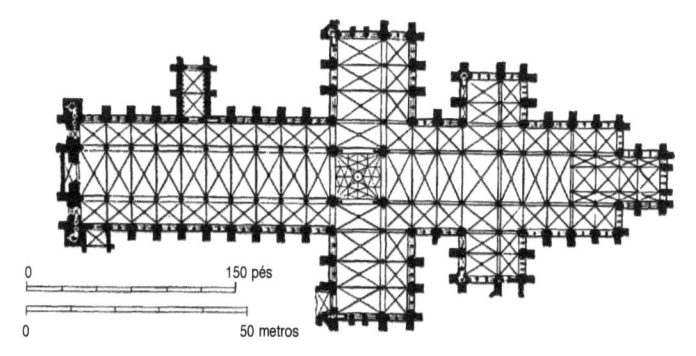

82. Catedral de Salisbury, iniciada em 1220

mas não é. Trata-se apenas, como na arquitetura, de um equilíbrio conquistado como última recompensa pelos que, sem esmorecer, lutam por sua salvação. É um ideal nobre e elevado, digno das grandes catedrais e das esplêndidas esculturas de seus portais. Em Chartres pode-se ver esse cavaleiro que, dotado das virtudes de Parsifal, e sob o nome de São Teodoro, mantém-se em pé sobre o pórtico do transepto sul. Em Reims, vemo-lo de novo, sob os traços de um rei desconhecido, sob o baldaquino de um dos contrafortes; em Bamberg, está a cavalo e em Naumburg, no coro da catedral, está acompanhado pelas mais belas jovens, ao mesmo tempo fortes e virginais, da escultura ocidental.

Na Inglaterra, os emissários de Henrique VIII e de Cromwell destruíram a maioria das esculturas das catedrais. Os poucos fragmentos que sobraram, por exemplo a estátua sem cabeça de Winchester, são da mesma qualidade e do mesmo tipo que seus equivalentes franceses do século XIII. Mas nem a fachada de Wells, nem as estátuas subsistentes em Lincoln ou Westminster atingem a perfeição de Reims ou Chartres. Os ingleses não são um povo de escultores. Em compensação, sua arquitetura é tão elegante quanto a das catedrais francesas, ao mesmo tempo que permanece tipicamente nacional. Esse estilo é conhecido pelo nome de *Early En-*

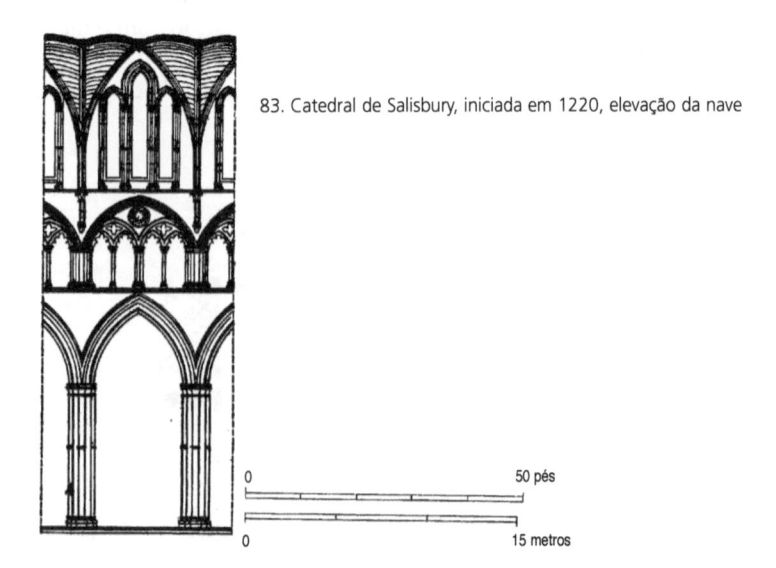

83. Catedral de Salisbury, iniciada em 1220, elevação da nave

84. Catedral de Reims, iniciada em 1211, vista do norte

*glish* (inglês primitivo). Encontra suas origens na França, como, aliás, o estilo gótico de todos os países e muitas outras características culturais. John of Salisbury, o requintado filósofo inglês, que estava na França tão em casa quanto na Inglaterra, chama a França de "*Omnium nitidissima et civilissima nationum*"; e o novo estilo arquitetural deve ter sido absorvido pelo espírito das pessoas juntamente com as outras realizações parisienses. Os cistercienses, nova ordem reformada do século XII, à qual pertencia São Bernardo, foram os primeiros a adotar e difundir a arquitetura gótica, e adotaram-na mais em razão de sua solidez do que da sua beleza. As construções cistercienses na Inglaterra estão entre as primeiras a usar arcos ogivais. Em Canterbury, Guilherme de Sens introduziu o gótico na construção das catedrais. Os detalhes continuam a ser caracteristicamente franceses. Mas o que é incomum na França são os transeptos duplicados, tal como encontramos em Canterbury, Lincoln, Wells, Salisbury e em muitas outras catedrais. Não se trata de uma invenção inglesa, aliás. Cluny, a sede da mais influente ordem até a fundação dos cistercienses, apresentava dois transeptos, não na igreja do século X mas na sua reconstrução de fins do século XI. O fato de que esta disposição com dois transeptos tenha permane-

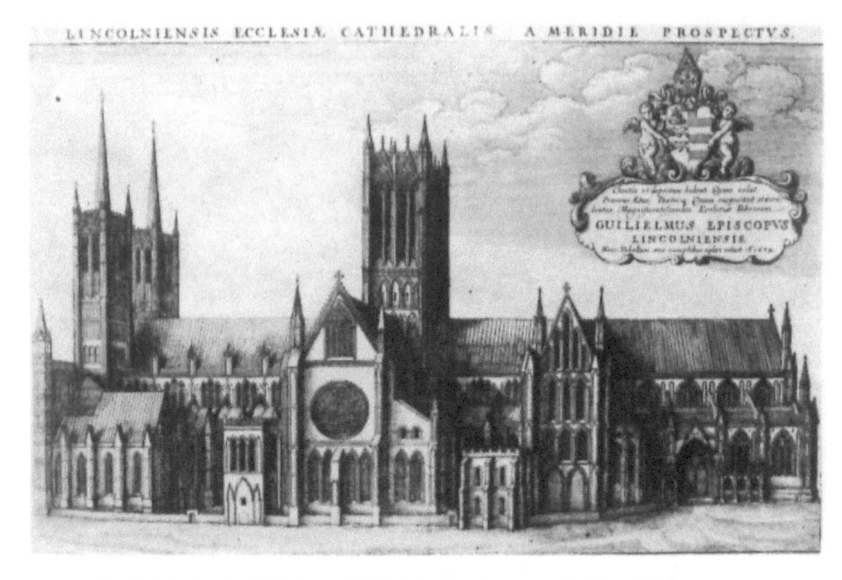

85. Catedral de Lincoln, iniciada em 1192, vista do sul, gravura de Wenzel Hollar

cido excepcional na França, enquanto se tornava popular na Inglaterra, ilustra muito bem a diferença de abordagem entre as arquiteturas dos dois países. Na França, como vimos, o estilo gótico tende para uma concentração espacial. O *Early English* não tem essa qualidade. Uma catedral como a de Salisbury, com sua extremidade leste quadrada e seu transepto duplo quadrado, ainda se compõe de uma soma de unidades, de compartimentos reunidos. Comparando-se, por exemplo, Lincoln com Reims, essa diferença se evidencia claramente. Reims parece vigorosamente compacta; Lincoln se esparrama comodamente. O mesmo contraste pode ser encontrado nas fachadas ocidentais. As fachadas inglesas são comparativamente insignificantes. Em compensação, os pórticos, acrescentados às naves e às vezes transformados em esplêndidas peças independentes de arquitetura decorativa, servem como entradas principais. Quando as fachadas, como as de Lincoln e Wells, se desenvolvem plenamente, sua existência não tem relação com o interior que está por trás delas; são como telas colocadas diante da igreja propriamente dita, e não o exterior logicamente concebido, como projeção do sistema interior – como as fachadas francesas. Já se disse que essa atitude aparentemente conservadora dos arquitetos ingleses se deve à sobrevivência de todas essas grandes catedrais de estilo normando, cujas fundações e paredes eram utilizadas na construção das novas igrejas. Mas essa explicação materialista, como outras do mesmo tipo, não resiste à análise. Salisbury tinha uma fundação nova. Não havia nada no lugar onde foi colocada sua pedra fundamental, em 1220 (ano em que se iniciou a construção da catedral de Amiens). Ora, o plano de Salisbury é do mesmo tipo que o de Lincoln. A preferência pelo plano "aditivo" deve, portanto, ser considerada uma característica nacional. Dito isto, pode-se reconhecer a semelhança essencial com o plano das igrejas anglo-saxônicas, como a de Bradford-on-Avon, assim como a relação com as elevações especificamente nacionais do *Early English*.

A catedral de Canterbury não pode ser considerada, sem reservas, como sendo inglesa; em compensação, Wells e Lincoln são bem inglesas. Wells foi começada um pouco antes de 1191, Lincoln em 1192. Se se comparar a nave de Lincoln, que recebeu suas abóbadas por volta de 1233 ou pouco depois, com a de Amiens, por exemplo, o contraste entre os dois países é evidente, embora essas duas catedrais tenham ambas o mesmo espírito aristocrático, espírito do século XIII, ao mesmo tempo jovem e disciplinado, vigoroso e cheio de encanto. Em Lincoln os vãos são amplos, enquanto, em Amiens, são estreitos; além disso, os pilares são superdimensionados e não há fustes elevando-se de uma só vez do chão até o teto. Os fustes que sustentam as nervuras da abóbada repousam sobre modilhões colocados acima dos capitéis dos pilares (disposição totalmente ilógica do ponto de vista francês). A galeria do trifório possui aberturas largas e baixas, com arcos ogivais tão abertos que parecem redondos[18] (outra incongruência aos olhos de um crítico francês). O mais curioso, para quem pensa em Amiens ou Beauvais, é a abóbada, pois, enquanto a abóbada francesa é o coroamento lógico do sistema de vãos, a abóbada de Lincoln possui, além das nervuras transversais que separam um vão de outro, a das quatro nervuras diagonais, uma nervura longitudinal que corre ao longo do eixo central da abóbada, paralelamente às arcadas; tem ainda o que chamamos de terciarões, isto é, as nervuras que saem dos mesmos

---

18. Embora não tão achatado como em Salisbury, um pouco posterior.

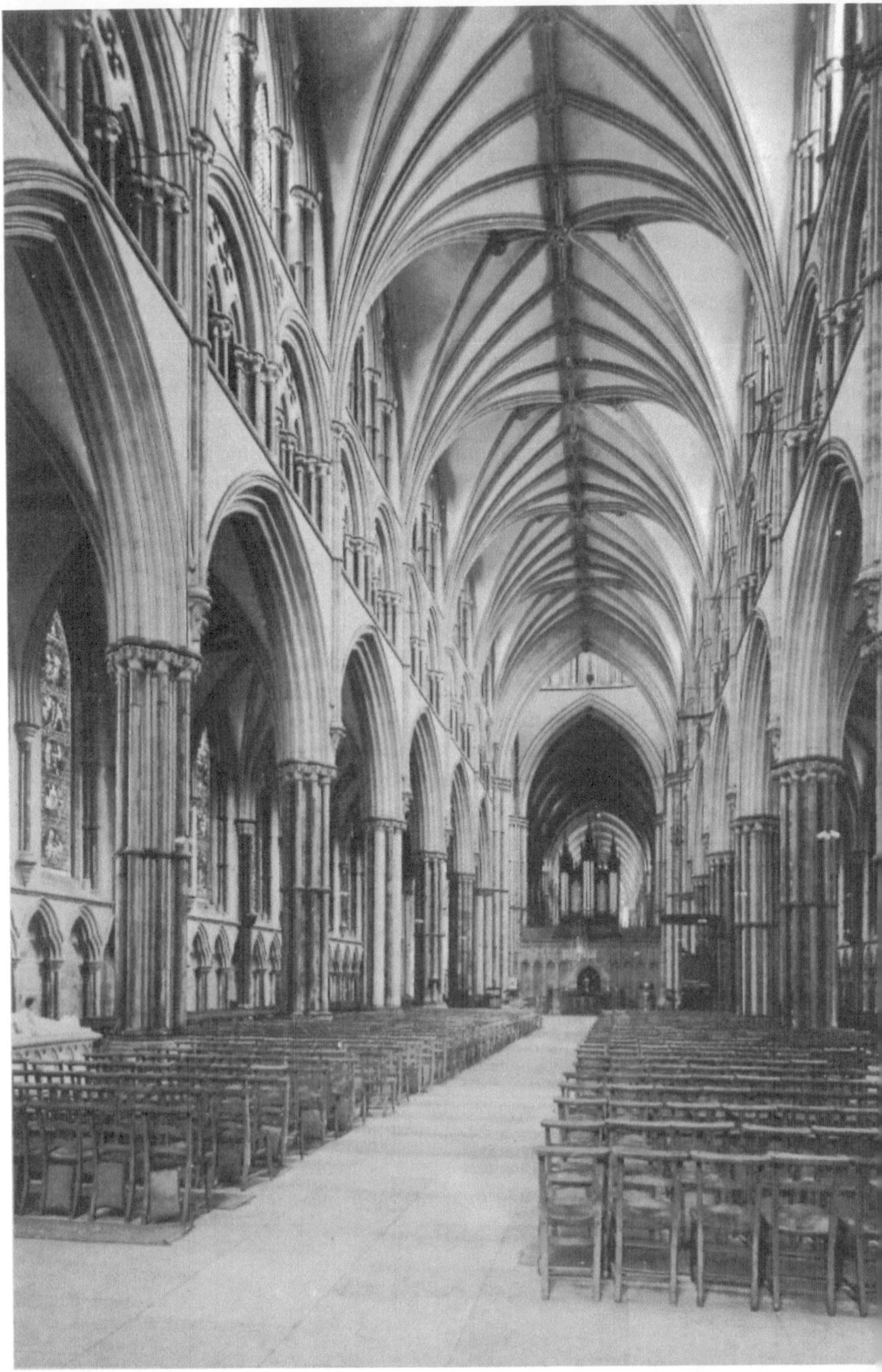

capitéis que as nervuras diagonais, mas que se ligam a outros pontos da nervura longitudinal ou a uma outra nervura que lhe é perpendicular (ver ilustração p. 113). Assim, a abóbada de Lincoln assume a forma de uma sucessão de estrelas e é mais decorativa e menos lógica do que a do sistema francês. Existe, além disso, um outro aspecto ainda menos lógico dessas abóbadas. Com efeito, quando se observam as abóbadas de Lincoln na planta, a definição de uma sucessão de estrelas parece correta. No entanto, quando se vê o interior da igreja, a impressão não é a mesma. Como os arcos transversais não são mais grossos do que as nervuras e têm exatamente o mesmo perfil que elas, não se apreende o conjunto como sendo o de uma seqüência de vãos mas, sim, como uma ala de palmeiras, cujos ramos vão dos capitéis dos fustes da abóbada, à direita e à esquerda, até a nervura longitudinal. Assim, o ritmo do percurso pelo interior da igreja é determinado não mais pelos vãos, mas pelos pontos de irradiação dos ramos; aquilo que, num plano inferior, ao nível das grandes arcadas, são os vãos, é sincopado pela largura de um meio-vão ao nível da abóbada e ao longo do trajeto.

Em todos esses aspectos, o *Early English* surge como o reflexo fiel do caráter nacional, que não parece, até o momento, ter mudado muito. Ainda existe a mesma desconfiança com relação ao lógico e coerente e ao extremado e descompromissado. Até agora não foi possível encontrar essas qualidades especificamente inglesas na arquitetura normanda. É importante mencionar que, exatamente por volta de meados do século XIII, havia também outros indícios do despertar de uma consciência nacional. As *Provisions of Oxford*, de 1258, são o primeiro documento oficial com texto não apenas em francês (ou em latim), como também em inglês. Declaram que, no futuro, nenhum feudo dependente da Coroa poderá aliar-se a estrangeiros e que os comandantes dos castelos reais e dos portos deverão ser ingleses. Sabe-se que a revolta de Simon de Monfort foi um movimento nacional e que Eduardo I foi muito influenciado pelas idéias de Simon. A mesma tendência no sentido de uma diferenciação nacional pode ser observada nessa época em outros países europeus. Estava ligada, provavelmente, à experiência das Cruzadas. Nelas, os cavaleiros do Ocidente, embora unidos em um empreendimento comum, haviam, pela primeira vez, tomado consciência do contraste existente entre os comportamentos, sentimentos e costumes de seus respectivos países.

No que diz respeito à arquitetura, as Cruzadas tiveram, além desse, um efeito mais imediato. Provocaram uma reformulação completa na maneira de conceber e construir castelos. Em lugar de adotarem como sistema de defesa a fortaleza normanda, criaram um sistema de cortinas de muralhas concêntricas, com torres. Esta disposição foi utilizada por volta do ano 400, nas poderosas muralhas de Constantinopla, onde a muralha interior, a mais alta, eleva-se a mais de 12 metros. A idéia foi, a seguir, adotada pelos infiéis, e depois pelas Cruzadas, na Síria e na Terra Santa. Um dos primeiros exemplos, na França, é o Château Gaillard, construído em 1196-1197 por Ricardo Coração de Leão, rei da Inglaterra. A Torre de Londres, ampliada por Ricardo Coração de Leão e depois por Henrique III, é um exemplo espetacular desse plano concêntrico. Mas o que é mais importante é o fato de que o novo padrão funcional veio acompanhado, pelo menos num certo número de casos, por um novo padrão estético. Redescobriu-se a simetria que os romanos utilizaram em suas cidades e castros, como princípio de organização dos castelos; essa descoberta se deve aos franceses. Os castelos de Philippe Auguste, o Louvre em Paris, e Doudran, perto de Paris, são quadrados ou quase quadrados com quatro torres redondas nos cantos e um portão com torres cilíndricas no meio de um dos lados. Os engenheiros do imperador Frederico II construíram castelos semelhantes no Sul da Itália (Lucera, Castel Maniaco em Siracusa, Cas-

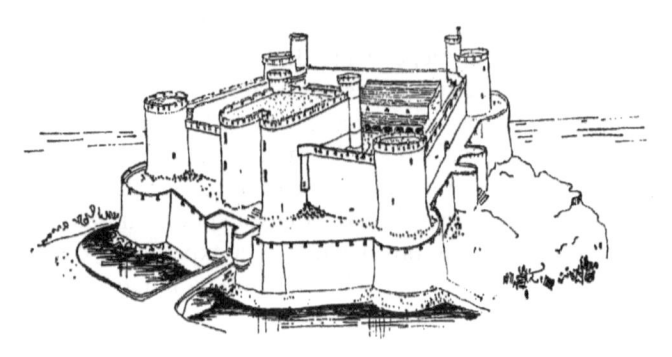

87. Castelo de Harlech, 1286-90

88. Castel del Monte, c. 1240

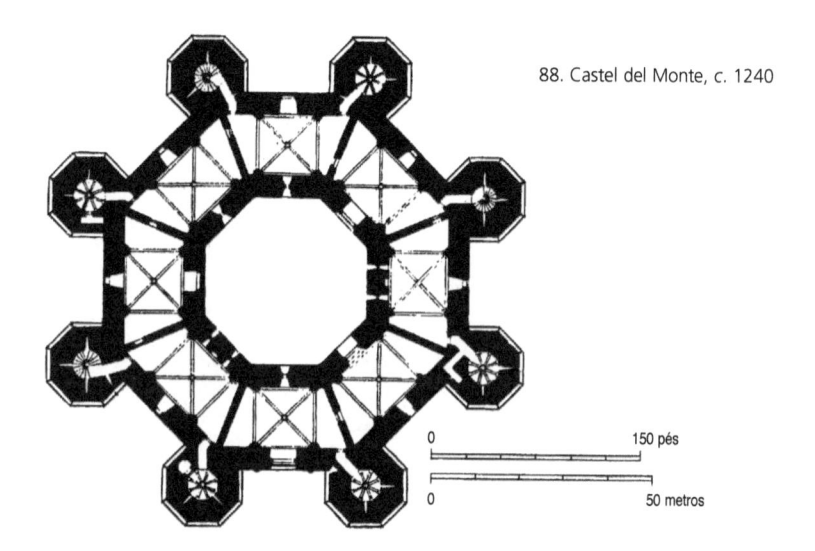

tel Ursino na Catânia) por volta de 1240, sob influência francesa ou não. Nesse mesmo momento, as cidades novas do século XIII, construídas pelos franceses e ingleses por necessidades militares ou comerciais, passaram também a contar com estruturas regulares. O exemplo inglês mais bem preservado é New Winchelsea, mas a mais grandiosa de todas as "novas cidades" é Aigues-Mortes, que data de c. 1270. É um tabuleiro de xadrez com muralhas retilíneas, torres nos cantos e portões com torres. Os castelos ingleses foram construídos um pouco mais tarde, mas Harlech, no País de Gales (1286-1290), é o mais grandioso edifício desse tipo conservado na Europa do Norte. O castelo mais bem concebido de todo o Ocidente é o castelo de Frederico II, Castel del Monte, um octógono com elementos derivados da Roma Antiga e do gótico francês.

Na arquitetura religiosa inglesa, a realização que mais facilmente se presta a uma comparação com a simetria circular de Winchelsea ou Harlech é a casa capitular do século XIII, mais uma realização especificamente inglesa, pouco conhecida no exterior e, graças ao complexo de inferioridade inglês em assuntos de arte, bem pouco apreciada na Inglaterra. Em Salisbury, a sala capitular que data de 1275, aproximadamente, foi construída sobre um plano central. É um octógono que apresenta um pilar central e amplas ja-

89. Catedral de Salisbury, capítulo, c. 1275

nelas que ocupam a totalidade das paredes, com exceção de uma arcada cega, situada acima dos bancos de pedra reservados aos membros do capítulo. Mas, enquanto na França as paredes inteiramente envidraçadas dão a impressão de uma união estática com um outro mundo misterioso, em Salisbury as proporções das janelas, com seus amplos círculos rendilhados, mantêm o interior em contato seguro e satisfatório com o mundo. A atmosfera radiosa

O ESTILO GÓTICO: DO PRIMITIVO AO CLÁSSICO **121**

assim atingida faz com que Amiens pareça por demais contundente e agitada.

Ao mesmo tempo, o *Early English* apresenta, em cada um de seus diferentes motivos, tanto refinamento, nitidez e *noblesse* quanto o estilo francês das grandes catedrais. De fato, é exatamente essa profunda semelhança que nos mostra a identidade espiritual existente entre os arquitetos franceses e ingleses do século XIII. Para perceber isso, basta olhar o pilar central de Salisbury ou os pilares da arcada na nave em Lincoln, com seus delgados fustes isolados e seus capitéis de florões vivos (do tipo característico dos anos 1200,

90. Southwell Minster, capitel, final do séc. XIII

tanto na França como na Inglaterra), ou então reparar na claridade e na verticalidade das janelas lanceoladas inglesas (inglesas na medida em que pressupõem uma parede sólida na qual se inserem, ao contrário do que se dava na França, onde toda a parede é eliminada) ou ainda no trabalho magistral de escultura das folhas nos capitéis da casa capitular de Southwell, palpitantes de vida e, no entanto, submetidas à disciplina estrita da arquitetura, tratadas com sobriedade, sem extravagância ou ostentação e de uma precisão que só encontra paralelo na arte grega clássica do Partenon.

Mas o clássico é apenas um momento na história de uma civilização. Nas mais avançadas, França e Inglaterra, ele foi atingido ao final do século XII. Cansadas dele, partiram para novas aventuras logo depois de meados do século XIII. Na França, no entanto, o grande impulso criativo logo arrefeceu – depois da Sainte Chapelle, em Paris, projetada como uma sala alta, com paredes inteiramente de vidro, com exceção de uma estreita faixa interior. Do mesmo modo, em Beauvais, iniciada em 1247 e, ainda mais cedo, na construção da nave, do transepto e de todas as partes altas de Saint Denis, a partir de 1231, os fustes da abóbada se elevam sem nenhuma interrupção no nível dos pilares da arcada, e o trifório é totalmente envidraçado. Não há nenhum reforço horizontal, nenhuma parte de alvenaria compacta e escura, e a elevação passou a ter dois andares em vez de três. O fim dessa evolução, na França, é representado pela extraordinária igreja de Saint Urbain em Troyes, de 1261 e 1277, onde os elementos estruturais têm uma fragilidade e delgadeza sem precedentes e onde se observa o sistema da Sainte Chapelle transferido para uma igreja de grandes dimensões. Depois, por volta de 1275, os franceses perderam o vigor. É verdade que várias catedrais ainda foram construídas nas províncias recentemente conquistadas pela Coroa, mas essas construções não trouxeram nenhum elemento novo e permaneceram fiéis às regras estabelecidas em Saint Denis e Beauvais[19]. A Ingla-

---

19. As datas são as seguintes: Clermont-Ferrand, iniciada em 1948, Narbonne e Toulouse, 1272, Limoges, 1273, Rodez, 1277. As escolas regionais, proporcionalmente, perderam em importância, mas Poitou e Anjou permaneceram fiéis ao tipo salão que atingiu seu ponto culminante nas catedrais da primeira fase do gótico de Angers, iniciadas antes de 1148, e de Poitiers, iniciada em 1162. Um tipo menor e particularmente elegante de igreja-salão de c. 1200 é St. Serge em Angers. A Normandia também preservou, internamente, um caráter regional, com suas galerias e detalhes de rendilhado próximo do *Early English* da Inglaterra, mas exteriormen-

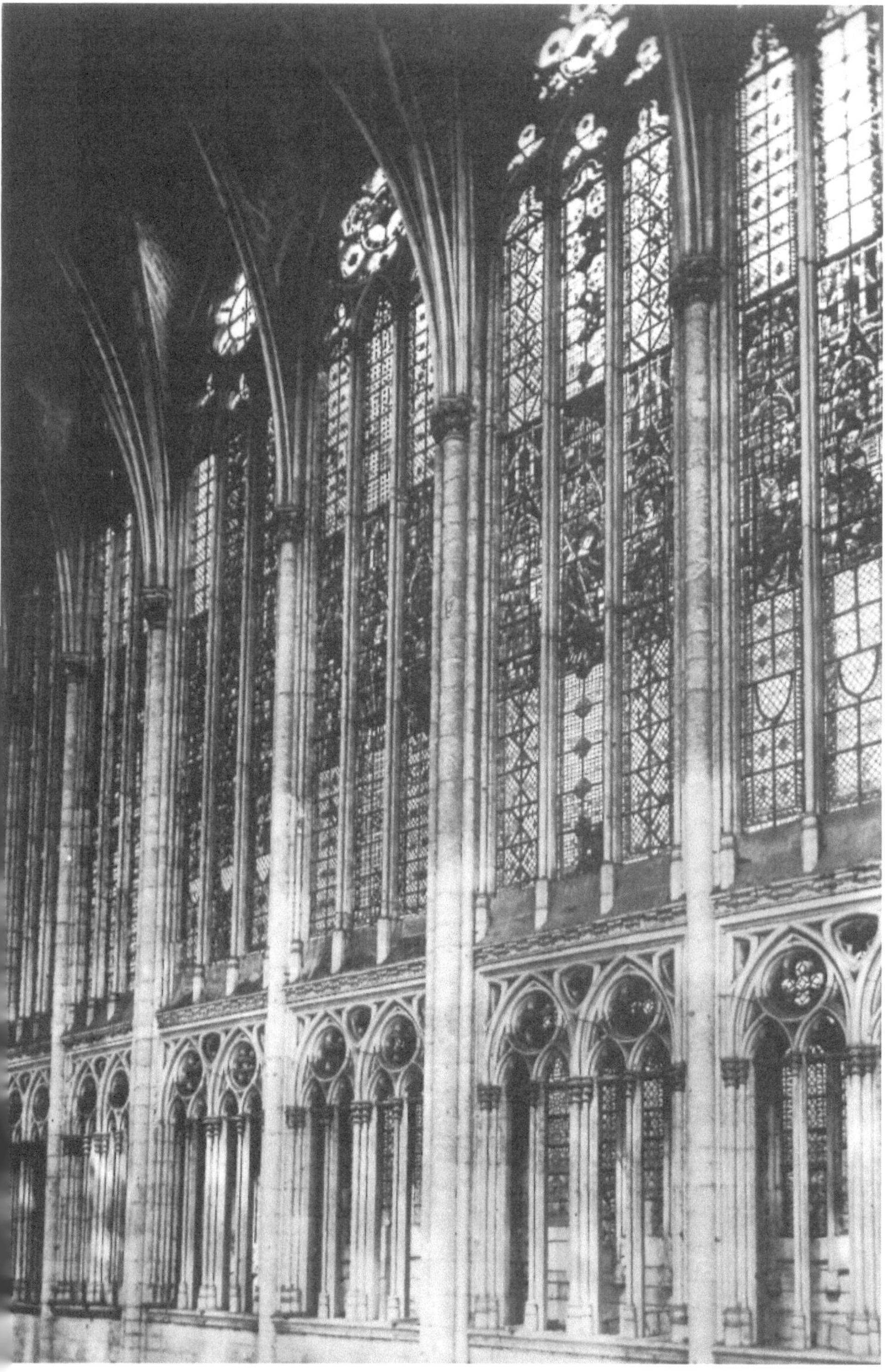

terra, pelo contrário, deveria manter sua energia criadora por mais um século. De fato, a arquitetura inglesa entre 1250 e 1350 foi, embora os ingleses não saibam disso, a mais avançada, a mais importante e a mais inspirada da Europa.

te caracterizadas por magníficos campanários, sendo os melhores os de Coutances. Há também a Borgonha, onde, após uma longa resistência contra o gótico da Île de France, a catedral de Auxerre, c. 1215, Notre Dame de Dijon, c. 1220, e outras desenvolveram um estilo muito pessoal de fustes internos muito delgados. Trifórios altos foram mantidos, assim como na Normandia (e na Inglaterra) também foram preservadas suas altas galerias ou trifórios. Quanto ao Sudoeste, especialmente Albi, ver o próximo capítulo.

# 4. GÓTICO TARDIO
c. 1250-c. 1500

O gótico tardio, embora ainda faça parte do estilo gótico em virtude do uso predominante do arco ogival, é essencialmente diferente do gótico clássico das grandes catedrais francesas como as de Paris, Reims, Amiens, e das inglesas como Lincoln e Salisbury. É um fenômeno complexo – tão complexo que talvez fosse mais prudente abordá-lo através das mudanças ocorridas no plano da decoração, antes de tentar indicar quais as modificações espaciais que o caracterizam. Com relação à decoração, é possível apreender a diferença existente entre o começo e o fim do século XIII no interior da catedral de Lincoln. O "retro-coro", ou Coro dos Anjos, foi iniciado em 1256. Sua beleza é suprema; mas já não tem o mesmo frescor da primavera ou do começo do verão. A abundância de sua decoração rica e melíflua evoca antes o calor e a suavidade dos meses de outono, do começo da colheita. Que generosa plenitude na folhagem exuberante dos modilhões, nos fustes e nos capitéis da galeria, nas vigorosas molduras das arcadas e no rendilhado da galeria! Que plenitude, sobretudo nas duas camadas de rendilhado no clerestório, uma nas janelas e a outra separando o interior da igreja de um corredor de circulação! Enquanto aqui ainda existe espaço e plenitude, em outras obras igualmente avançadas da mesma época nota-se uma tendência para um maior refinamento e também para uma maior complexidade. Esta tendência corresponde, aliás, à tendência dominante na filosofia da época – isto é, os meandros complicados do pensamento de

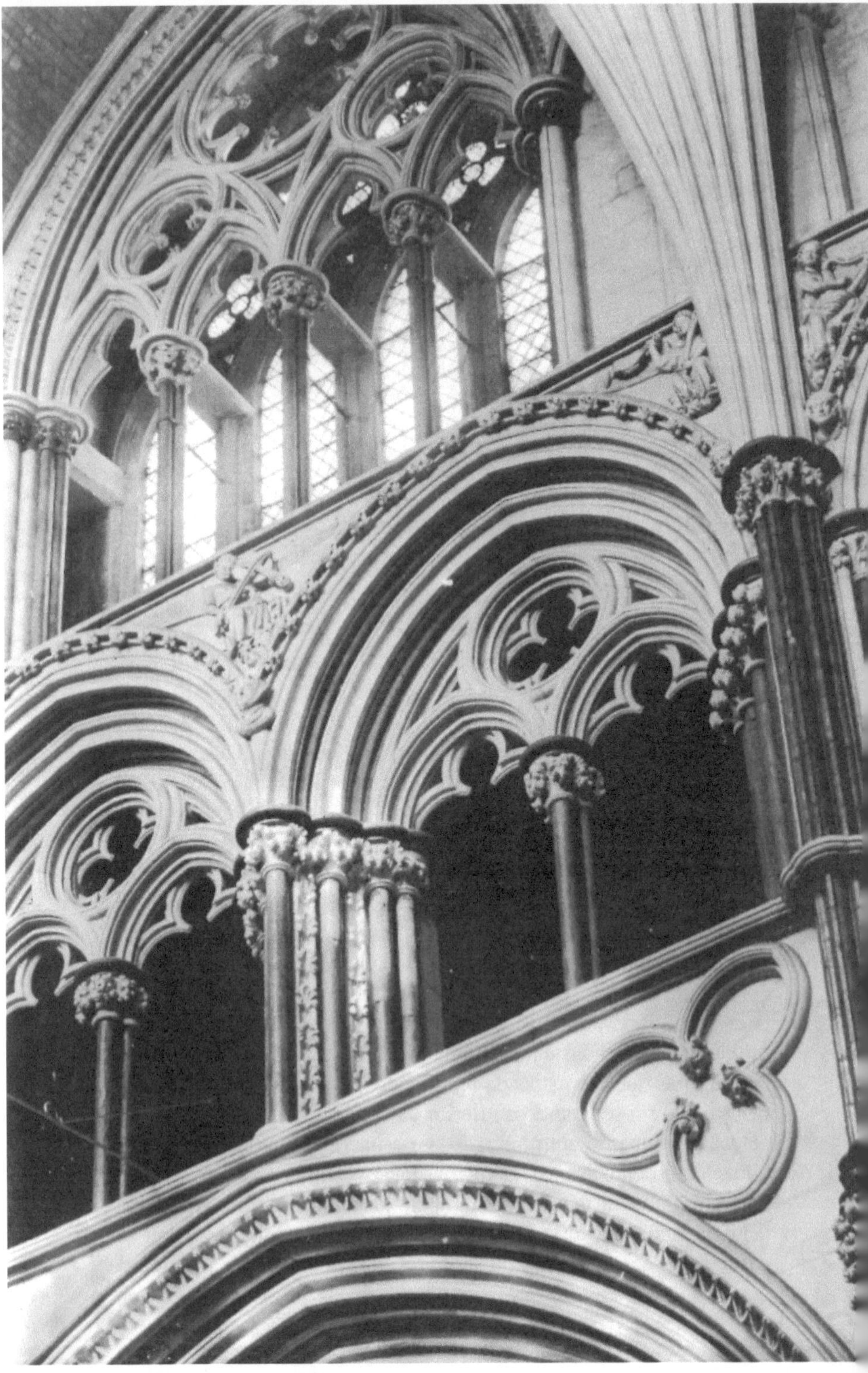

93. Catedral de Exeter, abóbada da nave, começo do séc. XIV

Duns Scotus (nascido por volta de 1266) e seu discípulo Occam (morto por volta de 1347) – e à tendência da arquitetura francesa. Mas, enquanto na França o resultado desse movimento é, no conjunto, estéril e voltado para o passado, a Inglaterra continuará inventando formas originais, recusando-se a ouvir a autoridade do passado. Mesmo porque o próprio Occam havia escrito: "Não me preocupo com o que Aristóteles possa ter pensado a respeito disto." A mais perfeita expressão dessa nova profusão, desse deleite com o decorativo mais do que com o estritamente arquitetural, é o tipo de rendi-

92. Catedral de Lincoln, coro dos anjos, iniciada em 1256

94. Catedral de Exeter, nave, começo do séc. XIV

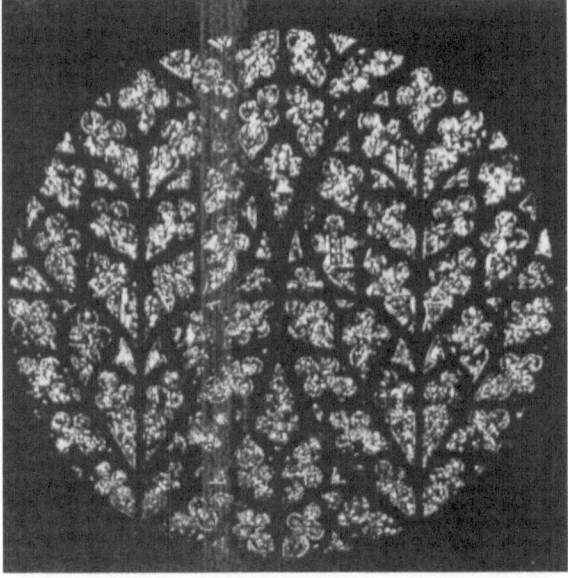

95. Catedral de Lincoln, o Olho do Bispo, c. 1325

96. Abadia de Selby, janela do lado oriental, c. 1325

lhado chamado *Howing*, em contraposição ao rendilhado geométrico utilizado entre os anos 1230 e *c*. 1300. A economia de expressão do *Early English*, própria de toda época clássica, contrasta fortemente com a infinita variedade do *decorated*. Onde antes havia exclusivamente círculos com trifólios ou quadrifólios inscritos, vêem-se

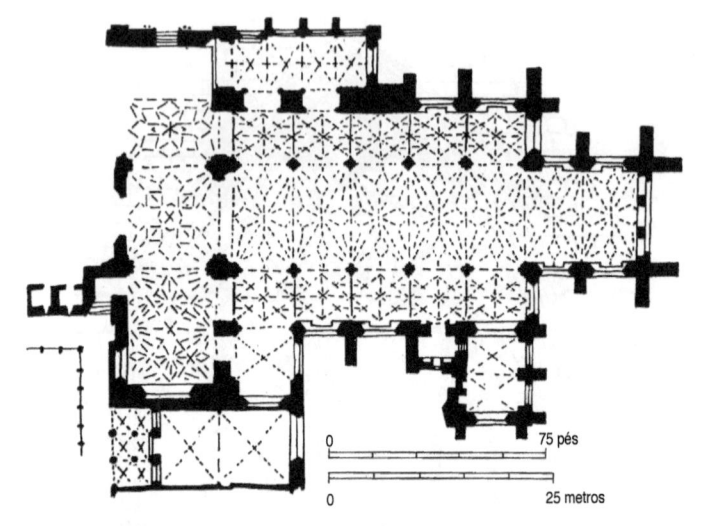

97. Catedral de Bristol, coro, iniciada em 1298

agora trifólios pontudos, arcos ogivais ou de curva dupla, formas semelhantes a adagas, formas semelhantes a *vesica piscis* e todo tipo de sistema reticulado.

Duas igrejas, uma na costa leste e outra na costa oeste do país, permitem o estudo dessa nova corrente inglesa em termos de espaço: a catedral de Bristol (na época, igreja abacial) e a de Ely. O coro de Bristol foi iniciado em 1298 e foi construído, principalmente, durante o primeiro quartel do século XIV. Distingue-se de todas as catedrais inglesas do período anterior em quatro aspectos significativos. É uma igreja-salão com naves laterais, e não uma basílica – o que significa que as naves laterais são da mesma altura da nave central e que não há clerestório. Esse tipo de elevação já existira no românico do Sudoeste da França, mas sem nunca ter atingido as realizações de agora: a criação de um espaço unificado, com pilares inseridos, em vez do princípio gótico clássico da disposição nave principal-naves laterais. Essa tendência para a unificação do espaço tem sua origem nos dormitórios e refeitórios da arquitetura monástica e nos "retro-coros", como o de Salisbury.

A introdução desse princípio na construção do próprio coro da igreja levou os arquitetos de Bristol a modificar, com surpreenden-

GÓTICO TARDIO **131**

te segurança para a época, a forma dos pilares e das abóbadas. Os pilares compósitos – inovação encontrada também na França, na Alemanha e na Holanda – apresentam capitéis apenas em alguns fustes de menor importância: os outros lançam-se para o alto e se inserem nas abóbadas, sem nenhuma interrupção. Os arcos transversos das abóbadas não têm ênfase especial. As abóbadas se assentam inteira-

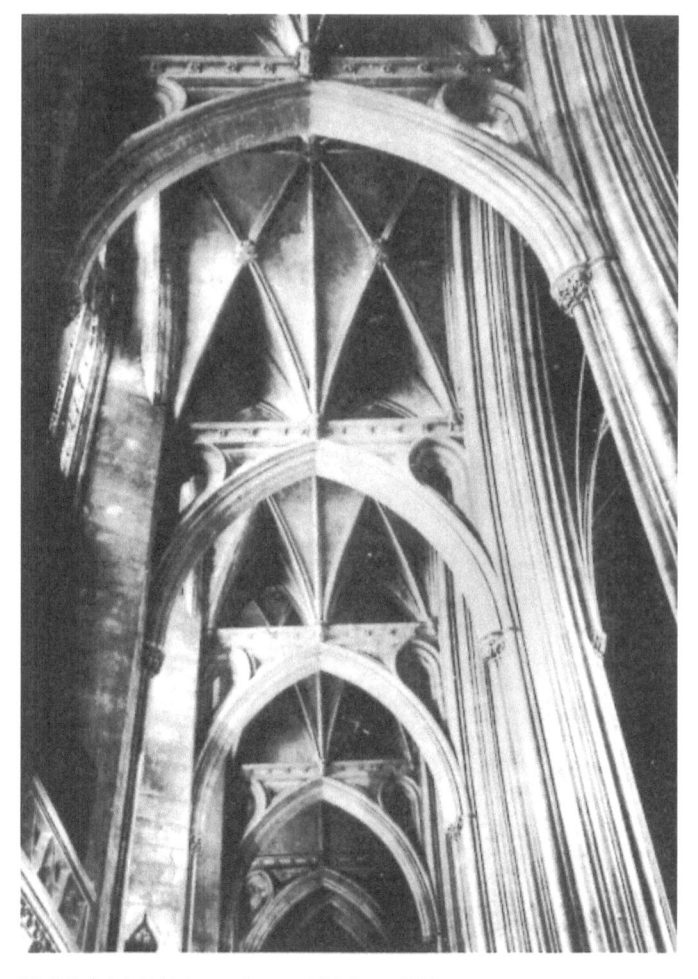

98. Catedral de Bristol, nave do coro, iniciada em 1298

mente sobre uma rede em forma de estrela, constituída de nervuras primárias, secundárias e terciárias, chamadas ogivas, terciarões e liernes. Os liernes, que, segundo sua própria definição, não partem nem de uma imposta ao longo da parede nem dos bocetes principais, são, também, uma inovação significativa. Por outro lado, a fim de poder suportar o peso da abóbada da nave – peso que, numa igreja gótica basilical, é transmitido através dos arcobotantes para o

99. Catedral de Wells, arcos do cruzeiro, 1338

teto das naves laterais, e destes para os contrafortes até o chão –, as naves laterais comportam, ao nível do ponto de origem de suas abóbadas, espécies de pontes lançadas de uma parede a outra sobre os arcos transversais. De seu centro brotam nervuras que, formando abóbadas de berço de aresta transversais, são destinadas a suportar a abóbada da nave central. Esse sistema deve ter sido imaginado por razões técnicas, o que não o impede de produzir um efeito estético dos mais notáveis. Um interior gótico clássico é feito para atrair nossa atenção apenas em duas direções: uma que vai da fachada até o altar e outra que, perpendicularmente a esse primeiro movimento, nos mostra, à esquerda e à direita, as faixas de vitrais e os rendilhados. Em Bristol, nossos olhos são constantemente atraídos para perspectivas fugidias e oblíquas, para cima e para os lados.

O mesmo efeito pode ser estudado em escala maior na catedral de Wells, onde, em 1338, um arco enorme, ou braço, de projeto e funções idênticas, foi colocado entre a nave e o cruzeiro para suportar o peso da torre sobre o cruzeiro. O efeito é grosseiro mas, inegavelmente, impressionante. Também em Bristol, o arquiteto da catedral deu uma versão mais alegre dos mesmos motivos espaciais no pequeno vestíbulo que antecede a capela dos Berkeley. Ali, um teto plano de pedra é suportado por arcos e nervuras, sendo que as partes entre eles são deixadas à mostra, de forma que o teto pode ser visto através de uma rede fascinante de linhas no espaço. Esta disposição não é exigida por nenhuma razão funcional, e o seu autor inventou-a unicamente pelo prazer de criar uma confusão agradável. As nervuras e os arcos do gótico clássico atêm-se estritamente ao nível espacial que lhes é designado, e não se aventuram a invadir outros.

Em Ely, mais do que em qualquer outro lugar, essa nova atitude com relação ao espaço encontrou uma forma adequada. Entre 1323 e 1330, o cruzeiro dessa catedral foi reconstruído em forma de octógono. A escolha desta forma pelo projetista – que foi, provavelmente, Alan de Walsingham, um dos vigários principais da catedral – pode ter sido apenas uma tentativa deliberada de quebrar a disciplina dos ângulos retos, vigente no século XIII. Os eixos diagonais com suas amplas janelas e rendilhado exuberante destroem as linhas precisas de divisão entre a nave principal, as naves laterais, o transepto e o coro, que foram as bases da planta-baixa e da elevação

**134** PANORAMA DA ARQUITETURA OCIDENTAL

100. Catedral de Ely, Lady Chapel, 1321-49

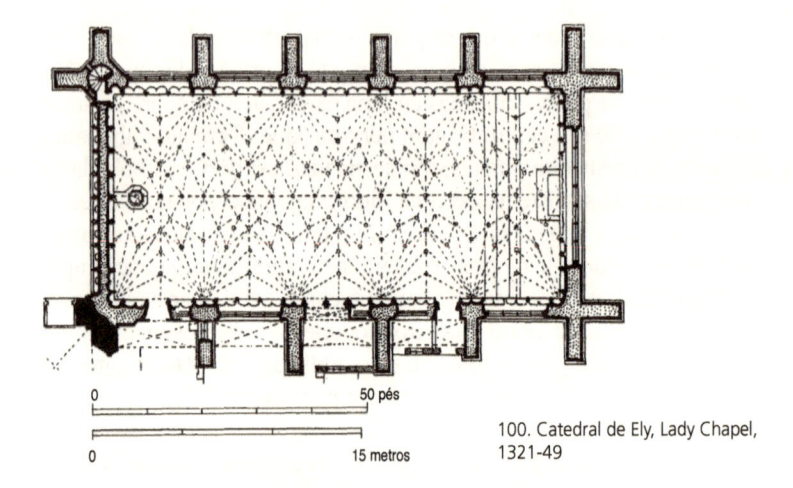

das igrejas góticas clássicas. Já se argumentou que os vitrais de Amiens e da Sainte Chapelle também quebram essa logicidade do início da Idade Média, abrindo espaço para um mundo misterioso e transcendental. Isso não é verdade. Os vitrais podem, sem dúvida, dar uma característica diáfana às paredes, mas não deixam de ser paredes, não permitindo aos olhos perderem-se em horizontes inatingíveis e vagos. Em Ely, o octógono produz exatamente esse efeito de surpresa e ambigüidade. Além disso, o octógono de pedra é coroado por um segundo octógono, este em madeira, que substitui as habituais torres quadradas do cruzeiro. Essa construção em madeira, obra de William Herle, carpinteiro do rei, que foi chamado como consultor, forma um ângulo com o octógono de pedra, como se tivesse sido girado vinte e dois graus e meio. Esse é mais um elemento de surpresa em Ely. O cruzeiro poligonal de Ely tivera um antecedente em Siena, cuja catedral, quase terminada em 1264, tinha um cruzeiro em forma de hexágono. O efeito de surpresa é comparável ao de Ely, mas em Siena ele nos parece um pouco fortuito, em virtude da implantação irregular do cruzeiro e da forma aleatória dos vãos e das abóbadas que o cercam.

A capela da Virgem, em Ely (1321-1349), atinge o mesmo resultado através de meios mais sutis e delicados. Essa capela retangular é isolada do edifício principal, como normalmente acontece apenas com as salas capitulares. Possui em toda sua volta uma pri-

101. Catedral de Ely, Lady Chapel, 1321-49, detalhe

morosa arcada com arcos ogivais decorados com florões, unidos por arcos ogivais maiores, tridimensionais ou livres no espaço (*nodding*). Quadrifólios em curva ogival e ornamentados com figuras sentadas guarnecem os tímpanos dos arcos. Os próprios arcos são recobertos por uma abundante e luxuriante vegetação que não é mais tão nítida quanto a do século XIII mas que, em virtude de suas ondulações, das protuberâncias de suas folhas, da complexidade de seus menores detalhes, é, ao mesmo tempo, mais rebuscada e, paradoxalmente, mais uniforme em seu conjunto. Esse deleite em criar convoluções com folhagens e em disfarçar as estruturas por meio de vegetais chegou ao ponto, num caso excepcional, de transformar as ombreiras e o rendilhado de uma janela inteira em tronco e galhos de uma árvore. Trata-se da *Jesse Window* em Dorchester, Oxfordshire, que é aproximadamente contemporânea de Ely e Bristol. As figuras dos ancestrais de Cristo são em parte esculpidas na árvore de pedra, em parte representadas no vitral, nos painéis entre o tronco e os galhos ou entre um galho e outro.

Era uma época, na Inglaterra, em que se gostava de misturar ambientes, jogar com eles, tal como se gostava, nos entalhes, de resvalar de uma forma para outra, em vez de isolar as partes umas das outras, conforme o princípio seguido no entalhe das folhagens de Southwell. Agora, tudo o que se vê é um movimento de ondulação, de luzes e sombras, roçando superfícies cheias de protuberâncias, fascinantes mas bem longe da nitidez de um século antes.

O arco ogival tridimensional é, nesse contexto, um motivo de grande significação. Tem a mesma função que o octógono da catedral de Ely e que os pilares sem capitéis, as abóbadas sem arcos transversos e as pontes das naves laterais tiveram em Bristol – confere ao espaço um movimento mais rápido, mais complexo e menos simplista do que tudo aquilo que havia sido tentado nas igrejas do *Early English*. A sala capitular da catedral de York, que data aproximadamente de 1290, já prenuncia esse modo de lidar com a superfície das paredes em três dimensões; os assentos não mais se apóiam em arcadas cegas, como quinze anos antes, em Salisbury; são colocados no interior de pequenos nichos poligonais. Essa projeção, repetida quarenta e quatro vezes, faz surgir um movimento ondulatório frágil para romper a continuidade da parede, mas é digna de atenção quando se tem consciência da futura evolução dessa tendência.

Enquanto na Inglaterra essa nova experiência de um espaço em movimento se exprime de modo tão complicado, no continente, com uma ou outra exceção, procura-se obter um resultado semelhante com meios opostos. A exceção mais importante é a igreja de Saint Urbain em Troyes, de que já falamos. Nessa construção, erguida com os recursos financeiros particulares de um papa, surgem pela primeira vez (isolados e sem grande significação) o arco ogival, as pequenas colunas cilíndricas que suportam a abóbada sem capitéis intermediários, e ainda rendilhados intrincados nas janelas, trabalhados em duas camadas de desenhos diferentes. O mestre-de-obras de Bristol seguramente sabia da existência da igreja de Troyes. No entanto, esta é, para a arquitetura francesa, antes um ponto de chegada do que um ponto de partida. O coro da catedral de Saint Nazaire, em Carcassone, iniciado por volta de 1270, e o de Saint Thibault (Côte d'Or), do começo do século XIV, são as únicas construções comparáveis a Saint Urbain. As tendências predominantes em todos os países do continente europeu não eram no sentido de uma maior complexidade tridimensional do espaço, mas sim de amplidão ininterrupta.

Essas tendências, na Espanha, Alemanha, Itália e França, estavam ligadas de modo particular ao desenvolvimento de duas ordens religiosas, os franciscanos e os dominicanos (os frades cinzentos e os frades negros), fundadas em 1209 e 1215, cuja expansão, a partir de 1225, se fez tão rapidamente quanto, outrora, a expansão dos frades de Cluny e dos cistercienses. Mesmo antes de 1236, El Tudense, bispo de Tuy, escrevia em sua *História*: "Nessa época, os frades cinzentos e os frades negros construíram suas casas por toda a Espanha, e em todas elas, sem interrupção, pregava-se a Palavra do Senhor." O que caracterizava todas as igrejas dos frades era, mais do que qualquer outra coisa, o fato de serem igrejas onde eram feitos grandes sermões. Por outro lado, as igrejas dos frades não eram projetadas segundo planos tão padronizados quanto as dos cistercienses. Pelo contrário, já em 1252 um frade holandês, Humbertus de Romanis, lamentava-se: *"Nos autem quot domus tot varias formas et dispositiones officinarum et ecclesiorum habemus."* Mas eram igrejas grandes, simples e funcionais, apresentando poucos elementos que sugerissem uma atmosfera especificamente eclesiástica. Como muitos frades fossem padres, não eram necessárias muitas capelas a leste. Em compensação, eram necessárias naves espaçosas para abrigar as grandes assistências que vinham ouvir as pregações populares, ou, reproduzindo o *Repressor* de Pecock, *"large and wyde chirchis that therebi the more multitude of persoones mowe be recevyed togitere for to have theryn prechingis"*\*.

---

\* Em inglês arcaico no original: "igrejas grandes e amplas, para que um grande número de pessoas possam ser recebidas juntas para ouvir as pregações". (N. do E.)

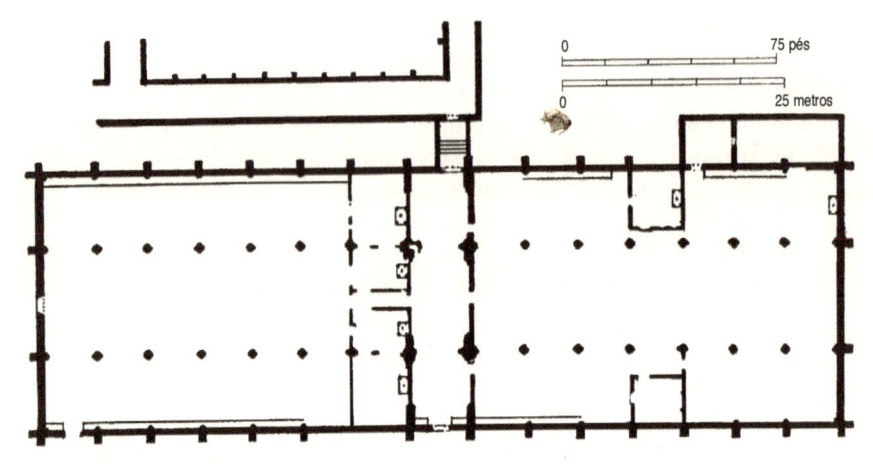

102. Londres, antiga igreja dos franciscanos, iniciada em 1306

Os frades, como se sabe, pertenciam a ordens populares. Desprezavam a existência fácil e segregada das outras ordens em seus domínios retirados no interior; instalavam-se em cidades movimentadas, e lá desenvolviam sua notável técnica de pregação, como um veículo de propaganda religiosa, a um grau que ninguém nunca havia atingido desde os tempos das Cruzadas. Assim, só precisavam de um amplo auditório, de um púlpito e de um altar.

A mais antiga de todas as igrejas franciscanas foi erguida na Itália: São Francisco, em Assis, iniciada em 1228, e que é uma sala abobadada sem naves laterais, com um transepto com abóbada e um coro poligonal, muito semelhante ao modelo das igrejas de Anjou, daquela época. Mais tarde, as igrejas franciscanas e dominicanas serão, na Itália, ou amplas salas sem naves laterais, cobertas por um teto em madeira e coros cistercienses (especialmente em Siena), ou construções de teto plano e naves laterais (Santa Croce, Florença, 1294), ou com abóbadas e naves laterais (Santa Maria Novella, Florença, 1278; SS. Giovanni e Paolo, Veneza, fim do século XIII; Frari, Veneza, 1340). Mas quer tenham ou não naves laterais, com abóbadas ou não, todas essas igrejas formam uma única unidade espacial dividida simplesmente por pilares, freqüentemente circulares ou poligonais. Através dessa disposição transparece um princípio novo da maior importância. Numa igreja do gótico primitivo, ou mesmo do gótico clássico, a nave central e as naves laterais eram os canais separados de movimentos paralelos no espaço. Agora, graças à amplitude dos vãos e aos suportes delgados, todo o comprimento e toda a largura do espaço interior constituem um todo único. Uma mesma intenção orienta, na França, a igreja de nave dupla dos jacobinos em Toulouse (1260-1304) e, na Espanha, as igrejas dos irmãos pregadores, com sua ampla nave, sem naves laterais mas flanqueada por capelas entre os contrafortes. Essa disposição foi adota pela primeira vez, ao que parece, em Santa Catarina de Barcelona, iniciada por volta de 1243. A seguir, este se tornará o modelo adotado pelas igrejas catalãs, mesmo para igrejas não monásticas e mesmo onde delgados suportes separam naves laterais (catedral de Barcelona, iniciada em 1298). Também a França foi influenciada por esse modelo, e a igreja mais espetacular do fim do século XIII, a catedral de Albi, só pode ser explicada em termos catalães. Sua construção foi iniciada em 1282, e ela se apresenta, exteriormente, como um bloco poderoso e único, totalmente desprovido da complicada articulação entre contrafortes e arcobotantes, dos exteriores góticos clássicos[20]. No interior, os contrafortes, inicialmente, subiam até o teto, sem galerias nem balcões, que só foram acrescentados mais tarde. Os vãos são estreitos e as abóbadas são quadripartidas, o que dá um ritmo rápido desde o oeste até a extremidade leste poligonal com suas capelas radiais.

Essa simplicidade exterior, independente do que aconteça no interior, também é típica das igrejas dos frades na Alemanha (v. Erfurt) e na Inglaterra. Na Inglaterra, o despojamento é freqüentemente atenuado por uma torre ou campanário situado sobre o vão, entre a nave e o coro. Internamente esse vão era marcado por sólidas paredes na nave central e nas naves laterais, bem como no coro e nas laterais do coro. Mas, enquanto concepção, a igreja freqüentemente formava um retângulo bem definido. Infelizmente, temos poucas igrejas desse tipo para analisar. Quase nenhuma sobreviveu inteiramente, e talvez essa seja a razão pela qual a influência desse estilo no desenvolvimento do século XIV seja geralmente subestimada. Quanto à Alemanha, os interiores inicialmente não tinham naves laterais, como na Itália, e depois, sobretudo após 1300, eram igrejas-salão, isto é, com nave

---

20. As primeiras dessas capelas entre contrafortes aparecem em Notre Dame de Paris, após 1235 (ver planta à p. 102).

central e naves laterais da mesma altura, como em Bristol. Na Alemanha já havia uma longa tradição de igrejas-salão que remontam ao estilo românico e até mesmo, em um caso, ao ano 1015. Portanto, é inútil supor uma ligação de parentesco com as igrejas-salão com naves laterais do Sudoeste francês. Aqui, as igrejas-salão góticas foram construídas espontaneamente, tendo sido esse estilo adotado (Lilienfeld) e provavelmente inspirado (como na Inglaterra) pelos refeitórios e outros aposentos monásticos. O modelo difundiu-se durante toda a segunda metade do século XIII e o início do século XIV. Depois de 1350, a *Hallenkirche* tornou-se a regra. Sua época áurea iniciou-se com a igreja de Santa Cruz, em Schwabisch Gmünd, cujo coro foi iniciado em 1351. O arquiteto era Heinrich Parler, "*de Gemunden in Suebia*", cujo filho tornou-se o mestre-de-obras da catedral de Praga, então capital do Sacro Império Romano e um dos principais centros do novo estilo. Na Baviera, o principal mestre-de-obras foi Hans de Landshut, habitualmente (embora erroneamente) conhecido como Hans Stethaimer. De todas as igrejas da Francônia, S. Lourenço em Nuremberg é a que melhor mostra as possibilidades da igreja-salão. Sob a forma que assumiu em Gmünd, Landshut, Nuremberg e em muitos outros exemplos na Vestefália e em cidades da costa hanseática, ela convida o olhar, através de formas delgadas e redondas ou pilares poligonais, a se desviar das linhas estritas de visão do gótico, ou seja, a linha leste-oeste e a linha para o norte ou para o sul, na direção das naves laterais mais baixas. Como em Bristol, as perspectivas diagonais se abrem em todas as dimensões. Enquanto caminhamos pela igreja, o espaço parece fluir à nossa volta, sem direção. Prova desse desenvolvimento consciente por parte dos construtores são os casos em que um coro do gótico tardio era acrescentado, sem nenhuma mediação estética, a uma nave mais antiga. Esses casos são o extremo oposto de Beverley Minster e de Westminster, na Inglaterra, onde os arquitetos do século XIV continuaram a obra dos arquitetos do século XIII, sem nenhuma modificação essencial. Tinham seu estilo próprio, o de sua época, mas ao completar uma igreja mais antiga preferiam deixá-lo de lado para ficar em harmonia com um estilo predeterminado. É uma atitude tipicamente inglesa, e nada poderia estar mais distante da atitude alemã, tal como ela se manifesta no coro de S. Lourenço em Nuremberg, iniciado em 1439 de acordo com os projetos de Konrad Heinzelmann. Depois de termos caminhado ao longo da nave, segundo o caminho rigidamente prescrito da basílica românica ou do gótico primitivo, ficamos surpresos e maravilhados ao penetrarmos de repente no mundo mais amplo e mais arejado do coro, onde os suportes são delgados e onde a nave central e as naves laterais com deambulatórios têm a mesma largura. Também os vãos são amplos e as abóbadas formam ricos motivos estrelados (semelhantes aos criados pelos ingleses 150 anos antes), que contêm o impulso vertical dos pilares. Estes não têm capitéis (outro motivo de origem inglesa) e, assim, suas linhas de energia podem, ao final de uma corrrente ascendente, espalhar-se sem entraves através das nervuras prolongadas de todos os lados. Algumas das melhores e últimas igrejas alemãs desse período – por exemplo, Annaberg, na Alta Saxônia, centro de uma região que se enriqueceu depressa graças à descoberta de prata em suas terras – apresentam pilares octogonais com faces côncavas, indicando muito claramente a tendência a fazer com que o espaço da nave central e das naves laterais surja de todas as direções contra as divisões de pedra. O mesmo tipo de pilar aparece nas igrejas de Cotswold (Chipping Campden). Deve-se observar que as nervuras flutuantes, como na antecapela de Berkeley, em Bristol, são também uma especialidade das mais audaciosas dessas igrejas do gótico alemão tardio. Surgem pela primeira vez na obra de Peter Parler para a catedral de Praga, em 1352.

Praga também pode ser o lugar de origem das nervuras de curva dupla ou tridimensional de Annaberg, outro motivo cuja origem deve ser buscada na Inglaterra, em obras do começo do século XIV, como a nave lateral sul de St. Mary Redcliffe, em Bristol. A obra em questão, em Praga, é o Vladislav Hall, do castelo (cf. p. 296) construído por Benedict Ried em 1487-1502, um dos maiores salões seculares da Idade Média. O modo pelo qual as nervuras se projetam a partir dos fustes das paredes tem, inegavelmente, uma aparência vegetal. Não é de surpreender, assim, que em algumas das igrejas da Alta Saxônia e da Boêmia os fustes e nervuras sejam substituídos pela representação naturalista de troncos e galhos de árvores – mais um motivo que, como já vimos, foi utilizado na Inglaterra mais de 150 anos antes[21]. Os troncos e galhos combinam

---

21. Esse motivo, de modo bastante curioso, aparece também no trabalho de Bramante em Milão (Canônica de S. Ambrogio).

103. Nuremberg, St. Lawrence, coro, iniciada em 1439 por Konrad Heinzelmann, completado por Konrad Roritzer

perfeitamente com as vestimentas cheias de pregas das imagens esculpidas, que aparecem em profusão nos exteriores e interiores das igrejas alemãs do gótico tardio. Mais uma vez, São Lourenço, em Nuremberg, é um exemplo de como a escultura e o detalhe arquitetural,

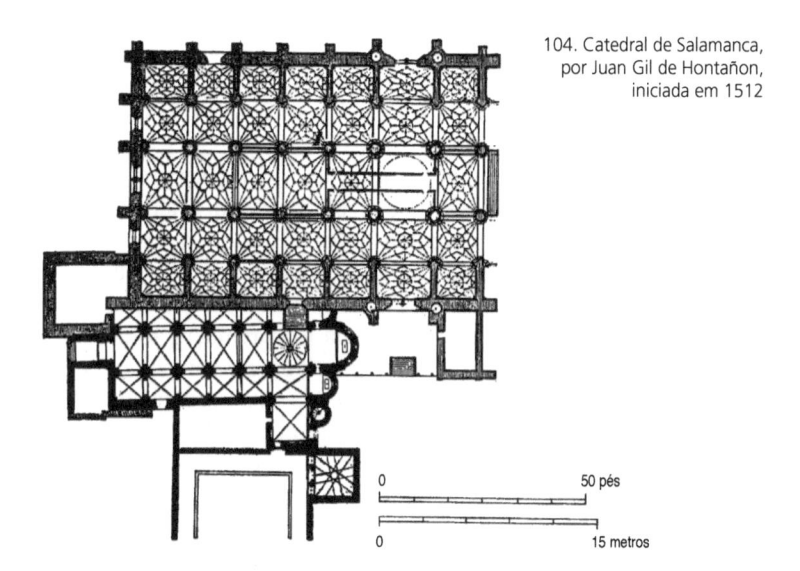

104. Catedral de Salamanca, por Juan Gil de Hontañon, iniciada em 1512

bem como o vagar do olho pelo espaço, são coordenados. A esplêndida flecha de pedra do tabernáculo ergueu-se para a abóbada, numa posição assimétrica; o enorme medalhão em madeira esculpida de Veit Stoss, que representa a Anunciação, equilibra-se, alegre e transparente, no espaço diante do altar, de modo a ser visto contra a luz proveniente da alta janela central superior. Em toda a volta há duas fileiras de janelas, o que, assim como o motivo fechado da abóbada estrelada, ressalta a horizontalidade. O contraste entre os muros exteriores simples, de janelas sem decoração, e o *Waldweben* interior é altamente característico do estado de espírito do gótico tardio, sobretudo na Alemanha. É uma mistura de devoção mística e de sólido senso prático, a fé numa vida divina neste mundo, a reunião das idéias das quais surgiria a Reforma luterana. Lutero nasceu antes de serem encomendados o tabernáculo e a Anunciação. A oposição entre os interiores de curvas etéreas, entre as quais o indivíduo pode perder-se como se estivesse entre as árvores de uma floresta, e os exteriores poderosos e sólidos com suas paredes contínuas e sua dupla fileira de janelas, anuncia o próprio espírito da Reforma alemã, dilacerada entre introspecção mística e uma nova e entusiástica paixão por este mundo. Além disso, os novos interiores do gótico alemão tardio também tinham uma vantagem prática – a mesma das igrejas-salão sem naves laterais, dos frades italianos: estavam muito mais adaptados aos longos sermões do que os antigos interiores com suas avenidas separadas.

No entanto, não foram apenas estas considerações práticas que criaram o novo estilo, nem se pode dizer que ele foi criado pelo espírito da Reforma que se aproximava. Na verdade, este estilo pode ser encontrado também na Espanha, assim como na Alemanha. A arquitetura espanhola do século XV, aliás, sofreu bastante a influência alemã. Mestres-de-obras de Colônia e Nuremberg foram chamados a Burgos, onde introduziram motivos germânicos, como a abóbada em forma de estrela ou de rede. No entanto, o sucesso desses mestres e dos escultores que trabalham em pedra, oriundos do Norte, não teria sido tão grande se não existissem, na escola nacional espanhola, tendências que já a orientavam na direção da nova linguagem do gótico tardio. A abóbada em estrela não teria pareci-

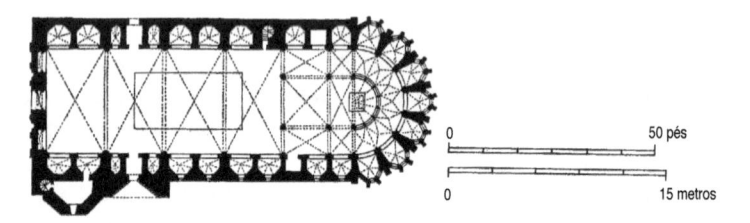

105. Catedral de Gerona, coro, iniciada em 1312, e nave, por Guillermo Boffiy, iniciada em 1417

do, para a época, mais do que uma variação do tema da abóbada muçulmana, com suas nervuras soltas formando muitos tipos de estrelas. A concisão do clássico cruzamento de ogivas francês, como aliás todo o conjunto das idéias francesas clássicas, não atraía os espanhóis. Como na Alemanha, as imitações do gótico clássico francês são raras e, ainda como na Alemanha, as igrejas apresentam amplas naves laterais, embora sejam mais baixas do que a nave central (próprio da basílica); pode-se encontrar capelas entre os contrafortes, proposta introduzida, como vimos, pelos frades. Onde melhor se pode observar como é forte o desejo dos espanhóis por um

106. Catedral de Gerona, coro, iniciada em 1312, e nave, por Guilhermo Boffiy

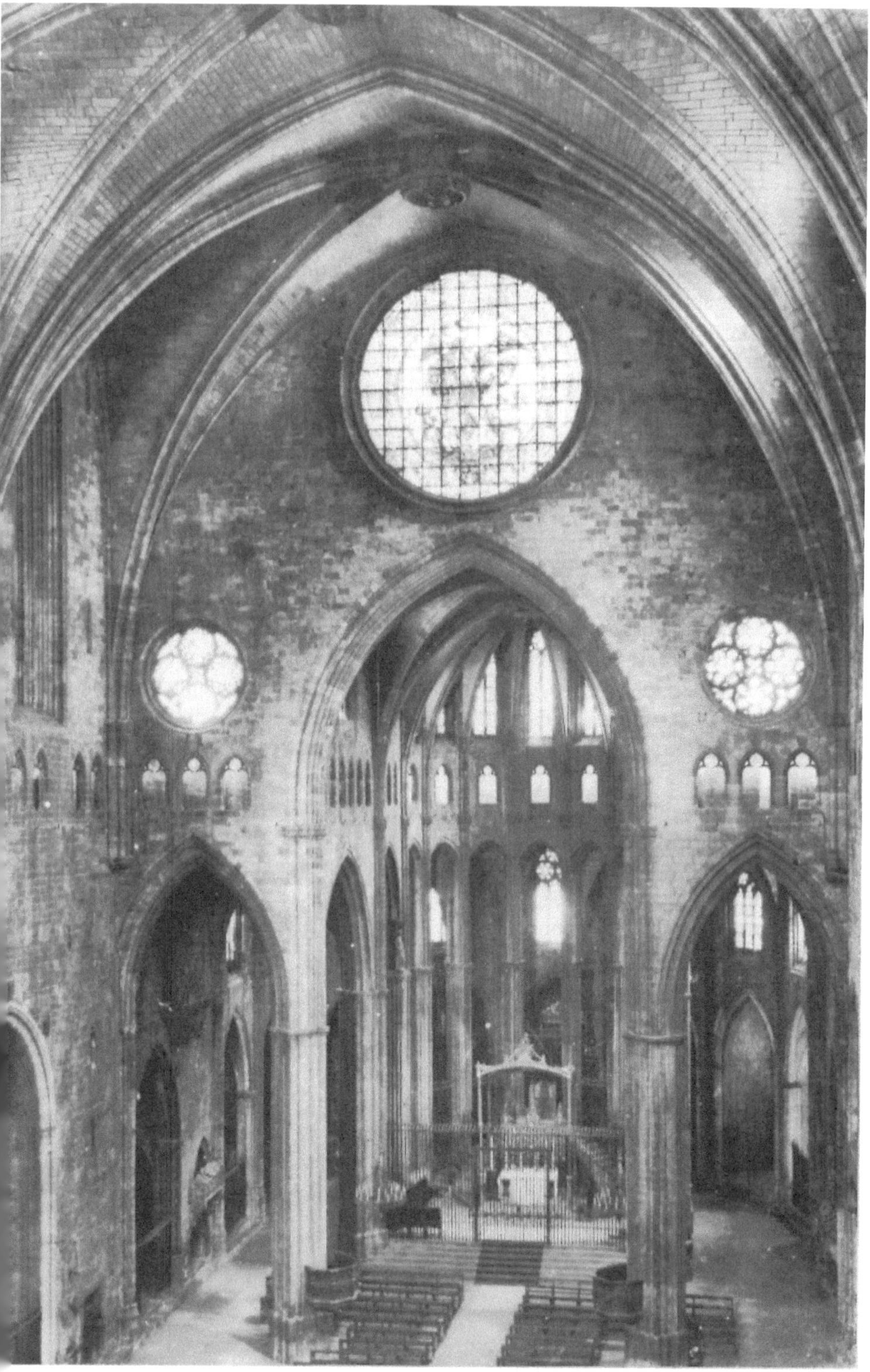

espaço unificado é, talvez, em Gerona, cuja catedral havia sido iniciada segundo o estilo francês, com um coro, um deambulatório e capelas radiais, em 1312. Quando essas alas orientais foram completadas, por alguma razão a obra foi interrompida e somente em 1416 é que o mestre-de-obras Guilhermo Boffiy sugerirá que seja acrescentada uma nave. Sua audaciosa sugestão consistia na construção de uma nave, sem naves laterais, de largura igual à da abside e do deambulatório juntos. Houve oposição entre as autoridades eclesiásticas e, com isso – uma idéia curiosamente moderna –, foi formada uma comissão que deveria decidir a questão. Seus membros eram doze arquitetos de destaque. Suas respostas eram reservadas. Sete foram a favor de prosseguir com o esquema da basílica na direção oeste, mas cinco empolgaram-se com a idéia de Boffiy. E, de fato, em 1417 Boffiy foi designado para pôr em prática sua concepção. Trata-se de uma obra-prima da técnica de construção, com um vão livre de 22 m, um dos maiores espaços abobadados da Europa medieval. Esse interior é um tanto despojado, mas tem muita força, e, sem dúvida, através do contraste marcante entre a nave unificada e o coro, construído num sistema de três unidades espaciais de altura e comprimento escalonados, oferece a prova mais convincente da mudança de estilo ocorrida entre o gótico clássico e o tardio.

Mas quando termina uma fase e começa a outra? Os exemplos alemães e espanhóis estenderam-se pelo século XV, e os ingleses restringiram-se aos primeiros anos do século XIV. E, de fato, existe uma notável diferença entre Gerona e São Lourenço de Nuremberg, de um lado, e Bristol e Ely de outro. Nem Bristol nem Ely apresentam o contraste entre um volume exterior, quadrado, e um espaço interior variável. Nem a Inglaterra, mesmo na época já avançada da construção do coro de São Lourenço, chegou a tais extremos. Mesmo assim, pouco depois de Bristol e Ely, o estilo arquitetural inglês modificou-se novamente e, desta vez, de modo radical. A transformação é tão óbvia que, enquanto para o continente europeu os termos "gótico clássico" e "gótico tardio" bastam para indicar os principais períodos, a tradição inglesa durante mais de cem anos preferiu uma divisão do gótico em três fases: *Early English,* "deco-

107. Catedral de Gloucester, capela-mor, 1337-c. 1357

35

rado" e "perpendicular". O *Early English* estava chegando ao fim quando se iniciou a construção do coro dos Anjos. O estilo decorado é o de Bristol e Ely. O perpendicular corresponde ao gótico tardio da Alemanha e da Espanha, e representa uma contribuição nacional de igual força. Uma vez criado por alguns arquitetos decididos e lúcidos, o perpendicular eliminou as divagações do decorado e entregou-se ao desenvolvimento longo e não muito arriscado de uma linguagem despojada, sóbria e muito consciente. Alguns tentaram estabelecer uma relação entre esse novo estilo e a Peste Negra de 1349. Mas essa proposição não é correta, pois na catedral de Gloucester o estilo perpendicular já existia em sua perfeição no transepto sul (1331-1337) e, desde 1337-1377, no coro. Os grossos pilares cilíndricos do coro normando foram respeitados, mas suas galerias foram dissimuladas por trás de uma cortina de elementos delgados, horizontais e verticais, dividida numa série de painéis. Na parede oriental abriu-se uma grande janela que, com exceção de algumas subdivisões principais, é, na verdade, um conjunto de painéis de vidro. As inúmeras divisões horizontais eliminam tudo o que poderia ter sido conservado do impulso vertical próprio da arquitetura do gótico primitivo. Trata-se aqui da mesma tendência que constatamos nas fileiras duplas de janelas das igrejas alemãs. Mas, enquanto no continente as paredes são compactas, no perpendicular inglês as paredes continuam sendo lâminas de vidro. Desse modo, a estrutura das paredes foi menos radicalmente modificada do que na Espanha ou na Alemanha, e a característica espacial do perpendicular retornou – sob a influência renovada, ao que parece, das construções francesas do período de 1240 a 1330 – à nitidez do estilo gótico clássico. O plano da basílica raramente foi abandonado em favor do plano de nave central e naves laterais de mesma altura – mais promissor em termos de espaço – utilizado em Bristol e na Alemanha. O único traço de fantasia em Gloucester, e em muitos outros exemplos de catedrais e igrejas abaciais do estilo perpendicular, é a decoração das abóbadas. Estas demonstram tanta imaginação quanto as espanholas ou alemãs, e pode-se dizer que nenhum desses dois países, sem falar na França, produziu, numa época assim tão remota, desenhos tão complicados quanto os de Bristol e Gloucester. Por outro lado, a decoração das abóbadas de estilo perpendicular é mais severa do que a do gótico tardio continental, e o rendilhado é mais severo do que o utilizado na Alemanha, Espanha e França por volta de 1500 (ou na Inglaterra de 1320). As nervuras de Gloucester formam motivos tão abstratos e angulosos quanto os pilares truncados das paredes da torre de Earl's Barton, trezentos anos antes; esses desenhos, aliás, estão tão longe do aspecto luxuriante de Ely e da elasticidade de Lincoln quanto da lógica estrutural das abóbadas ogivais do gótico clássico francês.

Nas abóbadas do estilo perpendicular não existe qualquer lógica estrutural. Essa malha cerrada de nervuras nada mais tem a ver com a construção da abóbada. As nervuras transversais principais e as nervuras diagonais não se distinguem mais dos inúmeros terciarões (i.e., nervuras que ligam o ponto de partida dos fustes das abóbadas a pontos de junção das nervuras longitudinais) e dos liernes (nervuras que não partem dos fuste da abóbada nem levam a nenhuma das nervuras diagonais principais). O conjunto é, de fato, uma abóbada de berço solidamente construída, com muita decoração aplicada. O uso da expressão "abóbada de berço" implica que o efeito das abóbadas do perpendicular enfatizam a horizontalidade tanto quanto as abóbadas em estrela da Alemanha ou da Espanha. Esta interpretação é confirmada pela substituição – geral nos exteriores do perpendicular inglês – dos tetos pouco inclinados, muitas vezes cercados por balaustradas, pelos tetos mais inclinados dos séculos XII e XIII.

Gloucester é o exemplo mais consistente do perpendicular nas catedrais inglesas. A nave de Canterbury e Winchester, do fim do século XIV, é de um estilo menos característico. Em outras catedrais, o fim da Idade Média realizou pouca coisa importante. Para encontrar a melhor arquitetura inglesa do período de 1350-1525, não se deve visitar nem as catedrais nem as igrejas abaciais, mas sim casas senhoriais e igrejas senhoriais, pela harmonia do seu conjunto, e as capelas reais, pelo seu alto padrão arquitetural. Essa alteração da importância relativa das construções explica-se por razões históricas e sociais.

Considerando inicialmente a arquitetura residencial entre a época de Harlech e de Penshurst, em Kent (iniciada, ao que parece, em 1341), um meio século de paz interna levou os proprietários das grandes casas de campo a desprezar certas considerações ligadas à defesa militar e a proporcionar a si mesmos conforto dentro de casa.

108. Catedral de Gloucester, abóbada da capela-mor, c. 1355

A disposição extremamente compacta dos aposentos, nos mais antigos castelos, não mais se fazia necessária. Seus elementos essenciais foram mantidos – o salão, centro da vida doméstica, uma ampla mesa para o senhor e sua família numa das extremidades da sala, a entrada e uma passagem dissimulada na outra extremidade, uma sala de estar ou gabinete com um solário na parte superior, e cozinhas, oficinas, despensas do outro lado da passagem interior – mas outros aposentos são acrescentados, e o salão central recebe amplas janelas e uma janela francesa junto à extremidade da mesa. O maior salão do século XIV que se conhece é o de John of Gaunt, em Kenilworth, medindo 28 m x 14 m. Nessa época, provavelmente em algumas casas já existia a "sala de jantar" separada, como aparece registrado numa passagem de *Piers Plowman*. Isso significa um primeiro passo no sentido da supressão do salão enquanto sala comum e sala de jantar para todos, senhores e criados. No entanto, foi preciso esperar ainda três séculos, depois da construção de Penshurst, para que o salão ou hall se transformasse num simples vestíbulo.

Será necessário aguardar um período ainda maior para que se possam reencontrar os princípios de simetria que haviam norteado os planos de Harlech e Beaumaris com tanto sucesso. Nos séculos XIV e XV, uma casa senhorial, assim como o seu correspondente, o *Burg* alemão, eram aglomerações pitorescas de aposentos. A simetria, no século XV e começo do XVI, limitava-se, às vezes, a estabelecer um eixo reto entre o portão principal e a entrada do salão. Mas o salão não era o centro exato da construção principal e, de todo modo, sua entrada era excêntrica. O portão principal, mesmo

109. Penshurst Place, Kent, provavelmente iniciada em 1341

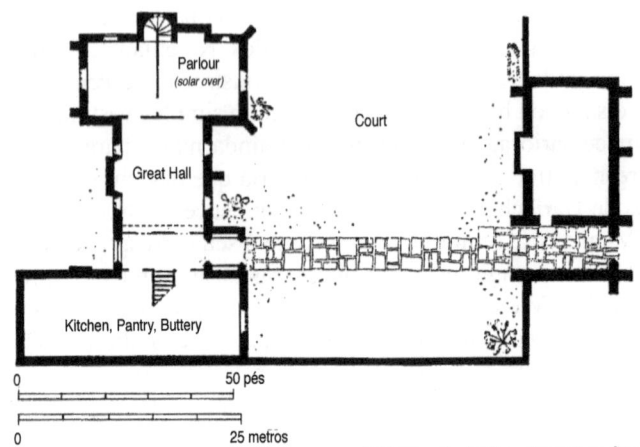

110. Mansão Cothay, Somerset, final do séc. XV

quando situado no meio da fachada exterior, não separava a construção em duas metades idênticas. Os resultados desse hábito comum são extremamente encantadores, tanto na Inglaterra quanto na Alemanha. No entanto, as qualidades estritamente estéticas desses edifícios não são tão destacadas quanto as de Harlech.

Uma comparação entre a catedral inglesa do século XIII e a igreja paroquial inglesa do século XV mostra as mesmas mudanças. Estas devem ser atribuídas às mudanças sociais. Uma nova classe havia surgido, a classe responsável pela construção de dezenas de esplêndidas igrejas paroquiais na Alemanha e na Holanda, a classe à qual pertenciam os administradores reais franceses, hábeis homens de negócio, do tipo de Guillaume de Nogaret, os Medici na Itália, seus amigos e concorrentes e, na Alemanha do Norte, os líderes da Liga Hanseática. Na Inglaterra, Ricardo Coração de Leão estava no trono quando Lincoln e Wells foram projetadas, e Henrique III, o Rei Santo, como era chamado por Roma, estava no poder quando Salisbury e a nova Westminster Abbey foram projetadas. Simon de Monfort, herói da causa nacional inglesa contra a política excessivamente papal, levantava-se contra Henrique III quando o coro dos Anjos foi acrescentado à catedral de Lincoln. Menos de cem anos depois, Eduardo III, coroado em 1327 e morto em 1377, aceitava prazerosamente a honra de pertencer à Corporação Londrina dos Comerciantes Alfaiates, *i.e.*, dos comerciantes de tecidos da cidade. Esse fato é particularmente revelador, especialmente se for considerado no contexto do desenvolvimento comercial e industrial da Holanda, Alemanha, Toscânia e Catalunha. Na Inglaterra, a era de Eduardo III assistiu ao rápido desenvolvimento dos empreendimentos comerciais. Tecelões flamengos foram levados para o país e os interesses comerciais representavam um papel considerável nas vicissitudes da Guerra dos Cem Anos. Vastos capitais foram acumulados por homens como Dick Whittington e John Poulteney, cuja casa de campo era Penshurst. De fato, a maioria das casas senhoriais da Idade Média era de propriedade de comerciantes

111. Castelo de Windsor, Capela de St. George, iniciada em 1481.

ou seus descendentes, e isto numa proporção maior do que se imagina. Após a antiga aristocracia ter sido dizimada pela Guerra das Rosas, a proporção de *nouveaux riches* entre os pares do reino aumentou cada vez mais; quando da constituição do conselho dos dezesseis, que Henrique VIII nomeou para governar por seu filho pequeno, nenhum de seus membros era par do reino há mais de doze anos.

Assim, por volta de 1500, os mais ativos patronos das artes eram o rei e as cidades. Entre 1291 e 1350, a Coroa havia construído a capela de St. Stephen no Palácio de Westminster, que se incendiou em 1834. Pelo que mostram os desenhos remanescentes, tratava-se de um edifício de grande importância. No século XV, Henrique VI e Henrique VII construíram a capela do Eton College (iniciada em 1441) e a capela do King's College, em Cambridge (1446-1515); Henrique VII e Henrique VIII construíram a capela de St. George, no palácio de Windsor (iniciada em 1481) e Henrique VIII a capela de Henrique VII na ala leste de Westminter Abbey (1503-1519). Todos esses são edifícios de exteriores e plantas extremamente simples, mas com decoração abundante e muito bem realizada. O contraste é particularmente notável em Cambridge. Para projetar essa caixa comprida, alta e estreita em que resultou a capela universitária, não era necessário nenhum gênio. Não há distinção alguma entre a nave e o coro. Também a decoração é repetitiva: o mesmo rendilhado das janelas usado vinte e quatro vezes, o mesmo acontecendo com o motivo dos painéis das abóbadas em leque. Os homens que conceberam essas construções e usufruíram delas eram racionalistas, altivos construtores, de uma ousadia comparável à dos catalães. No entanto, tiveram sucesso – e aqui deparamos com o mesmo problema que se constata nas igrejas alemãs da época – ao combinar essa mentalidade prática e objetiva com um senso de mistério e uma profusão quase oriental na decoração. Quando estamos na ala oeste da nave, dificilmente podemos imaginar a suprema economia com que esse efeito de exuberância foi obtido. As abóbadas em leque contribuem bastante para criar uma atmosfera de pesada exuberância. No entanto, trata-se de uma abóbada eminentemente racional, uma invenção técnica, como nos sentimos inclinados a dizer. Deriva dos projetos de abóbada para as salas capitulares, desde as abóbadas iniciais na forma de um buquê de nervuras, abrindo como folhas de palmeiras, até os liernes de pesada bossagem no coro

112. Cambridge, Capela do King's College, 1446-1515

113. Cambridge, Capela do King's College, 1446-1515

114. Ypres, Salão do Tecido, c. 1260-1380

(começo do século XIV) e na nave da catedral de Exeter. Temos aí a imaginação espacial do estilo decorado em seu momento mais audacioso. E então surgiu o perpendicular, sistematizando e solidificando tudo isso, mais uma vez primeiro em Gloucester, na ala leste das clausuras (após 1357). Fazendo com que todas as nervuras tivessem o mesmo comprimento, a mesma distância entre uma e outra e a mesma curvatura, e dividindo os tímpanos de um modo repetido, a abóbada em palmeira de Exeter converteu-se na abóbada em leque de Gloucester.

Ao que parece, até o século XV não se tentou transpor a abóbada em leque das dimensões reduzidas de uma clausura para a altura e largura de uma nave. Um pouco mais tarde, nos primeiros anos do século XVI, John Wastell, construtor de Bury St. Edmundus, adotou a abóbada em leque na capela do King's College. O fato de não ser um construtor do rei e mesmo assim ter sido contratado para aquele empreendimento da Coroa demonstra que o status e a fama dos construtores mais destacados tinham aumentado. No entanto, a formação desses construtores permanecia a mesma da época, digamos,

115. Veneza, Palácio dos Doges, c. 1345-1438

de Villard de Honnecourt. Se considerarmos o caso de um renomado construtor do fim do século XIV, como Henry Yevele (morto em 1400), mestre das construções reais, veremos que ele se destaca mais como um bem-sucedido construtor londrino, além de empreiteiro e distinto membro da corporação da cidade, do que como um arquiteto da Coroa no sentido moderno. Num documento vemos seu nome aparecer ao lado do de Chaucer e, em outro, ao lado de Dick Whittington. Assim, podemos muito bem imaginá-lo em suas majestosas roupas de pele (que, aliás, eram parte do salário recebido da Coroa), em sua casa perto de St. Magnus, perto da Ponte de Londres, ou em um de seus dois solares de Kent. De seus trabalhos ainda subsistem a nave da Westminster Abbey, já mencionada em virtude de sua estranha imitação de um estilo aproximadamente 150 anos mais velho, e os trabalhos de alvenaria por ele executados no Westminster Hall (1394-1402). Homens como ele, dignitários de suas corporações e das associações a que pertenciam, construíram as prefeituras e sedes de corporações de várias cidades da Inglaterra, Holanda, da Liga Hanseática e da Itália. É preciso caminhar pelas ruas de cidades como Louvain, Ypres, Malines, para ter uma idéia exata do poder e

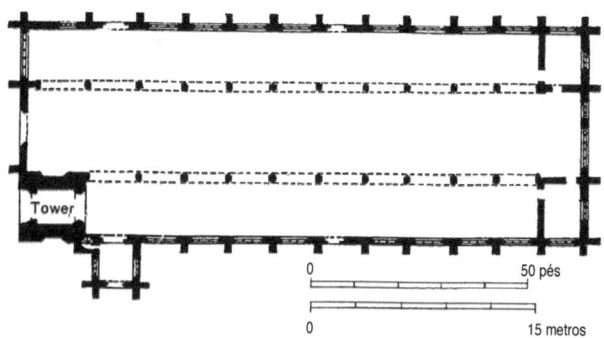

116. King's Lynn, St. Nicholas, 1414-19

da importância do comércio ao final da Idade Média. A mais impressionante de todas essas sedes flamengas era a dos comerciantes de tecidos de Ypres, iniciada ao final do século XIII, retangular e de uma dignidade esmagadora, mas infelizmente quase inteiramente destruída durante a Primeira Grande Guerra. As prefeituras mais recentes de Bruges, Bruxelas, Louvain, Oudenaarde, Middelburg e muitas outras são menos severas, mas igualmente altivas. Na Itália, o Palazzo della Ragione, em Pádua (a partir de 1306), não tem rival em termos de tamanho; a prefeitura de Siena (1288-1309) é incomparável pela regularidade de sua composição e pela altura de sua torre, assim como é incomparável por seu esplendor o palácio dos Doges de Veneza (aproximadamente 1345-1365, prolongado ao longo da Piazzetta entre 1423 e 1438).

Quanto à construção de igrejas, o poder das cidades se manifesta na predominância e nas dimensões das igrejas paroquiais já mencionadas. Suas torres estão entre os feitos mais notáveis da arquitetura do gótico tardio; não se trata mais de torres agrupadas, como convinha à concepção de equilíbrio do gótico clássico, mas sim de torres isoladas que alcançavam alturas sem precedentes. A mais alta dessas flechas medievais – 190 m – é a de Ulm Münster, uma igreja paroquial. A catedral de Antuérpia, com seus 93 m, também era uma igreja paroquial[22]. Na Inglaterra, Louth tem 91 m, Boston 90 m. A variedade dos tipos de torres nos condados ingleses é infinita e

22. A nova preferência pela torre única foi aplicada também a uma fachada de catedral inicialmente projetada para ter duas. Em Estrasburgo, os projetos a que já se fez referência foram

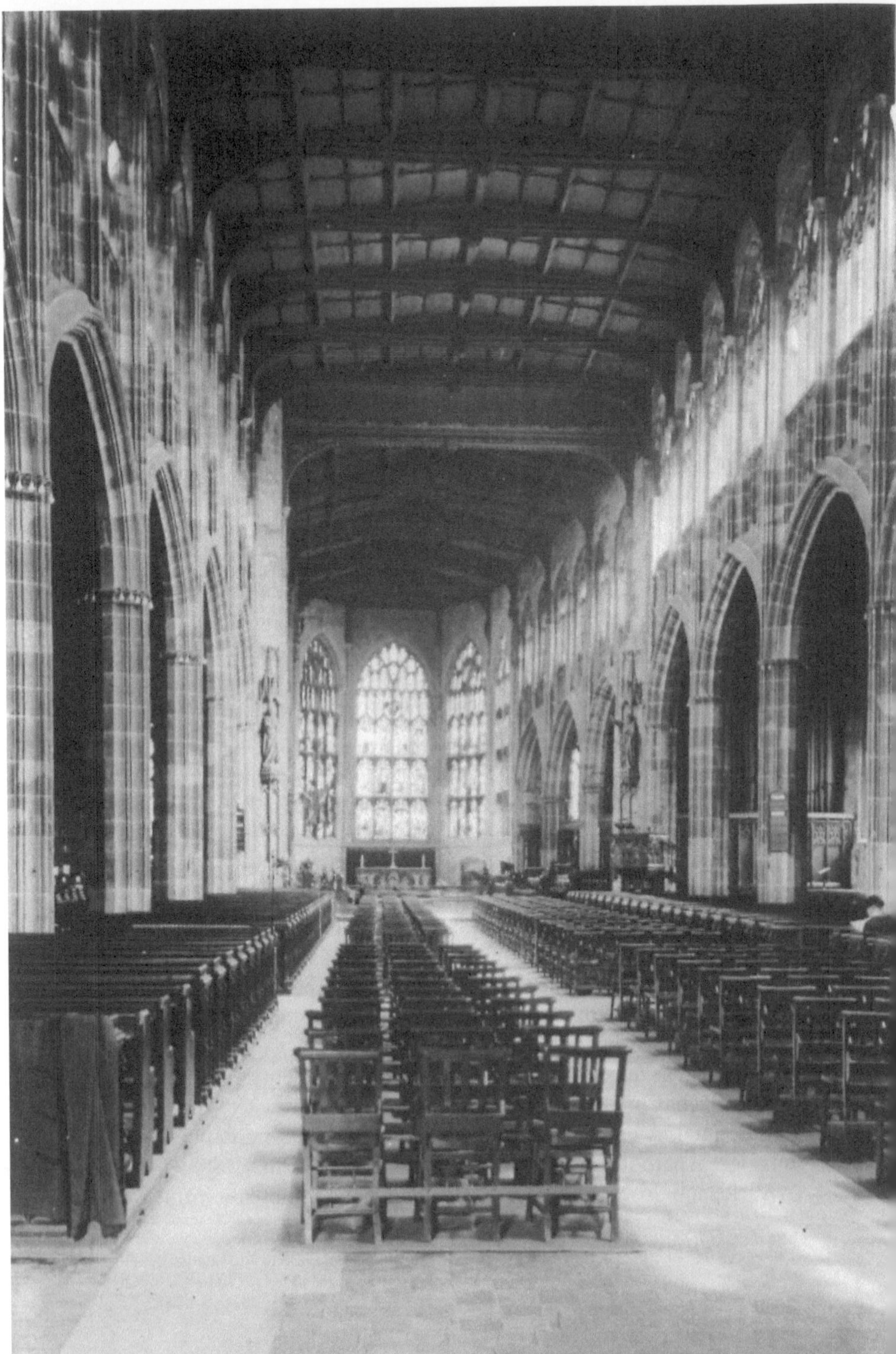

surpreendente, em comparação com a uniformidade relativa das plantas baixas e elevações – pelo menos em igrejas cuja construção não foi interrompida. Algumas destas cobrem uma área maior do que a de uma catedral. St. Mary Redcliffe, em Bristol, é a mais espetacular de todas. Pequenas e prósperas cidades como Long Melford, Lavenham, Blythburgh e Aldeburgh, em Suffolk, além de dezenas de outras, tinham igrejas paroquiais nas quais toda a população local podia se reunir, e ainda sobrava lugar para os aldeões da vizinhança. York tem (ou tinha, antes da Segunda Grande Guerra) 21 igrejas remanescentes, além de Minster; Norwich ainda tem 32 igrejas paroquiais medievais.

Onde as igrejas existentes não foram inteiramente derrubadas, elas foram aumentadas; ampliaram-se naves laterais, aumentou-se a altura das naves centrais, novas naves laterais ou capelas foram acrescentadas às antigas, e o resultado é essa pitoresca e despreocupada irregularidade de planta baixa e elevação da maioria das igrejas paroquiais inglesas. No entanto, embora essas igrejas possam refletir fielmente a história de suas cidades desde a época dos anglo-saxões até a dos Tudor, na verdade elas não refletem a concepção estética de nenhum período. Podemos nos dar conta do aspecto que os ingleses do século XV queriam dar à principal igreja paroquial de uma cidade próspera observando uma edificação como a de St. Nicholas, em King's Lynn. A igreja foi construída inicialmente como uma capela auxiliar, de 1414 a 1419. Um único plano foi traçado para a construção de todo o edifício, e esse plano é tão simples quanto o das capelas reais da época. Consiste num retângulo de 50 m por 21 m, que compreende naves centrais e naves laterais, bem como um coro com naves laterais. Não há uma articulação estrutural entre as alas leste e oeste. As únicas coisas que interferem com a uniformidade do perfil são a torre remanescente de uma construção anterior, o pórtico e a abside ligeiramente saliente. Esta simplicidade plena de vigor reflete, sem dúvida, uma mudança de gosto, pro-

---

abandonados, e uma torre com flecha, com mais de 172 m de altura, foi levantada sobre a estrutura mais baixa de uma delas, deixando o restante da parte superior da fachada como um terraço ao pé da torre, aberto apenas para um lado. É uma visão desconcertante, mas foi se impondo aos visitantes através dos tempos até tornar-se inquestionavelmente aceita e apreciada. Na catedral de Beauvais, por falar nisso, a flecha sobre o transepto foi erguida no começo do século XVI, tendo uma altura de 172 m, aproximadamente. Ela veio abaixo em 1573.

117. St. Michael, séc. XV, arruinada na Segunda Guerra Mundial

118. Swaffham, Norfolk, teto de madeira, 1454 ou poster

vocada pela arquitetura dos frades. Corresponde nitidamente ao estilo dos exteriores das igrejas alemãs. Mas, no interior, igrejas como a de St. Nicholas, em King's Lynn, ou as duas igrejas paroquiais de Coventry, ou a Santíssima Trindade, em Hull, nada têm do romantismo de Nuremberg. A elevação permanece fiel ao esquema tradicional da basílica; os pilares são delgados, as molduras são secas e o rendilhado tem a limpidez do estilo perpendicular. Não existem cantos envoltos em misteriosa escuridão, nem perspectivas surpreendentes. A fantasia dos projetistas do gótico tardio aparece, nas igrejas paroquiais inglesas, nos painéis e nos tetos em madeira. Uma quase inconcebível profusão de painéis separava originalmente as naves principais dos coros, as capelas das naves laterais das capelas da nave principal, e as inúmeras capelas de corporações dos espaços reservados ao público. Em Devon e em East Anglia estão as igrejas de decoração mais abundante. Mas a maior glória das igrejas paroquiais inglesas está em seus tetos em madeira, tetos construídos de modo tão audacioso pelos carpinteiros quanto as abóbadas de pedra o eram pelos pedreiros. São tão intrincados e tecnicamente tão impressionantes quanto qualquer configuração de arcobotantes ao redor da extremidade leste de uma catedral. Há vários tipos de tetos: o teto com tirantes, o teto de pendurais curvos, os tetos *hammerbeam* – Hugh Herland, carpinteiro do rei e colega de Yevele, utilizou esse tipo no Westminster Hall, em 1380 –, o teto *hammerbeam* duplo e muitos outros. O mais engenhoso deles é o da igreja sem naves laterais de Needham Market, que parece uma construção de nave tripla pairando acima da cabeça dos visitantes, sem apoio algum. No continente nada pode rivalizar com as realizações deste país de construtores de navios; esses tetos, aliás, lembram intensamente a quilha invertida de uma embarcação.

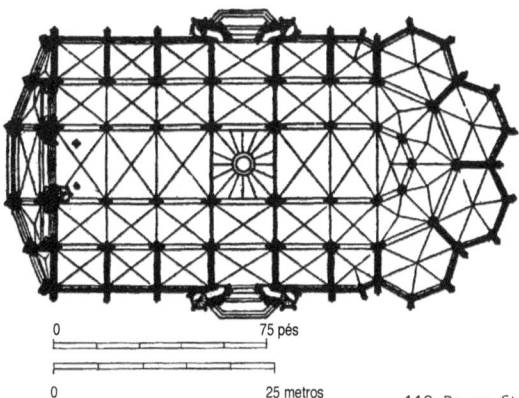

119. Rouen, St. Maclou, iniciada em 1434

Esses tetos dão uma riqueza de estrutura às igrejas inglesas que elas, de outro modo, não teriam. No entanto, mesmo eles, quando examinados detalhadamente, com vigas bem delineadas, suas terças e escoras duras e angulosas – tão inglesas quanto as nervuras do coro de Gloucester e a decoração da torre de Earl's Barton –, podem ser comparados diretamente com obras da mesma época na França, Alemanha, ou Espanha e Portugal.

Mesmo a França do século XV acabou por aceitar os princípios que a Inglaterra havia incorporado ao estilo decorado. O poder de persuasão das catedrais góticas clássicas tinha sido tal que suas características de proporção, suas abóbadas de nervuras quadripartidas, seus trifórios envidraçados ainda eram universalmente aceitos no século XIV e mesmo no XV. A decoração continuava moderada e os rendilhados essencialmente geométricos. A curva dupla e o livre fluxo das linhas entrelaçadas que ela permite só se difundiram tardiamente. A palavra francesa para o estilo daí resultante é *flamboyant* (flamejante). Os primeiros exemplos desse estilo são uma lareira no palácio dos duques de Borgonha, em Dijon, e o célebre tabique ornamentado e vazado que decora a extremidade sul da grande sala do duque de Berry, em Poitiers; ambos os exemplos são do fim do século XIV, isto é, duas ou três gerações depois de essas formas terem feito sucesso na Inglaterra. Se a França se inspirou na Inglaterra ainda é uma questão sujeita a discussão. A maior parte das principais manifestações do estilo flamejante encontra-se na Normandia e regiões adjacentes, mas também existem notáveis fachadas do gótico flamejante em outras partes da França (Vendôme), e por toda parte painéis e peças decorativas receberam a decoração soberba e exuberante do flamejante. Em termos de espaço, a contribuição dos franceses é desprezível. La Chaise Dieu é uma igreja-salão iniciada por volta de 1342. A ala leste de St. Séverin, em Paris (1489-1494), também é do tipo em salão. Nesta, vêem-se pilares de faces côncavas, e mesmo um pilar retorcido como em algumas igrejas-salão do gótico alemão tardio. A fachada de St. Maclou, em Rouen, acrescentada em 1500-1514 a uma igreja iniciada em 1434, tem forma chanfrada, típica do gótico tardio, introduzindo diagonais no paralelismo clássico dos três portais. Mesmo nesse caso, porém, a ala leste ainda tem um deambulatório e capelas radiais, como St. Séverin.

GÓTICO TARDIO **165**

Quanto à Espanha, uma breve comparação entre uma igreja paroquial inglesa ou mesmo a capela do King's College e, digamos, a decoração da fachada de São Paulo em Valladolid (iniciada pouco depois de 1486, provavelmente por Simão de Colônia) é suficiente para evidenciar o contraste entre a contenção inglesa e o extremismo espanhol. Substitua-se o portal de St. Laurent da catedral de Es-

120. Valladolid, São Paulo, fachada ocidental, iniciada por Simão de Colônia (?) após 1486

121. Catedral de Estrasburgo, Portal de St. Lawrence, c. 1495

trasburgo pelo de Valladolid, e o contraste anglo-germânico aparecerá de modo notável. Seria possível dizer que a decoração do gótico alemão tardio é tão extremada quanto a espanhola; e isto não seria surpreendente, dado que a Alemanha e a Espanha, contrariamente ao que acontece com França, Inglaterra e Itália, são os países dos extremos da civilização européia. No entanto, há diferenças óbvias entre a decoração espanhola e a alemã. Desde a ocupação muçulmana, a Espanha sempre teve entusiasmo por preencher amplas superfícies com ornamentos bidimensionais de malha cerrada. Os alemães também têm esse mesmo *horror vacui*, mas em seus ornamentos há sempre um acentuado interesse pelo espaço. Isso liga o gótico alemão tardio ao rococó alemão; por sua vez, os movimentos sem espessura e como que frenéticos da sacristia do convento dos cartuxos, de Granada, que data de meados do século XVIII, parecem já existir em potencial nos detalhes da fachada de Valladolid. Valladolid não tem motivos dominantes. As esculturas que representam pessoas são de pequeno porte. Arcos duplos e arcos Tudor (*i.e.*, arcos ogivais abatidos) sucedem-se uns aos outros. O segundo plano é dividido de cima a baixo por uma série de motivos, diferentes de um andar para outro. O conjunto, em comparação com o qual o perpendicular inglês surge como forte e puro, lembra bastante uma vegetação em crescimento desordenado. Não pode haver dúvidas quanto a qual das nações se abriria para o puritanismo e qual se tornaria a fortaleza do catolicismo barroco.

No entanto, o ponto culminante desse frenesi do gótico tardio foi alcançado em Portugal, durante a época espetacularmente próspera do rei D. Manuel (1495-1521). A decoração manuelina como em Batalha e Tomar é extremamente rica, uma espécie de crescimento exuberante de formas, às vezes aparentemente inspiradas em crustáceos, às vezes em vegetação tropical. Boa parte da decoração portuguesa inspirou-se na Espanha e na França, mas o único paralelo que nos ocorre é com a arquitetura da Índia portuguesa. Se esta conexão puder ser estabelecida, é a primeira vez na história do Ocidente que a arquitetura européia sofre uma influência não-européia.

Entretanto, nenhuma influência pode exercer sua força se uma das partes não estiver pronta para receber a mensagem da outra. Se os países da Península Ibérica já não estivessem possuídos por uma paixão pela decoração desmedida, a arte das colônias nada lhes teria dito. Quando as Índias se tornaram holandesas, seu estilo, de fato, após algum tempo, começou a influenciar o mobiliário holandês, contribuindo para a criação de sua peculiar opulência barroca. Mas os arquitetos holandeses mantiveram-se prudentemente a distância. Os holandeses do século XVII nunca teriam podido fazer o que os portugueses fizeram, naquele momento particular, o momento imediatamente anterior à imaginação ornamental do final da Idade Média, pois já estavam sob o jugo da Renascença.

Por outro lado, a Renascença nunca poderia ter sido concebida num país que encontrou tanto prazer nas excentricidades da ornamentação, como a Espanha e Portugal, ou num país que havia explorado tão ousadamente os mistérios do espaço, como a Alemanha. Por esta razão não existe o estilo gótico tardio na Itália, a não ser no caso especial da catedral de Milão, iniciada em 1387, situada no Norte do país. Ela foi visitada e analisada por inúmeros especialistas franceses e alemães, que não chegaram a nenhuma conclusão. Esta ausência do gótico tardio nas regiões centrais – arquiteturalmente centrais – da Itália é a mais notável ilustração do fato de que, no século XV, as atuais divisões da Europa já estavam mais ou menos estabelecidas. O estilo românico tinha sido internacional, embora regionalmente subdividido, assim como o Sacro Império Romano e a Igreja dos séculos XI e XII tinham sido forças internacionais. E então, no século XIII, a França tornou-se uma nação e criou o estilo gótico.

A Alemanha atravessou a crise do interregno e optou por uma política nacional no lugar da anterior, internacional. A mesma decisão era adotada na mesma época pela Inglaterra, enquanto na Itália ocorria um tipo totalmente diferente de desenvolvimento, baseado nas inúmeras cidades-Estado. O gótico chegou à Alemanha, Espanha, Inglaterra e Itália como sendo uma moda francesa. Primeiro os mosteiros cistercienses, e depois Colônia, Burgos, León, Canterbury e o Castel del Monte de Frederico II (v. p. 119), seguiram-no de perto. Mas, já nas construções italianas de Frederico II, ao lado das novas abóbadas ogivais francesas, podem-se encontrar frontões que são puramente antigos. O modo pelo qual são tratados os motivos romanos da porta de Cápua, construída por Frederico II, não tem paralelo no Norte da Europa, e só pode ser comparado com o estilo dos púlpitos esculpidos de Niccolò Pisano, que foi o primeiro dos grandes escultores italianos, o primeiro em cujo trabalho o espírito italiano predomina sobre as convenções internacionais. Transformou o estilo corrente na escultura em alguma coisa mais estática e mais harmoniosa, e essa transformação teve um paralelo nas modificações similares da arquitetura gótica. O papel dos frades nessas transformações já foi mencionado. Não existe *excelsior* em seus

122. Tomar, janela, casa do cabido, por Siego da Arruda, c. 1520

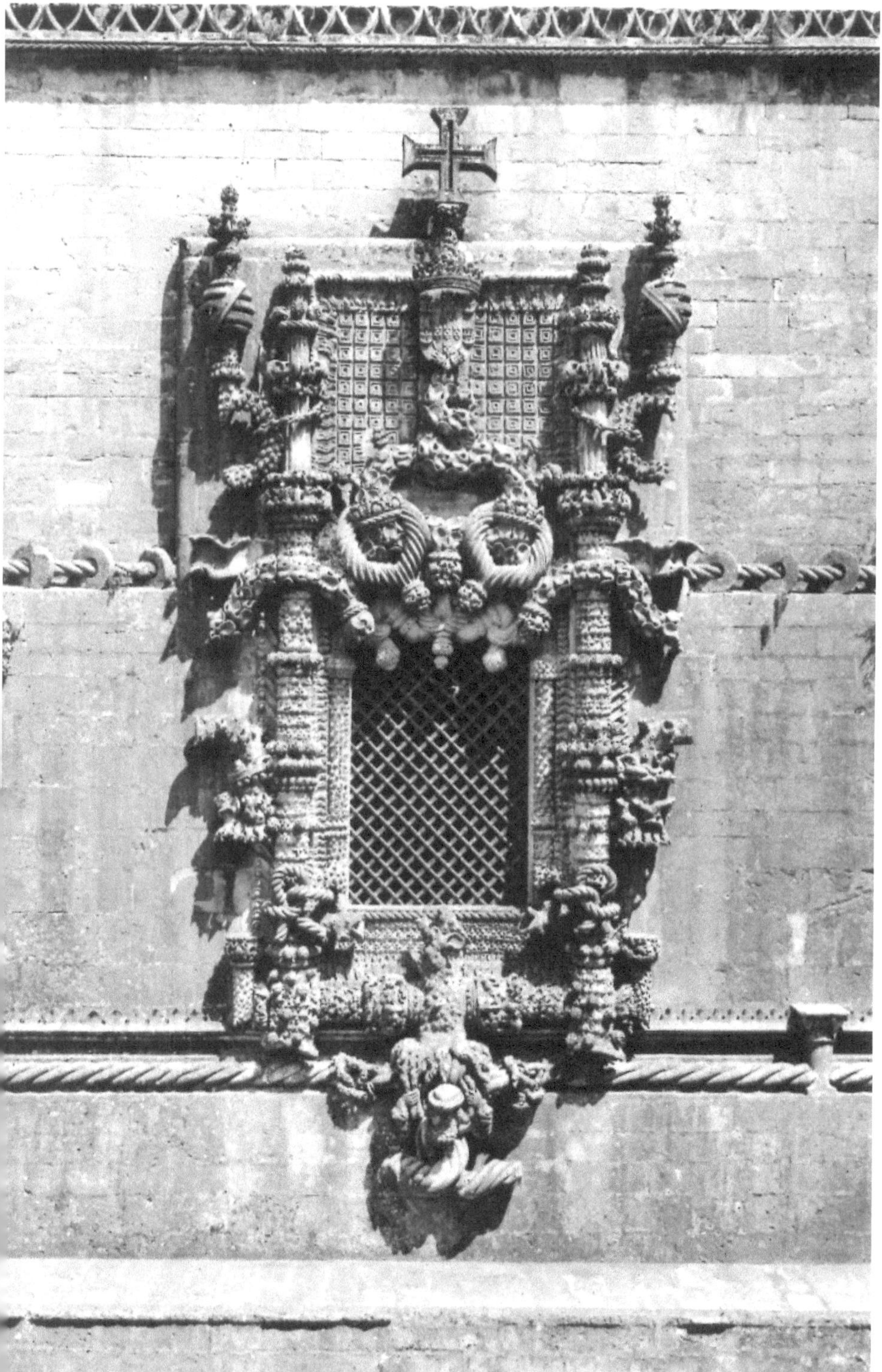

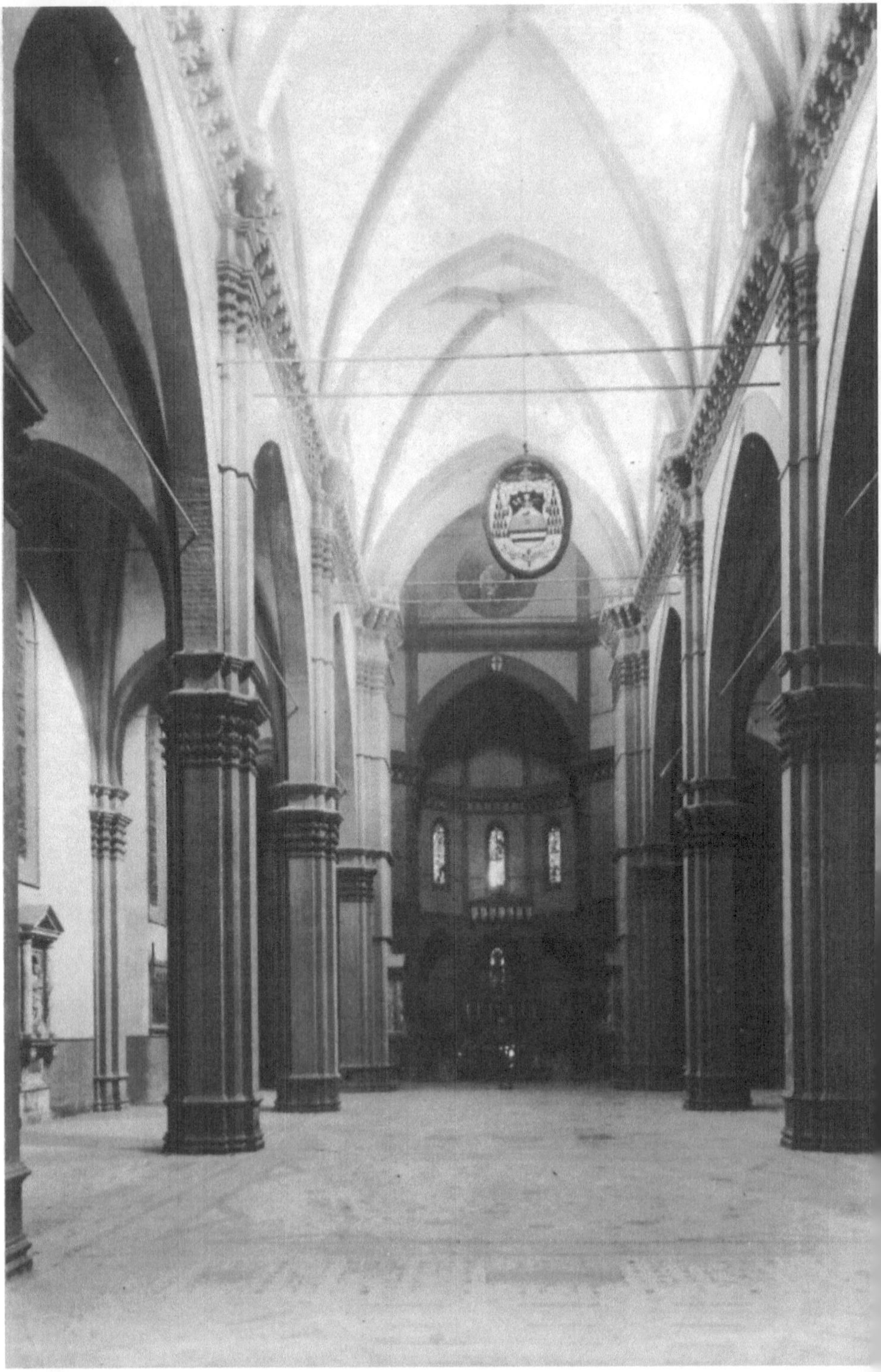

amplos salões, arejados e sem naves laterais. As maiores, com naves laterais, como S. Maria Novella e S. Croce, em Florença, têm arcadas tão amplas e naves laterais tão pouco profundas que a natureza estática dos espaços não chega a ser alterada. A catedral de Florença – catedral, mas construída sob a supervisão da corporação dos comerciantes de lã "em honra da comuna e do povo de Florença" – pertence à mesma família. Seus pilares com bases sólidas e pesados capitéis não se lançam para cima. Uma cornija ininterrupta fornece uma forte divisão horizontal. As abóbadas ogivais têm forma de domo e separam nitidamente um vão do outro. Nitidez é, também, a expressão dos elementos estruturais contra as superfícies caiadas das paredes e abóbadas.

Essa nitidez é reforçada pela composição da parte leste, uma composição de plano central com um cruzeiro da mesma largura que a soma das larguras da nave central e das naves laterais (como em Ely), e com transeptos e um coro de formas idênticas (os cinco lados de um octógono), sem deambulatório ou capelas. Esse efeito monumental, espaçoso e sem mistérios foi projetado pelo primeiro arquiteto, Arnolfo di Cambio, que iniciou a construção em 1296, retomada em escala ainda mais monumental por um grupo de artistas que incluía os pintores Taddeo Gaddi e Andrea da Firenze, chamados como consultores, e finalmente modificada e executada por Francesco Talenti, a partir de 1367.

Para um viajante que vem do Norte, esses interiores italianos do século XIV devem ter surgido como lugares maravilhosamente calmos e serenos. Só aqui – como se verá a seguir – é que o estilo renascentista poderia ter sido concebido, aqui, na terra das tradições romanas, do sol, do mar azul, das nobres colinas, dos vinhedos e das plantações de oliveiras, dos pinheiros, cedros e ciprestes.

123. Catedral de Florença, nave iniciada por Arnolfo di Cambio, 1296, consagrada em 1436

# 5. RENASCENÇA E MANEIRISMO
c. 1420-c. 1600

O estilo gótico foi criado para Suger, abade de Saint Denis, conselheiro de dois reis de França; o estilo renascentista, para os comerciantes de Florença, banqueiros dos reis da Europa. É na atmosfera da mais próspera das repúblicas comerciantes do Sul que o novo estilo aparece, por volta de 1420. Uma firma como a dos Medici tinha representantes em Londres, Bruges, Ghent, Lyons, Avignon, Milão e Veneza. Um dos Medici havia sido prefeito de Florença em 1296, um outro em 1376, outro ainda em 1421. Cosimo Medici torna-se sócio principal da firma. Cem anos mais tarde, um outro Medici foi feito primeiro duque da Toscânia. Mas Cosimo, chamado em Florença de o "Pai da Pátria", e seu neto Lorenzo, o Magnífico, eram apenas cidadãos, e não tinham título algum que os colocasse acima dos demais na cidade. Deve-se a estes e a outros grandes comerciantes, os Pitti, os Rucellai, os Strozzi, o fato de o estilo renascentista ter sido ao mesmo tempo inteiramente aceito em Florença e ali desenvolvido a maravilhosa unanimidade de propósitos, por trinta ou quarenta anos, antes que outras cidades da Itália, além de outros países estrangeiros, tivessem começado a entender o seu significado. Essa predisposição da Toscânia não pode ser explicada apenas pelas condições sociais. As cidades flamengas do século XV tinham, socialmente, uma estrutura análoga; de certo modo, o mesmo acontecia com Londres. No entanto, o estilo holandês era o gótico tardio flamejante; na Inglaterra, vigorava o perpendicular. O que acontecia em Florença era que uma situação social particular coincidia com uma natureza particular do país e do povo, e com uma tradição histórica particular. As características geográficas e nacionais dos toscanos tinham encontrado na arte etrusca sua forma mais antiga de expressão. Nos séculos XI e XII era possível encontrar essas origens na fachada elegante de San Miniato e, no século XIV, no interior das grandes igrejas góticas, espaçosas e alegres, como Santa Croce, Santa Maria Novella e Santa Maria del Fiore. Agora, uma florescente república comerciante tenderá mais para ideais mundanos, e não para ideais transcendentais; tenderá para a ação e não para a meditação; para a clareza, e não para a obscuridade. E uma vez que o clima era claro, limpo, saudável, e que a mente das pessoas era clara, limpa e orgulhosa, era ali que o espírito claro, orgulhoso e mundano da Antiguidade romana poderia ser redescoberto, era ali que os contrastes que apresentava em relação à fé cristã não teriam o seu caminho barrado, era ali que sua atitude com relação à beleza física nas belas-artes e no domínio da proporção na arquitetura poderia ter eco; era ali que sua grandeza e humanidade poderiam ser compreendidas. Os fragmentos do passado romano na arte e na literatura tinham estado ali o tempo todo, e nunca haviam sido inteiramente esquecidos. Mas apenas o século XIV alcançou um ponto que tornou possível o culto à Antiguidade. Petrarca, o primeiro poeta laureado do mundo moderno, coroado no Capitólio em 1341, era toscano; o mesmo acontecia com Boccaccio e Leonardo Bruni, que traduziu Platão. E assim como os Medici honravam os filósofos e os recebiam em seus círculos mais íntimos, assim como honravam os poetas e escreviam poesia, eles mesmos, do mesmo modo, consideravam os artistas sob um ângulo totalmente diferente do registrado durante a Idade Média. Também a moderna maneira de considerar o artista e o respeito à sua genialidade é algo que nasceu na Toscana.

Sete anos antes da coroação de Petrarca, em Roma, as autoridades civis responsáveis pela nomeação de um novo mestre-de-obras para a catedral e para a cidade de Florença escolheram Giotto, um pintor, porque estavam convencidas de que o arquiteto da cidade deveria ser, antes de mais nada, um "homem famoso". Assim, unicamente por acreditarem que "no mundo todo não se poderia encontrar ninguém melhor neste e em outros assuntos", escolheram Giotto, embora ele não fosse construtor. Cerca de 60 anos depois, como vimos, dois pintores estavam entre os especialistas que foram chamados para opinar sobre os projetos de conclusão da catedral de Florença. Esses eventos assinalam o começo de um novo período da história da arquitetura como profissão, assim como a coroação de Petrarca assinala um novo período na história do status social dos escritores. A partir de então – e esta é uma característica específica da Renascença – os grandes arquitetos não tinham, geralmente, formação específica na área. Com isso, grandes artistas eram homenageados e recebidos em posições outras que não as de sua especialidade – simplesmente pelo fato de serem grandes artistas. Cosimo Medici provavelmente foi a primeira pessoa a chamar um pintor de divino, em reconhecimento à sua genialidade. Mais tarde, este se tornou o atributo universalmente conferido a Miguel Ângelo. E este, escultor, pintor e arquiteto, um trabalhador fanático e homem que nunca se poupou, estava profundamente convencido de que o merecia. Quando um dia achou que um dos criados do Papa, numa antecâmara do Vaticano, não o havia atendido como desejava, abandonou Roma e seu posto sem hesitar, deixando uma mensagem para o Papa onde dizia que mandasse procurar por ele, se o desejasse. Enquanto isso acontecia, Leonardo da Vinci desenvolvia a teoria da natureza ideal da arte. Empenhou-se em provar que a pintura e a arquitetura eram artes liberais, e não artes no sentido de ofício, como na Idade Média. Essa teoria tem dois aspectos. Ela exige do patrono uma nova atitude diante do artista, mas também exige do artista uma nova atitude diante de sua obra. Apenas o artista que abordasse sua arte com espírito acadêmico, isto é, como um pesquisador de suas leis, tinha direito a ser considerado igual pelos eruditos e autores humanistas.

Leonardo não tem muita coisa a dizer sobre a Antiguidade. Mas o fascínio universal pela Antiguidade era, evidentemente, ao mesmo tempo estético e social: estético na medida em que as formas da arquitetura romana e de sua decoração agradavam aos artistas e patronos do século XV; social, na medida em que o estudo do passado romano era acessível apenas aos "instruídos". Assim, o artista e o arquiteto que até então haviam se contentado em aprender seu ofício com os mestres e desenvolvê-lo conforme a tradição e seus poderes de imaginação, dedicavam agora sua atenção à arte da Antiguidade, não apenas porque ela os encantava, mas também porque lhes

124. Florença, Hospital do Menor Abandonado, iniciado por Brunelleschi, 1421, terminado em 1445

conferia distinção social. Esse ressurgimento impressionou tão fortemente os eruditos dos séculos XVI ao XIX, que chamaram todo esse período de Renascimento, *Rinascita* ou Renascença. No começo, os autores usavam esse termo para designar o renascimento das artes e das letras num sentido bem geral. Mas no século XIX – século que fez ressurgir um número ilimitado de estilos antigos – a ênfase era colocada na imitação das formas e motivos dos romanos. No entanto, reexaminando hoje as obras da Renascença, devemos nos perguntar se a nova atitude para com a Antiguidade realmente constitui a inovação essencial da época.

O primeiro edifício a assumir as formas renascentistas é o Asilo dos Enjeitados, de Filippo Brunelleschi, iniciado em 1421. Brunelleschi (1377-1446) era ourives de profissão. No entanto, havia sido escolhido para terminar a catedral de Florença; acrescentou um domo sobre o cruzeiro, obra-prima de construção, cuja forma é nitidamente gótica. Simultaneamente, porém, ele projetava a fachada do Asilo, obra de tipo completamente diferente. O andar térreo apresenta uma colunata com delicadas colunas coríntias e amplos arcos semicirculares que permitem a passagem de sol e calor para a *loggia*; o primeiro andar apresenta uma série de janelas retangulares, de tamanho reduzido e bem espaçadas, encimadas por frontões pouco salientes que correspondem exatamente a cada um dos arcos. Medalhões em terracota colorida, de Andrea della Robbia – os famosos bebês enfaixados vendidos em cópias baratas pelos comerciantes de *souvenirs* de Florença – estão colocados no espaço livre entre um arco e outro. Uma arquitrave, sutilmente calculada, separa o andar térreo do primeiro andar. Os frontões que encimam as janelas inspiram-se, sem dúvida, em motivo romanos, o mesmo acontecendo, ao que parece, com as colunas coríntias. Mas esses arcos que repousam sobre colunas tão delgadas são tão diferentes daqueles do Coliseu, por exemplo, quanto dos que aparecem em qualquer arcada gótica. Sua fonte, e a de vários outros motivos da fachada, é a proto-renascença toscana de S. Miniato, SS. Apostoli e do Batistério, *i.e.*, a arquitetura de Florença nos séculos XI e XII, e nada mais. Esse é um fato eminentemente significativo. Os toscanos, sem dúvida, de modo inconsciente, preparavam-se para receber o estilo dos romanos, retornando primeiro à sua própria proto-renascença românica.

A relação das igrejas de Brunelleschi com o passado é similar. S. Spirito, por ele projetada em 1436, é uma basílica de arcadas em pleno cimbre e teto plano; pode-se dizer que, por esses traços, ela é românica. As bases e capitéis das colunas coríntias, por outro lado, bem como os fragmentos de um entablamento que os encima, são romanos, realizados com tal fidelidade e compreensão de sua beleza vigorosa que iam além da capacidade dos arquitetos da proto-renascença. Os curiosos nichos das naves laterais também são de inspiração romana, embora sejam tratados de modo original. Mas, se é verdade que os motivos até aqui mencionados remontam à Idade Média, ou à Antiguidade, a expressão espacial para cuja criação contribuem é absolutamente nova e tem toda a serenidade do início

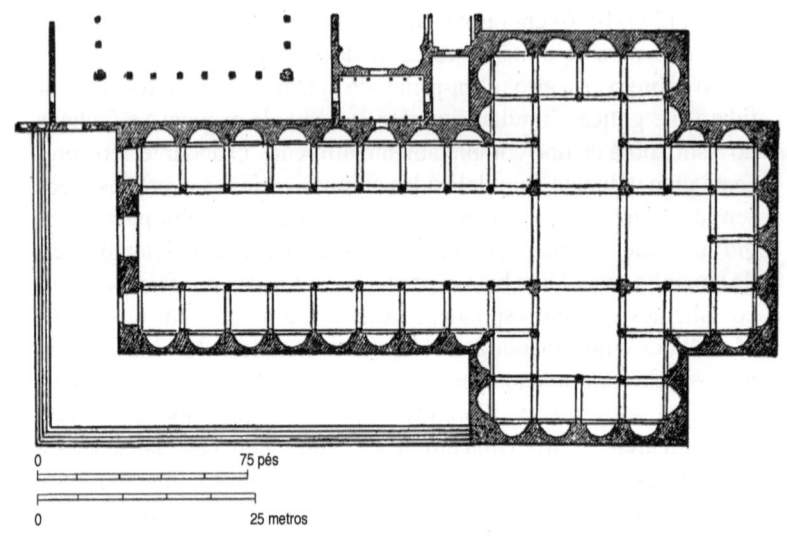

125. Florença, S. Spirito, por Brunelleschi, projetada em 1436

da Renascença. A altura da nave principal tem exatamente o dobro da largura. O andar térreo e o andar do clerestório têm a mesma altura. As naves laterais são formadas por vãos quadrados, cuja altura tem o dobro da largura. A nave consiste exatamente em quatro quadrados e meio, e esse insólito "meio" deveria ser utilizado de uma forma especial, de que falaremos agora. Caminhando através da igreja, talvez não registremos conscientemente, de imediato, todas essas proporções, mas mesmo assim elas contribuem para o efeito de serena ordem que o seu interior produz. Hoje é difícil imaginar o entusiasmo da Renascença primitiva por essas relações matemáticas simples aplicadas ao espaço. Para se poder apreciá-las, é preciso saber que foi naquela época – por volta de 1425 – que os pintores de Florença descobriram as leis da perspectiva. Do mesmo modo que, como em suas pinturas, eles já não se satisfaziam com uma representação arbitrária do espaço, também os arquitetos mostravam-se agora ansiosos por descobrir proporções racionais para suas construções. O esforço feito no século XV para dominar o espaço

126. Florença, S. Spirito, Brunelleschi ⏵

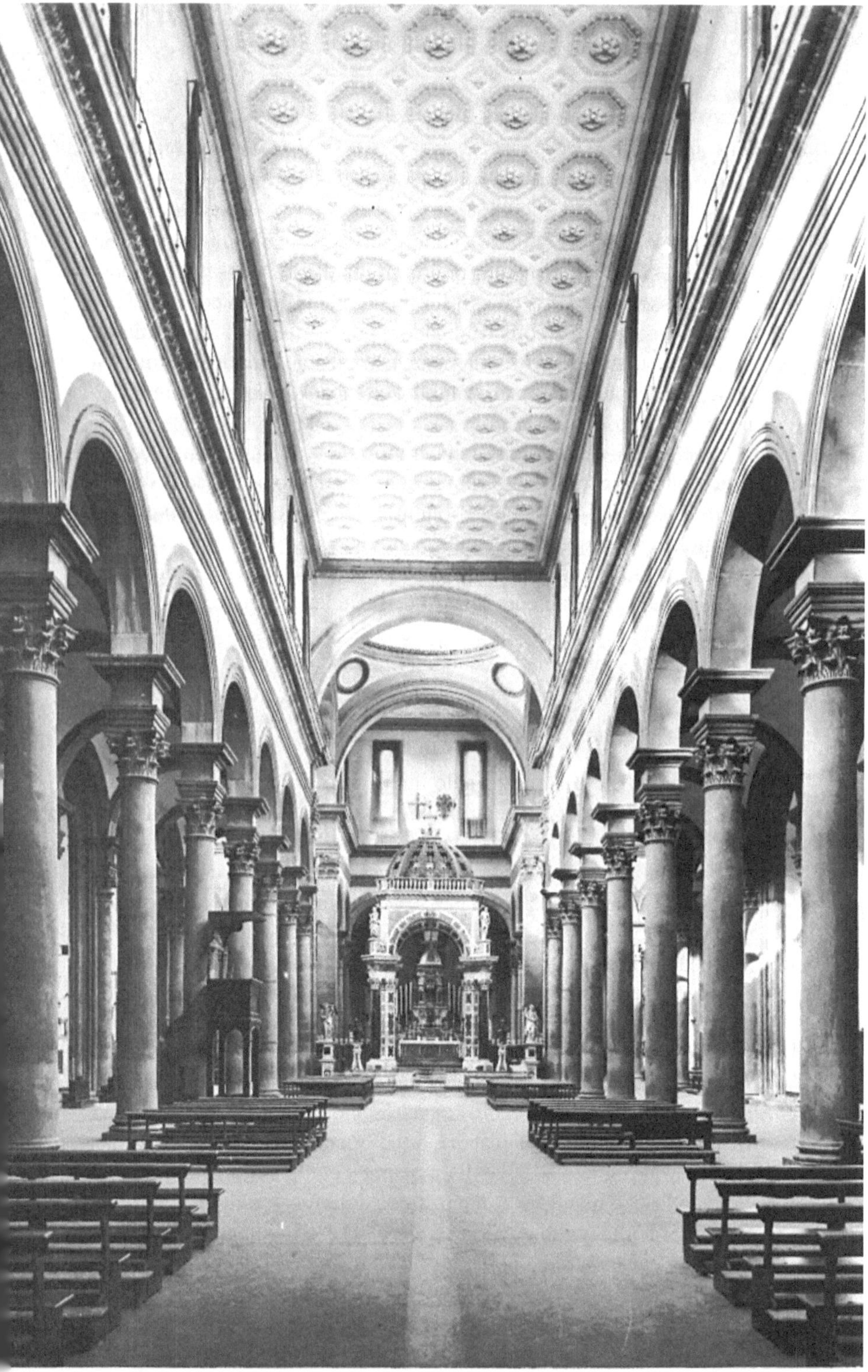

só é comparável ao de nossa própria época, embora a Renascença se preocupasse com o mundo das idéias, e nós nos preocupemos com o mundo material. A invenção da imprensa, em meados do século, provocou uma poderosa conquista do espaço. A descoberta da América, no fim do século, produziu resultados quase tão importantes. Esses dois fatos devem ser mencionados junto com a descoberta da perspectiva como indicadores do entusiasmo do Ocidente pelo espaço, atitude profundamente estranha ao mundo da Antiguidade, e para a qual já se chamou a atenção do leitor neste livro, mais de uma vez.

Sob este aspecto, é da maior importância a planta-baixa da ala leste de S. Spirito. Aqui, Brunelleschi, seguindo as pegadas de Arnolfo di Cambio e Francesco Talenti, afastou-se decididamente da composição normal das igrejas românicas e góticas. A semelhança entre o transepto e o coro, as naves laterais que os envolvem, a cúpula situada exatamente acima do cruzamento dos transeptos, dão a impressão, se o olhar se volta para leste, de que se está num edifício de plano central, disposição habitual na arquitetura romana civil ou sacra, mas que, apesar da catedral de Florença e de algumas outras construções, continua a ser excepcional para as igrejas cristãs da Idade Média.

Mesmo a ala oeste tinha sido inicialmente concebida de modo a ressaltar essa tendência centralizadora, às custas das vantagens práticas. Brunelleschi havia pretendido, inicialmente, prolongar as naves laterais ao redor de toda a extremidade oeste, bem como das extremidades leste, norte e sul. Nesse caso, ele teria de colocar quatro entradas, ao invés das três habituais, para corresponder aos quatro vãos da nave lateral, ao longo do lado interno da fachada. Isso teria resultado numa composição extremamente incomum – um sacrifício à coerência estética e ao desejo de centralização. De fato, no mesmo ano em que S. Spirito foi iniciada, Brunelleschi projetou uma igreja de plano completamente central, a primeira da Renascença: S. Maria degli Angeli. Após três anos, em 1437, a construção foi interrompida e dela restam, hoje, apenas as paredes do andar térreo. Mas ainda é possível ler a planta e compará-la com gravuras executadas, ao que parece, a partir dos desenhos originais perdidos. S. Maria degli Angeli deveria ser de natureza totalmente romana, e bastante maciça – sem dúvida resultado de uma longa estada de Bru-

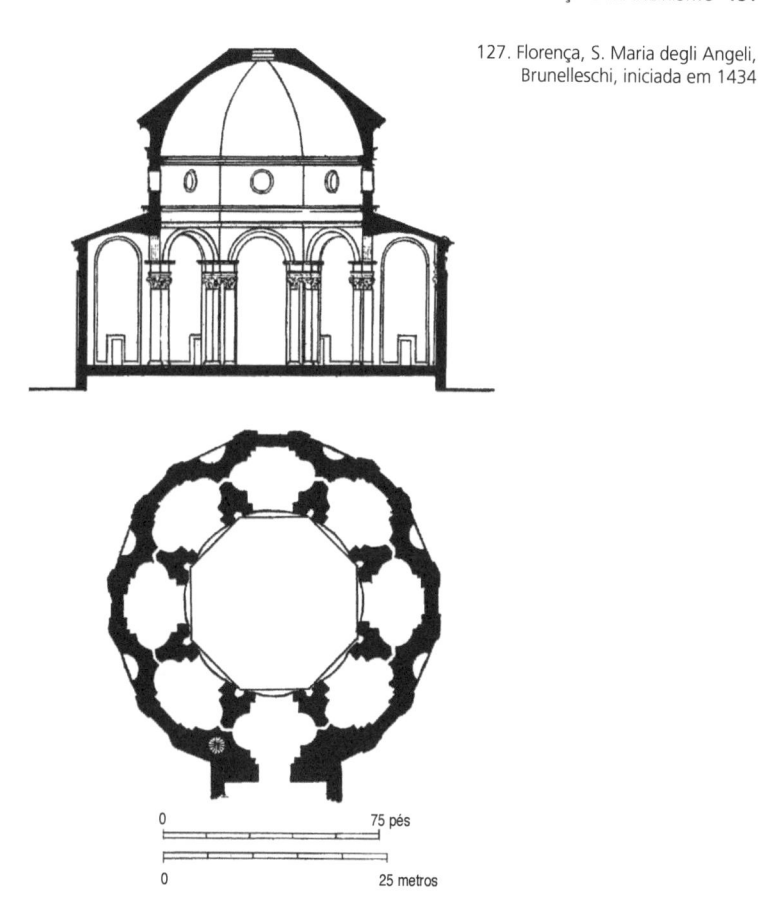

127. Florença, S. Maria degli Angeli, Brunelleschi, iniciada em 1434

nelleschi em Roma, que muito provavelmente deve ter ocorrido em 1433. As colunas delgadas e leves das outras construções são aqui substituídas por pilastras ligadas a sólidos pilares situados nos oito ângulos do octógono. Oito capelas a circundam, cada uma contendo nichos abertos nas grossas paredes. A cúpula deveria ser formada por uma única peça, como uma cúpula romana, sem seguir o modelo das duas cúpulas superpostas, uma interior e outra exterior, disposição gótica ainda respeitada por Brunelleschi na catedral de Florença. Em S. Maria, porém, nada existe que possa ligá-la ao românico ou à proto-renascença. Não é possível dizer qual a constru-

**182** PANORAMA DA ARQUITETURA OCIDENTAL

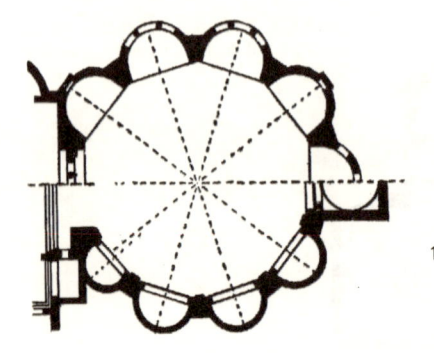

128. Roma, Templo de Minerva Medica, c. 250 (parte superior) e Florença, SS. Annunziata, extremidade leste, por Michelozzo, 1444 (parte inferior)

ção romana que, particularmente, inspirou Brunelleschi. No século XV ainda existiam muitas ruínas que foram reproduzidas em desenhos por arquitetos, e que depois desapareceram.

No entanto, uma outra construção de plano central (ou melhor: parte de uma construção) foi iniciada um pouco depois de S. Maria degli Angeli, e foi terminada. É uma cópia direta de um monumento romano existente. Michelozzo di Bartolommeo (1396-1472) iniciou, em 1444, algumas obras na igreja medieval de SS. Annunziata a fim de acrescentar-lhe um coro circular com oito capelas ou nichos, exatamente como havia observado no chamado templo de Minerva Medica, em Roma. Nos primeiros trabalhos de Brunelleschi ainda não é possível destacar de modo acentuado a independência das novas formas com relação às da Antiguidade romana. No entanto, a descoberta do quanto se podia aprender de Roma para satisfazer necessidades estéticas tópicas foi feita logo nas três ou quatro primeiras décadas do século. O fato de esta verdade aparecer de modo bem claro nas construções de plano central é bastante característico. É que o plano central não é uma concepção de um outro mundo, mas sim deste mundo. A função principal de uma igreja da Idade Média era guiar o devoto até o altar. Numa construção de plano perfeitamente central, esse movimento não é possível. A construção só exerce plenamente todo seu efeito quando é observada de um determinado ponto focal. É ali que o espectador deve se colocar e, dali, ele se torna "a medida de todas as coisas". Assim, o significado religioso da igreja é substituído por um significado humano. Na igreja, o homem não mais se esforça para alcançar um objetivo transcendente: apenas desfruta da beleza que o cerca e da gloriosa sensação de ser o centro dessa beleza.

Não se poderia ter concebido nenhum símbolo mais eloqüente do que esse para a nova atitude dos humanistas e seus patronos com relação ao homem e à religião. Pico della Mirandola, um dos mais interessantes filósofos do círculo de Lorenzo, o Magnífico, proferiu, em 1486, um discurso sobre *A dignidade do homem*. Maquiavel, um pouco depois, escreveu seu livro *O príncipe* para glorificar o poder da vontade do homem e apresentá-lo como a principal força contra os poderes da religião, que, até então, haviam interferido com o pensamento prático. E, logo a seguir, o conde Castiglione escreveu seu *O cortesão* a fim de mostrar a seus contemporâneos o ideal de homem universal. O cortesão, diz, deve ter maneiras agradáveis, graciosas, ser um bom conversador e bom dançarino, mas deve ser forte e alerta, versado nas artes da cavalaria, da equitação, da esgrima e do combate. Ao mesmo tempo, deveria ler poesia e história, conhecer Platão e Aristóteles, entender de todas as artes e praticar a música e o desenho. Leonardo da Vinci foi o primeiro, entre os artistas, a levar uma vida como essa: pintor, arquiteto, engenheiro e músico, um dos mais engenhosos cientistas de sua época, e encantador como pessoa. A única coisa com que aparentemente não se preocupou foi com o cristianismo. Lorenzo Valla, humanista romano, havia publicado um pouco antes seu diálogo *De voluptate*, no qual exaltava abertamente os prazeres do sentido. Esse mesmo Valla, com uma sagacidade filológica desconhecida antes da ascensão do humanismo, provou ser falso o chamado Testamento de Constantino, documento no qual se baseavam todas as reivindicações papais à dominação do mundo. No entanto, quando

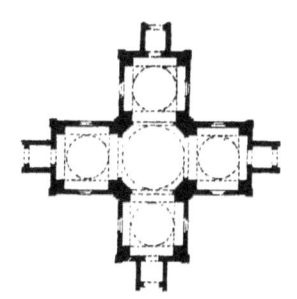

129. Reconstrução do plano da capela Sforza, Milão, a partir da medalha de Sperandio, c. 1460

morreu, era cônego da catedral de Latrão, em Roma. Os filósofos de Florença fundaram uma academia a partir do modelo de Platão, fizeram do suposto aniversário de Platão um feriado e passaram a pregar uma religião semigrega, semicristã, na qual o amor de Cristo misturava-se com o princípio do amor divino de Platão, que nos leva a procurar apaixonadamente, nos seres humanos, a beleza do corpo e da alma. Num dos afrescos do coro de S. Maria Novella pode-se ler uma inscrição informando que aqueles afrescos foram terminados em 1490, "quando esta terra, a mais linda de todas e que se distingue por suas riquezas, vitórias, artes e construções, gozava de abundância, saúde e paz". Por essa mesma época, Lorenzo, o Magnífico, escreveu seu mais famoso poema, que começa assim:

> Quant'è bella giovinezza,
> Che si fugge tuttavia.
> Chi vuol esser lieto sia;
> Di doman' non c'è certezza.

Esses versos são bem conhecidos, e com razão. Citei-os em italiano porque devem ser lembrados em toda a sua melodia original. Numa tradução literal:

> Como é bela a juventude,
> Que nos foge todavia.
> Se quiseres ser feliz, sê;
> Do amanhã não se tem certeza.

Agora, esses homens, quando construíam uma igreja, não queriam que sua aparência lhes lembrasse aquele incerto amanhã ou aquilo que viria depois que esta vida terminasse. Queriam que a arquitetura eternizasse o presente. Assim, eles encomendavam igrejas como templos à sua própria glória. A rotunda oriental da Annunziata foi projetada como um monumento florentino em memória dos Gonzaga, governantes de Mântua. Na mesma época, Francesco Sforza, de Milão, parece também ter pensado em um templo como esse. Um registro do que se pretendia fazer sobreviveu numa medalha de 1460, do escultor Sperandio. Parece representar uma construção feita com base num plano perfeitamente simétrico: uma cruz grega a ser recoberta por cinco cúpulas, como Périgueux e São Marcos em Veneza haviam sido trezentos ou quatrocentos anos antes. Pode-se atribuir seu projeto a esse misterioso escultor e arquiteto florentino, Antonio Filarete (morto por volta de 1470), que trabalhou para Francesco Sforza de 1451 a 1465. Sua fama deve-se principalmente ao hospital de Milão, o Ospedale Maggiore, iniciado em 1457, grande empreendimento cuja elevação não foi executada segundo seus desenhos, embora a planta o tenha sido. A planta baixa é notável no sentido de que forma o primeiro desses grandes edifícios simétricos de inúmeros pátios interiores – nove, no caso de Milão –, retomados nos séculos XVI e XVII nas construções reais do Escorial, Tulherias e Whitehall.

Mas a ambição de Filarete consistia em realizar projetos numa escala ainda maior. Escreveu um tratado sobre arquitetura, dedica-

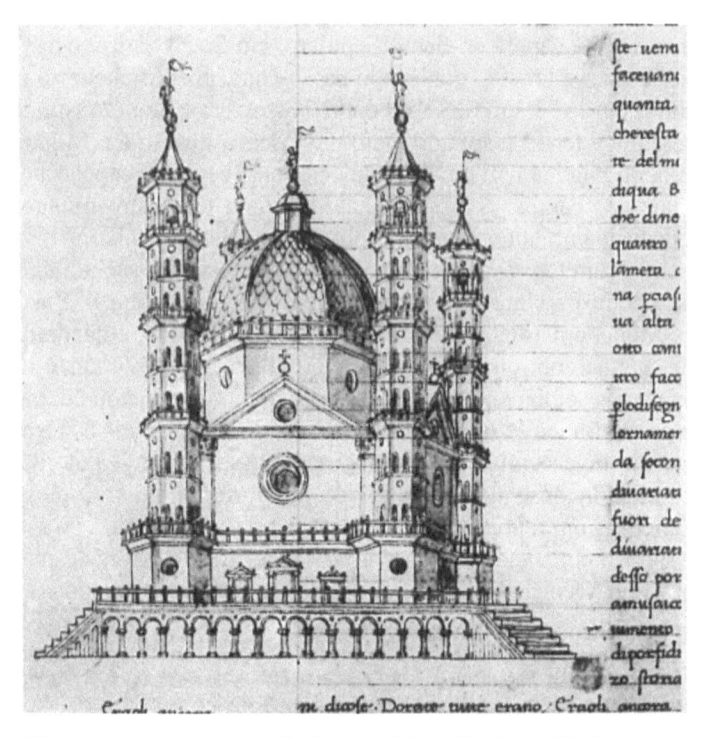

130. Desenho de uma igreja para Sforzinda, por Antonio Filarete, c. 1455-60

do, em diferentes exemplares, a Francesco Sforza e a um dos Medici, de Florença, para onde o arquiteto voltou quando deixou Milão. Talvez a parte mais interessante do tratado seja a descrição de uma cidade ideal, Sforzinda. É a primeira cidade inteiramente simétrica a ser planejada na história do Ocidente, um octógono regular com ruas radiais e com um palácio e uma catedral situados na praça central – mais uma vez uma manifestação dessa obsessão pelo centro, própria deste que foi o primeiro século a se libertar das amarras da autoridade medieval. Assim, não é surpreendente ver que as igrejas de Sforzinda, de Zagalia (outra cidade projetada no tratado) e do hospital – tampouco esta igreja chegou a ser construída – deveriam ser de plano central. Elas nos apresentam ainda mais variedades. A catedral de Sforzinda e a igreja do hospital são quadradas, com uma cúpula situada nos quatro cantos – plano sobre o qual já discutimos os antecedentes paleocristãos e a popularidade que adquiriu no período bizantino. Em Milão, esse plano tinha aparecido pela primeira vez na capela do Santo Sepulcro, em Salão Satiro, em 876. Também deve ter sido conhecido na Toscana, pois Michelozzo utilizou-o em 1452, em S. Maria delle Grazie, em Pistóia. Assim, Filarete pode ter-se inspirado tanto na Toscana quanto em Milão. A igreja de Zagalia tem uma cúpula octogonal central e capelas octogonais nos cantos. As três igrejas deveriam ter quatro minaretes fantasticamente altos situados sobre as capelas dos quatro cantos, ou em algum lugar entre elas e o centro (os desenhos são ambíguos nesse ponto)[23]. Uma capela efetivamente construída em S. Eustorgio, Milão, em 1462, segundo planos de Michelozzo, é quadrada e tem cúpula, com quatro pequenas torres situadas nos cantos, mas sem capelas embaixo delas. Michelozzo também projetou um palácio para o Banco Medici, em Milão. Foi iniciado segundo as formas do estilo renascentista florentino, mas prosseguiu utilizando detalhes mais inconseqüentes do gótico do Norte da Itália. O mesmo aconteceu com o hospital.

    Evidentemente, os lombardos ainda não eram capazes de entender a Renascença. A catedral de Milão foi executada segundo o es-

---

23. O Warburg Institute gentilmente colocou à minha disposição os planos da igreja de Zagalia e alguns outros especialmente fotografados a partir do *Codice Magliabecchiano* de Filarete (Biblioteca Nacional de Florença, II, 1, 140; antes, XVII, 30). O plano de Zagalia não aparece no livro, sobre Filarete, de Lazzaroni e Muñoz, e nunca havia sido publicado antes. Foi necessário redesenhá-lo, por razões de clareza, o que foi feito por Margaret Tellet.

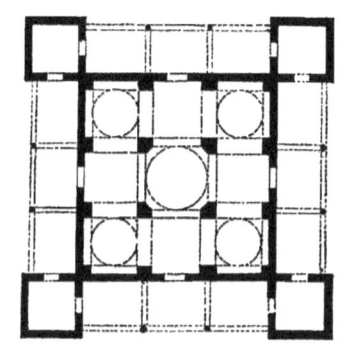

131. Capela projetada para o Ospedale
Maggiore, por Filarete, c. 1455

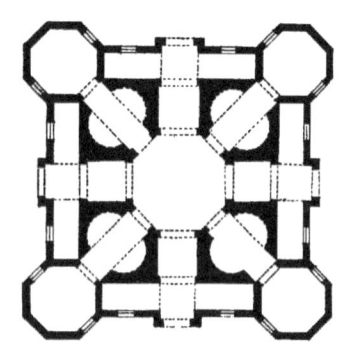

132. Plano de uma igreja para Zagalia,
por Filarete, c. 1455-60

tilo do gótico tardio, flamejante, em pleno século XV. Analogamente, em Veneza, a Porta della Carta do palácio dos Doges e a Cà d'Oro são de 1430 e 1440, e as primeiras estruturas seriamente renascentistas foram iniciadas apenas depois de 1455 (a porta do Arsenal, em 1457, Cà del Duca). No estilo, são toscanos, o mesmo estilo toscano empregado por Michelozzo e Filarete em Milão, assim como era toscano o maior arquiteto do Quattrocento, e aquele que iria divulgar esse estilo entre os governantes menores da Itália do Norte, amantes da arte e autoglorificadores.

Leone Battista Alberti (1404-1472) vinha de uma família aristocrática de Florença. Em nossso contexto, representa um novo tipo de arquiteto. Brunelleschi e Miguel Ângelo são escultores-arquitetos, Giotto e Leonardo da Vinci são pintores-arquitetos. Alberti é o primeiro dos arquitetos-diletantes, um homem em cuja vida e pensamentos a arte e a arquitetura representavam exatamente aquele papel previsto muito mais tarde no tratado de Castiglione. Alberti era um cavaleiro e um atleta brilhante – diz-se que conseguia saltar sobre a cabeça de um homem com os pés juntos –, sua conversação interessante era famosa, escrevia peças e compunha música, pintava e estudava física e matemática, era um perito em leis, e seus livros abordam tanto questões de economia doméstica como de pintura e arquitetura. Seu *Della pintura* é o primeiro livro a abordar a arte da pintura com um espírito renascentista. Toda a primeira parte trata apenas da geometria e da perspectiva. Seus *Dex livro de arqui-*

*tetura* foram escritos em latim e seguem o modelo de Vitrúvio, o recém-descoberto escritor romano da arquitetura. Esses livros provam que, enquanto estava trabalhando em Roma como membro do serviço civil do Papa, ele tinha tempo suficiente para estudar as ruínas da Antigüidade. Também é evidente que seu trabalho lhe permitia viajar livremente e ficar longe de Roma por longos períodos.

Antes do advento da Renascença, um homem como esse dificilmente poderia ter demonstrado um interesse ativo pela arte da construção. Mas, à medida que a essência da arquitetura foi considerada como filosofia, matemática (as leis divinas da ordem e da proporção) e arqueologia (os monumentos da Antiguidade), o teórico e o diletante passaram a ter novo significado. A arquitetura romana, tanto no conjunto quanto em seus detalhes, deveria ser estudada e desenhada a fim de ser apreendida; e logo se descobriu, com a ajuda de Vitrúvio, que o sistema existente por trás dos estilos da Antiguidade baseava-se nas ordens, isto é, nas proporções relativas às colunas e entablamentos dórico, jônico, coríntio, compósito e toscano. Através de livros sobre essas ordens, as nações estrangeiras aprendiam as regras da construção clássica.

Mas Alberti não era apenas um teórico. Nele, a mentalidade do erudito convivia, numa rara e feliz união, com poderes efetivamente imaginativos e criativos. A fachada de S. Francesco em Rimini, iniciada em 1446, mas nunca terminada, é a primeira da Europa a adaptar a composição do arco triunfal romano à arquitetura de uma igreja. Com isso, Alberti revela-se muito mais empenhado do que Brunelleschi em reviver a Antiguidade. E não se limitava apenas aos motivos. A parte lateral da igreja, com seus sete nichos em arcos de pleno cimbre separados por pesados pilares, talvez tenha mais da seriedade da Roma de Flaviano do que qualquer outra construção do século XV. Esses nichos, hoje, contêm sarcófagos, os monumentos aos humanistas da corte de Sigismondo Malatesta. Para a ala leste, aparentemente havia sido projetada uma cúpula, tão imponente quanto a de S. Annunziata em Florença, novamente como um monumento à glória de Sigismondo e de sua Isotta. Sigismondo era um tirano típico da Renascença, inescrupuloso e cruel, mas sinceramente fascinado pelos novos ensinamentos e pela nova arte. A igreja de S. Francesco é, de fato, conhecida pelo nome de Templo de Malatesta, e em sua fachada foi gravada uma inscrição, em letras grandes, com

133. Rimini, S. Francesco (Tempio Malatestiano), fachada, iniciada por Alberti, 1446

o nome de Sigismondo, a data, e nada mais. Compare-se esta inscrição com a que encima a igreja medieval de St. Hubert, em Troyes: "*Non nobis, Domine, non nobis, sed nomini tuo da gloriam*" – e se terá a quintessência da mudança ocorrida de uma época para outra.

O mesmo orgulho que se pode constatar em Sigismondo Malatesta é demonstrado por Giovanni Rucellai, um mercador de Florença para quem Alberti projetou sua segunda fachada de igreja. Também o nome desse comerciante aparece soberbamente na fachada de S. Maria Novella; e quando, na velhice, ele escreveu suas memórias, assim se expressou sobre os trabalhos de arquitetura e de

134. Rimini, S. Francesco, lado sul

135. Florença, Palazzo Medici, por Michelozzo, iniciado em 1444

decoração por ele encomendados para as igrejas de sua amada cidade natal: "Todas essas coisas me deram, e continuam dando, a maior satisfação e as sensações mais agradáveis. Elas homenageiam o Senhor, Florença e minha própria memória." Essa atitude tornou possível que os doadores dos afrescos pintados no coro dessa mesma igreja aparecessem em tamanho natural, e com roupas da época, como se fossem atores das histórias sagradas. Foram ainda atitudes como essa que levaram os aristocratas de Florença – e os cardeais de Roma – a construir seus palácios renascentistas. O palácio dos Medici, iniciado por Michelozzo em 1444, foi o primeiro da série. O mais famoso deles é o palácio Pitti, projetado, segundo alguns, por Brunelleschi, pouco antes de sua morte, em 1446, enquanto outros atribuem sua autoria a Alberti, por volta de 1458; de qualquer modo, foi ampliado um século mais tarde. Também o palácio Strozzi é bastante notável. Lorenzo Strozzi, em seu *Ricordo di Lorenzo Strozzi*, referindo-se a seu pai, Filippo Strozzi, que construiu o palácio, diz o seguinte: "Tendo amealhado uma grande fortuna para seus herdeiros, e mostrando-se mais ávido pela fama do que pela riqueza, e não tendo meio mais seguro de fazer com que sua pessoa fosse lembrada, decidiu erguer uma construção que des-

136. Urbino, Palazzo Ducale, pátio, por Luciano Laurana (?), c. 1470-5

se renome a ele e sua família." Esses palácios toscanos do Quattrocento são maciços, porém bem proporcionados e revestidos com blocos pesadamente rusticados e coroados por cornijas bastante salientes. Suas janelas simetricamente dispostas são divididas em dois por graciosas colunas (novamente um motivo românico). Aquilo que se espera da Renascença, em termos de delicadeza e articulação, pode ser visto principalmente nos pátios interiores. Ali, o andar térreo abre-se na forma de claustro através de graciosas arcadas, semelhantes às do Asilo dos Enjeitados e de S. Spirito; e os andares superiores também são animados por uma galeria aberta de pilastras que dividem as paredes em compartimentos, ou algo assim. Um tratamento mais severo dos pátios internos só foi desenvolvido em Roma. Aparece pela primeira vez no Palazzo Venezia, de aproximadamente 1465-1470. Deriva do clássico motivo romano das colunas agregadas a sólidos pilares, um motivo do Coliseu e também da fachada da igreja de S. Francesco, em Rimini, projetada por Alberti. Talvez tenha sido ele quem sugeriu a ressurreição desse motivo em Roma, mas não há documentos que provem a ligação do seu nome com a construção do Palazzo Venezia. Uma combinação bastante atraente entre os sistemas florentino e romano aparece no palácio ducal de Urbino, centro da mais empreendedora das pequenas cortes da Itália, em termos de arquitetura e arte em geral. Ali trabalhou Piero della Francesca, pintor em cujos cenários arquitetônicos mais se reflete o espírito de Alberti, e por ali o próprio Alberti deve ter passado em suas viagens. Além disso, é ali que se encontra, na década de 1460, Francesco di Giorgio, um dos mais interessantes arquitetos do Quattrocento tardio e cujo nome será mencionado mais adiante, em outro contexto. Mas o projeto do pátio interno e da agradável decoração interior do palácio provavelmente não se deve a ele, mas a Luciano Laurana, que trabalhou em Urbino entre 1466 e 1479, ano de sua morte. Esse pátio interno preserva a clareza arejada das arcadas florentinas, ao mesmo tempo que reforça os cantos com pilastras. Quando se percebe o efeito desse motivo, a ininterrupta seqüência de colunas e arcos empregada por Michelozzo e seus seguidores parece instável e desagradável. Por outro lado, o pátio interno do Palazzo Venezia, em Roma, parece pesado demais em comparação com o feliz equilíbrio de motivos conseguido por Laurana.

O próprio Alberti projetou um palácio em Florença, o Palazzo Rucellai, iniciado em 1446 para o mesmo patrono da fachada da igreja de S. Maria Novella. Aqui, o pátio interno não tem nenhuma ênfase, mas Alberti empregou pilastras na fachada e, com isso, introduziu um novo e esplêndido meio de compor uma parede[24]. Três ordens de pilastras aparecem superpostas, com um tratamento dórico livre ao nível do andar térreo, um jônico livre no primeiro andar e um coríntio no andar de cima.

Enquanto estas pilastras dividem a fachada verticalmente, cornijas elegantemente projetadas realçam as divisões horizontais. A cornija superior é, provavelmente, a primeira de Florença, sendo mes-

---

24. Brunelleschi já havia seguido o mesmo tipo de raciocínio; ver seu inacabado Palazzo di Parte Guelfa.

137. Florença, Palazzo Rucellai, por Alberti, construído em 1446-51

mo anterior à do Palazzo Medici, de Michelozzo. Antes disso usavam-se os beirais avançados, como na Idade Média. As janelas do Palazzo Rucellai são divididas ao meio, como em outros palácios, mas uma arquitrave separa o retângulo principal dos dois semicírculos superiores. A proporção entre a altura e a largura nas partes retangulares das janelas é igual à proporção entre a altura e a largura dos vãos. Assim, a colocação de cada detalhe parece já estar determinada, e não há possibilidade de qualquer mudança. Segundo os escritos teóricos de Alberti, é nesse equilíbrio que está a própria essência da beleza, que ele define como sendo "a harmonia e a concordância de todas as partes realizada de tal forma que nada possa ser acrescentado, retirado ou alterado, sem que seja para pior".

Definições como essa nos fazem sentir mais nitidamente o contraste existente entre o gótico e o estilo da Renascença. Na arquitetura gótica, a sensação de crescimento predomina por toda parte. A altura dos pilares não é determinada pela largura dos vãos, nem a espessura de um capitel pela altura do pilar. Acrescentar capelas ou mesmo naves laterais às igrejas paroquiais estraga muito menos o conjunto do que se isso for feito numa construção renascentista. Pois, no estilo gótico, os motivos surgem uns após os outros, à maneira dos galhos de uma árvore.

Seria impossível imaginar um mecenas do século XIV decretar, como fez o papa Pio II quando mandou construir a catedral de sua cidade natal (rebatizada Pienza a fim de eternizar seu nome), que no futuro não se poderia construir, em sua igreja, monumentos fúnebres, abrir novos altares, pintar afrescos nas paredes, acrescentar capelas ou alterar a cor das paredes ou dos pilares. Nesse sentido, uma edificação gótica nunca está terminada. Ela permanece um ser vivo cujo destino é influenciado pela devoção de geração após geração. E assim como seu início e seu fim não estão fixados no tempo, também não o estão no espaço. No estilo da Renascença, o edifício é um todo estético composto de partes auto-suficientes. Essas diversas partes são agrupadas e compostas no espaço ou em superfície de acordo com um sistema estático.

Também o estilo românico, como mostramos, é um estilo estático. É também um estilo composto essencialmente pela justaposição de unidades espaciais claramente definidas. Então, como pode ser formulada, em princípio, a diferença entre uma igreja normanda e uma renascentista? Tanto em uma como na outra, as paredes são importantes, enquanto, no gótico, elas tendem a ser anuladas. Mas a parede românica, por princípio, é inerte. Quando é decorada, o local exato em que essa decoração é aplicada parece arbitrário. Não é possível ter a impressão de que se for retirado um ornamento, acrescentando outro, se um terceiro for deslocado para cima ou para baixo, o conjunto se alterará radicalmente. O mesmo não acontece com uma edificação renascentista. Nela, as paredes são ativas, animadas por elementos de decoração cujas dimensões e colocação seguem leis racionais. Em última análise, é esta razão humana que faz de um edifício renascentista o que ele é. As arcadas são mais arejadas e mais abertas do que antes. As graciosas colunas têm a beleza dos seres animados. Elas se mantêm dentro da escala humana e, quando nos conduzem de uma parte a outra, nunca nos fazem sentir esmagados por seu tamanho, mesmo num edifício muito grande. É exatamente isso que o arquiteto normando queria conseguir. Ele pensava numa parede como um conjunto, e a seguir permanecia fiel a essa expressão de poder e massa, mesmo nos menores detalhes. Por conseguinte – e quase seria desnecessário frisar – os escultores românicos ainda não tinham condições de redescobrir a beleza do corpo humano. Essa redescoberta, e a descoberta da perspectiva linear, deveriam vir com a Renascença. S. Spirito, ou o Palazzo Rucellai, demonstram-no a quem conseguir captar o seu caráter específico.

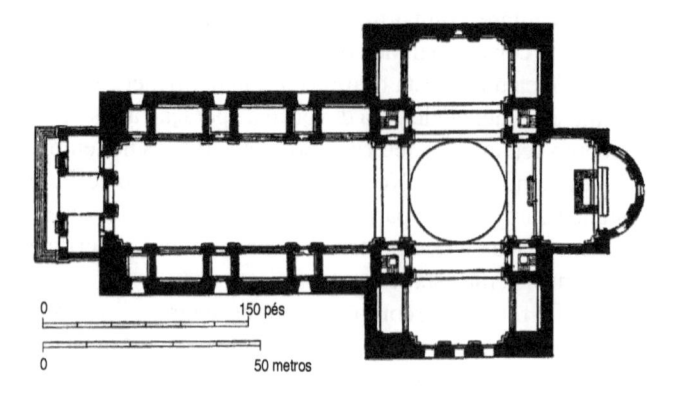

138. Mântua, S. Andrea, por Alberti, iniciada em 1470

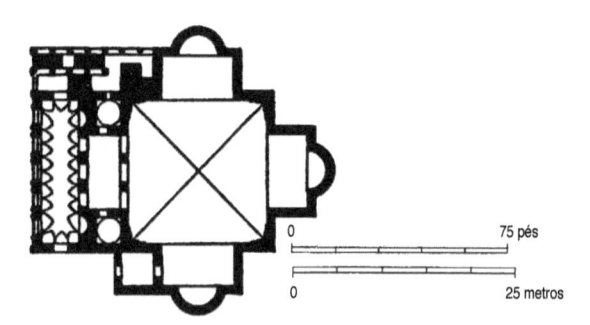

139. Mântua, S. Sebastiano, por Alberti, projetada em 1460

Para ilustrar o princípio da ordenação rigorosa que Alberti defende também para o interior das igrejas, o plano de S. Andrea em Mântua, última obra de Alberti, deve ser analisado. Como em S. Spirito, o lado leste segue uma composição de plano central. Na verdade, Alberti também contribuiria para a solução do problema candente dos arquitetos: o plano perfeitamente central. S. Sebastiano, em Mântua, também dele, é uma cruz grega. Foi projetada em 1460, isto é, pouco antes ou logo depois do templo de Sforza, que aparece na medalha de Sperandio. Mas, seja qual for a data, a solução de Alberti é original, austera e altiva ao mesmo tempo, com sua fachada curiosamente pagã. Não é de admirar que um cardeal pudesse escrever, referindo-se a ela, em 1473: "Não sei dizer se isto se transformará numa igreja, numa mesquita ou numa sinagoga." Do ponto de vista prático, essas igrejas de plano central são, sem dúvida, pouco funcionais. Assim, desde o começo, pode-se perceber tentativas de combinar o tradicional plano longitudinal com características centrais, esteticamente mais agradáveis. S. Spirito é exemplo disso. A construção mais destacada, no entanto, é S. Andrea, em Mântua. Aqui o arquiteto substitui a disposição tradicional de nave principal e naves laterais por uma série de capelas laterais que tomam o lugar das naves laterais e que se ligam à nave principal, alternadamente, por aberturas altas e largas e por aberturas baixas e estreitas. Com isso, as naves laterais deixam de participar de um movimento orientado na direção leste e tornam-se uma série de centros menores que acompanham a espaçosa nave recoberta por uma abóbada de berço. Em relação às paredes que encerram a nave,

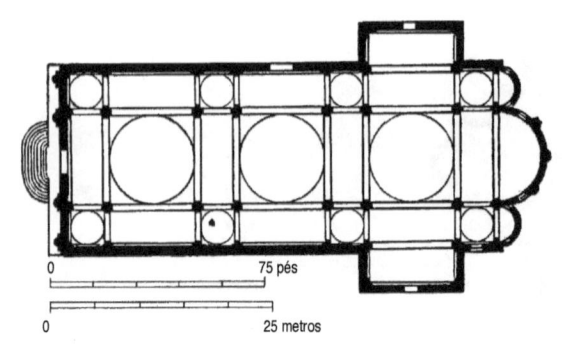

140. Veneza, S. Salvatore, por Spavento, 1506

a mesma intenção é evidente na substituição da simples seqüência ininterrupta de colunas, característica da basílica, segundo uma alternância rítmica (*a-b-a*) de vãos abertos e fechados. As colunas são suprimidas e substituídas por pilastras gigantes. Podemos avaliar o quanto a manutenção das mesmas proporções por toda parte é responsável pela harmonia profundamente tranqüilizante de S. Andrea, se observarmos que o mesmo ritmo *a-b-a*, idêntico até nos detalhes, e as mesmas pilastras gigantes – as primeiras, junto com as de S. Sebastiano, da arquitetura ocidental – são utilizados como motivo principal da fachada da igreja, e que a proporção dos arcos do cruzeiro é a mesma das capelas laterais.

Alberti não foi o único arquiteto a jogar com essas combinações rítmicas nas igrejas de plano longitudinal. O Norte da Itália demonstrou-se particularmente interessado na aplicação desse princípio nas igrejas com naves laterais, depois que um arquiteto florentino fez as primeiras tentativas na catedral de Faenza (1474). Ferrara, Parma e outros centros as adotaram. Logo, vemos essa corrente se unir à corrente favorável ao plano central no esquema bizantino-milanês, com um domo central e quatro domos menores e mais baixos nos cantos. Veneza e a região vêneta haviam começado a construir igrejas centrais desse tipo um pouco antes de 1500 (S. Giovanni Crisostomo). Em 1506, um arquiteto até então pouco conhecido, Spavento, encontrou a solução clássica para sua aplicação na basílica. S. Salvatore, de Veneza, consiste em uma nave de duas unidades milano-venezianas e mais um cruzamento idêntico: só que os transeptos e as absides foram acrescentados ao conjunto de um modo um tanto incongruente.

Historicamente, a relação que existe entre S. Salvatore e S. Andrea de Mântua, de Alberti, é a mesma que existe no campo da arquitetura civil, entre a Cancelleria, em Roma, e o Palazzo Rucellai, de Alberti. A Cancelleria foi construída em 1486-1498 como residência privada do Cardeal Riario, sobrinho de Sisto IV, um dos papas mais formidáveis da Renascença. Esses papas consideravam-se, praticamente, mais governantes mundanos do que sacerdotes. Júlio II, outro sobrinho de Sisto IV, em cujo reinado a catedral de São Pedro foi iniciada, e para quem Miguel Ângelo pintou a capela Sistina e Rafael as *Stanze* do Vaticano, pediu a Miguel Ângelo para retratá-lo, numa estátua para Bolonha, com uma espada em vez de um livro; ele disse: "Sou um soldado, não um erudito." De Alexandre VI e seu filho César Bórgia, basta mencionar seus nomes e a relação entre eles. O Palazzo Riario apresenta um andar térreo sem pilastras, porque pareceu mais razoável preservar a integridade do rusticado, onde apenas pequenas janelas se faziam necessárias. No primeiro e segundo andares existem pilastras, mas não na seqüência simples do Palazzo Rucellai. O ritmo *a-b-a* é novamente usado para dar vida à fachada. Deve-se observar que, enquanto as divisões horizontais de Alberti tinham de funcionar como cornijas e ao mesmo tempo como apoios de janelas, o desconhecido arquiteto da Cancelleria dá a cada uma dessas funções uma expressão arquitetural claramente visível. Além disso, os vãos de canto do edifício são ligeiramente projetados, de modo a não haver nenhuma imprecisão de composição, nem à esquerda, nem à direita.

A Cancelleria é o primeiro edifício renascentista cuja importância não se limitava à cidade de Roma. De qualquer forma, na época em que foi terminado, Roma assumia a liderança na arquitetura e nas artes, até então nas mãos de Florença. Esse momento assinala o início da Alta Renascença. A Baixa Renascença foi essencialmente toscana. A Alta Renascença é romana, porque, na época, Roma era o único centro internacionalmente aceitável – transformando-se, de fato, em cânome internacional durante séculos. O lugar de Roma na história do estilo renascentista corresponde exatamente ao de Paris e das catedrais à sua volta, na história do estilo gótico. Não sabemos a que parte da França os arquitetos de Notre Dame, Chartres,

Reims e Amiens pertenciam por nascimento e educação, mas sabemos que Donato Bramante era da Úmbria e da Lombardia, Rafael era da Úmbria e de Florença, e Miguel Ângelo, de Florença. Estes são os três maiores arquitetos da Renascença, e nenhum deles – como já vimos antes – era arquiteto por formação. Bramante era, originalmente, pintor, o mesmo acontecendo com Rafael, enquanto Miguel Ângelo era escultor.

Bramante era o mais velho dos três. Nasceu em 1444, perto de Urbino e ali se criou. Nessa época Piero della Francesca pintava, Laurana trabalhava no palácio ducal e Francesco di Giorgio escrevia um tratado de arquitetura – o terceiro da Renascença, após o de Alberti e o de Filarete – no qual, aliás, abordou de perto o plano central. Entre 1477 e 1480, Bramante foi para Milão. Ali, sua primeira construção, a igreja de S. Maria presso S. Satiro, pressupõe o conhecimento da igreja de S. Andrea, de Alberti, em Mântua, iniciada poucos anos antes. Parece que Bramante estudou suas plantas cuidadosamente. Sua própria igreja não tinha espaço para o coro, e assim – deliciando-se em dar uma demonstração de seus conhecimentos de perspectiva linear – desenhou um na parede em *trompe-l'oeil*. Se o observador se coloca na posição adequada, o artifício funciona perfeitamente.

A mesma igreja, S. Maria, tem uma sacristia de plano central; e S. Maria delle Grazie, o trabalho seguinte de Bramante, em Milão, tem uma ala leste também em plano central, aliás, bastante parecida com a de S. Sebastiano, de Alberti, em Mântua. Mas quando S. Maria delle Grazie foi iniciada em 1492, um outro artista, o mais universal que já existiu, e que iria influenciar de modo considerável a Bramante, um pouco mais velho, já vivia em Milão havia nove anos. Leonardo havia ido a Milão em 1482 como engenheiro, pintor, escultor e músico – na verdade como tudo, menos como arquiteto. No entanto, em sua mente fértil, os problemas da arquitetura se agitavam o tempo todo. Em Florença já havia desenhado os planos de Brunelleschi para S. Spirito e S. Maria degli Angeli, e em Milão estudou cuidadosamente as soluções especificamente milanesas propostas por Filarete. O resultado disso tudo foram desenhos em seus livros de esboços mostrando vários tipos de estruturas centrais complexas, como, por exemplo, uma com um grande octógono central e oito capelas do tipo milanês, com um domo central e quatro pequenos vãos quadrados nos quatro cantos. Em oposição aos esquemas

141. Roma, Cancelleria, 1486-98

centrais propostos pelos arquitetos renascentistas antes de Leonardo, onde um elemento muito importante contrasta com um certo número de pequenas partes irradiantes, surge um sistema de elementos de três escalas, sendo cada uma delas subordinada à anterior.

Há um outro projeto que, por razões históricas, é ainda mais interessante. Figura como um rápido esboço do manuscrito B de Paris, de Leonardo, e consiste numa cruz grega com quatro absides, inteiramente cercada por um deambulatório e com pequenos vãos quadrados ocupando os cantos, e torres pequenas situadas sobre o prolongamento da diagonal desses vãos. Bramante deve ter visto isso e se lembrado do que viu alguns anos depois, em Roma, após ter deixado Milão.

Além de tudo o que aprendeu com Leonardo, a mudança da atmosfera milanesa para a romana, ocorrida em 1499, alterou decisivamente o estilo de Bramante. Sua arquitetura assumiu de imediato uma austeridade muito maior do que a que se constata em Milão. Ela já está presente em seus primeiros projetos romanos, o claustro de S. Maria della Pace e o Tempietto de S. Pietro in Montorio. Em S. Maria della Pace, o pátio tinha pilares e meias-colunas ao estilo romano, no andar térreo, e uma galeria aberta no primeiro andar, cujas delgadas colunas sustentam uma arquitrave simples em vez de arcos. Em S. Pietro in Montorio, Bramante é ainda mais austero. O Tempietto, de 1502, é o primeiro monumento que opõe a Alta Renascença à Baixa Renascença, e é também um monumento em sentido estrito, isto é, uma realização mais escultural do que estritamente arquitetural. Foi construído para assinalar o lugar em que se supõe ter sido crucificado São Pedro. Assim, pode-se chamá-lo de um relicário ampliado. De fato, a intenção tinha sido transformar o pátio onde ele se encontrava em um claustro circular para abrigar o pequeno templo. A primeira impressão do Tempietto, após as igrejas e palácios do século XV, é quase chocante. A ordem das colunas é o dórico toscano – é a primeira utilização moderna dessa

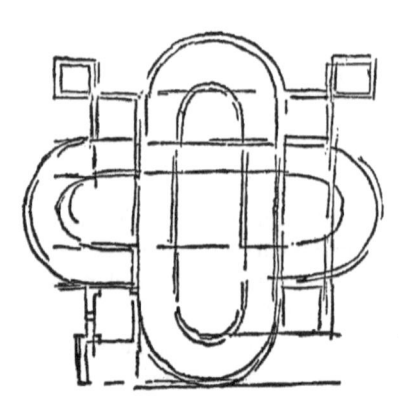

142. Esboço de uma igreja de plano em cruz grega, com torres nos cantos, por Leonardo da Vinci, Ms. B, fol. 57 v.

ordem austera e despojada. As colunas sustentam um entablamento clássico, outro traço que contribui para dar ao conjunto uma sensação de peso e rigor. Por outro lado, além das métopas e das conchas dos nichos, não há um único centímetro quadrado de decoração em toda a parte externa. Isso, combinado com a menos nova, mas igual-

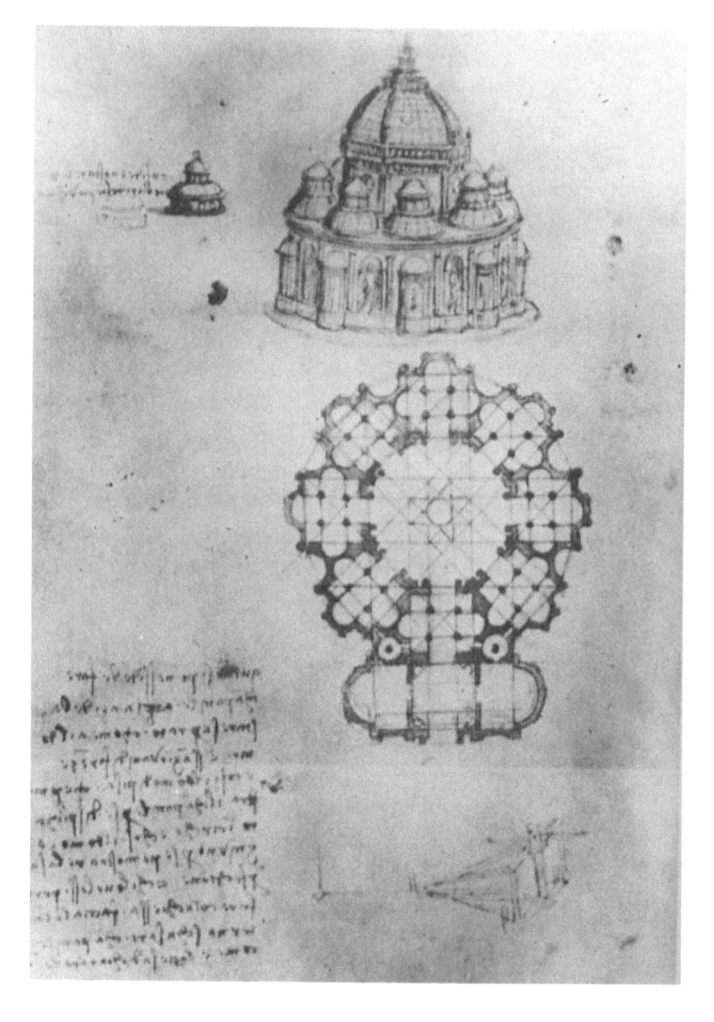

143. Desenho para uma igreja de plano central octogonal, com oito capelas, por Leonardo da Vinci, Ms. 2037, fol. 5 v.

mente eloqüente, simplicidade das proporções – a proporção existente entre largura e altura no andar térreo é repetida no andar superior –, dá ao Tempietto uma dignidade que está bem além do seu tamanho. Aqui, pelo menos, a Renascença clássica atingiu seu objetivo consciente de imitar a Antiguidade clássica. Pois, bem além dos

144. Roma, Tempietto de S. Pietro in Montorio, por Bramante, 1502

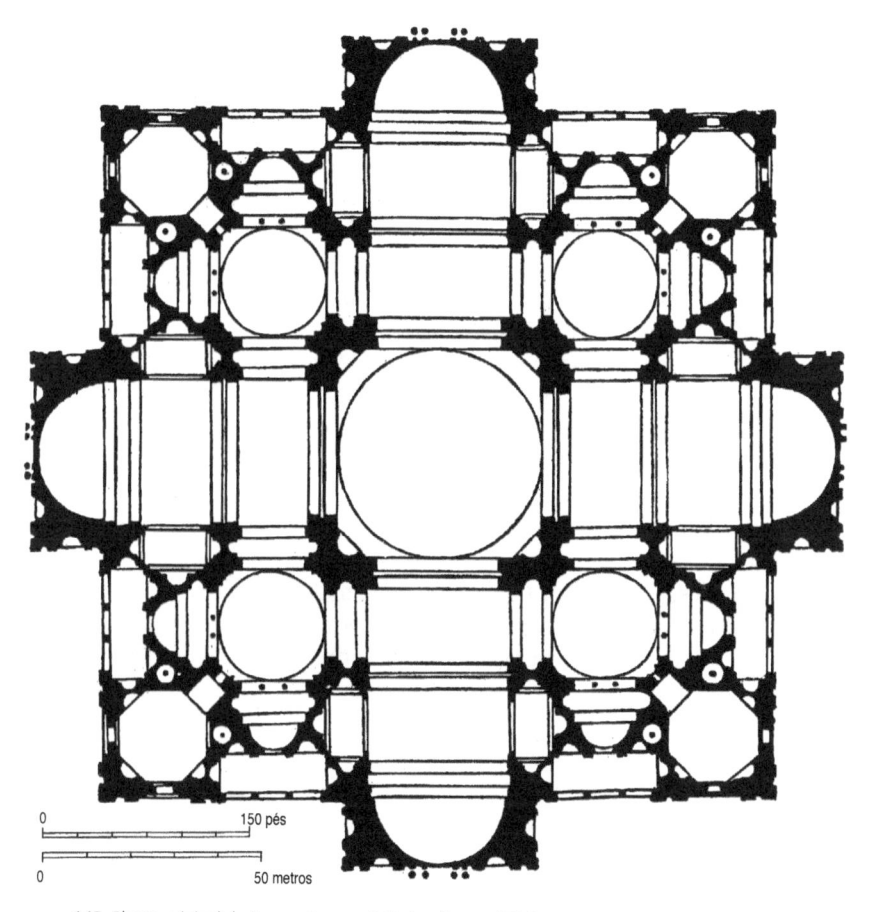

145. Planta original de Bramante para S. Pedro, Roma, 1506

motivos e da simples expressão formal, esta é uma construção que aparece, quase tanto quanto um templo grego, como puro volume. O espaço – esse ingrediente fundamental da arquitetura ocidental – parece ter sido derrotado.

Mas Bramante não parou por aqui. Apenas quatro anos depois de ter realizado o ideal renascentista de expressão do volume arquitetural, procurou reconciliar esse ideal com a expressão renascentista ideal do espaço, tal como havia sido desenvolvida pelos arquitetos do século XV, de Brunelleschi a Leonardo da Vinci. Em 1506,

Júlio II confiou-lhe a reconstrução de São Pedro, a mais sagrada das igrejas do Ocidente. Até então, São Pedro subsistia essencialmente em sua forma constantiniana (ver p. 12). Nicolau V, o primeiro papa a sentir-se atraído pelo humanismo e pela Renascença, tinha iniciado a reconstrução do exterior da ala leste de um modo tão semelhante ao que caracteriza S. Andrea, de Alberti, em Mântua, que é possível atribuir o projeto inicial a este último. Mas nada além das fundações tinha sido feito quando Nicolau V morreu em 1455, e mais nada aconteceu depois disso. A São Pedro de Júlio II deveria ser uma construção de plano central – uma decisão surpreendente, considerando-se a força da tradição em favor das igrejas longitudinais, e a imensa significação religiosa de São Pedro. Com o papa adotando esse símbolo de mundanismo em sua própria igreja, o espírito do humanismo havia realmente penetrado no mais interior da fortaleza da resistência cristã.

Bramante tinha mais de 60 anos quando foi assentada a pedra inaugural da nova São Pedro. Trata-se de uma cruz grega, com quatro absides, tão simétrica que, na planta, nada indica qual das absides deveria abrigar o altar-mor. O domo principal deveria ser acompanhado por domos menores situados sobre cada uma das capelas de canto e por torres nos cantos mais exteriores. Tudo isto encaixava-se claramente na tradição milanesa e de Leonardo. Mas Bramante expandiu o ritmo do conjunto ao ampliar as capelas situadas nos cantos de modo a fazer, também delas, cruzes gregas, de forma que cada uma tinha duas absides próprias, sendo as outras duas cortadas pelos braços da cruz grega maior. Com isso, criou-se um deambulatório quadrado que emoldura um enorme domo central, projetado para ser uma semi-esfera, como o domo sobre o Tempietto. Quatro pequenas torres de canto completam o aspecto exterior de modo a torná-lo um quadrado, sendo que as únicas saliências são as extremidades das absides principais. Até aqui, o esquema de Bramante não era mais do que um magnífico desenvolvimento das idéias do século XV. O que é novo, e inteiramente do século XVI, é a maneira de tratar as paredes e, sobretudo, os pilares que sustentam o domo central, as únicas partes do plano de Bramante que foram executadas e que ainda são parcialmente visíveis. Nelas, nada sobrou da escala humana e da delicada modelação, típicas da Baixa Renascença. Trata-se de peças maciças em pedra, energicamente caneladas, pela própria mão do escultor. Esta concepção das potencialidades plásticas de uma parede, originária do romano tardio, e inicialmente redescoberta (embora usada de modo menos maciço) por Brunelleschi, na sua última fase, em S. Maria degli Angeli, iria representar um papel da maior importância no desenvolvimento futuro da arquitetura italiana.

O futuro imediato, porém, pertencia a Bramante, mestre da harmonia clássica e da grandiosidade, e não a Bramante, arauto do barroco. Rafael (1483-1520) foi o arquiteto que seguiu mais de perto o Bramante do Tempietto e dos pátios de S. Damasus e Belvedere no Vaticano (1503 e anos seguintes), outra obra-prima romana de Bramante. Dos trabalhos arquiteturais de Rafael, pouca coisa está documentada. Entre os edifícios que lhe podem ser atribuídos, com boa margem de certeza, está o Palazzo Vidoni Caffarelli em Roma, um descendente muito próximo do Palazzo Caprini, projetado por Bramante pouco antes de morrer em 1514, e que Rafael havia adquirido em 1517. Essa construção está agora tão alterada que não pode ser reconhecida. Também o Palazzo Caffarelli não se apresenta como Rafael projetara. Foi consideravelmente ampliado, tanto em largura quanto em altura. Novamente aqui é visível a mudança de escala que marca a Alta Renascença. Harmonia e equilíbrio ainda são os objetivos, mas agora são combinados com solenidade e grandiosidade, desconhecidas no século XV. Colunas dórico-toscanas substituem as pilastras do Palazzo Rucellai e da Cancelleria, e o descontraído ritmo *a-b-a* sofreu uma contração para um pesado ritmo *a-b* com um novo acento no *a* pela duplicação das colunas, e no *b* pelo apoio direto das arquitraves sobre as janelas. O desenho do rusticado no térreo também acentua a horizontalidade, *i.e.*, a austeridade da composição.

A passagem da Baixa Renascença para a Alta Renascença, da delicadeza à grandiosidade, e de uma concepção mais sutil das superfícies a uma modulação das paredes num alto-relevo mais audacioso encorajou um estudo mais intenso das ruínas da Roma Imperial. Só então o seu efeito dramático começava a ser plenamente compreendido. Só então humanistas e artistas tentaram visualizar e talvez recriar a Roma das ruínas como um conjunto. A Villa Madama, tal como foi projetada por Rafael, com um pátio circular e seus muitos aposentos em forma de nichos e absides, é a mais audaciosa

146. Roma, Palazzo Vidoni Caffarelli, por Rafael, c. 1515-20 (posteriormente alterado)

tentativa de reproduzir a grandeza das termas romanas. Sua deliciosa decoração deriva diretamente de ruínas da Roma Imperial, como a Casa Dourada de Nero. Essas ruínas foram encontradas no subsolo – donde o nome grotesco dado a este tipo de ornamentação preferida por Rafael e seus discípulos. Assim, considerando-se o plano e a decoração da Villa Madama, não é mera coincidência o fato de Rafael ter sido designado por Leão X, o papa Medici, em 1515, Superintendente das Antiguidades Romanas. Também não é coincidência o fato de Rafael ter feito traduzir por um amigo humanista, para seu uso particular, a obra de Vitrúvio, e o fato de ter mandado redigir (ou ter redigido ele mesmo) um memorando ao Papa defendendo o levantamento exato das ruínas romanas, com plantas baixas, elevações, detalhes de seções, bem como a restauração daqueles edifícios que podiam ser *infallibilmente* restaurados.

Aqui se inicia a arqueologia no sentido acadêmico, representativa de uma atitude bem diferente daquela dos admiradores quatrocentistas da arquitetura romana. Ela produziu eruditos com um conhecimento mais amplo e mais profundo da Antiguidade, mas artistas menos seguros; produziu classicistas (*classissists*), Bramante e Rafael haviam sido clássicos\*.

Nem "clássico", nem "classical" designam estilos históricos como o românico, o gótico e o renascentista. Indicam, antes, atitudes estéticas. No entanto, na medida em que as atitudes estéticas, via de regra, mudam com os estilos históricos, os dois termos podem, freqüentemente, relacionar-se entre si. Na Inglaterra, até recentemente, dizia-se que o termo "Renascença" era usado para designar a arte que ia desde o século XV até o começo do XIX. Mas durante esses mais de 300 anos houve tantas mudanças fundamentais de estilo que um termo único cobrindo período tão amplo não poderia designar nenhuma característica estética em particular. Assim, a exemplo do que fez o resto da Europa, esse período foi gradualmente dividido em Renascença e Barroco, servindo o Barroco para designar as obras de artistas como Bernini, Rembrandt, Velásquez. No entanto, à medida que aumentou, nos últimos cinqüenta anos, o nosso conhecimento das diferentes expressões estéticas, bem como a nossa sensibilidade para distingui-las, tornou-se cada vez mais patente que a Renascença e o Barroco não podem, de fato, definir as qualidades de todos os movimentos importantes dos séculos XV, XVI e XVII. O contraste entre Rafael e Bernini ou Rembrandt é evidente, mas a arte do período que vai aproximadamente de 1520 a 1530 e de 1600 a 1620 não cabe nas categorias de Barroco e Renascença. Assim, introduziu-se um novo termo há uns 30 ou 35 anos atrás\*\*,

---

\* O Autor, nesta altura do texto, chama a atenção para as diferenças entre *classic, classical, classissist. Classic* refere-se ao raro equilíbrio de forças conflitantes que marca o apogeu de todo movimento artístico; *classical* designa o que pertence ou deriva da Antiguidade; *classissist*, no contexto deste livro, seria aquilo que adere conscientemente à Antiguidade clássica. Em português, a distinção entre os dois primeiros conceitos deve ser desprendida do próprio contexto, uma vez que ambos são designados pela mesma palavra: clássico. Quanto ao terceiro, nós o traduzimos por classicista. (N. do E.)
\*\* Este livro foi publicado pela primeira vez durante a Segunda Guerra Mundial.

isto é, por volta do início do século XX: "maneirismo", um nome que não foi propriamente cunhado, inventado, mas que, de certo modo, já tinha sido usado para designar, com um certo desprezo, algumas escolas de pintura do século XVI. Em seu novo sentido, só agora (isto é, por volta de 1940) esta expressão se tornou conhecida neste país. Muita coisa depõe a seu favor. Sem dúvida, ele ajuda a distinguir as importantes diferenças entre a arte da Alta Renascença e a do final do século XVI.

Se equilíbrio e harmonia são as principais características da Alta Renascença, o maneirismo é seu oposto: é a arte do desequilíbrio e da dissonância – ora emocional a ponto de levar à distorção (Tintoreto, El Greco), ora disciplinado a ponto de se auto-anular (Bronzino).

A Alta Renascença é opulenta, o maneirismo é magro. Em Tiziano há uma beleza luxuriante; em Rafael, uma austeridade majestosa; em Miguel Ângelo, uma força gigantesca, mas os tipos do maneirismo são delgados, elegantes e com atitudes afetadas. Uma tal afetação era uma experiência nova para o Ocidente. A Idade Média, e também a Renascença, haviam sido muito mais ingênuas. A Reforma e a Contra-Reforma romperam com esse estado de inocência, e esta é a razão pela qual o maneirismo é cheio de maneirismos. Pela primeira vez, o artista tinha consciência das virtudes do ecletismo. Rafael e Miguel Ângelo eram reconhecidos como mestres de uma época áurea, em pé de igualdade com os antigos. A imitação tornou-se uma necessidade num sentido completamente novo. O artista medieval havia imitado seus mestres como algo que se impunha naturalmente, mas não duvidava de sua própria capacidade (ou da capacidade de sua época) para superá-los. Esta confiança havia agora desaparecido. As primeiras academias foram fundadas, e difundiu-se uma literatura sobre a história e a teoria da arte. Vasari é o nome mais representativo desses estudos, na época. Os desvios em relação aos cânones de Miguel Ângelo e Rafael não significavam o ostracismo, mas assumiam um certo ar de capricho, de afirmação ou de ousadia: de prazeres proibidos. Não é de surpreender, assim, que o século XVI tenha assistido à proliferação dos ascetas mais severos e dos primeiros escritores e desenhistas a condescenderem com os pecados ocultos na pornografia (Aretino e Giulio Romano).

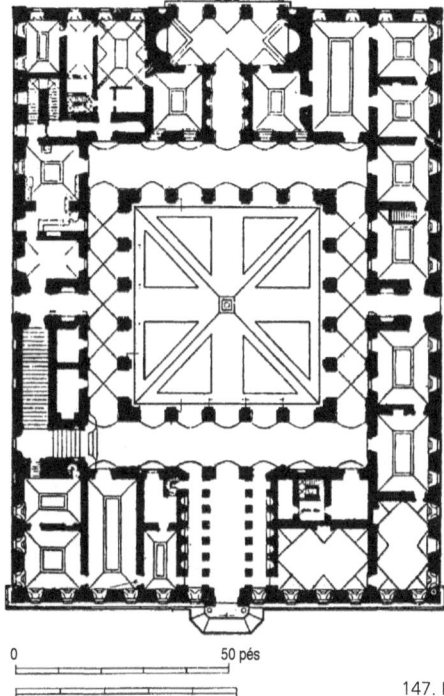

147. Roma, Palazzo Farnese, projetado por Antonio da San Gallo, o Moço, 1534

Até aqui só mencionamos nomes de pintores porque as qualidades da pintura do século XVI são, no mínimo, um pouco mais conhecidas do que as da arquitetura. A aplicação dos princípios do maneirismo à arquitetura é relativamente recente e, ainda, objeto de controvérsias. No entanto, se nos voltarmos para a construção e compararmos o Palazzo Farnese com o Palazzo Massimi alle Colonne como sendo os mais perfeitos exemplos da arquitetura entre palácios da Alta Renascença e do maneirismo, em Roma, o contraste entre suas qualidades emocionais logo se revelará como sendo o contraste entre os dois estilos tal como podemos distingui-los na pintura. O Palazzo Farnese foi inicialmente projetado em 1517 e depois reprojetado numa escala muito maior em 1534, por Antônio da San Gallo, o Moço (1485-1546). É o mais monumental dos palácios da Renascença romana, um retângulo isolado, de aproximadamente 45 m de frente, voltado para uma praça. A fachada tem cantos vigorosamente enfatizados, mas sem rusticação. As janelas do térreo têm cornijas retas, e as do primeiro andar apresentam alternadamente frontões triangulares e curvilíneos, sustentados por colunas (isto é, as chamadas edículas), um motivo romano ressuscitado pela Alta Renascença. O último andar e a cornija maciça que o coroa foram acrescentados posteriormente, e dentro de um espírito diferente (ver p. 231). Vale a pena notar a simetria e a amplidão do interior, especialmente a magnífica entrada central com a passagem encimada pela abóbada de berço que leva ao pátio interno. Este é circundado por galerias em arcadas como em todo palácio renascentista, de acordo com a tradição de Bramante, com colunas dóri-

148. Roma. Palazzo Farnese, pátio, por Antonio da San Gallo, o Moço, andar superior por Miguel Ângelo, 1548

co-toscanas e um friso correto de métopas e tríglifos em vez de leves colunas do toscano do século XV. O primeiro andar não tem uma galeria, mas sim janelas nobres com frontões, dispostas em arcadas cegas, segundo a ordem jônica. Esta disposição segue o uso romano (Teatro de Marcellus): o dórico-toscano, mais rude, deve figurar no térreo, o elegante jônico no primeiro andar e o rico coríntio no segundo. Nisto (mas apenas nisto) o segundo andar do Palazzo Farnese, que é posterior, segue o exemplo arqueológico.

O Palazzo Massimi, de Baldassare Peruzzi, de Siena (1481-1536), membro do círculo de Bramante e Rafael em Roma, foi iniciado em 1535 e não segue os cânones da Antiguidade. Também não demonstra muito respeito pelas propostas de Bramante e Rafael.

149. Roma, Palazzo Massimi alle Colonne, por Peruzzi, iniciado em 1535

Tanto o Palazzo Vidoni como o Farnese eram estruturas lógicas nas quais o conhecimento de qualquer uma de suas partes dá a chave para o conhecimento do conjunto. A *loggia* de entrada do Palazzo Massimi, com suas colunas dórico-toscanas duplas e sua pesada cornija, não prepara o observador para o que ele irá encontrar nos andares superiores. Tanto o Palazzo Vidoni como o Farnese são modelados em um relevo generoso mas não sobrecarregado. No Palazzo Massimi há um vivo contraste entre a profunda escuridão da *loggia* do térreo e a planeza e a finura de folha de papel dos andares superiores. As janelas do primeiro andar têm pouco relevo comparadas com aquilo que a Alta Renascença considerava apropriado, enquanto as janelas do segundo e terceiro andares são pequenas e têm curiosas molduras imitando trabalhos em couro. Não se diferenciam nem pelo tamanho, nem pela importância, como acontecia durante a Renascença. Além disso, uma leve curva de toda a fachada dá delicadeza e animação ao conjunto, enquanto as fachadas rigorosamente retilíneas da Renascença pareciam expressar uma poderosa solidez. O Palazzo Massimi é, sem dúvida, inferior aos Palazzi Vidoni e Farnese em dignidade e grandeza; mas tem, por sua vez, uma sofisticada elegância que se dirige ao *connoisseur* intelectual e supercivilizado.

Isto nos leva de volta ao fato de que o classicismo é uma atitude estética apreciada pela primeira vez durante esta fase do maneirismo. A Baixa Renascença havia redescoberto a Antiguidade e tinha utilizado com prazer uma mistura de cópia de detalhes e liberdade ingênua na reconstrução de algo mais do que detalhes. A Alta Renascença, no uso que fazia das formas romanas, não era muito mais precisa, mas o espírito da Antiguidade por um momento reviveu de fato na austeridade do Bramante da maturidade e de Rafael. Após a morte de ambos, a imitação começou a congelar a iniciativa. O classicismo é a imitação da Antiguidade e, mais ainda, do momento clássico da Renascença, em detrimento da expressão direta. É desnecessário dizer que essa atitude culminou, durante o final do século XVIII e começo do XIX, naquela fase do classicismo por excelência que, no continente europeu, é freqüentemente chamada apenas de classicismo, mas que na Inglaterra surge sob o nome de *Classical Revival* (Neoclássico). A idéia de copiar todo o exterior de um templo antigo (ou toda a frente do templo) para fazer dele um uso

150. Mântua, casa de Giulio Romano, construída para ele mesmo, c. 1544

ocidental é a quintessência do classicismo. O século XVI não chegou a tanto. Mas ele realmente concebeu essa mistura de rigidez acadêmica com uma desconfiança diante da liberdade emocional que tornou possível o posterior ressurgimento.

Um discípulo de Rafael, Giulio Romano (1499-1546), principal artista do duque de Mântua, projetou para si uma casa por volta de 1544. É um notável exemplo de classicismo maneirista, além do fato de que se trata de uma das primeiras casas de arquiteto realizada em escala tão ambiciosa. A fachada é, aqui também, mais plana do que teria correspondido aos ideais da Alta Renascença. Detalhes como o das molduras das janelas e do friso superior são nítidos e bem recortados. Percebe-se, no conjunto, uma orgulhosa reserva, um caráter taciturno quase arrogante, e uma formalidade tão estrita envolvendo o edifício, que nos lembramos imediatamente da concepção espanhola aceita um pouco por toda parte ao final do século XVI.

No entanto, o aparente rigor geral é quebrado por uma sub-reptícia licença aqui e ali (já se mencionou uma licença dessas, anteriormente, em relação aos desenhos de Giulio Romano). A faixa lisa sobre as janelas do térreo rusticado parece desaparecer por trás das pedras angulares das janelas. A entrada apresenta um arco abatido completamente heterodoxo; o frontão sem base que o coroa nada mais é do que um friso colocado à altura da base das janelas do primeiro andar, que, de repente, se alça elevada pelo arco. Essas mesmas janelas são colocadas dentro de arcadas cegas como as do Palazzo Farnese, mas, em vez de comportar um enquadramento e frontões satisfatórios do ponto de vista lógico e estrutural, elas são emolduradas nos lados, na parte superior e no frontão por uma faixa decorativa lisa e contínua. O desenho é primoroso, mas muito contido, como as esculturas de Benvenuto Cellini, dessa época.

Esse estilo, inicialmente concebido em Roma e Florença, quase de imediato atraiu o Norte da Itália e os países transalpinos. Giulio Romano foi o primeiro a exibi-lo ao norte dos Apeninos. Sammicheli, embora quinze anos mais velho, seguiu o movimento, em parte sob a influência romana direta, em parte sob a influência da obra-prima de Giulio em seu primeiro período de Mântua, o Palazzo del Tè, de 1525-1535, e reformulou a aparência de Verona segundo esse espírito do classicismo maneirista. Em Bolonha, Sebastiano Serlio, discípulo de Peruzzi, embora seis anos mais velho do que o mestre e 24 anos mais velho do que Giulio, também defendeu esse estilo. Em 1537 começou a publicar a primeira parte de um tratado sobre arquitetura que se tornou fonte de duradoura inspiração para os muitos classicistas do outro lado dos Alpes. O próprio Serlio foi para a França em 1540 e tornou-se, quase imediatamente, *peintre et architecteur du roi* (pintor e arquiteto do rei). A escola de Fontainebleau, onde trabalharam Serlio e os italianos Rosso Fiorentino e Primaticcio, é o centro transalpino do maneirismo. Voltaremos a falar dela com mais detalhes, posteriormente.

A Espanha aceitou o novo estilo ainda mais cedo – numa violenta reação contra a violência do seu gótico tardio. O novo e nunca acabado palácio de Alhambra, de Carlos V, em Granada (iniciado em 1526 por Pedro Machuca), com seu amplo pátio interno circular com colunas e os motivos de sua fachada de 65 m, dá a impressão de ter sido baseado na Villa Madama de Rafael, e em Giulio Romano, interpretados de um modo um tanto provinciano. A Inglaterra e a Alemanha demoraram mais para sucumbir à ditadura do classicismo. Em todas as suas implicações, esse estilo não foi apreciado ali antes da segunda década do século XVII (Inigo Jones e Elias Holl, v. pp. 314 e 316), e mesmo assim não da maneira problemática como havia sido proposto por Giulio Romano e Serlio, mas tal como foi desenvolvido pelo mais descontraído e sereno dos arquitetos do fim do século XVI, Andrea Palladio (1508-1580).

O estilo de Palladio é altamente pessoal, embora inicialmente tenha seguido Giulio, Sammicheli e Serlio, e, tanto quanto possível, Vitrúvio, essa obscura e mal interpretada autoridade romana em arquitetura. Para bem apreciar sua obra é necessário vê-la em Vicenza e nos arredores. Lá Palladio não projetou igrejas (embora sua S. Giorgio Maggiore e Il Redentore, de Veneza, figurem entre as poucas igrejas realmente relevantes do estilo maneirista, como veremos mais adiante). Chamavam-no para projetar, de modo quase exclusivo, casas urbanas e de campo, *palazzi* e *ville*, e é bem significativo que os efeitos de grande alcance de seu estilo possam ser demonstrados sem se recorrer à análise de suas igrejas. Com efeito, a partir da Renascença, a arquitetura secular tornou-se tão importante como veículo de expressão visual quanto a arquitetura religiosa, até que durante o século XVIII estabeleceu-se a predominância de construções residenciais e públicas sobre as igrejas. Em relação à Idade Média, num livro como este, pouca coisa há para se dizer sobre castelos, casas e edifícios públicos. Dos exemplos renascentistas aqui analisados, metade são seculares. Esta continuará sendo a proporção pelos próximos duzentos anos nos países de religião católica romana. Nos países convertidos ao protestantismo, a arquitetura secular passou a predominar ainda mais cedo.

As construções de Palladio, apesar de sua elegante serenidade, dificilmente teriam tido tal sucesso universal se não fosse pelo livro em que ele publicou seus projetos e sua teoria da arquitetura. O *Architettura* de Palladio foi ocupar um lugar ao lado da obra de Serlio e mais tarde superou-a, especialmente após seu ressurgimento na Inglaterra, no início do século XVIII. Seu estilo apelava para o gosto civilizado e para a instrução refinada da pequena aristocracia georgiana, mais do que o de qualquer outro arquiteto. Palladio nunca se demonstra seco ou caracteristicamente acadêmico. Combina a austeridade de Roma com a atmosfera ensolarada da Itália do Nor-

151. Granada, palácio de Carlos V, por Pedro Machuca, iniciado em 1526, vista do pátio

te, e com uma desenvoltura inteiramente pessoal que não foi conseguida por qualquer outro de seus contemporâneos. Em seu Palazzo Chiericati, iniciado em 1550, o dórico-toscano e a correta ordem jônica da tradição de Bramante, com seus entablamentos retos, são inconfundíveis. Mas a liberdade em colocar na fachada aquilo que fora confinado aos pátios dos palácios romanos, abrindo assim a maior parte da fachada e mantendo apenas uma parte compacta no centro do primeiro andar, cercada de ar por todos os lados – isso é característico de Palladio. Sentia-se particularmente atraído pela colocação de colunatas em suas casas de campo, onde as usava para conectar um bloco quadrado central com as alas que se projetavam.

O contraste entre o sólido e o difuso exercia um grande fascínio sobre ele. Em um de seus esquemas mais completos, a Villa Trissi-

152. Vicenza, Palazzo Chiericati, por Palladio, iniciado em 1550

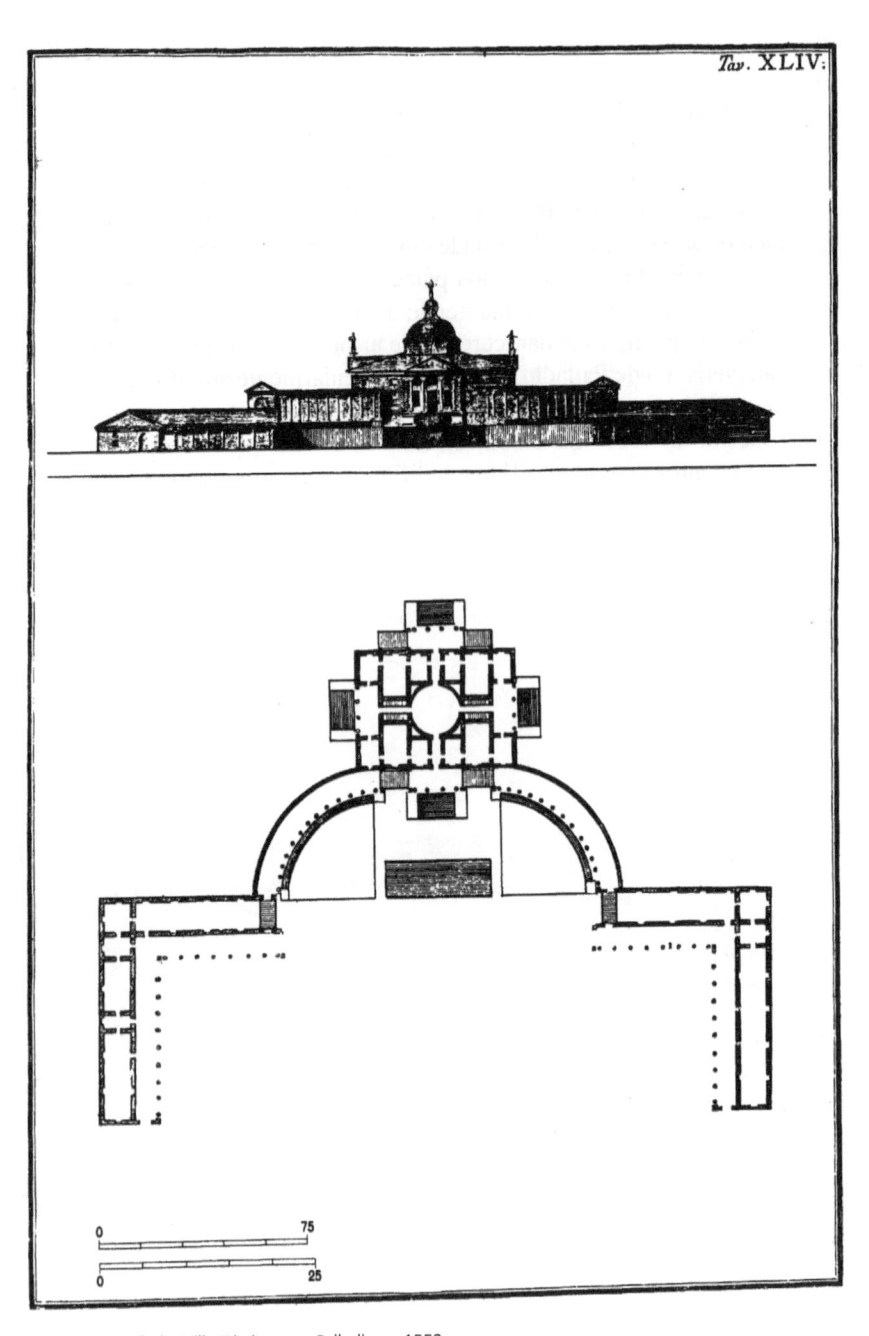

153. Meledo, Villa Trissino, por Palladio, c. 1552

no, em Meledo, na parte continental de Veneza, a casa é quase completamente simétrica. O caso extremo de uma simetria tão absoluta, ainda existente e bem preservada, é Villa Capra, ou Rotonda, nos arredores de Vicenza (aproximadamente 1550-1554), uma realização acadêmica de alta perfeição e particularmente admirada pela Inglaterra de Pope. Como casa para se viver, ela não tem nada do conforto informal das mansões nórdicas, mas é nobre e, com seus finos pórticos jônicos, seus frontões, suas poucas janelas de frontão sabiamente dispostas e seu domo central, é solene sem ser pomposa. Mas para se apreender a totalidade da composição de Palladio para uma *villa* é preciso acrescentar a esse núcleo as colunatas curvas e as alas baixas que formam o elo entre a *villa* e a área ao redor. Essa atitude abrangente viria a ter grande conseqüência histórica. Aqui, pela primeira vez na história da arquitetura ocidental, a paisagem e o edifício foram concebidos como pertencentes um ao outro, como dependentes um do outro. Aqui, pela primeira vez, os eixos

154. Vicenza, Villa Capra (Rotonda), por Palladio, c. 1550-4

principais de uma casa continuam pela natureza adentro; ou, inversamente, um espectador situado do lado de fora vê a casa estendendo-se como se fosse um quadro, fechando a perspectiva. Vale a pena mencionar que em Roma, aproximadamente na mesma época, Miguel Ângelo projetava uma perspectiva equivalente para o Palazzo Farnese, que fora encarregado de terminar. Sugeriu que o palácio fosse ligado aos jardins Farnese, situados do outro lado do Tibre.

Pode parecer estranho que a família Farnese tenha recorrido ao escultor Miguel Ângelo para a conclusão de seu palácio, após a morte de San Gallo. Mas deve-se recordar que Giotto, Bramante e Rafael eram pintores, e que Brunelleschi era ourives. Mesmo assim, vale a pena contar a história de como Miguel Ângelo se tornou arquiteto, porque essa história é bem característica dele e de sua época. Quando menino, ele havia trabalhado como aprendiz de um pintor até que quando Lorenzo, o Magnífico, o descobriu, alojando-o em seu palácio e introduzindo-o em seu círculo íntimo de amizades, Miguel Ângelo foi enviado para aprender de um modo mais livre, menos medieval, a arte da escultura com o escultor preferido de Lorenzo, Bertoldo. Foi a escultura que o tornou famoso. Começou seu enorme *Davi*, símbolo do orgulho cívico de Florença renascentista, quando tinha 26 anos. Alguns anos depois, Júlio II encomendou-lhe o projeto de um enorme túmulo que o papa queria construir para si. Miguel Ângelo considerou esta sua *magnum opus*. O esquema inicial previa mais de 46 figuras em tamanho natural ou maior do que o natural. O famoso *Moisés* é uma delas. Naturalmente, o projeto envolvia também um aspecto arquitetural, embora apenas como suplemento. No entanto, quando Júlio II decidiu reconstruir São Pedro de acordo com o projeto de Bramante, perdeu seu interesse pelo túmulo e forçou Miguel Ângelo a pintar o teto da capela Sistina. Miguel Ângelo suspeitava de que Bramante tivesse provocado essa mudança de idéia e nunca o perdoou por isso. E assim, por quase cinco anos – pois ele trabalhou sem assistentes –, teve de ater-se à pintura.

Depois voltou a trabalhar no túmulo de Júlio II. Talvez em função das idéias que lhe ocorreram quando procurava resolver o problema da relação arquitetural entre as grandes estátuas e as paredes contra as quais seriam colocadas, começou a se interessar pelos planos da família Medici. Esses planos visavam a construção de uma fachada para concluir a igreja de S. Lorenzo, em Florença. A igreja era obra de Brunelleschi. Em 1516, Miguel Ângelo projetou uma fachada de dois andares, com duas ordens arquitetônicas e amplo espaço para esculturas. A tarefa foi-lhe então confiada, e por vários anos ele trabalhou nas marmoreiras – um trabalho que adorava. No entanto, em 1520 os Medici acharam muito difícil o transporte do mármore e cancelaram o contrato. Mas de imediato firmaram um outro com Miguel Ângelo para a construção de uma capela ou mausoléu para a família, junto a S. Lorenzo. Esse serviço foi, de fato, iniciado em 1521 e concluído, embora de modo menos ambicioso do que inicialmente previsto, em 1534. A capela dos Medici é, assim, o primeiro trabalho de arquitetura de Miguel Ângelo e, deve-se acrescentar, obra de uma pessoa que nunca fora iniciada nos segredos da técnica da construção e do projeto arquitetônico. Essa obra também já apresentava – embora também concebida como pano de fundo para as esculturas – todas as características de seu estilo pessoal. A arquitetura sem o suporte da escultura será encontrada em sua obra, pela primeira vez, num outro serviço para os Medici, em S. Lorenzo: a biblioteca e a antecâmara da biblioteca. Essa biblioteca foi projetada em 1524 e a antecâmara em 1526 (com exceção da escadaria, cujo modelo só foi proposto em 1557).

Essa antecâmara é alta e estreita. Só isso já nos causa uma sensação de desconforto. Miguel Ângelo queria, com isso, realçar o contraste com a própria biblioteca, comprida, relativamente baixa e mais tranqüila. As paredes são divididas em painéis por meio de colunas duplas. Na altura do andar térreo da própria biblioteca, os painéis têm janelas cegas encimadas por nichos cegos emoldurados. As cores do ambiente são austeras: um branco esmaecido contra o sombrio cinza escuro das colunas, dos nichos das janelas, arquitraves e outros elementos estruturais ou decorativos. Quanto aos principais elementos estruturais, as colunas, seria possível esperar que elas formassem saliências para suportar as arquitraves, função esta que sempre tiveram. Miguel Ângelo inverteu as relações. Recuou as colunas e projetou os painéis, de forma que eles emoldurassem penosamente as colunas. Até as arquitraves se projetam quando acima dos painéis e recuam quando acima das colunas. Isto parece arbitrário, tal como as relações entre a *loggia* do térreo e a fachada plana sobre elas, ou entre as janelas do segundo

155. Florença, Biblioteca Laurenziana, antecâmara, por Miguel Ângelo, projetada em 1526

e do terceiro andar, no Palazzo Massimi. Sem dúvida, a solução é ilógica, pois dá a impressão de que a força de suporte das colunas é desperdiçada. Além disso, os delgados modilhões de suas bases não parecem suficientemente substanciais para suportá-las e, de fato, não as suportam. A mesma delgadeza da fachada do Palazzo Massimi caracteriza as janelas cegas com suas pilastras amplas, que, sem nenhuma razão inteligível, são caneladas apenas em uma parte. O frontão sobre a entrada da biblioteca é sustentado apenas pela linha delgada em torno da porta e que dá origem a duas saliências quadradas. A escada se expressa nesse mesmo tom de originalidade intencional; mas a acuidade do detalhe que caracterizava o Miguel Ângelo dos anos 20 é, aqui, substituída por um pesado e cansativo fluxo, como que de lava.

Freqüentemente foi dito que os motivos das paredes mostram Miguel Ângelo como pai do Barroco, por exprimirem a luta sobre-humana de forças ativas contra a matéria todo-poderosa. Não me parece que quem examinar sem preconceito suas sensações nesse aposento concordará com essa colocação. Não me parece haver, aqui, nenhuma expressão de luta, embora por toda parte se note uma discordância consciente. Essa austera animosidade contra o alegre e o harmonioso já foi por nós observada, embora sob a capa de um formalismo polido, em Giulio Romano. Aquilo que a Laurenziana de Miguel Ângelo de fato revela é o maneirismo em sua mais sublime forma arquitetural, e não o Barroco – um mundo de frustrações bem mais trágico do que o mundo barroco das lutas entre o espírito e a matéria. Na arquitetura de Miguel Ângelo, toda a força parece paralisada. A carga não pesa, o suporte não sustenta, as reações naturais não representam papel algum – trata-se de um sistema altamente artificial sustentado por uma severa disciplina[25].

No tratamento do espaço, a Laurenziana é inteiramente nova e característica. Miguel Ângelo trocou as proporções equilibradas dos aposentados renascentistas por uma antecâmara alta e estreita como um poço e uma biblioteca propriamente dita – à qual se chega por uma escadaria – comprida e estreita como um corredor. Ambas nos forçam, mesmo contra nossa vontade, a seguir os impulsos propostos por elas, primeiro para cima e, em seguida, para a frente. Essa tendência para dirigir o movimento através do espaço dentro de limites rígidos é a principal qualidade espacial do maneirismo. Ela é bastante conhecida em pintura, como, por exemplo, nas últimas *Madonnas* de Correggio, ou na *Última ceia* de Tintoretto, com a figura de Cristo num plano bem distante. O mais impressionante de todos os exemplos é a tela de Tintoretto sobre a *Descoberta do corpo de São Marcos* (de c. 1565, Brera, Milão). Em nenhum outro lugar o espaço maneirista se mostra tão irresistível. Em arquitetura, esse efeito mágico de sucção é introduzido na catedral extremamente austera que Giulio Romano construiu em Mântua, com suas naves laterais duplas, sendo a interna com abóbadas de berço e a externa

---

25. Mas para Jacob Burckhardt, historiador suíço do século XIX e descobridor do estilo da Renascença no sentido em que hoje o entendemos, a antecâmara da Laurenziana é apenas "uma incompreensível piada do grande mestre" (*Geschichte der Renaissance in Italien*, 7ª ed., 1924, p. 208; escrito em 1867).

e a nave principal com tetos planos. O ritmo ininterrupto de suas colunas monótonas é tão irresistível quanto o da basílica paleocristã. Na arquitetura secular, o exemplo mais familiar e mais acessível é, sem dúvida, o palácio dos Uffizi, de Vasari, em Florença. Foi iniciado em 1560 para abrigar a administração do grão-duque. Consiste em duas altas alas ao longo de um pátio estreito e comprido. Os elementos formais não são familiares: ausência de uma gradação nítida entre os andares, uniformidade combinada com detalhes heréticos, modilhões longos, elegantes e frágeis sob pilastras duplas que não são pilastras, e assim por diante. Deve-se ressaltar sobretudo a ênfase com que a composição é concluída do lado do rio Arno. Aqui, uma *loggia*, aberta no andar térreo, com uma ampla janela veneziana, e que originalmente também possuía uma colunata no andar superior, substitui a parede sólida. Este é um modo favorito dos maneiristas de ligar uma dependência a outra, um modo em que são evitados tanto a nítida separação renascentista entre as unidades como o livre fluxo barroco através do conjunto e para além dele. Assim, as duas igrejas venezianas de Palladio terminam, na ala leste, não em absides fechadas, mas em arcadas – retas na igreja de S. Giorgio Maggiore (1565), semicirculares na Redentore (1577) – atrás das quais surgem salas de dimensões imprecisas. E foi também assim que Vasari, junto com Vignola (1507-1573), projetou a Villa Giulia, o *casino* de campo do papa Júlio III (1550-1555), como uma seqüência de edifícios com *loggias* voltadas para pátios semicirculares e com vistas orientadas da entrada para a primeira *loggia*, desta para a segunda, da segunda para a terceira e desta para um jardim posterior fechado.

O jardim do século XVI ainda é murado. Pode apresentar longas e variadas perspectivas, como se pode ver na Villa d'Este, em Tivoli, ou em Caprarola, mas não abrem para o infinito como os jardins barrocos de Versalhes. Tampouco as baixas colunatas dos andares térreos dos edifícios maneiristas, como o Palazzo Massimi e os Uffizi, mostram o infinito – isto é, um fundo sombrio e imperscrutável, como o fundo de um quadro de Rembrandt. As paredes de fundo ficam próximas demais. A continuidade da fachada é quebrada por essas colunatas – coisa que a Renascença não teria apreciado –, mas o espaço aberto que está por trás delas é claramente limitado em profundidade. O Palazzo Chiericati, de Palladio, é o mais perfeito exem-

156. Florença, Uffizi, por Vasari, iniciado em 1560

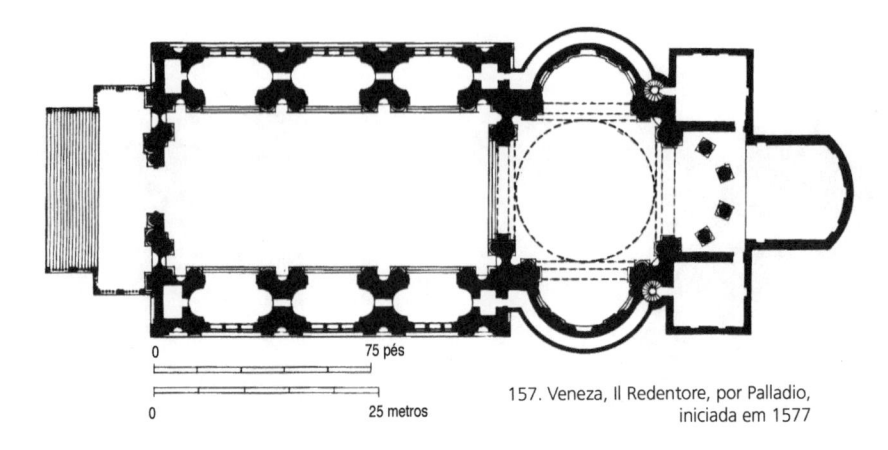

157. Veneza, Il Redentore, por Palladio, iniciada em 1577

plo dessa técnica de cortina na arquitetura dos palácios, embora, em sua serenidade, seja diferente do maneirismo florentino e romano e particularmente do maneirismo de Miguel Ângelo. Os palácios de Palladio podem apresentar uma certa frieza também, mas não são tão gelados quanto a Laurenziana.

Essa gélida autodisciplina geralmente não é associada ao gênio de Miguel Ângelo, e portanto necessita de uma ênfase especial, principalmente porque os manuais às vezes ainda tratam Miguel Ângelo como um mestre da Renascença. A verdade é que ele pertenceu à Renascença apenas por uns poucos anos, no início de sua carreira. A *Pietà*, de 1499, pode muito bem ser uma obra da Alta Renascença. Também o *Davi* pode participar do espírito da Renascença. Já, da capela Sistina, pode-se dizer o mesmo apenas em parte; e de seu trabalho posterior a 1515 quase nada é renascentista. Sua natureza tornou-lhe impossível aceitar os ideais da Renascença por muito tempo. Ele era exatamente o oposto de Leonardo da Vinci e do *Cortesão* de Castiglione: nada sociável, desconfiado, um trabalhador fanático, negligente quanto à aparência pessoal, profundamente religioso e de um orgulho sem limites. Daí o fato de não gostar de Leonardo, de Bramante e de Rafael, sentimento que fazia acompanhar por desprezo e inveja. Sabemos mais sobre seu caráter e sua vida do que sobre qualquer outro artista anterior a ele. A adoração sem precedentes de que era alvo levou à publicação, quando ele ainda vivia, de duas biografias. Ambas se baseiam numa coleta sis-

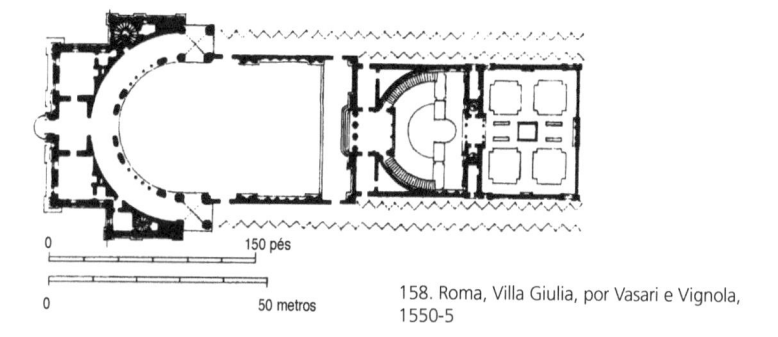

158. Roma, Villa Giulia, por Vasari e Vignola, 1550-5

temática de material. E é ótimo que tenha sido assim, pois sentimos que, para compreender sua arte, temos que saber muito sobre ele. Na Idade Média, a personalidade de um arquiteto nunca poderia ter influenciado seu estilo a tal ponto. Embora conheçamos muito mais o caráter de Brunelleschi do que o dos arquitetos das catedrais gótica, as formas que ele criou ainda são surpreendentemente objetivas. Miguel Ângelo foi o primeiro a transformar a arquitetura em um instrumento de expressão individual. A *terribilità* que assustava os que a encontravam nos enche de espanto assim que nos defrontamos com qualquer uma de suas obras – uma sala, um desenho, uma escultura, um soneto.

Miguel Ângelo também era um poeta consumado, um dos mais profundos de sua época; e em seus poemas ele lega à posteridade um relato de suas lutas. A mais aguçada delas é a luta entre o ideal platônico de beleza e a ardorosa fé em Cristo. Em sua forma mais concentrada, é essa a luta entre a época da Renascença, na qual viveu quando jovem, e a da Contra-Reforma e do maneirismo, que se iniciou quando ele estava com 50 anos, um pouco antes do saque de Roma, em 1527. Por essa época, ordens religiosas mais severas foram fundadas: a dos capuchinhos, dos oratorianos e especialmente a dos jesuítas (1534). Novos santos surgiram: Santo Inácio de Loyola, Santa Teresa, São Felipe Neri, São Carlos Borromeo. Em 1542 a Inquisição foi reanimada. Em 1543, estabeleceu-se a censura à produção literária. Em 1555 o imperador Carlos V abdicava e retirava-se para o silêncio de um mosteiro espanhol. Poucos anos depois, seu filho, Felipe II, iniciou a construção do seu palácio do Escorial, gigantesco e ermo, mais um mosteiro do que um palácio.

A etiqueta espanhola apresentou-se sob a forma de uma disciplina tão rígida quanto a dos primeiros jesuítas e a da corte papal da mesma época. Em Roma, parecia que nada havia sobrado da alegria da Renascença. Os embaixadores residentes em Veneza escreviam para seus países que até o carnaval da cidade tornara-se frio e esquálido. Pio V, o mais severo dos papas, só tinha carne em sua mesa duas vezes por semana.

Miguel Ângelo sempre fora exemplarmente sóbrio e contido. Treinou-se para dormir pouco e costumava dormir de botas. Às vezes, enquanto trabalhava, alimentava-se de pão seco, que comia sem abandonar seus instrumentos. Muito mais do que os despreocupados arquitetos renascentistas, sentia sua responsabilidade para com o seu gênio. E assim ele podia aventurar-se a responder a um crítico que se opunha a que Giuliano de Medici fosse retratado sem barba em seu túmulo, embora tivesse usado barba em vida: "Daqui a mil anos, quem se preocupará com a aparência que ele tinha?" – frase absolutamente impossível antes que a Renascença libertasse os artistas. Enquanto a Idade Média não exigira uma semelhança nos retratos, uma vez que esta pertence ao que é acidental na natureza humana, e enquanto a Baixa Renascença apreciara a fidelidade dos retratos, porque acabara de descobrir os meios técnicos para se conseguir isso, Miguel Ângelo recusava-se a aceitar essa orientação, pois isso teria tolhido sua liberdade estética. No entanto, sua vivência religiosa exigia muito dele e com o passar do tempo tornou-se cada vez mais absorvente, até que ele, o maior escultor do Ocidente, o mais admirado artista de sua época, acabou deixando quase totalmente de pintar e esculpir. A única coisa a que se entregava era a arquitetura, e recusava-se a aceitar um salário por seu trabalho em São Pedro.

A ruptura final parece ter ocorrido após ter completado 70 anos. Entre as construções para os Medici, de meados da década de 20, e o ano de 1547, parece que ele projetou e construiu apenas as fortificações de Florença, em 1529 – um trabalho de engenharia, como diríamos, mas um tipo de trabalho em que Leonardo da Vinci e San Gallo, seu predecessor na maioria dos trabalhos romanos, também eram mestres. Em 1534 deixou Florença definitivamente e foi para Roma. Em 1535, Paulo III designou-o Superintendente dos Edifícios do Vaticano, de início um cargo quase que apenas nominal. Em

1539, foi consultado sobre a colocação de uma estátua eqüestre de Marco Aurélio no Capitólio, e nessa época é que deve ter feito o plano geral para os novos edifícios à volta da estátua. O estilo dessas construções nos permite dizer que são do início da década de 1540 (embora a construção efetiva só tenha começado na década de 1560). Em 1546, San Gallo morreu, e Miguel Ângelo foi chamado quase imediatamente para completar o Palazzo Farnese, reprojetar São Pedro e replanejar o Capitólio. O Capitólio é um dos primeiros exemplos de planejamento urbano no sentido de um grupo de edifícios ser concebido junto com a praça que fica entre eles e o acesso a eles. Bernardo Rossellino (auxiliar de Alberti no Palazzo Rucellai e arquiteto residente da nova São Pedro de Nicolau V) havia precedido Miguel Ângelo nesse trabalho, quando projetou, para Pio II, a praça, a catedral e o palácio de Pienza (*c.* 1460), e Veneza ocupou-se, durante a primeira metade do século XVI, em fazer de sua Piazza e Piazzeta o mais inspirado (e mais livre) exemplo de planejamento urbano da Renascença. Na obra de Miguel Ângelo, o planejamento urbano não poderia ter representado um papel tão importante. Para ele, a arquitetura era antes de tudo uma experiência emocional direta e um modo de expressão em termos da conformação estrutural da pedra. É por isso que simpatizamos mais com o Palazzo Farnese e com São Pedro do que com o Capitólio. No Palazzo Farnese facilmente se descobre seu maneirismo nos detalhes do segundo andar. A triplicação das pilastras e especialmente a estranha emolduração das janelas com modilhões laterais que nada suportavam e modilhões especiais imediatamente acima, nos quais descansam os frontões interrompidos, são a expressão pessoal de Miguel Ângelo, individualista numa dimensão sem precedentes e impossível antes que fosse rompido primeiro o mundo transcendentalmente ordenado da Idade Média, e, a seguir, o mundo esteticamente ordenado da Renascença.

A obra-prima arquitetural de Miguel Ângelo, a parte posterior e o domo de São Pedro também são uma expressão de revolta contra Bramante e o espírito da Renascença, embora não sejam maneiristas na mesma proporção. Quando Miguel Ângelo foi indicado por Paulo III, o papa Farnese, para ser o arquiteto de São Pedro, encontrou a igreja basicamente tal como havia sido deixada após a morte de Bramante. Rafael e San Gallo haviam projetado naves para aten-

**232** PANORAMA DA ARQUITETURA OCIDENTAL

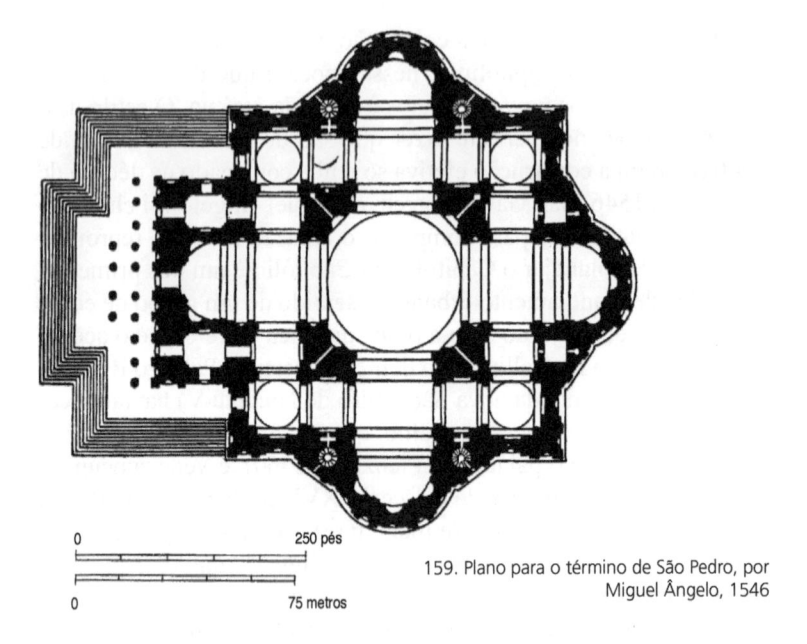

159. Plano para o término de São Pedro, por Miguel Ângelo, 1546

der às exigências religiosas da primeira geração pós-renascentista. Mas elas não foram iniciadas. Miguel Ângelo voltou ao plano central, mas despojou-o do equilíbrio opressor. Manteve os braços da cruz grega mas, ali onde Baramante havia pretendido colocar subcentros que repetiam, em escala menor, o motivo do centro principal, Miguel Ângelo cortou os braços dos subcentros, com isso condensando a composição num único domo central colocado sobre pilares (que Bramante teria recusado por ser colossal, isto é, inumano), e com um deambulatório quadrado em volta desse centro. Quanto ao exterior, alterou os planos de Bramante exatamente com o mesmo espírito, substituindo uma variedade adequadamente equilibrada de motivos nobres e serenos por uma enorme ordem de pilastras coríntias que suportavam um pesado ático, e por janelas estranhamente incongruentes e nichos cercados por edículas e nichos menores de vários tamanhos – um conjunto forte mas um tanto discrepante. Diante da entrada principal de São Pedro, Miguel Ângelo queria

160. Roma, domo de São Pedro, projeto de Miguel Ângelo, 1558-60, e Della Porta, 1588-90 ➧

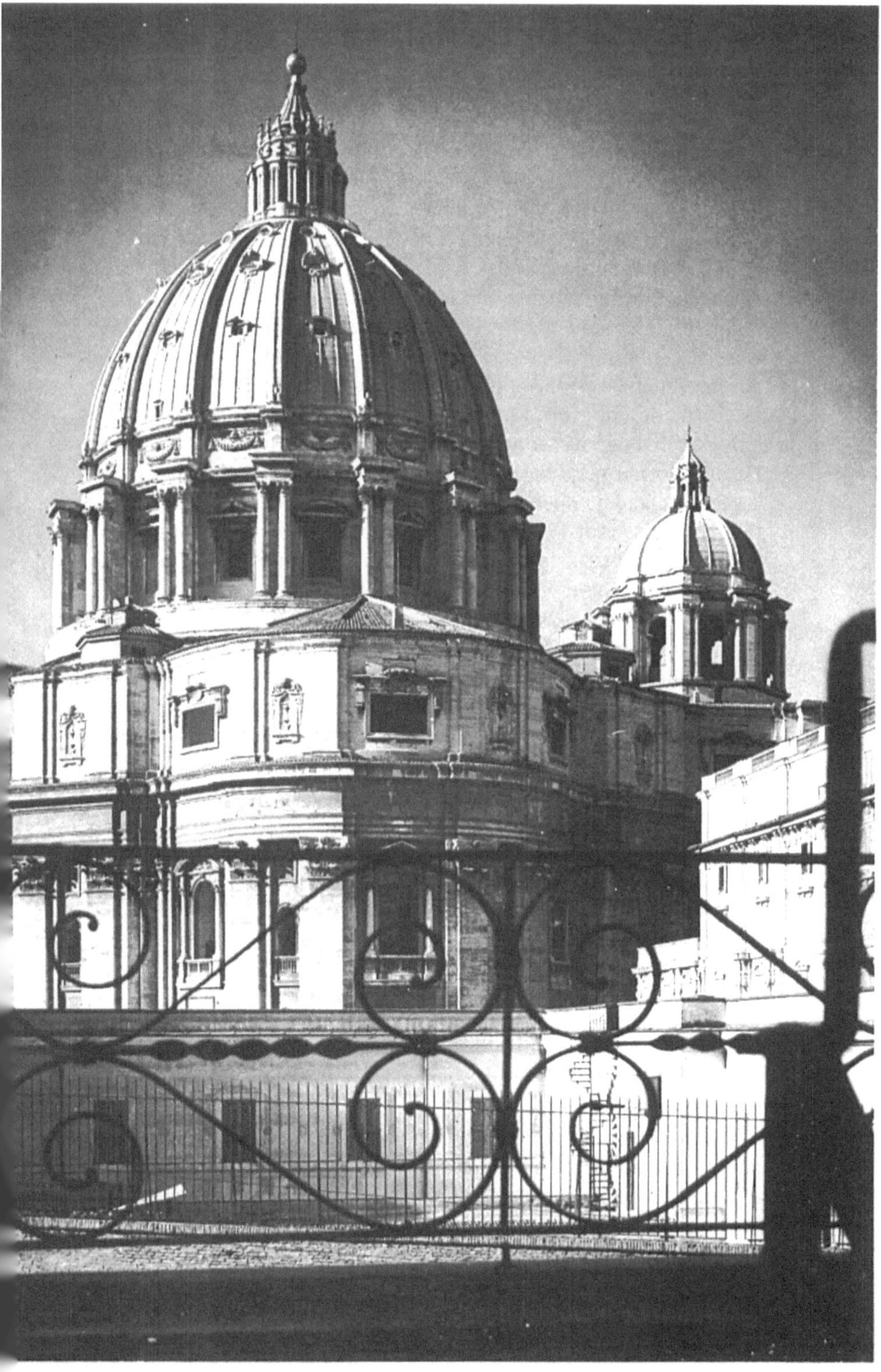

colocar um pórtico de dez colunas com quatro delas situadas na frente das colunas centrais. Isso – que nunca foi feito porque Maderna, após 1660, acrescentou uma nave ao conjunto – teria destruído a simetria ideal de Bramante e, na verdade, o ideal clássico de simetria, pois a duplicação das colunas centrais é, sem dúvida, uma concepção profundamente não-antiga. O domo de Bramante deveria ter sido um hemisfério perfeito. Miguel Ângelo construiu o seu sobre um tambor mais alto e quis dar-lhe, no início, um perfil mais íngreme, numa versão muito pessoal e dinâmica do domo gótico que Brunelleschi propôs para a catedral de Florença. No entanto, mais no final de sua vida ele parece ter mudado de idéia, optando por uma forma mais baixa e mais pesada, uma forma maneirista, enquanto sua idéia inicial, com seu impulso para cima, prenunciava o Barroco. Na verdade, foi para esse estilo que derivou Giacomo della Porta, ao construir efetivamente o domo. Foi assim que Miguel Ângelo – como outros artistas maiores de sua geração, Rafael e Ticiano –, ao afastar-se da Renascença, concebeu o maneirismo e o Barroco. O século XVI inspirou-se no maneirismo de Miguel Ângelo, o século XVII apreciou sua *terribilità* e dela extraiu o Barroco. Assim, a cidade eterna está coroada não por um símbolo da mundanidade renascentista, como Júlio II havia imaginado, mas por uma deslumbrante síntese de maneirismo e Barroco e, ao mesmo tempo, de Antiguidade e cristianismo.

O fato de Miguel Ângelo ter pretendido dar ao domo uma forma final menos ativa e violenta que a inicial é uma demonstração eloqüente de seu estado de espírito nos últimos anos. "Não mais pintar nem esculpir", diz ele em um de seus últimos sonetos, "para apaziguar a alma que se volta para o amor divino que da cruz abriu seus braços para nos receber."

> *"Nè pinger nè scolpir fia più che quieti*
> *L'anima volta a quell'Amor Divino*
> *Ch'aperse, a prender noi, 'n croce le braccia."*

Depois disso, esculpiu apenas mais três grupos, todos representando o sepultamento de Cristo. Um foi para seu próprio túmulo, um outro ficou inacabado, ou melhor, sublimado numa forma tão imaterial que não pode ser entendido como escultura no sentido renascentista da expressão. Também seus últimos desenhos mostram-

161. Roma, Gesù, por Vignola, iniciada em 1568

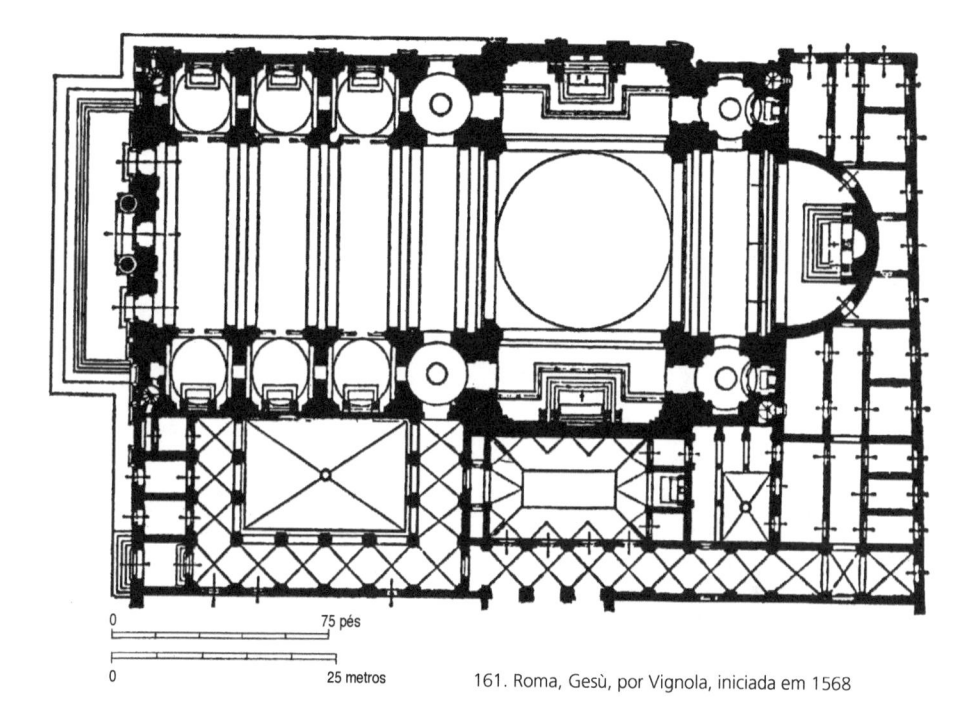

se espiritualizados a um ponto quase insuportável num artista que, mais do que qualquer outro, havia glorificado a beleza e o vigor do corpo e do movimento. E um de seus últimos planos arquiteturais – fato ainda não suficientemente conhecido – era projetar a igreja romana da ordem recém-fundada severamente contra-reformista, a dos jesuítas. Ofereceu-se para trabalhar no projeto sem nada receber, assim como se recusara a receber um salário por São Pedro.

A igreja de Gesù só foi iniciada quatro anos após a morte de Miguel Ângelo. Talvez tenha exercido uma influência maior do que qualquer outra igreja nos últimos quatrocentos anos. Giacomo Vignola (1507-1573), arquiteto, provavelmente seguindo as idéias de Miguel Ângelo, combina em sua planta baixa o esquema central da Renascença com o esquema longitudinal da Idade Média – fato muito característico. Esse tipo de combinação não é novo. Construíra o tema de algumas das mais belas igrejas paleocristãs e bizantinas, inclusive Santa Sofia. Alberti havia criado uma nova com-

162. Roma, Gesù, interior por Vignola, iniciada em 1568, fachada por Della Porta

binação em S. Andrea de Mântua, cem anos antes, e sua proposta prenuncia a de Gesù. Também a fachada desta parece retomar um tema concebido por Alberti. O problema, para os arquitetos renascentistas e pós-renascentistas, era como transpor para o exterior as dimensões de uma nave central alta e naves laterais mais baixas, sem abandonar as ordens clássicas da arquitetura. A solução de Al-

163. Projeto de Vignola para a fachada de Gesù

berti consistia em fazer um andar térreo no sistema do arco triunfal e um andar superior apenas da largura da nave central, mas com volutas, isto é, aletas, que se elevam em sua direção a partir do entablamento frontal dos telhados de uma água das naves laterais. Esse método foi adotado por Vignola em seu projeto para a fachada de Gesù (embora com a orquestração mais completa e menos harmoniosa de sua época) e depois por Della Porta, que substitui o projeto de Vignola por um mais moderno. Esse método foi repetido inúmeras vezes e com muitas variações nas igrejas barrocas italianas e de outros países católicos.

Quanto ao interior, Vignola mantém a interpretação de Alberti, que consiste em naves laterais na forma de uma seqüência de capelas abrindo para a nave principal. No entanto, ele não lhes atribui a independência considerada necessária pelo arquiteto renascentista, sempre tão ansioso por fazer, de cada parte do edifício, um todo. As grandes dimensões da nave, sob uma poderosa abóbada de berço, relegam as capelas à condição de meros nichos que acompanham um amplo salão. Sugeriu-se que a escolha desse motivo foi devida a Francesco Borgia, general espanhol da ordem dos jesuítas, e assim, em última análise, à tradição do estilo gótico espanhol (ver p. 144) como já fora representado em Roma pela igreja catalã de S. Maria de Monserrato (1495). Se aceitarmos essa sugestão, teremos aqui um outro exemplo do retorno pós-renascentista às idéias medievais – outro, depois da renovação da fé católica que se manifestou com o aparecimento dos novos santos, a fundação de novas ordens religiosas, depois da curva gótica do domo de São Pedro e da ênfase longitudinal do plano da igreja de Gesù. Em Gesù, essa ênfase no movimento para leste é, obviamente, deliberada. A abóbada de berço e, sobretudo, a cornija principal sem nenhuma quebra em toda a sua extensão mostram essa ênfase, ainda com maior eloqüência, na elevação. No entanto, há um elemento no projeto de Vignola que teria sido possível encontrar, com o mesmo sentido, em qualquer igreja medieval: a luz. Na catedral do século XIII os vitrais se inflamam com os reflexos do dia, mas a luz em si mesma não é um fator positivo. Mais tarde, no estilo decorado, a luz começa a modelar as paredes com seus nichos em arcos ogivais, animando os motivos em filigrana, mas nunca é uma preocupação maior no projeto arquitetural. Na igrejas de Gesù, pelo contrário, alguns traços im-

164. Roma, Gesù, interior, por Vignola, iniciada em 1568

portantes são introduzidos na composição, unicamente para tornar possíveis os efeitos da luz. A nave é iluminada através de janelas colocadas sobre as capelas, uma luz uniforme e suave. O último vão antes do domo é mais curto, menos aberto e mais escuro que os demais. Essa conjugação do espaço e da luz cria o cenário que nos prepara para o cruzeiro majestoso com sua cúpula grandiosa. As ondas de luz que se precipitam pelas janelas do tambor criam aquela sensação de plenitude que os arquitetos góticos também conseguiram, mas de maneira menos sensual.

A decoração da igreja de Gesù também surge sensual e suntuosa, embora sombria. No entanto, não é da época de Vignola. Ele teria sido mais moderado, adotando motivos menores e relevos mais fracos; isto deriva certamente do que conhecemos da decoração do século XVI. Assim, o efeito do movimento medieval na direção leste teria sido bem mais forte, com menos elementos que desviassem a atenção da cornija e da grandiosa abóbada de berço. A redecoração foi feita em 1668-1673. Pertence ao Alto Barroco, enquanto o edifício é, repetindo, maneirista, não tendo nem a equanimidade da Alta Renascença, nem o vigor expansivo do Barroco.

# 6. O BARROCO NOS PAÍSES CATÓLICOS
c. 1600-c. 1760

Maneirismo, como já observamos, era originalmente um substantivo ligado a "amaneirado", e apenas isso. Há mais ou menos quarenta anos, passou a ter novo significado e tornou-se um termo que designa um determinado estilo histórico em arte, o pós-renascentista do século XVI, particularmente na Itália. O mesmo processo havia ocorrido, aproximadamente quarenta anos antes, com relação ao Barroco. Esse termo significava, originalmente, bizarro, de formas extravagantes. Foi, conseqüentemente, empregado para descrever um estilo arquitetônico que, para os cultores do clássico, parecia deleitar-se com formas singulares e excêntricas, ou seja, o estilo italiano do século XVII. Depois, e principalmente nos anos 80 do século XIX, principalmente na Alemanha, perdeu sua conotação depreciativa e tornou-se um termo neutro para designar as obras de arte daquele século.

Vimos que o estilo barroco já se havia manifestado nas formas compactas e na gigantesca cúpula da basílica de São Pedro, concebida por Miguel Ângelo. Vimos então que essas incursões de Miguel Ângelo no barroco foram excepcionais, tendo ele, em outros trabalhos de arquitetura, cedido às pressões do maneirismo. Foi só depois de o maneirismo haver completado seu ciclo que uma nova geração do começo do séculoXVII, especialmente em Roma, cansada da austeridade forçada do final do século XVI, redescobriu Miguel Ângelo como o pai do Barroco. Introduzido desse modo, o estilo teve seu apogeu em Roma entre 1630 e 1670, tendo então se expandido primeira-

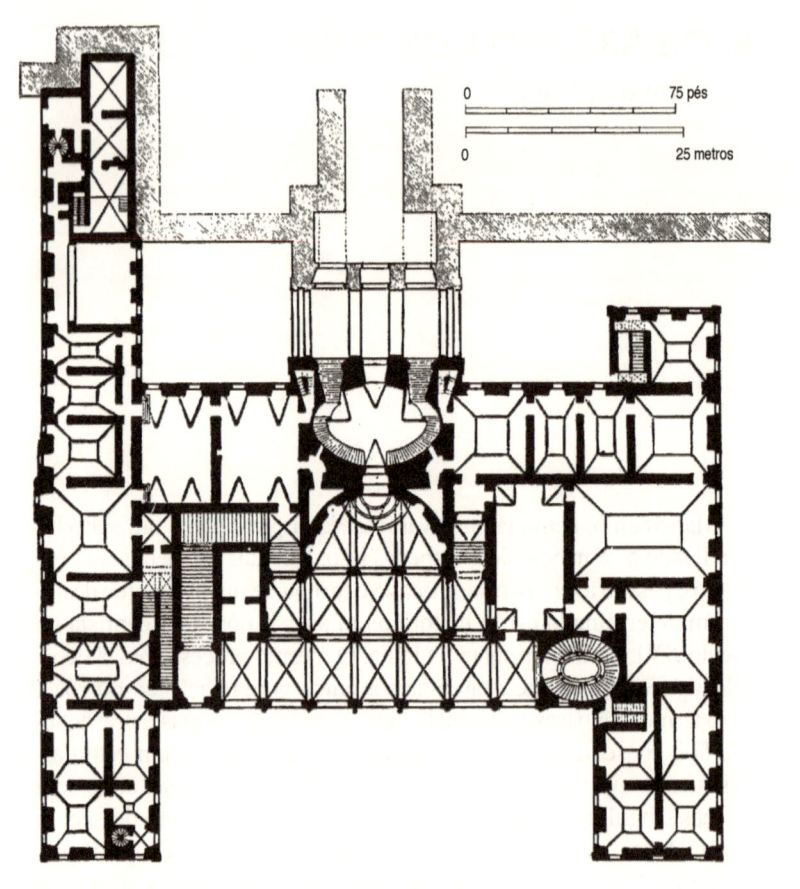

165. Roma, Palazzo Barberini, iniciado por Maderna, 1628

mente para o Norte da Itália (Guarini e Juvara, em Piemonte), e em seguida para a Espanha, Portugal, Alemanha e Áustria. A partir do final do século XVII, Roma retornou à sua tradição clássica, em parte sob a influência de Paris. Com efeito, a Paris de Richelieu, Colbert e Luís XIV tinha se tornado o centro da arte européia, uma posição que, indiscutivelmente, havia pertencido a Roma durante mais de um século e meio.

Os papas e cardeais do século XVII foram patronos entusiastas, ávidos por terem seus nomes celebrados através de magníficos pa-

166. Roma, Palazzo Barberini, iniciado por Maderna, 1628, completado por Bernini e Borromini

lácios, igrejas e tumbas. Da austeridade de cinqüenta anos antes, quando a Contra-Reforma era uma força militante, nada restou. Os jesuítas tornaram-se cada vez mais brandos e os santos mais populares, de um tipo mais amável, gentil e complacente (como São Francisco de Sales). A nova ciência experimental desenvolveu-se sob os olhos dos papas, sendo que Benedito XIV, no século XVIII, pôde mesmo aceitar os livros que lhe foram oferecidos por Voltaire e Montesquieu.

Contudo, é difícil perceber um declínio do fervor religioso das pessoas antes de 1660, ou mesmo depois. Não foi a intensidade do sentimento religioso que mudou, mas sim sua natureza. A arte e a ar-

167. Roma, Praça de S. Pedro, com o domo de Miguel Ângelo e Della Porta, fachada e nave por Maderna, 1607-c. 1615, e colunatas por Bernini, iniciadas em 1656

quitetura provam-no inequivocamente. Podemos analisar aqui apenas alguns poucos exemplos e, principalmente, não se trata de escolher os mais impressionantes – como a nave e a fachada da basílica de São Pedro, no projeto de Carlos Maderna, de 1606 e na realização final de 1626 –, mas, sim, de selecionar os mais significativos.

Maderna foi o arquiteto mais importante de sua geração, em Roma. Morreu em 1629 e seus sucessores em fama foram Gianlorenzo Bernini (1598-1680), Francesco Borromini (1599-1667) e Pietro da Cortona (1596-1669). Bernini era de Nápoles; Maderna e Borromini eram do Norte da Itália, da região dos lagos, e Cortona, como indica seu nome, do Sul da Toscânia. Como no século XVI, também no século XVII havia bem poucos romanos entre os grandes homens de Roma. Na arquitetura, a influência da Lombardia teve efeitos consideráveis sobre a aparência da cidade. A tolerância e a liberdade que se introduziram contrastavam nitidamente com a austeridade romana. A planta baixa de Maderna para o Palazzo Barberini – cuja fachada é de Bernini e muitos dos detalhes decorativos são de Borromini – é algo totalmente novo em Roma mas, em certo sentido, é um desenvolvimento do que se havia feito nos palácios e *villas* do Norte da Itália (principalmente em Gênova e arredores), no final do século XVI. Ao contrário das massas austeras dos palácios romanos e florentinos (cf. o Palazzo Farnese), o palácio Barberini possui uma fachada com duas alas curtas que se projetam à direita e à esquerda – que até então só apareciam em *villas* nos arredores de Roma – e o centro aberto em amplas *loggias*. O projeto de Bramante para o pátio de Dâmaso, no Vaticano, com colunatas em todos os andares, é, por assim dizer, cindida em dois e apenas uma metade permanece. As colunatas são agora parte da fachada. Uma característica eminente do Barroco é expor ao público aquilo que até então tinha sido privado. A escadaria principal do palácio Barberini é também mais ampla e mais aberta do que as do século XVI. A segunda escadaria oval é um motivo típico Serlio-Palladio e tanto o nicho semicircular do *hall* de entrada central como o salão com o qual se comunica são formas que o arquiteto provavelmente retirou das igrejas romanas e das ruínas da Roma Imperial, mas que também estão presentes, na arquitetura doméstica, distintamente, no espírito de Palladio (e também dos lombardos).

É importante lembrar que quando Bernini, com sua impetuosidade de italiano meridional, conquistou o primeiro lugar na escultura e na arquitetura romanas, o estilo elegante do Norte da Itália já havia marcado sua influência. As nobres colunatas em frente à basílica de São Pedro possuem algo da franqueza agradável encontrada na arquitetura das *villas* de Palladio, apesar de seu peso tipicamente romano e de seu vigor escultural berninesco. Bernini era filho de um escultor e, por sua vez, foi o maior escultor do período barroco. Ocasionalmente também pintava. Sua reputação como arquiteto foi tão grande, que Luís XIV convidou-o para realizar o projeto de ampliação do palácio do Louvre, em Paris. Bernini foi tão universal e quase tão famoso quanto Miguel Ângelo. Borromini, por outro lado, começou como aprendiz de pedreiro e, devido a um parentesco distante com Maderna, obteve um modesto trabalho no canteiro de obras de São Pedro, quando chegou a Roma, com a idade de quinze anos. Nessas condições ele trabalhou, humilde e desconhecido, enquanto Bernini criava sua primeira obra-prima de decoração barroca, o baldaquino de bronze sob a cúpula de Miguel Ângelo, na parte central da basílica. É um imenso monumento de aproximadamente trinta metros de altura, com quatro gigantescas colunas retorcidas, símbolos da nova era, uma era de grandeza sem limites, de desenfreada extravagância e luxúria de detalhes que certamente teriam desgostado a Miguel Ângelo.

A mesma veemência de abordagem e o mesmo desrespeito revolucionário pelas convenções caracterizam o primeiro trabalho importante de Borromini: a igreja de S. Carlo alle Quattro Fontane, iniciada em 1633. Seu interior é tão pequeno que poderia se encaixar dentro de um dos pilares que sustentam o domo de São Pedro. Mas, apesar de sua dimensão de miniatura, é uma das mais extraordinárias composições espaciais do século. Dissemos anteriormente que o plano normal das igrejas longitudinais do período barroco seria o da igreja de Gesù: uma nave com capelas laterais, transeptos curtos e um domo sobre o cruzeiro. Esse modelo foi ampliado e enriquecido pelas gerações seguintes (S. Ignazio, em Roma, 1626 e anos seguintes), mas o plano central foi mantido. Em Roma, o Barroco rejeitaria apenas a predominância do círculo nas igrejas de plano central, introduzindo, em seu lugar, uma forma ovalada, uma forma menos finita, que combina o plano central com elementos longitudinais, isto é, elementos que sugerem movimento no espaço. Essa forma já havia aparecido no livro V da obra de Serlio, em 1547, e também na igreja de S. Anna dei Palafrenieri, de Vignola. Um número infinito de variações sobre o tema da oval foi desenvolvido primeiramente pelos arquitetos italianos e depois pelos de outros países. Elas constituem o aspecto mais interessante da arquitetura sacra barroca. Na Itália, essa evolução pertence principalmente à segunda metade do século XVII. Serlio e Vignola

168. Roma, S. Anna dei Palafrenieri, por Vignola, iniciada em c. 1570

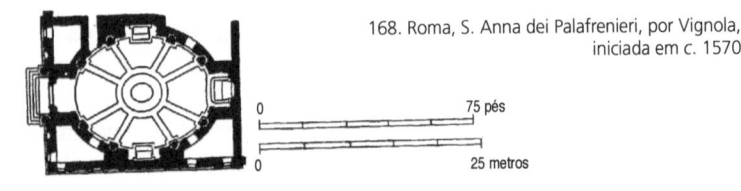

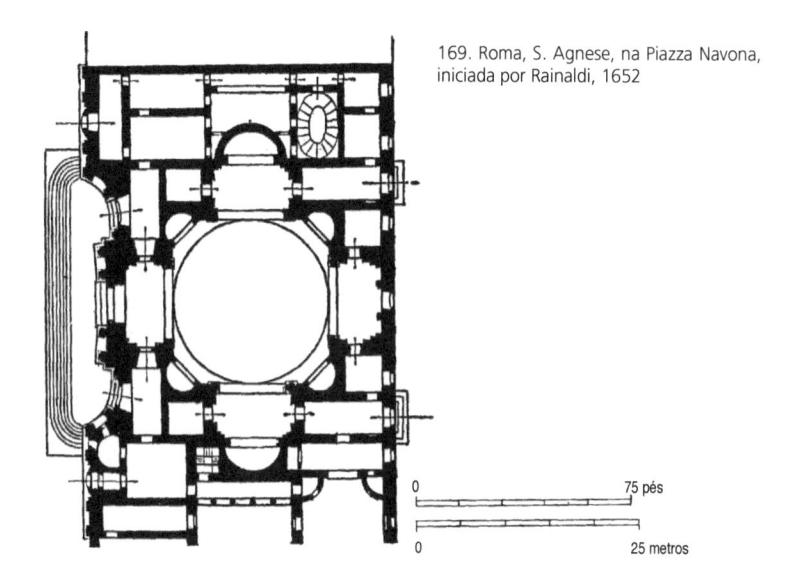

169. Roma, S. Agnese, na Piazza Navona, iniciada por Rainaldi, 1652

dispõem o eixo mais longo da oval perpendicularmente à fachada, o que será retomado por muitos outros arquitetos. Por outro lado, o plano da igreja de S. Agnese, na Piazza Navona, iniciada em 1652 (por Carlo Rainaldi e dotada mais tarde, por Borromini, de uma fachada de duas torres, no estilo do Norte da Itália) consiste em um octógono inserido dentro de um quadrado, com pequenos nichos nos cantos, prolongado a leste e a oeste por idênticas capelas na entrada e no co-

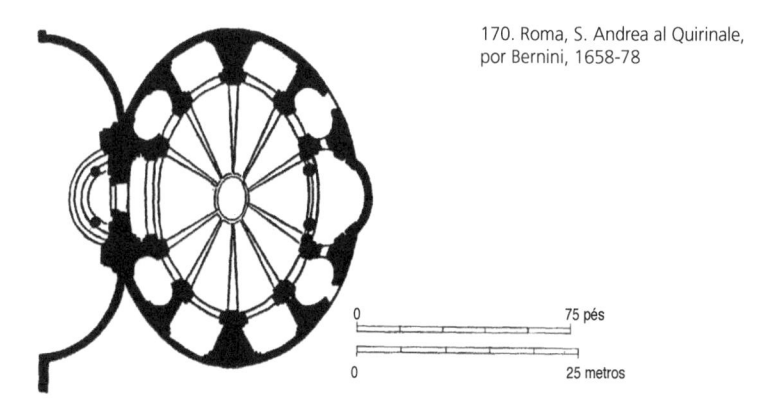

170. Roma, S. Andrea al Quirinale, por Bernini, 1658-78

ro, e a norte e a sul por capelas transeptais muito mais profundas, de modo a produzir o efeito de maior oval no eixo paralelo à fachada, com fragmentos de alvenaria introduzidos no seu traçado. Bernini colocara uma oval perfeita na mesma posição em sua igreja de Propaganda Fide (não mais existente), em 1634, e posteriormente também na igreja de S. Andrea al Quirinale, construída entre 1658 e 1678. A composição de Vignola fora utilizada por Maderna em S. Giacomo al Corso, em 1594, e por Rainaldi em S. Maria di Monte Santo, em 1662. Aliás, esta é uma das duas igrejas idênticas de Porta del Popolo, que delimitam o início das três ruas que conduzem ao centro de Roma.

A forma oval irá conquistar também a França, graças, principalmente, aos esforços de Louis Levau, como veremos adiante. Por ora nos deteremos no estudo do plano de Borromini para S. Carlo, seguramente a mais brilhante paráfrase do tema da oval. Essa igreja serve melhor do que qualquer outra para analisar o excepcional proveito que o arquiteto barroco soube tirar das composições em oval, em vez do retângulo ou círculo. Durante toda a Renascença, a clareza espacial havia sido a idéia dominante e o olhar do espectador pudera correr, sem impedimentos, de um canto a outro, lendo o significado do conjunto e de suas partes sem qualquer esforço. No entanto, em S. Carlo ninguém pode compreender, num primeiro momento, quais os elementos que a compõem e de que maneira se en-

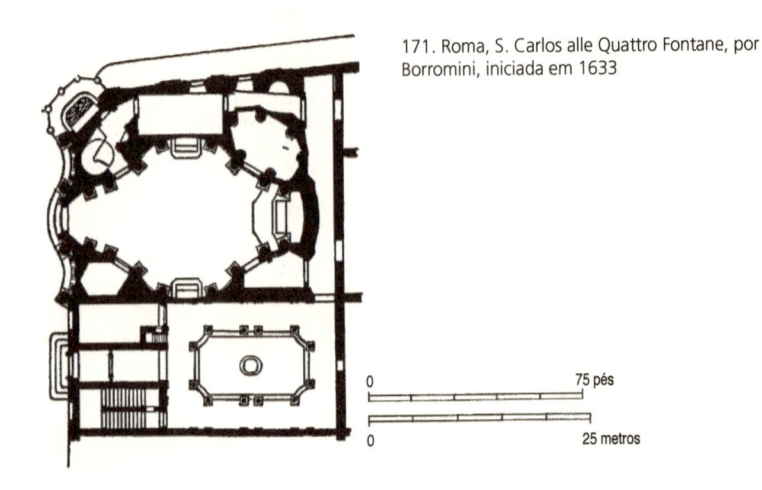

171. Roma, S. Carlos alle Quattro Fontane, por Borromini, iniciada em 1633

172. Roma, S. Carlo alle Quattro Fontane, por Borromini, iniciada em 1633

contram integrados de modo a produzir tal efeito de ondulação e oscilação. Para analisar a planta, seria melhor não partir da oval perpendicular à fachada – que, *grosso modo*, é o que a igreja parece ser –, mas, sim, da cruz grega coroada pela cúpula, típica da Renascença. Borromini deu à cúpula supremacia absoluta sobre os braços. Seus ângulos são chanfrados de maneira que as paredes sob a cúpula oval dão a impressão de um losango alongado, abrindo-se em capelas rasas, que são os braços atrofiados da cruz grega origi-

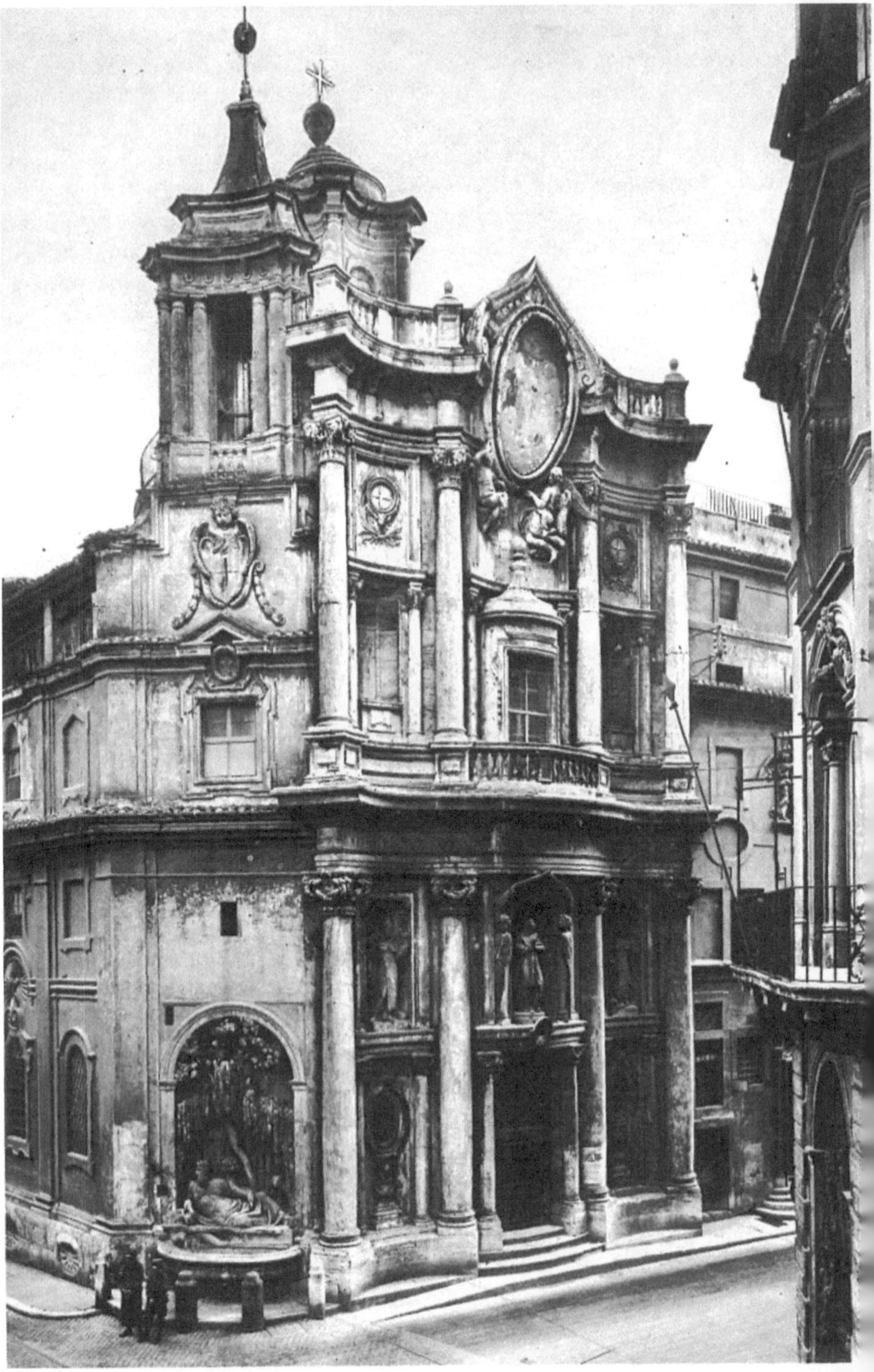

nal. As capelas à direita e à esquerda são fragmentos de ovais: se fossem completadas elas se encontrariam no centro da construção. A capela de entrada e a capela da abside também são fragmentos de ovais: elas tangenciam as ovais laterais. Assim, cinco formas de composição espacial encontram-se combinadas. Onde quer que nos coloquemos, não deixaremos de participar do ritmo ondulante de várias dessas formas. As igrejas alemãs do gótico tardio alcançaram uma riqueza de relações espaciais bastante similar, mas empregando formas que parecem rígidas se comparadas com as paredes ondulantes de S. Carlo. Miguel Ângelo foi o responsável por essa tendência plástica da arquitetura. O espaço agora parece escavado pela mão de um escultor: as paredes são moldadas como se fossem feitas de cera ou argila.

A realização mais ousada de Borromini, imprimindo movimento a paredes inteiras, foi a fachada de S. Carlo, acrescentada exatamente no ano de sua morte, em 1667. O nível térreo e sua cornija fornecem o tema principal: côncavo-convexo-côncavo. Mas o nível do primeiro andar responde com uma nova combinação de côncavo-côncavo-côncavo, complicada pela inserção, na concavidade central, de uma espécie de templo oval em miniatura, que nos dá a impressão de forma convexa, a menos que observemos sua parte superior. Tais relações de espaço e volume parecem áridas quando são apenas descritas; no entanto, quando são vistas, há nelas brio e paixão, e também algo distintamente voluptuoso, um movimento de ondulação e balanço que se assemelha ao de um corpo desnudo. Vale a pena observar também como as torres de S. Agnese se destacam do bloco principal da igreja, separadas pelas curvas convexas que ladeiam a parte central da fachada; e, como na igreja de S. Maria della Pace (1656-1657), de Pietro da Cortona, a fachada se prolonga, no térreo, através de alas laterais retilíneas, sendo que, no primeiro andar, uma extensa curva côncava faz com que se saliente a parte central da fachada, terminando em um pórtico semicircular, no térreo, e em uma forma convexa, ligeiramente retraída, na parte superior. O modo como as colunas e pilastras se agrupam nesta composição faz com que a fachada da igreja de Gesù, de Vignola, nos pareça extremamente limitada.

◂▮▮▮ 173. Roma, S. Carlo alle Quattro Fontane, fachada, 1667

174. Roma, S. Maria della Pace, por Pietro da Cortona, 1656-7

De fato, a maior parte das fachadas barrocas romanas obedecem à composição básica de Vignola, dotando-a de nova significação apenas pela abundância excessiva de colunas e pelo mais inusitado uso de motivos de decoração. Podemos acompanhar o desenvolvimento do barroco da fachada de Gesù partindo de S. Susanna (1596-1603) de Maderna, a SS. Vicenzo ed Anastasio (1650), do jovem Martino Lunghi, e os excessos da fachada de S. Carlo, de Borromini. Nesta última igreja, merecem nossa atenção as curiosas janelas ovais, localizadas no térreo, emolduradas por folhas de palmeiras, encimadas por uma coroa e com uma espécie de altar romano em relevo, na parte inferior. Os motivos se sucedem pela fachada até o arco ogival no topo e os polígonos e formas extravagantes, de tamanho decrescente, que decoram o interior do domo. Cada um desses detalhes é desprovido de sentido, a menos que sejam observados em conjunto e como partes de um todo decoarativo superordenado.

Para compreender o Barroco é fundamental captá-lo sob essa perspectiva. Temos o hábito de considerar a decoração um elemento que pode ou não ser acrescentado à arquitetura. Na verdade, a arquitetura é, ao mesmo tempo, estrutura e decoração, sendo esta última de responsabilidade ou do próprio arquiteto ou do escultor, pintor ou vitralista. Essa relação entre a estrutura e a decoração varia, no entanto, de acordo com as diferentes épocas e os diferentes países. No estilo gótico das catedrais, toda a decoração estava a serviço do trabalho do construtor. No final do século XIII e princípio do século XIV, a escultura ornamental se impôs sobre a escultura funcional. Posteriormente, a estatuária e a pintura libertaram-se inteiramente da supremacia da arquitetura. Um monumento como o Colleoni, de Verrochio, erigido sem qualquer suporte arquitetural em uma praça de Veneza, teria sido inadmissível na Idade Média. Do

175. Roma, SS. Vicenzo ed Anastasio, por Martino Lunghi, o Moço, 1650

mesmo modo foi inovadora a concepção da pintura de cavalete em si, independente da parede sobre a qual posteriormente seria colocada. A Renascença aceitou a independência das belas-artes mas, por outro lado, soube habilmente reuni-las no interior de um mesmo edifício, isto devido ao princípio de independência relativa das partes, que governava a composição renascentista. No Barroco, entretanto, esse princípio foi abandonado. Novamente, a exemplo da arquitetura gótica, as partes não podem estar isoladas. Observamos isso em S. Carlo. O Barroco, porém, embora acreditando na unidade de todas as artes, não conseguiu restabelecer a supremacia da estrutura. Os arquitetos do século XVII tiveram de aceitar as exigências do escultor e do pintor, e foram, de fato, escultores e pintores. Em vez da relação de subordinação que caracterizava o período gótico, há agora uma cooperação entre todas as artes. O resultado foi o *Gesamtkunstwerk* (a arte total), idéia que foi voluntariamente abandonada no final do período barroco e que, posteriormente, Wagner tentou em vão recuperar para o século XIX, através de suas óperas. Nas obras de Bernini e de Borromini, o elemento que aglutina os efeitos arquitetônicos, ornamentais, esculturais e pictóricos em uma unidade indivisível é o princípio decorativo comum a todos eles.

Essa adesão ao decorativo não deixou lugar para os escrúpulos dos artistas e patronos do Barroco quanto à honestidade na utilização de materiais. Contanto que se atingisse o efeito desejado, pouco importava empregar mármore ou estuque, ouro ou estanho, se um pontilhão era construído de verdade ou se era apenas um simulacro, como os que encontramos em alguns parques ingleses! De fato, a ilusão de ótica – para desagrado de Ruskin – é um dos elementos mais característicos da arquitetura barroca. A escada real de Bernini – a *Scala Regia* do Palácio do Vaticano – é um dos exemplos mais sugestivos. Foi construída na década de 1660, ao mesmo tempo que eram erigidas a fachada de S. Carlo, de Borromini, e as colunatas em frente à basílica de S. Pedro. Estas são obras-primas de cenografia, realçando o peso e a massa da fachada de Maderna e fazendo convergir para o balcão das bênçãos papais e para a *Porta Santa* o olhar das dezenas de milhares de pessoas que se agrupariam no átrio por ocasião das grandes celebrações. Também a *Scala Regia* foi projetada com um grande conhecimento de efeitos cênicos. É a entrada principal do palácio. Chega-se a ela, vindo das co-

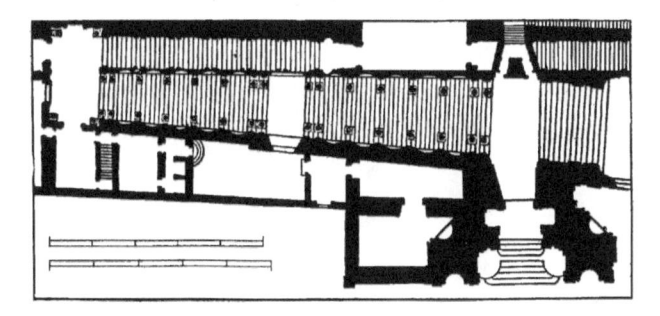

176. Roma, Vaticano, *Scala Regia*, por Bernini, 1663-6

lunatas, através de um corredor. Este termina após quinze ou vinte degraus e há, então, um pequeno patamar, exatamente no ponto onde, em ângulo reto, encontra-se o pórtico de acesso ao vestíbulo de S. Pedro. Aqui as duas principais direções se encontram. Para indicar a direção correta, Bernini aplicou seu golpe de mestre: colocou, no lado oposto à entrada da igreja, um monumento eqüestre do imperador Constantino. Quando caminhamos pelo corredor, a estátua aparece à direita e nos obriga a parar, antes de alcançar a escada real. O repentino aparecimento do imponente cavalo branco, contra um fundo de tapeçaria onde se vislumbra uma tempestade, iluminado por vidraças no alto, serve para dissimular o que seria uma desagradável mudança de direção.

A *Scala Regia* teve que se ajustar a uma área de forma desajeitada, entre a igreja e o palácio. A escada é longa e relativamente estreita, e suas paredes não são paralelas. Bernini tirou proveito disso, construindo uma engenhosa colunata, com abóbada de berço, sendo que as colunas vão diminuindo de tamanho. É o princípio da perspectiva do cenário barroco. Para que as ruas parecessem longas, lan-

177. Roma, Vaticano, *Scala Regia*, por Bernini, 1663-6

çava-se mão de perspectivas exageradas. Borromini deu tratamento idêntico aos nichos de S. Carlo e às janelas do andar superior do Palazzo Barberini. Esses efeitos cênicos não eram inteiramente novos. Podem ser encontrados nos primeiros trabalhos de Bramante, em Milão. O próprio Miguel Ângelo, em seu projeto para o Capitólio, em Roma, colocou os palácios laterais em tal ângulo que o edifício do Senado parece ser mais alto do que realmente é. A iluminação é outro efeito cenográfico na subida pela *Scala Regia*. No primeiro patamar, a meio caminho, a luz penetra pela esquerda; no segundo, mais no alto, uma janela colocada no topo da escada dissolve os contornos precisos dos volumes. Finalmente, há o elemento decorativo: esplêndidos anjos, por exemplo, com suas trombetas alçando as armas do papa, completam o esplendor da entrada do palácio do Vaticano. Anjos, gênios e outras figuras do mesmo tipo, geralmente em cores realistas, são parte essencial da decoração barroca. Servem não apenas para camuflar os pontos de junção da estrutura e ocultar os dispositivos de "bastidores", responsáveis por esses efeitos de ilusão, como também atuam como intermediários entre o espaço real no qual nos movemos e o espaço criado pelo artista. O Barroco não permite que a linha de limite entre o palco e a platéia seja visível. Esses termos emprestados do mundo do teatro – ou, melhor diríamos, do universo da ópera, invenção italiana do século XVII – nos vêm à mente com justa razão. No entanto, há muito mais do que mero artifício teatral nesse fluxo constante da realidade à ilusão e da ilusão à realidade. A prova está na famosa capela de S. Teresa, na igreja de S. Maria della Vittoria, em Roma, obra de Bernini. A capela, que data de 1646, é revestida em mármore escuro e suas superfícies reluzentes, de âmbar, ouro e rosa, refletem todas as nuanças de alterações de luz. No meio da parede que fica em frente à entrada, encontra-se o altar da santa. É flanqueado por pares de pesadas colunas e pilastras, com um frontão interrompido, colocadas obliquamente, avançando em nossa direção para depois se recolherem, conduzindo nosso olhar para o centro do altar, onde esperaríamos encontrar uma pintura. Em vez disso, deparamos com um nicho que abriga um grupo escultural, tratado como pintura e dando uma ilusão de realidade que será tão surpreendente hoje quanto o foi há trezentos anos. Tudo na capela contribui para essa ilusão de *peinture vivante*. Ao longo das paredes, à esquerda e à direita, tam-

178. Roma, S. Maria della Vittoria, capela Cornaro, com Sta. Teresa e o Anjo, por Bernini, 1646

bém há nichos onde Bernini retratou, em mármore, os membros da família Cornaro – doadores da capela – por trás de pequenos balcões, observando conosco a cena milagrosa, exatamente como se estivessem nos camarotes e nós na platéia de um teatro.

A linha divisória entre nosso mundo e o mundo da arte encontra-se, assim, engenhosamente escamoteada. Na medida em que nossa atenção e a das figuras de mármore estão dirigidas para o mesmo objetivo, não podemos deixar de atribuir a elas o mesmo grau de realidade que a nós mesmos, o mesmo ocorrendo com relação às figuras do altar. E Bernini empregou toda a sua maestria ao modelar Santa Teresa e o anjo, reforçando, assim, essa ilusão. O pesado manto da freira, a vaporosidade das nuvens, a leveza das vestes e a suavidade da pele do anjo adolescente são dotados de um primoroso realismo. A expressão da santa no milagre de sua união com Cristo é um inesquecível êxtase voluptuoso. Ela desfalece como se estivesse entregue a uma penetração física. Ao mesmo tempo, ela está suspensa no ar e o movimento diagonal do grupo nos faz acreditar no impossível. Raios de ouro – são feixes de metal dourado – ocultam a parede do fundo do nicho, e uma abertura situada no alto e atrás do entablamento, fechada com vidro amarelo, envolve a cena numa luz mágica.

A capela de Santa Teresa é o mais ousado exemplo, em Roma, de uma ilusão desse tipo. Na verdade, é uma exceção, porque Roma jamais acreditou realmente em extremos. Bernini era um napolitano e Nápoles era espanhola. Para experienciar o arrebatamento dos extremos e excessos é preciso ir para a Espanha, ou mesmo Portugal e, naturalmente, Alemanha. Nesses países, o Barroco foi posterior, embora tenha sido adotado com extremo fervor. A Itália não possui exemplos de interpenetração orgíaca de realidade e ficção como os que encontramos em algumas igrejas na Espanha e em muitas no Sul da Alemanha do começo do século XVIII.

O mais impressionante exemplo espanhol é o *Transparente*, de Narciso Tomé, na catedral de Toledo, construída no século XIII, em estilo gótico clássico francês. Possui um altar-mor dotado de um vasto retábulo do período gótico tardio. A ortodoxia católica não tolerava que os fiéis andassem pelo deambulatório dando a volta por trás do Santo Sacramento. Engendrou-se, então, um plano engenhoso, que permitia que o Santo Sacramento fosse visto e adorado do deambulatório. Ele foi colocado em um receptáculo de vidro – daí o nome *Transparente* – em torno do qual se ergueu um conjunto de decoração extraordinariamente suntuosa, obra completada em 1732. A atenção é dirigida para o Sacramento por colunas ricamente ornamentadas, unidas a colunas mais largas por cornijas de linhas curvas ascendentes. Essas curvas e as cenas em alto-relevo, em perspectiva, dos painéis que estão acima dão a ilusão – como a colunata da *Scala Regia*, de Bernini – de que a distância da frente

179. Catedral de Toledo, *Transparente*, por Narciso Tomé, completado em 1732

O BARROCO NOS PAÍSES CATÓLICOS **261**

180. Catedral de Toledo, *Transparente*, por Narciso Tomé, completado em 1732

até o fundo do altar é muito maior do que na realidade. Além disso, a custódia é cercada por anjos que ocultam todos os suportes estruturais e conduzem nosso olhar para o alto, onde se encontra representada a Santa Ceia – numa altura fantástica – em figuras de mármore policromático. Mais acima ainda, encontra-se a Virgem subindo ao Paraíso. Para aumentar esse efeito de aparição milagrosa, toda a cena está banhada por uma luz cuja fonte está atrás do observador, assemelhando-se ao tipo de iluminação que atualmente se utiliza nos teatros. O que o genial arquiteto fez foi suprimir a alvenaria entre as nervuras de metade da abóbada gótica do deambulatório – a técnica do século XIII permitiu que isso se fizesse sem prejuízo de sua solidez –, espalhar grupos de anjos em torno da abertura, construir no alto uma trapeira com uma janela, invisível para quem está embaixo, que faz jorrar uma luz dourada que alcança os anjos, inunda o setor do deambulatório onde se encontra o visitante e, finalmente, ilumina o altar com suas estátuas e o Sacrário. E quando, para descobrir a fonte de uma luz tão mágica, voltamo-nos na direção oposta ao altar, percebemos, na claridade ofuscante, acima dos anjos, a figura de Cristo sentado nas nuvens, cercado pelos profetas e legiões celestes.

181. Granada, Convento, sacristia, por Luis de Arévalo e F. Manuel Vasquez, 1727-64

Um tal extremismo espacial, onde todo um interior se compõe em função de uma grandiosa e impressionante decoração, é, como já dissemos, excepcional na Espanha. Na Espanha e em Portugal encontramos esse mesmo extremismo expressando-se pelo acúmulo de ornamentos nas superfícies. Essa mania ornamental é uma herança espanhola que remonta aos tempos de Maomé, do Alhambra e do flamejante da fachada de S. Pablo, em Valladolid. Porém, jamais se havia manifestado em formas tão fantásticas como as que aparecem no estilo chamado *churrigueresco*, que leva o nome de seu principal expoente, José de Churriguera (1650-1725). Foi seguramente a arte indígena da América do Sul e da América Central que inspirou esses arabescos bárbaros e as pesadas molduras da sacristia do convento de Granada (1727-1764, por Luís de Arévalo e F. Manuel Vasquez), da mesma forma que, em Portugal, o estilo manuelino inspirou-se na arte das Índias Orientais. É no México, de fato, que os arquitetos espanhóis celebraram a mais desenfreada orgia do excesso ornamental.

Indubitavelmente, o *Transparente* apresenta um mais alto nível estético do que as incrustações do churrigueresco, embora moralmente ambos sejam censuráveis, principalmente para a moral ruskiniana da Inglaterra vitoriana. A Alemanha do Sul, no século XVIII, aderiu ao ornamento pelo ornamento, quase tanto quanto a Espanha. Novamente a tradição remonta à Idade Média. Assim como o gótico tardio na Alemanha aderiu, mais do que em qualquer outro país, à complexidade espacial, também a exploração do espaço tornou-se o problema central para o Barroco tardio alemão, problema esse resolvido ocasionalmente por meio de soluções inéditas, como no caso do *Transparente*, mas, com maior freqüência, através de recursos estritamente arquitetônicos.

Os inspiradores do Barroco tardio alemão foram Bernini (embora tenha sido imitado principalmente como escultor), Borromini e, mais avidamente seguido do que todos, Guarino Guarini, um arquiteto até agora não mencionado porque seu campo de atividade não era Roma. Nasceu em 1624, em Módena, viveu a maior parte do tempo em Turim e morreu em 1683. Pertenceu, portanto, a uma geração intermediária entre a de Bernini e a de Borromini e a dos artistas alemães. Era oratoriano, professor de filosofia e matemática, e exercia a arquitetura. Sua *Architettura civile* surgiu apenas em

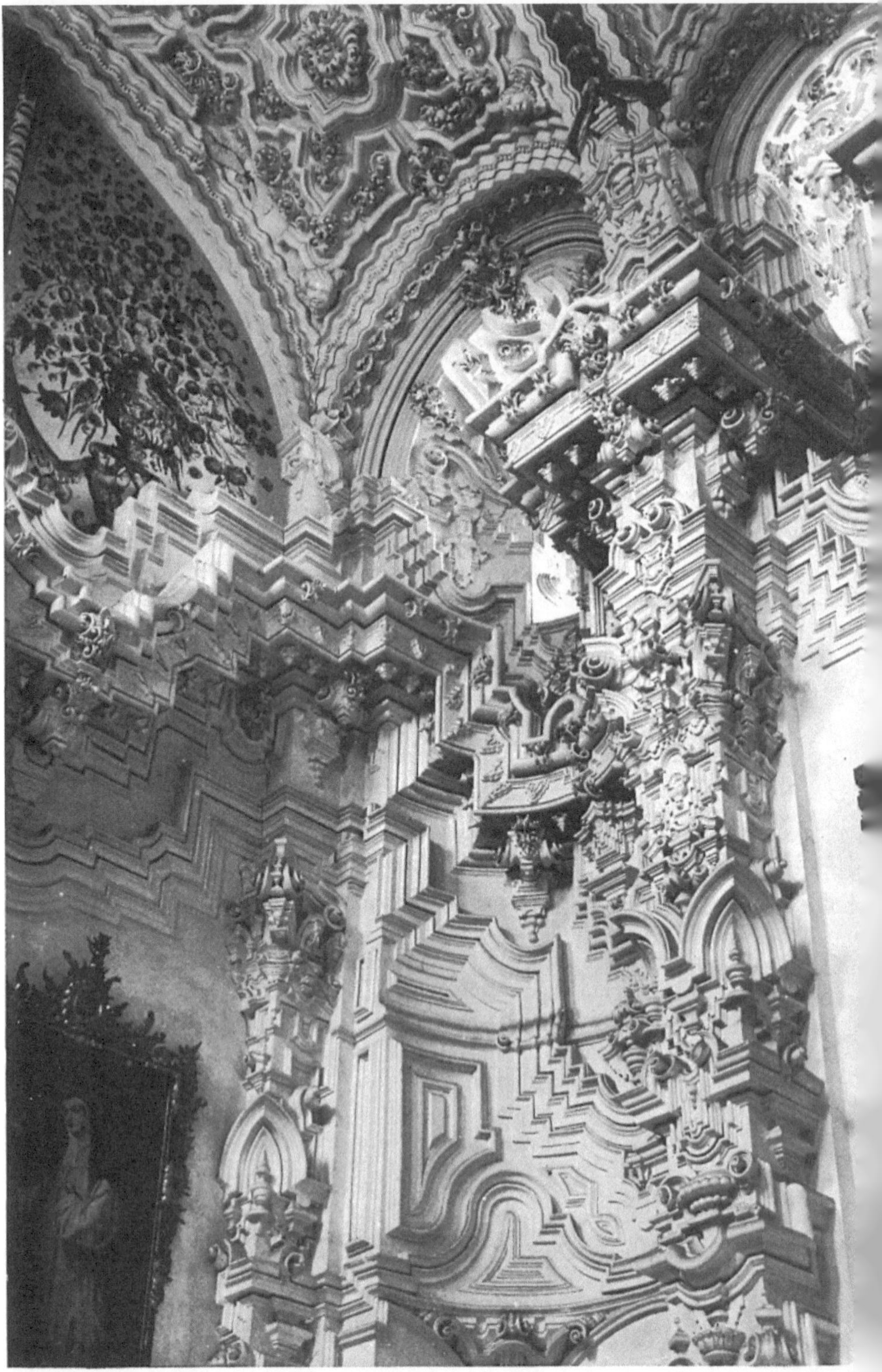

1737, mas algumas de suas gravuras eram conhecidas desde 1668. Além disso, suas freqüentes viagens ao exterior serviram para que os arquitetos entrassem em contato com ele e com seu trabalho. Fora da Itália, suas principais obras são as igrejas de Ste. Anne, em Paris, construída em 1662 e que já não existe, e a da Divina Providência, em Lisboa. Elaborou o projeto de uma terceira igreja – a da Virgem de Öttingen, na Kleinseite, em Praga (1679) –, que nunca chegou a ser erigida. A ousadia do estilo de Guarini aparece, por exemplo, no fato de só ele ter-se aventurado a adotar, para fachadas de palácios, o princípio de um desenho curvilíneo semelhante ao das fachadas das igrejas de Borromini. O Palazzo Carignano, em Turim, por exemplo, possui uma parte central que ondula em um movimento de curva côncava-convexa-côncava. O aposento principal é ovalado e duas escadas separadas sobem entre a oval e as partes côncavas da fachada. Em seus projetos para igrejas, especialmente para a igreja de S. Lorenzo de Turim (1666), mas também das igrejas de Praga e Lisboa, há a mais fantástica interação espacial entre partes côncavas e convexas, adotando, mais uma vez, um tratamento mais avançado do que o de Borromini. Não é fácil compreender esses projetos apenas com a ajuda dos olhos; seguramente, Guarini empenhou-se neles não apenas como artista, mas também como matemático. Em S. Lorenzo, por exemplo, arcos e balcões invadem

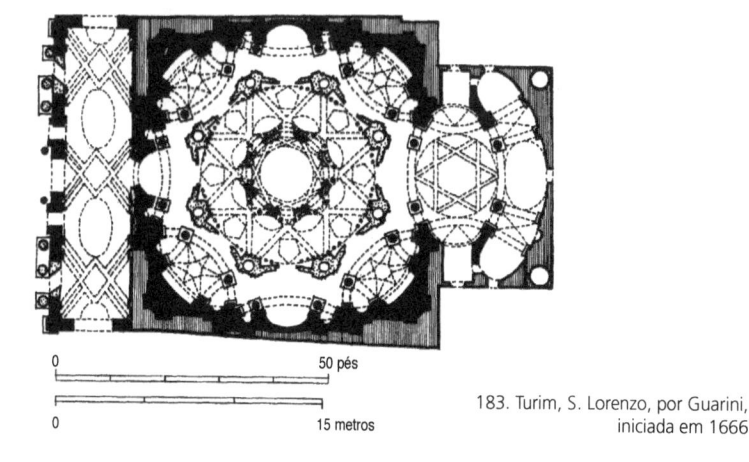

183. Turim, S. Lorenzo, por Guarini, iniciada em 1666

182. Granada, Convento, sacristia, detalhe

184. Turim, S. Lorenzo, por Guarini, iniciada em 1666, domo visto do interior

o espaço central, coroado por um magnífico domo. Para a construção deste, Guarini criou (talvez inspirado pela mesquita muçulmana de Córdoba) uma estrela de oito pontas, cujas nervuras atravessam de um lado a outro, cruzando-se umas com as outras. Nas igrejas longitudinais de Lisboa e Praga, até mesmo os arcos transversais à nave foram incluídos na ondulação geral e são construídos tridimensionalmente (isto é, para a frente e para o alto). Esse efeito sem precedentes se deve à composição das naves a partir de séries de ovais que se interseccionam. Aqui e em Borromini, como já dissemos, encontram-se as principais fontes do Barroco alemão.

Entre a grande profusão de arquitetos engenhosos que trabalham entre 1720 e 1760, só dois poderão ser incluídos aqui: Cosmas Damian Asam (1686-1739) e Johann Balthasar Neumann (1687-1753). Cosmas Damian Asam foi pintor e decorador, e seu irmão Egid Quirin (1692-1750) era escultor. Normalmente trabalhavam juntos e eram considerados, inclusive por eles mesmos, apenas artesãos competentes. Tanto eles quanto a maioria dos arquitetos alemães do século XVIII não poderiam, efetivamente, ser considerados arquitetos no sentido renascentista ou moderno da palavra. Em suas pequenas cidades, adquiriam algum conhecimento sobre construções, e isso bastava. Não tinham nenhum grande projeto de ascender profissionalmente. De fato, sociologicamente, a projeção da arquitetura na Alemanha até o século XIX ainda era medieval, e a maioria de seus patronos ainda eram príncipes, bispos e abades, como trezentos anos antes. Neumann pertence a outra categoria, a qual não existira na Idade Média ou na Renascença. Suas raízes encontram-se na França de Luís XIV, como veremos adiante (ver p. 328). Começou na força de artilharia do príncipe-bispo de Würzburg: lá demonstrava um interesse agudo pela matemática e pelas fortificações. Devemos recordar que também Miguel Ângelo trabalhou com engenharia de defesa e que alguns dos mais importantes arquitetos italianos do século XVI, como Sammicheli, foram engenheiros militares notáveis. O príncipe encaminhou o jovem Neumann para a arquitetura, tornando-o supervisor de obras e, posteriormente, enviou-o a Paris e Viena para discutir os planos de seu novo palácio em Würzburg com os arquitetos do rei francês e do imperador. Portanto, o seu mais famoso trabalho, o palácio de Würzburg, é apenas parcialmente seu, mas sua experiência aumentou e o bispo apreciava-o cada vez mais. Tornou-se capitão, depois major e em seguida coronel, mas já não exercia nenhuma tarefa do serviço ativo e pôde dedicar-se integralmente à arquitetura. Fez para o bispo-príncipe todo o trabalho de projeto e supervisão que ti-

185. Weltenburg, igreja da abadia, por Cosmas Damian e Egid Quirin Asam, 1717-21

nha de ser feito e logo foi convidado para projetar palácios e igrejas para outros clientes.

Como vimos, as igrejas do século XVIII, na Alemanha, tiveram origem em diferentes meios: a oficina do artesão medieval ou a prancheta de desenho do cortesão tecnicamente habilitado. As diferenças no caráter arquitetônico podem freqüentemente ser explicadas dessa forma. As igrejas de Asam são ingênuas, enquanto as de

Neumann têm uma complexidade intelectual equivalente às obras de Bach. Os efeitos espaciais, no entanto, são tão importantes em Asam quanto em Neumann. Mas as obras de Asam lançam mão dos mais aparatosos artifícios de ilusão de ótica (atingindo, é verdade, alto nível emotivo), enquanto Neumann organiza suas configurações espaciais rejeitando o logro fácil.

Em Rohr, perto de Regensburg, os irmãos Asam realizaram, no coro da igreja, uma obra menos refinada e duas vezes mais melodramática do que a de Bernini em S. Teresa: os apóstolos, em tamanho natural, rodeiam um sarcófago barroco, também em dimensões reais, e a Virgem bem no alto, amparada por anjos, ascende ao Paraíso, para ser recebida em triunfo por nuvens e querubins. Uma gestualidade exagerada e uma cor escura e brilhante ajudam a inflamar as paixões da fé. O coro da igreja de Weltenburg, também próxima a Regensburg, é palco de uma aparição ainda mais misteriosa: um S. Jorge em prata, a cavalo, brandindo uma espada em forma de chama, cavalgando em nossa direção, surgido de um fundo de luminosidade ofuscante, que entra por janelas dissimuladas. O dragão e a princesa se sobressaem, em meio a todo esse esplendor, como silhuetas em dourado escuro. Tanto Rohr (1718-1725) quanto Weltenburg (1717-1721) são trabalhos iniciais dos irmãos Asam.

Em seus melhores trabalhos posteriores, eles se empenharam em atingir um efeito que fosse além do *Transparente*. Egid Quirin tinha uma casa em Munique; ao se aproximar dos 40 anos, começou a pensar em um monumento que legaria, com orgulho, à posteridade. Assim, em 1731 decidiu construir, em local vizinho à sua casa, uma igreja como oferenda pessoal. Ela foi efetivamente construída entre 1733 e 1750 e dedicada a São João Nepomuceno. É uma igreja pequena, de aproximadamente dez metros de largura, relativamente alta e estreita, com uma galeria estreita em toda a volta, com um altar no térreo e outro na galeria. A galeria se balanceia sobre os dedos de terminais de figuras piruéticas ou anjos-cariátides, inclinados para frente e para trás. A cornija superior tem um movimento para cima e depois curva-se para baixo; o esquema de cores se compõe de ouro escuro, marrom e vermelho escuro, que refletem clarões repentinos quando bate a luz, vinda apenas da porta da entrada – portanto, atrás do visitante – e de janelas ocultas acima da cornija. A janela que fica a leste, no alto, está disposta de tal

186. Munique, São João Nepomuceno, por Egid Quirin Asam, 1933-c. 1750, detalhe superior do altar-mor

maneira que um grupo da Santíssima Trindade se destaca em frente a ela: Deus Pai segurando o crucifixo, o Espírito Santo acima, anjos ao redor – indomitamente fantástica, de uma soberba realidade mágica. O que coloca São João Nepomuceno acima do nível de Rohr, Weltenburg e do *Transparente* é a cooperação da composição estritamente arquitetônica com a mera ilusão de ótica, para chegar a uma intensa sensação de surpresa que pode, facilmente, transformar-se em fervor religioso.

É um estilo que, entretanto, poderíamos chamar de sensacional, em seu sentido mais lato: ninguém antes de Bernini, dos irmãos Asam e de Tomé atingira efeitos tão violentos. Seriam eles debochados, inescrupulosos e pagãos, como pretenderam Pugin e Ruskin? Não podemos aceitar esses vereditos acriticamente, pois estaríamos nos privando de inúmeras satisfações legítimas. Nos países do Norte da Europa seria difícil vincular Cristo e sua Igreja a essa proximidade física atrevida, mas ao Sul, na Baviera, Áustria, Itália e Espanha, onde as pessoas vivem muito mais através dos sentidos, essa é uma forma genuína de experiência religiosa. No Norte, na época em que viveram Bernini, Tomé e os irmãos Asam, Spinoza vislumbrou um panteísmo, com Deus permeando todos os seres e todas as coisas: Rembrandt descobriu o infinito na pintura por seu tratamento da luz e sua maneira de inserir a ação em um fundo indefinido porém vivo, e Newton e Leibniz descobriram-no na matemática, em sua concepção de cálculo. Enquanto isso, o Sul realizou mais concretamente essa unidade abrangente e a presença do infinito, através da unificação do mundo real e do fictício, levada a efeito pelos arquitetos e decoradores, e de seus efeitos espaciais que ultrapassavam os limites daquilo que o espectador consegue explicar racionalmente. E a obra de Neumann prova, definitivamente, a sutileza e a pureza arquitetônica que podem ser alcançadas por meio dessa mágica espacial, desde que as pessoas que estejam visitando suas edificações sejam capazes de captar suas orientações. Nós, do século XX, nem sempre achamos fácil concentrarmo-nos em um contraponto espacial, da mesma forma que, nas igrejas e concertos, ouvimos o contraponto musical menos distintamente do que as pessoas para quem Bach escreveu. O paralelismo é, de fato, surpreendente, mesmo ao nível da qualidade: a melhor arquitetura alemã do século XVIII tem a mesma qualidade que a melhor música alemã do mesmo período.

Vejamos Vierzehnheiligen, igreja de peregrinação construída por Neumann na Francônia, entre 1743 e 1772. Quando se entra nessa igreja ampla e solitária, a primeira impressão é de êxtase e elevação. Tudo é luz: branca, dourada, rosa. Nisso a igreja se mostra posterior a São João Nepomuceno. A obra de Asam ainda é barroca no

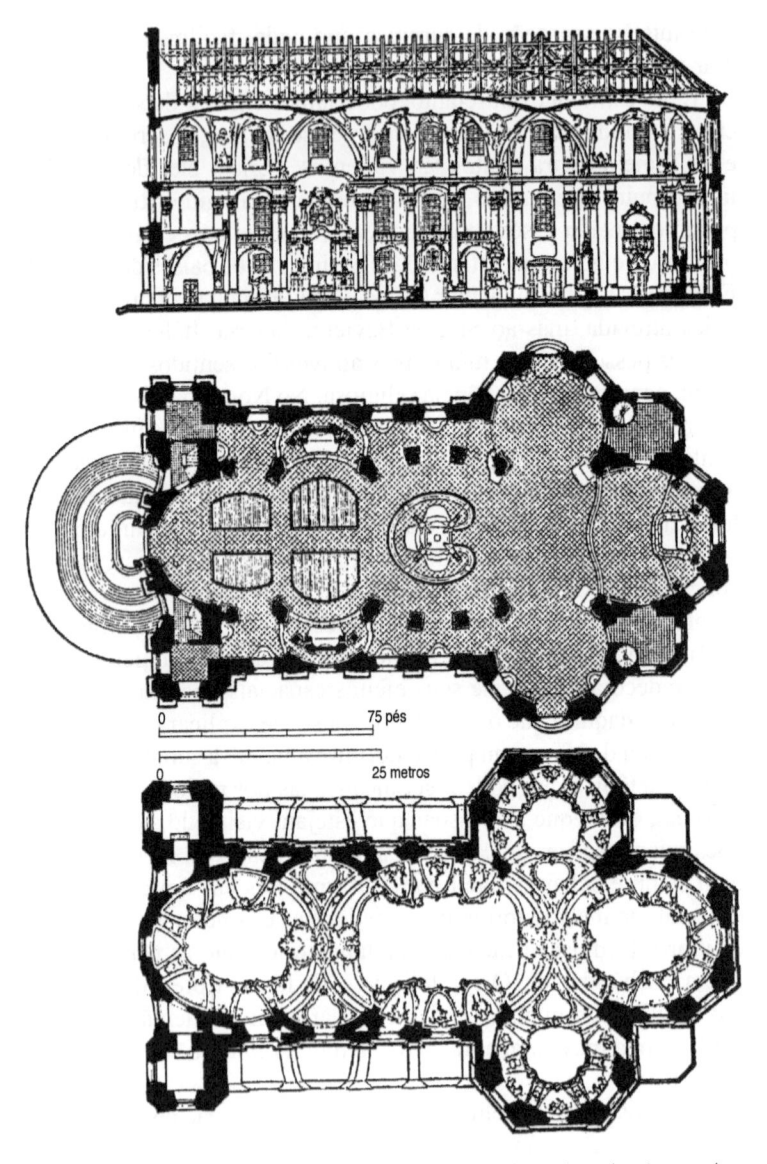

187. Vierzehnheiligen, por Neumann, 1743-72, corte, planta baixa do andar térreo e plano das abóbadas

sentido do século XVII; a de Neumann pertence à última fase do Barroco, conhecida pelo nome de Rococó. Este não é um estilo independente; é parte do Barroco, como o estilo decorado é parte do Gótico. A única diferença entre o Barroco e o Rococó encontra-se na sublimação. O Rococó é claro, o Barroco, sombrio; o primeiro é delicado, e o segundo, vigoroso; o primeiro é jovial, e o segundo, apaixonado. Mas o Rococó é tão movimentado, tão vivaz e tão voluptuoso quanto o Barroco. Associamos o termo Rococó principalmente à França e à época de Casanova e, por outro lado, a Voltaire. Na Alemanha ele não é intelectual ou sensualmente sofisticado: é uma expressão direta do instinto estético do povo, na mesma medida em que o foram a arquitetura e a decoração do Gótico tardio. Ainda hoje, o fervor dos camponeses nessas igrejas barrocas alemãs e italianas vem comprovar que esse estilo não é do interesse apenas de uma camada privilegiada de virtuosos.

No entanto, o estilo de Vierzehnheiligen não é um estilo fácil. Não basta ser arrebatado por ele como poderia ocorrer com qualquer das igrejas dos irmãos Asam; requer uma compreensão precisa, o que é tarefa para o especialista. Esse estilo é uma arquitetura de arquitetos, assim como a fuga é música de músicos. No meio da nave, o altar-mor de forma oval pode perfeitamente encantar os fiéis mais rudes que se ajoelham ao redor desse objeto esplêndido, meio recife de coral, meio carrossel de contos de fadas. Tendo desfrutado dessa glória da confeitaria, o leigo olha para cima e vê, por todos os lados, uma decoração resplandecente de rebentação, espuma e rochedos. Mas, se ele começa a percorrer o interior, logo se verá em grande confusão: não encontra aqui as naves, os santuários e as galerias que conhece e que vê com freqüência em outras igrejas. Isso, que para o homem simples é confusão e para o conhecedor refinado deleite, deve-se à planta baixa, uma das mais engenhosas obras de projeto arquitetônico já concebidas. Vista do exterior, a igreja possui, aparentemente, uma nave central, naves laterais e um plano central a leste; o coro e os transeptos têm extremidades poligonais. Na realidade, o coro é oval, os transeptos circulares, e a nave se compõe de duas ovais sucessivas, sendo que a primeira – na qual se entra logo depois de se atravessar a ondulante fachada ao estilo de Borromini – tem o mesmo tamanho que o coro, e a segunda é bem maior. É nesta que se encontra o altar dos quatorze santos, sendo,

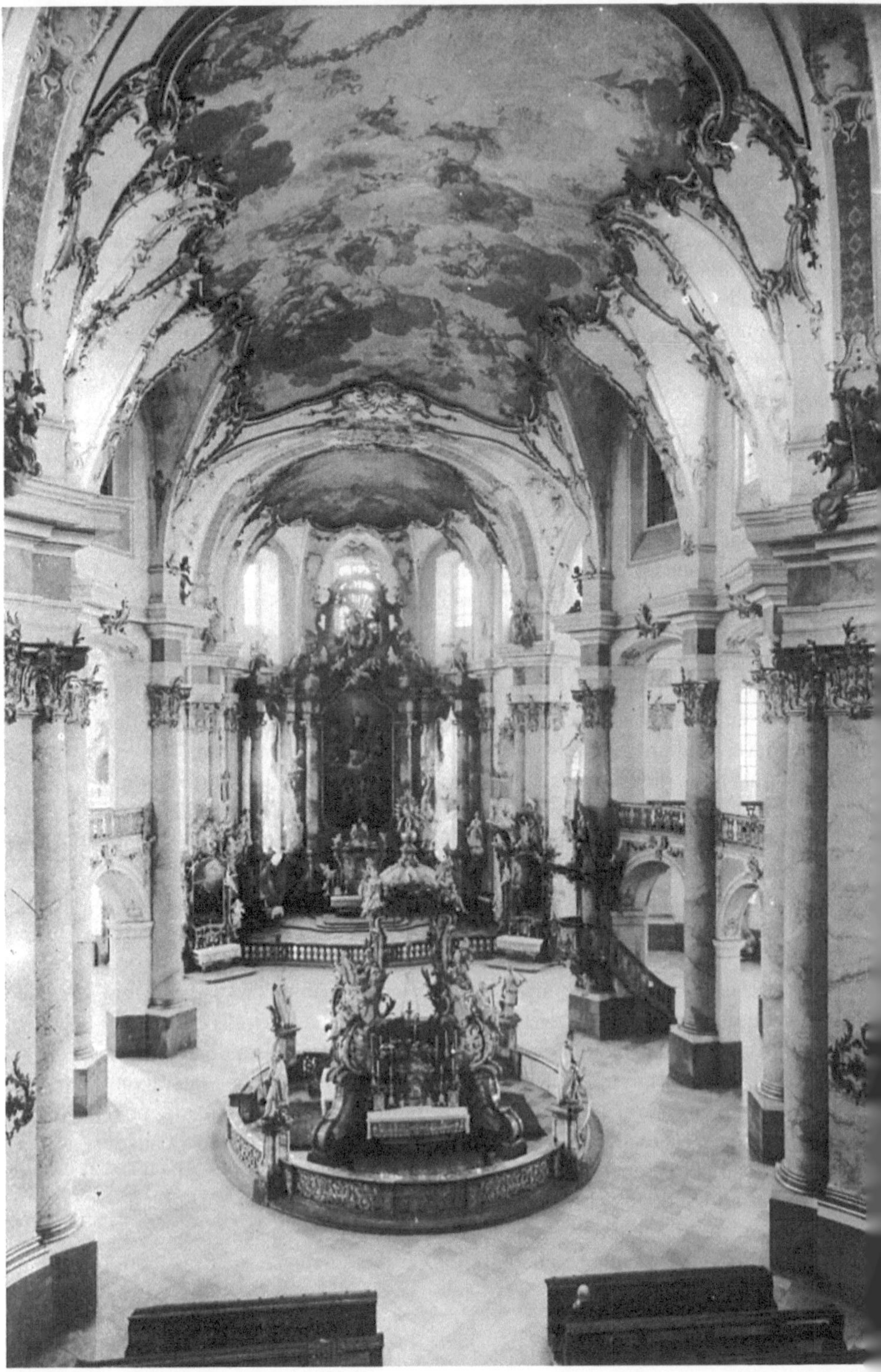

portanto, o centro espiritual da igreja. Logo, há um antagonismo pungente entre aquilo que o exterior promete como sendo o centro e aquilo que o interior revela como centro – isto é, entre o cruzeiro onde a nave e o transepto se encontram e o centro da oval principal. Quanto às naves laterais, são apenas resíduos espaciais. Caminhando-se por elas, tem-se a desagradável impressão de se estar apenas nos bastidores. O que importa é apenas a interação das ovais, que, à altura da abóbada, estão separadas por arcos transversais. Estes, no entanto, não são simples traves que vão das colunas de uma arcada às da outra. São tridimensionais, inclinando-se um sobre o outro como o fizeram, em pequena escala, os arcos do século XIV, assinalando, assim, um dos muitos paralelos que se podem traçar entre o Gótico e o Barroco[26]. O efeito assim produzido no cruzeiro é o mais emocionante e desconcertante. Aqui, em uma igreja do tipo da igreja de Gesù – e Vierzehnheiligen parece pertencer a esse tipo –, seria de se esperar a presença de um domo, enfeixando a composição. No entanto, como já foi dito, encontra-se exatamente no centro do cruzeiro, no ponto onde se encontram a oval do coro e a oval central. Os dois arcos transversais saem dos pilares do cruzeiro, o de oeste em direção a leste e o de leste em direção a oeste, até se encontrarem exatamente no mesmo lugar em que as ovais, enfatizando intencionalmente o fato de que, onde numa igreja barroca normal estaria o coroamento do movimento ondulante das abóbadas, em Vierzehnheiligen há uma concavidade – o mais efetivo contraponto espacial. Uma outra complicação espacial é introduzida pela inserção de um segundo transepto menor, mas a oeste do principal. Aí estão colocados altares laterais assim como altares na extremidade leste da igreja e contra os pilares leste do cruzeiro. Estes últimos são colocados em diagonal, como que orientando o olhar para o esplêndido altar-mor – um efeito teatral, sem dúvida.

---

26. Estes arcos tridimensionais não são uma invenção de Neumann. Ele se inspirou em construções da Boêmia de data um pouco anterior (Brevnov) e em seus correspondentes franconianos (Banz). Estes, por sua vez, derivaram de Guarini (cf. p. 250) mas sua concepção original foi provavelmente provocada pela ocorrência automática desses arcos ali onde as abóbadas de berço são penetradas pelas janelas do clerestório. As penetrações em arcadas, se o diâmetro dos arcos é menor que o da abóbada, encontra a abóbada através desses arcos tridimensionais, por exemplo, no interior da catedral de São Paulo, em Londres, mas já existiam bem antes disso. Um dos casos mais antigos é o da igreja de Carmine, em Pádua, antes do ano 1500. Philibert Delorme, na França, em meados do século XVI, foi o primeiro a mostrar-se fascinado por eles e a usá-los para efeitos estéticos positivos.

188. Vierzehnheiligen, igreja de peregrinação, por Balthasar Neumann, 1743-72

Esta é uma das principais objeções contra tais igrejas. Sua validade já foi questionada. Por outro lado, por que arquitetos e artistas se esforçaram com tanto fervor para disfarçar e criar uma espécie de intensa ilusão de realidade? Com qual realidade estava comprometida a Igreja? Seguramente com a da Presença Divina. É o zelo de uma época na qual os dogmas, mistérios e milagres do catolicismo romano já não são mais, como haviam sido na Idade Média, aceitos por todos como verdades. Havia hereges e céticos. Para reconduzir os primeiros ao rebanho e convencer os segundos, a arquitetura religiosa procurou comover e hipnotizar. Isso, porém, é utilizado como argumento contra as igrejas barrocas: o seu caráter mundano, se comparadas com as igrejas medievais. É bem verdade que a decoração barroca é idêntica numa igreja e num palácio. Mas isso não ocorre também na Idade Média? A idéia subjacente a essa identidade é perfeitamente razoável. Pelo esplendor das artes nós honramos um rei; o supremo esplendor não deverá ser reservado ao Rei dos Reis? Em nossas igrejas atuais e nas igrejas medievais restauradas no século XIX não encontramos nada disso. São apenas salões com uma atmosfera que favorece a concentração dos pensamentos de uma congregação em adoração e preces. Uma igreja barroca era, literalmente, a casa do Senhor.

Além do mais, não se pode negar que nós, observadores ou crentes, nunca percebemos exatamente, em uma igreja como Vierzehnheiligen, onde termina o espiritual e onde começa o mundano. O *élan* extático das formas arquiteturais, de modo geral, acaba por nos envolver, mas não é necessariamente um *élan* religioso. Houve, realmente, uma verdadeira obsessão na Alemanha do Sul e na Áustria, entre 1700 e 1760, em construir amplas igrejas e mosteiros. É apenas uma manifestação da obsessão geral do barroco pela construção em escala colossal. Os Shönborn, grandes construtores em Würzburg, na Francônia e em Viena, deram a essa obsessão o nome de *Bauwurm*. Catarina, a Grande, chamou-a de *bâtissomanie*, em uma carta ao barão Grimm em Paris. Mas não se deve acreditar que essas construções de igrejas e mosteiros fossem, então, empreendidas inteiramente *ad majorem Dei gloriam*. Um mosteiro como o de Weingarten, próximo do lago de Constance, necessitaria realmente dessas amplas dependências elegantemente curvas, tais como aparecem em um projeto de reforma datado de 1723? Esse projeto não

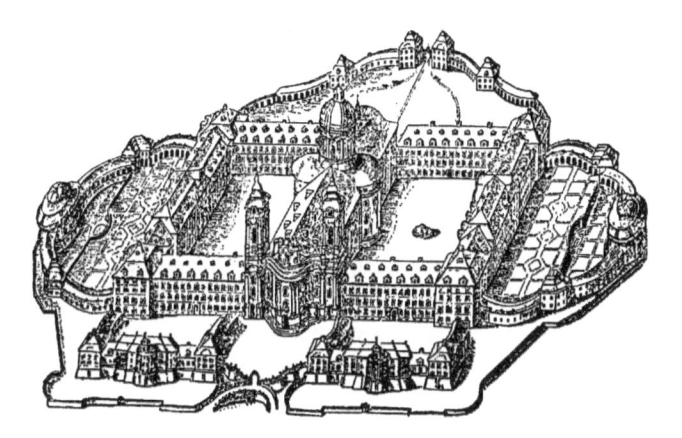

189. Plano para reconstrução do monastério de Weingarten, 1723

foi realizado, mas outros o foram, como os de Klosterneuburg, S. Florian e Melk, os três às margens do Danúbio. Melk foi iniciado em 1702 por Jakob Prandtauer (morto em 1726) e é, por várias razões, o mais marcante de todos, plantado sobre uma falésia rochosa que se eleva às margens do rio. A igreja, com sua fachada ondulante, suas duas torres de numerosos pináculos e seu coruchéu em forma de bulbo, está colocada um pouco mais para dentro. Dois pavilhões do mosteiro, abrigando o salão de mármore e a biblioteca, projetam-se, à direita e à esquerda, e vão convergindo em direção ao bastião frontal. Nesse ponto elas se ligam por meio de alas mais baixas e mais ou menos circulares. Entre eles, perfeitamente alinhado com a igreja, há, estranhamente, um arco palladiano que abre a vista do portal oeste sobre o rio. É um exemplo primoroso de cálculo visual, evolução tardia e sutil das idéias de Palladio, tão mais simples, de associar a *villa* e a paisagem, típica obra de um século que iria descobrir os jardins-paisagem (ver pp. 353 ss.).

Mas, voltando à nossa questão, enquanto a igreja com torres, no alto da colina – uma espécie de Durham barroca –, pode ser considerada um monumento do catolicismo militante, os palácios de monges e abades, com seus salões ricamente decorados e seus terraços, são amenidades puramente mundanas, exatamente ao mesmo nível e projetados e construídos exatamente da mesma maneira suntuosa que os palácios contemporâneos dos governantes seculares ou clericais dos inúmeros Estados do Santo Império Romano, dos castelos da aristocracia inglesa, de Caserta, palácio do rei de Nápoles, ou de Stupinigi, palácio do duque de Savoy e rei da Sardenha. Um dos mais levianos desses projetos é o de Zwinger, em Dresden, construído por Matthaeus Daniel Pöppelmann (1662-1736) para o eleitor Augustus, o Forte, atleta, glutão e devasso. Zwinger é uma combinação de *orangery** e tribuna para torneios e demonstrações. Não foi pensado para permanecer isolado, como nos dias de hoje, ligado apenas à galeria de pintura do século XIX; deveria ser uma parte de um palácio que atravessaria o rio Elba. Compõe-se de galerias de um único pavimento entremeadas por pavilhões de dois andares. O projeto das galerias é relativamente sóbrio, mas a decoração dos pavilhões é das mais exuberantes. O pavilhão de entrada, em particular, é uma fantasia que não resiste a qualquer análise de ordem funcional. O arco da entrada do térreo tem, em lugar de um frontão comum, duas partes de um frontão quebrado voltadas de costas uma para a outra. O frontão do primeiro andar também é quebrado, mas seus elementos estão voltados para dentro, e não para fora. Todo o primeiro andar é aberto para todos os lados, como se fosse um quiosque ou um mirante, encimado por uma cúpula bulbosa cuja base está repleta de figuras de anjos e em cujo topo se encontram os emblemas real e eleitoral.

Se aqueles que conseguem gostar de uma decoração no estilo gótico de Devon sentem repulsa pelo Zwinger, é porque ou não vêem realmente o objeto que têm diante de si, ou o vêem com a lente do puritanismo. Quanta exultação nessas curvas ondulantes e, também, quanta graciosidade! É alegre mas nunca vulgar; vigoroso e talvez impetuoso, mas nunca grosseiro. Há uma força criativa inesgotável, sempre com novas combinações e variações das formas do barroco italiano, reunidas e superpostas. O movimento para fora e para dentro é contínuo e o estilo de Borromini parece pesado quando comparado a esse movimento rápido através do espaço.

Como em todo estilo original, a mesma intenção formal parece, no Rococó alemão, modelar espaço e volume. A curva tridimensional é o *leitmotiv* do período. Aparece tanto em Vierzehnheiligen como em Zwinger e impregna o edifício desde o tema principal da

---

* Espécie de estufa para o cultivo de laranjas em climas frios.

190. Melk, abadia beneditina, por Jacob Prandtauer, iniciada em 1702

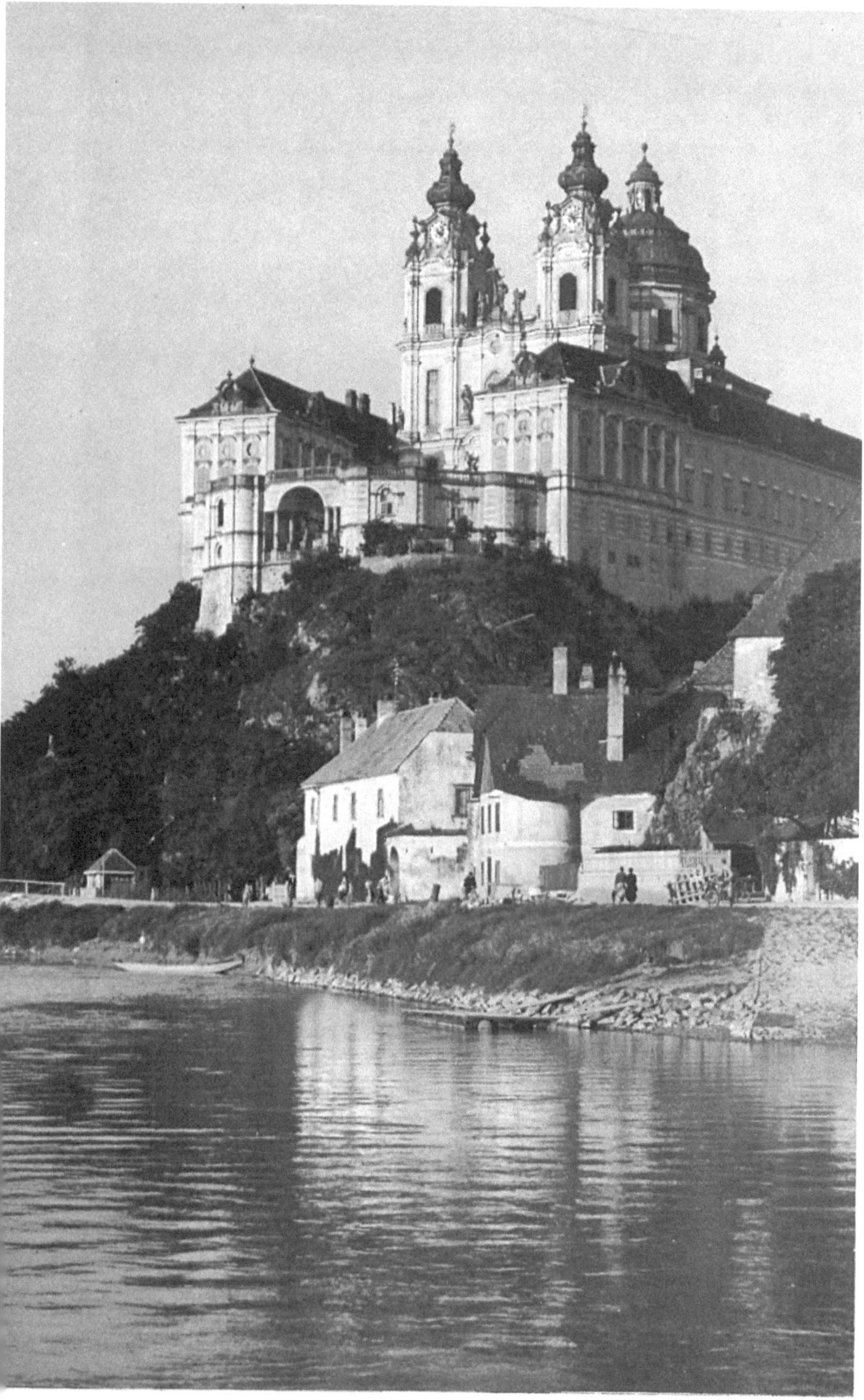

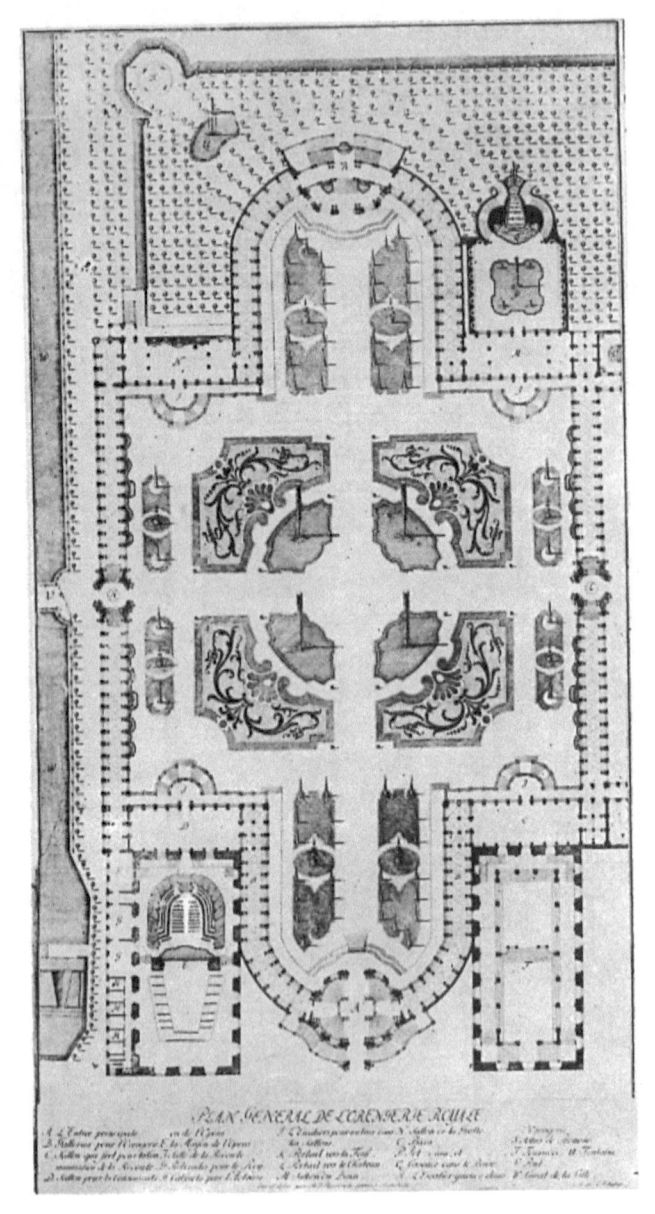

191. Desden, Zwinger, por Matthaeus Daniel Pöppelmann, 1711-22

192. Dresden, Zwinger, por Matthaeus Daniel Pöppelmann, 1711-22, pavilhão de entrada

composição até seus mínimos detalhes ornamentais. É, talvez, em uma das obras-primas da arquitetura secular de Neumann – a escadaria do palácio episcopal, em Bruchsal – que esse tema aparece de forma mais convincente. O palácio em si não é obra de Neumann. Sua construção já estava bastante adiantada quando, em 1730, Neumann foi chamado para realizar um novo projeto para a escadaria.

O palácio é formado por um bloco central retangular, ou *corps de logis*, de onde se projetam alas mais baixas. É o esquema palladino, que se difundira do Norte da Itália para a Inglaterra e também para a França; depois chegou à Alemanha em sua versão revista, na qual o espaço entre as alas é tratado como uma *cour d'honneur* formal. No palácio de Bruchsal, a escadaria se encontra no centro do *corps de logis*, uma sala oval, mais ampla do que as demais. Isto já é, por si só, muito significativo.

Durante a Idade Média, dava-se pouca atenção às escadarias. Ficavam quase sempre meio escondidas, constituindo um elemento puramente utilitário do edifício. Predominavam as escadas em caracol, ocupando o menor espaço possível. Na última fase do estilo gótico, com uma nova concepção do espaço, houve alguma tentativa de lhes conferir expressão espacial, enfatizando os encantos das constantes mudanças de eixo. O ponto alto são as escadas fran-

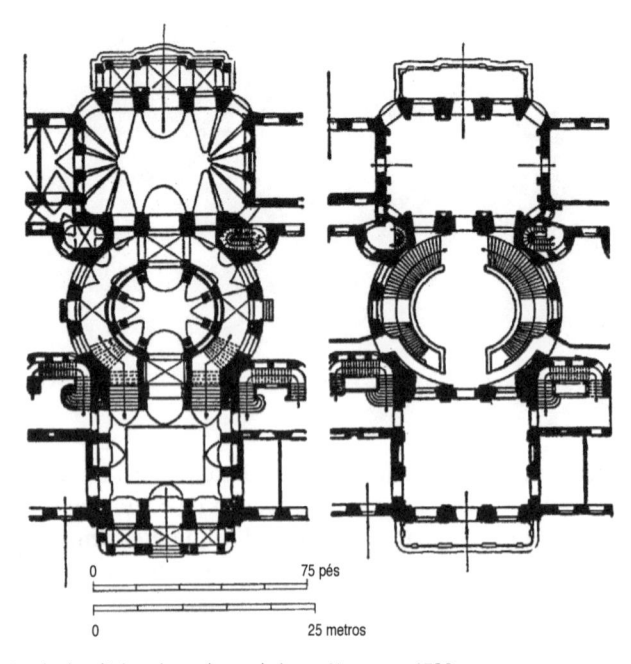

193. Bruchsal, palácio episcopal, escadaria por Neumann, 1730

194. Bruchsal, palácio episcopal, escadaria, por Johann Balthasar Neumann, projetada em 1730

cesas como as de Blois e Chambord[27]. A Renascença italiana, em seu todo, não foi favorável à evolução das escadarias. Tratava-se de um motivo dinâmico demais para merecer a aprovação dos arquitetos renascentistas. Alberti assim se refere às escadas: "*Scalae, quo erunt numero pauciores... quoque occupabunt minus areae... eo erunt commodiores*" "Quanto menos escadas houver em um edifício e quanto menos lugar ocuparem, melhor". A escada renascentista padrão compõe-se de dois lanços. O primeiro conduz a um patamar intermediário, entre paredes maciças; depois, fazendo uma volta de 180 graus, atinge-se o andar superior através do segundo lanço, também entre paredes maciças. Na verdade, são apenas corredores

---

27. A origem disso foi o famoso *Vis du Louvre*, do final do século XIV, em Paris.

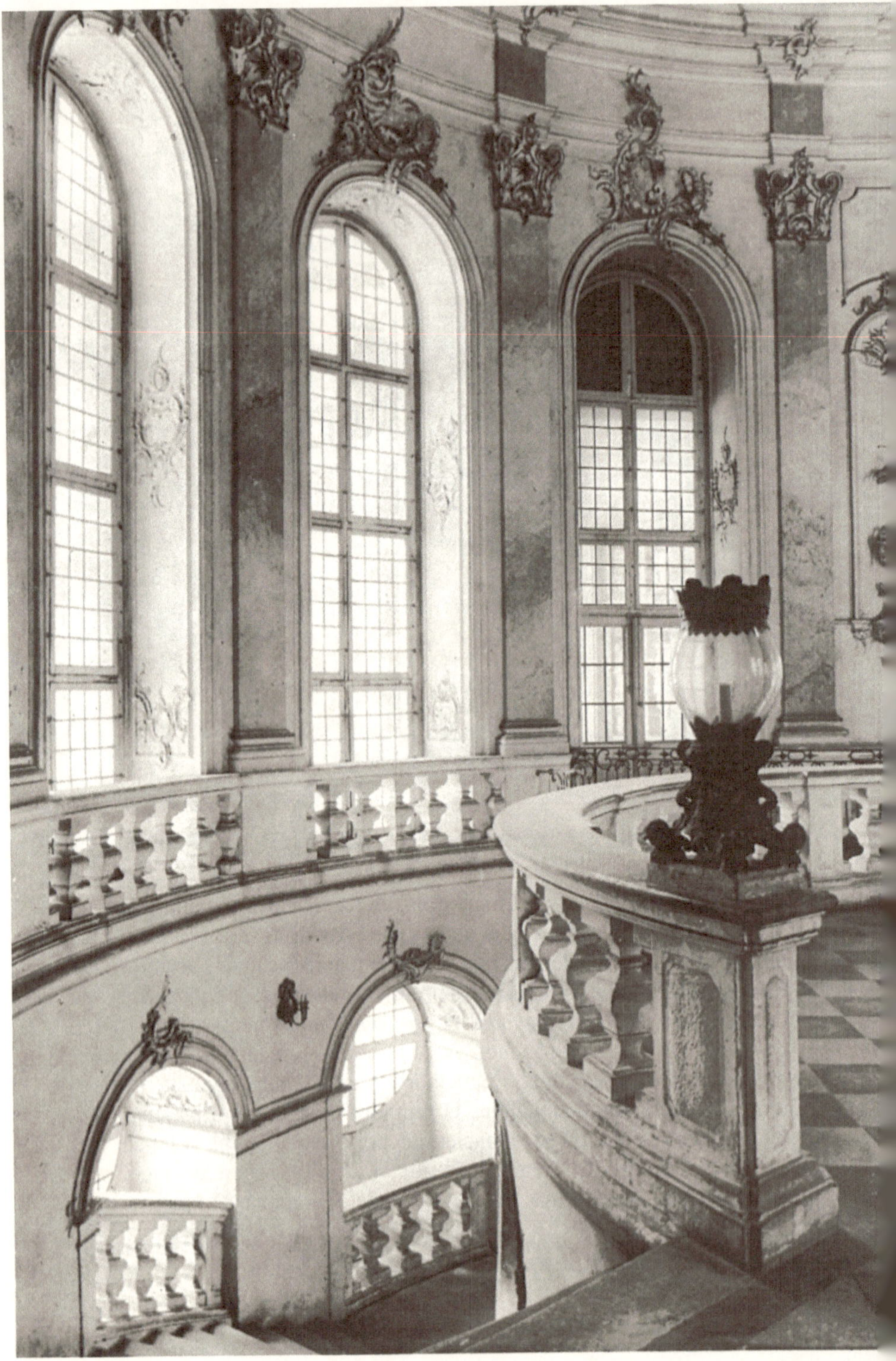

abobadados que sobem formando ângulo. Podemos encontrá-las no Hospital do Menor Abandonado, de Brunelleschi, em Florença, e no Palazzo Farnese, entre outros. Qualquer outro tratamento mais criativo é raro na Itália do século XV, e, daquilo que subsiste, não há mais nada que mereça ser mencionado. No entanto, Francesco di Giorgio (cujo tratado escrito por volta de 1470 já foi aqui citado a propósito da história do plano central), ao propor soluções para a construção de diferentes palácios, fornece dois exemplos de escadas de novos tipos – os quais se tornaram da maior importância para os séculos seguintes.

A adoção desses modelos na arquitetura ou, pelo menos, sua popularização, deveu-se a um país ainda mais inquieto do que a Itália: a Espanha. O primeiro e mais importante desses novos tipos é a escada de caixa quadrada, com três lanços de degraus em torno de um vão amplo e o patamar no quarto lado. Depois de Francesco di Giorgio, esse modelo foi aplicado em S. Juan de los Reyes, em Toledo (completada em 1504), na parte que coube a Enrique de Egas; no Hospital de Santa Cruz, também em Toledo e também de Egas (1504-1514), e no castelo de Lacalahorra, de Michele Carlone (1508-1512). Alguns anos mais tarde, Diego Siloée erigiu a magnífica *Escalera dorada*, no interior da catedral de Burgos, construída essencialmente em um plano em T, isto é, começando com um lanço reto e em seguida bifurcando, no patamar, à direita e à esquerda, num ângulo de 90 graus. É certo que esse plano derivou da escada exterior de Bramante no amplo pátio de Belvedere, no Vaticano, mas, também neste caso, Francesco di Giorgio precedeu Bramante (e sem dúvida o influenciou). Ele sugeriu o mesmo tipo de escadas para o Palazzo della Repubblica – exatamente na posição que, diga-se de passagem, se tornaria comum, depois, nos palácios genoveses.

Entrementes, a Espanha iria introduzir ainda um outro tipo, o mais grandioso de todos, tendo também como únicos precedentes, ao que parece, projetos italianos não executados. Para este tipo, conhecido como escada imperial, os esboços de Leonardo foram o modelo. Disposta dentro de uma vasta caixa retangular, a escada imperial começa com um braço reto e então, após o patamar, faz

195. Bruchsal, palácio episcopal, escadaria vista do alto do patamar do primeiro andar

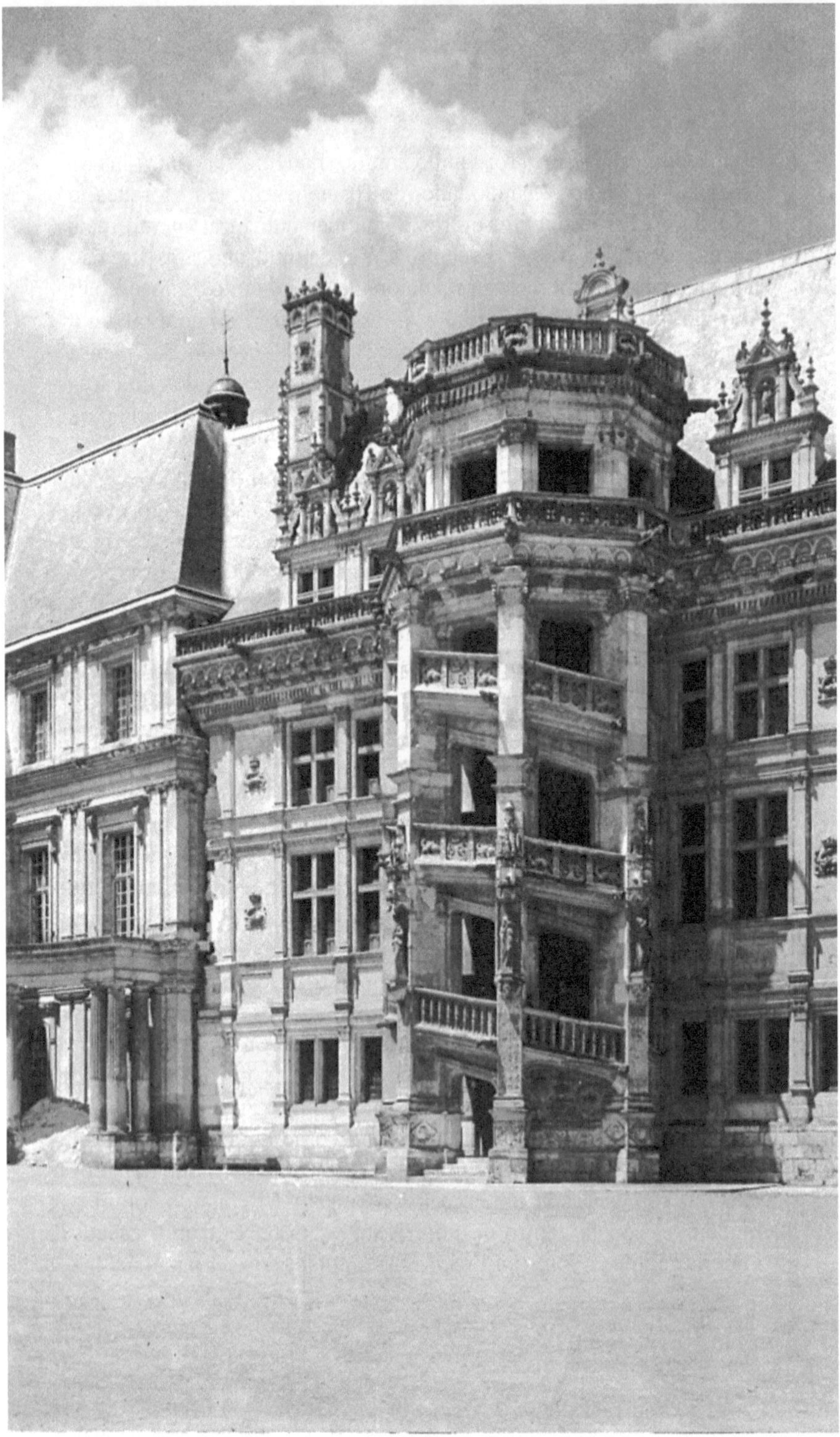

O BARROCO NOS PAÍSES CATÓLICOS **287**

um ângulo de 180 graus, alcançando o andar superior em dois braços, à esquerda e à direita, que são paralelos ao primeiro lanço da escada (ou, então, pode começar com dois braços e terminar em um único). A meu ver, esse tipo aparece pela primeira vez no Escorial, obra de Juan Bautista de Toledo e Juan de Herrera (1563-1584). É interessante constatar que essas escadas, onde os que sobem ou descem por ela sentem mais vivamente o espaço, foram desenvolvidas fora da Itália. Quando examinamos as melhores escadas do século XVI na Itália, notamos que a maravilhosa escada de Bramante, no Vaticano, é do tipo caracol tradicional, embora com um amplo vão, dimensões amplas e inclinação suave. Serlio e Palladio copiaram Bramante, embora tivessem conhecimento e empregassem a escada de tipo quadrado com três lanços. De qualquer modo, o projeto de escadas não era uma de suas principais preocupações. Suas únicas inovações foram a escada em caracol alongada de forma oval (Maderna utiliza esse estilo no palácio Barberini) e os lanços de escada salientes ao longo da parede, sem suporte no lado contrário. O Barroco do século XVII, especialmente na França, apenas irá enriquecer os modelos em uso (ver pp. 344-5). A escadaria do Escorial tornar-se-á, em todas as suas variantes, um símbolo de magnificência principesca. A escadaria de Neumann em Würzburg, com as pinturas de Tiepolo, é desse tipo.

A escada de Bruchsal, no entanto, é única. Não se pode descrever a encantadora sensação de quem teve a feliz oportunidade de subir por uma de suas alas, antes que fosse danificada pela guerra.

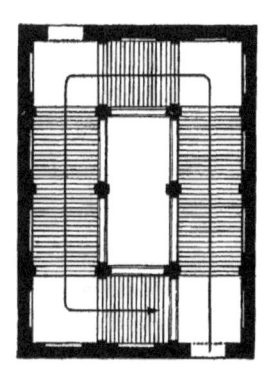

197. Escada de caixa quadrada 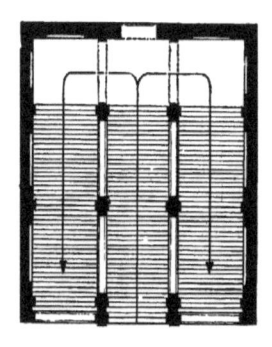                198. Escada imperial

◀▥ 196. Escada em espiral do castelo de Blois, François I, c. 1515-1525

199. Toledo, Hospital da Santa Cruz, por Enrique de Egas, 1504-14, escada

Os braços começavam no vestíbulo retangular. Após aproximadamente dez degraus, chegava-se na oval. O térreo é uma sala sombria, com a pintura imitando rochas à maneira rústica das imitações italianas de grutas. A própria escada se desdobra entre duas paredes curvas: a parede exterior é maciça e a interior abre-se em arcadas através das quais se podia olhar para a semi-escuridão da gruta oval. A altura das aberturas em arco diminuía naturalmente, à medida que a escada ascendia. E, à medida que se subia, ia ficando mais claro, até se alcançar o andar principal e uma plataforma do tamanho da sala oval do térreo. Uma abóbada cobria a oval maior formada pelas paredes externas da escadaria. Assim, a plataforma com sua balaustrada, que a separava dos dois braços da escadaria, parecia suspensa no ar, ligada aos dois salões principais apenas por pontes. A abóbada era iluminada por muitas janelas e decorada com os mais alegres afrescos e as esplêndidas pirotecnias de estuque. O arrebatamento espacial provocado pela escada se transformava, nesse conjunto decorativo, em arrebatamento ornamental. Seu ponto culminante era representado pela magnífica cártula sobre a porta que conduzia ao grande salão. Ela não era obra de Neumann, mas de um estucador bávaro, Johann Michael Feichtmayr, contratado em 1752. Quase todos os estucadores bávaros vieram da mesma aldeia de Wessobrunn, onde os jovens, por tradição, especializavam-se em trabalhos de estuque, assim como os decoradores das igrejas românicas freqüentemente vinham de algumas aldeias próximas à região dos lagos no Norte da Itália e os fabricantes e vendedores de estatuetas em gesso calcinado do século XIX vinham de Savóia. Feichtmayr viajava de um emprego para outro e, quando trabalhava para um mosteiro, pagavam-lhe com dinheiro, casa e comida, exatamente como aos artesãos de setecentos anos antes. Neumann seguramente deve tê-lo conhecido em algum desses empregos, reconhecendo nele a imensa riqueza de inventividade ornamental. Ele trabalhou em Veirzehnheiligen e em Bruchsal. Em sua decoração da cártula, nenhuma parte é simétrica. A composição principal é um ziguezague, começando no gracioso anjinho, à direita, até o cupido ou querubim mais ao alto, à esquerda, subindo novamente até o querubim do topo. As formas em detalhe parecem estar em constante mudança, precipitando-se e retraindo-se. O que são? Representam alguma coisa? Às vezes parecem conchas, outras vezes espumas, às vezes parecem cartilagem ou mesmo chamas. Esse tipo de ornamentação é chamado *rocaille*, na França, onde foi inventado nos anos 1720 por Meissonier, Oppenord e alguns outros de origem provincial ou semi-italianos. Esse estilo deu nome ao estilo Rococó, e com toda a propriedade, porque é uma criação absolutamente original, não derivando de nada do passado, mas, ao contrário, da decoração renascentista. É arte abstrata com um valor de expressão tão grande quanto a que nos é oferecida hoje, muito mais pretensiosamente.

Bruschsal, com sua perfeita unidade de espaço e decoração, marca o ponto alto do estilo Barroco, e também o seu final. Apenas

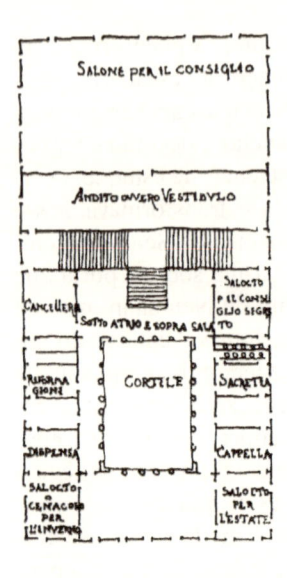

200. Esboço de uma escada para o Palazzo della Repubblica, por Francesco di Giorgio

alguns anos depois de ele ter sido terminado, Neumann morreu e Winckelmann publicou o seu primeiro livro, enunciando o *revival*, o ressurgimento clássico na Alemanha. Não há nenhum vínculo entre o universo de Newmann e o de Goethe. O homem do novo mundo não mais pensava em termos de igrejas e palácios. Nenhuma igreja que tenha sido projetada em qualquer parte, depois de 1760, está entre os exemplos mais significativos da história da arquitetura. Napoleão não construiu nenhum palácio.

É certo que a nobreza inglesa o fez, até mesmo já na época vitoriana. Mas não tinham nada da atitude irrefletida do Barroco. A passagem de um estilo destinado a todos, e compreendido por todos, para um estilo apenas para os ilustrados não ocorreu antes de 1760, na Alemanha e Itália, pois na França e Inglaterra isso se deu antes. Mas nem a França nem a Inglaterra (e tampouco o Norte da Alemanha, Holanda, Dinamarca e Escandinávia) jamais aceitaram o barroco com todas as suas implicações. Seu mundo – e, em certo sentido, *o* mundo moderno – pertence ao protestantismo. Nos países católicos, as tradições medievais sobreviveram e floresceram até o século XVIII. No Norte, a Reforma rompeu com essa feliz unidade, embora tenha aberto caminho para o sentimento e o pensamento independentes. Os países protestantes – e aqui devemos incluir a França

201. Bruchsal, palácio episcopal, patamar do primeiro andar. O trabalho de estuque por Johann Michael Feichtmayr, 1752

dos galicanos, jansenistas e enciclopedistas – produziram o puritanismo, o Iluminismo, a tendência moderna da ciência experimental e, finalmente, a Revolução Industrial no domínio do material e a sinfonia no domínio do espiritual. A sinfonia seria, para o século XIX, o que a catedral foi para a Idade Média.

# 7. A INGLATERRA E A FRANÇA DO SÉCULO XVI AO SÉCULO XVIII

Na época de Bruchsal e do *Transparente*, vastas mansões no estilo palladiano ou neoclássico apareceram por toda a Inglaterra, como por exemplo Prior Park (próxima de Bath), Holkham Hall, Stowe e Kenwood. Entrementes, na França, a grandeza clássica de Versalhes cedia lugar à delicadeza neoclássica da Place de la Concorde e do Petit Trianon. Evidentemente, o desenvolvimento da arquitetura depois do fim do estilo gótico foi muito diferente na Europa Ocidental e na Europa Central.

No entanto, no começo do século XVI, a situação era praticamente a mesma na Inglaterra, França, Holanda, Espanha e Alemanha. Em todos esses países, os artistas deram as costas simultaneamente ao passado gótico, atraídos pelo mesmo novo estilo: o da Renascença italiana. Em todas as partes, durante o século XV, os estudiosos sentiram-se fascinados pelo humanismo, pela literatura romana e pela clareza e flexibilidade do estilo clássico latino. A invenção da imprensa ajudou a difundir os novos ideais, e surgiram muitos patronos entre príncipes, nobres e comerciantes. Alguns deles que, por qualquer razão, encontravam-se na Itália, converteram-se à arte italiana tão logo descobriram seu caráter humanista. Hoje, torna-se quase impossível avaliar a intensidade desse fascínio. Esquecemos freqüentemente que, nessa época, as comunicações eram raras e lentas. O estilo perpendicular para os ingleses, o flamejante para os franceses, e as versões nacionais do Gótico tardio para os espanhóis e alemães eram a única arquitetura conhecida. O primeiro artista francês a ir à Itália e ser influenciado pelo estilo renascentista foi Jean Fouquet, que viajou por volta de 1450 e em cujas pinturas e iluminuras podemos perceber alguns motivos renascentistas curiosamente mesclados ao usual flamejante. Um pouco mais tarde, em 1461-1466, Francesco Laurana, escultor, sem dúvida parente do Luciano Laurana que encontramos em Urbino, trabalhou para o rei René d'Anjou, em Aix, e, entre 1475 e 1481, construiu uma pequena capela inteiramente italiana no interior da igreja da Major, em Marselha. Mas Aix e Marselha ficam perto da Itália, e a grande mudança ocorreu apenas quando Carlos VIII entrou em guerra contra a Itália, em 1494, e, de batalha em batalha, avançou para o Sul, penetrando até Nápoles. O rei trouxe consigo Guido Mazzoni, vulgo Paganino, que iria construir seu monumento funerário em St. Denis, em 1498. Esse monumento foi destruído mas, um ou dois anos depois, já apareciam outros monumentos funerários renascentistas na França: o dos duques de Orléans, em St. Denis (1502), também obra de um italiano, e o de François II, duque da Bretanha, na catedral de Nantes, que data de 1499 e que se deve basicamente ao francês Michel Colombe. Também ligado ao seu nome é o monumento aos filhos de Carlos VIII, na catedral de Tours, da mesma época. Um pouco mais tarde, provavelmente em 1504 ou 1505, Antonio e Giovanni Giusti chegaram a Tours, onde se estabeleceram mudando o nome para Juste. É desnecessário dizer que eles trouxeram o estilo do Quattrocento como seu único meio de expressão. A transição da escultura decorativa para a decoração escultural da arquitetura ocorreu no castelo de Gaillon, na Normandia. Aqui, em 1508-1510, foi aplicado ao tradicional *corps de logis* francês um sistema de pilastras superpostas, que se tornaria regra por um bom tempo.

Exatamente nesse período, Dürer foi de Nuremberg para a Itália, absorvendo o estilo da Renascença veneziana. Entrementes, também na Espanha houve um movimento na mesma direção. Algumas famílias nobres, principalmente os Mendoza, aderiram ao novo estilo e, desde o ano de 1480, começaram a surgir portais e pátios renascentistas (Cogolludo, Valladolid, etc.). Entre 1500 e 1510, essas construções se tornaram ainda mais freqüentes (como, por exemplo, o Hospital da Santa Cruz, em Toledo. Ver p. 285). Quanto à Alemanha, Dürer retorna a Veneza em 1506, e agora para acrescentar ornamentos italianos às suas pinturas e gravuras. Em Augsburg, em

202. Abadia de Westminster, tumba de Henrique VII, por Torrigiani, 1512-18

1509, uma ampla capela foi inteiramente construída, às expensas dos Fuggers, no estilo renascentista veneziano, embora mantendo uma abóbada gótica. Isto é uma exceção. Em toda a Alemanha e também na Holanda, durante esse período, a decoração merece maior destaque do que a arquitetura. Isso pode ser constatado em Quentin Matsys e nos motivos italianos em sua pintura de cerca de 1500, e vale também para a Inglaterra. Em 1509, Henrique VII encomenda a Mazzoni, que se encontrava em Paris, o projeto de sua tumba. O negócio não se realizou mas, em 1512, Henrique VII encontra um outro italiano, Pietro Torrigiani, condiscípulo de Miguel Ângelo em Florença, para projetar a tumba de seu pai. Esta se encontra na capela de Henrique VII, na abadia de Westminster, contrastando com as maravilhas da ingenuidade gótica que a rodeiam. Não é possível imaginar maior contraste do que o existente entre esses painéis perpendiculares e esses medalhões cercados de coroas, esses pilares perpendiculares e essas pilastras refinadamente decoradas, essas molduras perpendiculares e a moldura clássica dessa base e de sua cornija, ou as folhagens perpendiculares e a beleza alegre desses frisos ornamentados com rosas e acantos.

Embora a conversão ao estilo da Renascença italiana e seus motivos tenha sido apresentada em termos de França, Espanha, Holanda e Inglaterra, também merece menção o fato de que os países da Europa Oriental aderiram a ela muito mais rapidamente do que a maioria dos países do Oeste. Isto se aplica à Hungria, Rússia, Boêmia, Polônia e Áustria. Na Hungria, em Buda, antes da metade do século XV já se construía *ad italicorum aedifitiorum symmetriam*. O rei Matthias Corvinus, casado com uma princesa napolitana, trouxe da Itália pedreiros e escultores, e algumas de suas obras foram descobertas em recentes escavações nos castelos de Buda e Visegrád[28]. Um desses italianos, Aristotile Fioravanti, de Bolonha e Milão, deslocou-se da Hungria para Moscou onde, a partir de 1475, construiu a catedral da Dormida. Um pouco mais tarde, a partir de 1504, um outro italiano construiria a catedral de S. Michel, acentuando ainda mais a influência do estilo. Essas duas catedrais, no entanto, conservam o tradicional plano russo-bizantino.

A primeira construção eclesiástica puramente italiana – tanto na planta-baixa quanto na elevação e em toda a decoração – é a capela de Bákocz, na catedral de Esztergom (1506-1507), construída dezesseis anos após a morte de Matthias Corvinus. Seu sucessor foi Vladislav II, rei da Boêmia. Sob Vladislav, a corte de Praga também começou a aderir ao novo tipo de decoração. O salão Vladislav, no Hradshin, em Praga, iniciado em 1493 por Benedict Ried, um pedreiro alemão, tinha uma brilhante abóbada do gótico tardio com nervuras curvas entrelaçadas. Mas as janelas eram do mais puro estilo renascentista, trabalho provável de artistas importantes da Hungria. Além do mais, aí encontramos os mais extravagantes motivos bastardos – como clássicas pilastras caneladas mas em formas retorcidas, ou pilares colocados diagonalmente –, sinais de uma confusão que encontra paralelo, por exemplo, em Vavel, o castelo de Cracóvia (onde Sigismund, irmão de Vladislav, residiu). Aqui, as portas (1502) possuem magníficas vergas góticas, mas as molduras externas são renascentistas. As reformas prosseguiram em Vavel, em maior escala e em estilo renascentista mais puro, a partir de 1507, e a capela funerária de Sigismund na catedral de Cracóvia, construída por um arquiteto florentino entre 1517 e 1533, é, sem dúvida, de estilo inteiramente italiano. Essas datas e exemplos tornam evidente o fato de que o Oriente esteve de fato à frente do Oci-

---

28. Sabe-se que também ele possuía um exemplar do tratado de Filarete.

dente na aceitação da Renascença. Isso surpreende apenas à primeira vista. As tradições nacionais dos países orientais eram mais frágeis e tão diferentes das do Ocidente que, uma vez que se decidiram por uma política de abertura para os países do Oeste, os soberanos se dispuseram prontamente a acatar o mais recente, o mais novo e o mais inovador.

Esta explanação é confirmada pela situação da Áustria, um país um pouco mais próximo da tradição alemã e, assim, mais lento para adotar a Renascença (capela de Portal Salvator, Vicuna, *c.* 1520-1525)[29].

Há pouco utilizamos os termos recente e inovador. É fundamental, no entanto, ter sempre presente que nem nos países do Leste e nem nos do Oeste o estilo renascentista adotado com tanto entusiasmo entre 1500 e 1520 foi o mesmo dos trabalhos mais importantes realizados nesse mesmo período na Itália. Já mostramos como era a arquitetura em Roma, em 1520. Bramante, Rafael e seus discípulos haviam abandonado a maior parte desses ornamentos graciosos para aderir a um ideal clássico mais austero. Seria necessário esperar quase vinte anos, na França, e quase cem, na Inglaterra, para que se verificasse uma evolução semelhante. O início da Renascença estava em pleno florescimento deste lado dos Alpes; enquanto isso, do outro lado, o apogeu da Alta Renascença já havia sido ultrapassado na arte e na arquitetura. A capela Medici e a Laurenziana, de Miguel Ângelo, são, com suas dissonâncias maneiristas, anteriores à mais extraordinária peça de decoração italiana existente na Inglaterra: a tribuna do King's College, em Cambridge (1532-1536). Novamente o contraste entre esse complemento vindo de fora e a capela, apenas um pouco mais antiga, é marcante. E, como uma se expressava em um idioma familiar, enquanto a outra parecia falar uma língua estrangeira, é compreensível que os patronos ingleses vacilassem entre a admiração e o desconcerto. Poucos estavam preparados para dar esse passo (o que ocorreria mais facilmente na França, onde o contraste racial era menor do que na Inglaterra), e aqueles que conseguiram, tiveram que recorrer aos artesãos italianos porque não havia pedreiros, nem na Inglaterra nem na

---

29. Monumentos funerários, assim como elementos de outras igrejas, começaram bem antes, por volta de 1500.

203. Cambridge, capela do King's College, tribuna, 1532-6

França, que tivessem condições de absorver prontamente um estilo técnica e espiritualmente tão inovador.

Um número cada vez maior de italianos se deslocou para a França, sendo bem acolhidos por François I, mas apenas alguns poucos viajaram para a Grã-Bretanha. Leonardo da Vinci chegou em 1516, indo viver perto de Amboise, onde morreu em 1519. Andrea del Sarto passou um ano na França (1518-1519), e então, após os artistas da Alta Renascença, foi a vez dos maneiristas aí chegarem: Rosso Fiorentino, pintor e brilhante decorador, em 1530; Primaticcio, pintor, arquiteto e decorador, em 1532. Fixaram residência e contribuíram para estabelecer um novo tipo de arquiteto-projetista, que não era mais o executor. A execução era entregue à responsabilidade dos mestres-de-obras locais. Até mesmo Geoffrey Tory, um francês que havia traduzido Alberti, refere-se aos italianos como sendo apenas "*souverains en perspective, peinture et imagerie*". Assim, de repente, desenvolveu-se um profundo antagonismo entre os italianos e os tradicionais artesãos franceses, para quem esses intrusos italianos eram charlatães e "paus-para-toda-obra".

No entanto, esse antagonismo não apareceu freqüentemente nas construções. Mais uma vez, portanto, talvez em razão da afinidade racial – os mestres-de-obras franceses não tardam em adotar o vocabulário italiano, utilizando-o para produzir um estilo essencialmente original, nem gótico nem renascentista. Três fases devem ser diferenciadas: a primeira, da escola do Loire; a segunda, referente aos últimos anos do reinado de François I; e a terceira correspondendo ao período de Henrique II e à substituição final dos arquitetos italianos pelos franceses. A ala de François I no castelo de Blois foi construída entre 1515 e 1525. Todos os motivos empregados em sua decoração pertencem ao primeiro período da Renascença do Norte da Itália. O motivo mais consistentemente usado – e também a marca registrada da escola do Loire, embora, como já vimos, tenha sido aplicado primeiramente em Gaillon – é a articulação de toda a fachada por meio de estreitas pilastras superpostas, motivo do palácio Rucellai, de Cancelleria e de muitas outras construções de execução um pouco posterior no Norte da Itália. A escada principal, no entanto, é de tipo medieval em caracol e nenhuma decoração renascentista graciosa pode torná-la realmente renascentista.

Em Chambord, com justiça o mais famoso dos castelos do Loire, a escada em caracol encontra-se no interior, no centro de um plano interessante, de espírito realmente renascentista. O exterior, porém, com suas torres rigorosamente redondas e as torres do *corps de logis* também rigorosamente cilíndricas, parece inteiramente medieval. À medida que nos aproximamos, vemos as pilastras típicas da escola de Loire e a decoração alegre das trapeiras do teto com colunetas, pilastras tipicamente venezianas e nichos com absides em concha. Mas é o interior que dá sentido a Chambord. O plano é completamente simétrico em todas as direções. A escada encontra-se no meio, uma escada dupla de dois braços helicoidais, um correndo acima do outro, de tal modo que nunca se encontram. Da escada partem corredores em cruz, que são túneis abobadados no estilo Cinquecento e não mais no estilo Quattrocento, e em cada pavimento, em cada um dos cantos, há um apartamento independente. Não sabemos quem projetou Chambord. Sua construção foi iniciada em 1519, ano da morte de Leonardo da Vinci, e ele certamente andou lidando com o tema intrigante da escada em dupla espiral. Talvez ele a tenha assessorado mas, até onde sabemos, foi executada por franceses.

Também foram franceses que, ao que parece, projetaram os dois principais castelos do último período de François I, ambos inicia-

204. Chambord, escada em espiral dupla, logo após 1519

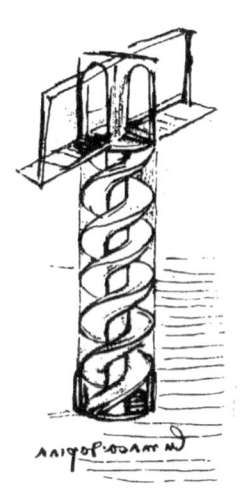

205. Esboço para uma escada, por Leonardo da Vinci

dos em 1528. Madri, no Bois de Boulogne, é um grande retângulo ou, melhor, dois quadrados com pequenas torres nos ângulos, unidas por uma sala com arcadas abertas para ambos os lados. O edifício se caracterizava, na verdade, pelas arcadas externas, motivo mais

206. Fontainebleau, Galeria de François I, decorada por Rosso, c. 1531-40

207. Hampton Court, grande salão, detalhe do teto

das *villas* italianas do que dos palácios. Fontainebleau é a construção mais ambiciosa de François I, ampla desde o começo e com muitos motivos novos, que iriam ter muita influência: a Porte Dorée, com seus três grandes nichos centrais em arcos superpostos ladeada por janelas com frontões; a ampla escada externa que leva à Cour du Cheval Blanc, com seus dois braços curvos; a escada mais antiga do pátio oval, também externa e com dois braços, que leva a um frontispício com colunas destacadas em vez de pilastras, motivo que introduz o estilo de meados do século. A decoração interior, confiada aos italianos Rosso e Primaticcio, era ainda mais atual, internacionalmente falando. Os quartos pintados e estucados por eles tornaram-se, como já dissemos, a escola transalpina do maneirismo.

208. Paris, Louvre, fachada frente ao pátio, por Pierre Lescot, iniciado em 1546

A situação na Inglaterra era tipicamente diferente. Em 1515 já havia sido iniciada a construção do Hampton Court, para o cardeal Wolsey. Em 1529, Wolsey achou que seria conveniente dar o palácio de presente ao seu rei. Henrique acrescentou a ele, dentre outras partes, o grande salão. O palácio pertence, em seu conjunto, com seu pátio interior e suas torres de entrada, assim como também seu salão com teto tipo *hammerbeam*, inteiramente ao estilo gótico. Da Renascença italiana há apenas uns poucos detalhes ornamentais: os medalhões com as cabeças dos imperadores romanos nas torres de entrada e os *putti* (anjinhos) e folhagens nos tímpanos do teto do salão. A exceção é correta, mas não há nenhuma tentativa de transpor o abismo entre a construção inglesa e a decoração italiana.

Enquanto a primeira fase no processo de assimilação foi idêntica na França e na Inglaterra, os caminhos começam a se separar já a partir do segundo momento. A distância aumenta no terceiro. Por volta de 1530, dois ou três dos mais talentosos arquitetos franceses da mais nova geração – como Philibert Delorme (1515-1570), Jean Bullant (1515-1580) e talvez Pierre Lescot (1510-1578) – foram a Roma, onde dedicaram seu tempo ao estudo da Antiguidade e da

209. Anet, por Philibert Delorme, c. 1547-c. 1552, frontispício (atualmente École des Beaux-Arts, Paris)

Renascença. Além disso, Sebastiano Serlio, arquiteto discípulo de Peruzzi, chegou à França em 1540 e foi designado *architecteur du roi*. Já dissemos, e é importante recordar, que ele iniciou, em 1537, o primeiro de todos os tratados sobre arquitetura. Continuou a publicar novas partes na França e projetou uns poucos edifícios, entre eles o castelo de Ancy-le-Franc (*c.* 1546), cuja fachada ainda apresenta pilastras da escola do Loire, embora Serlio tenha querido empregar colunas no estilo de Bramante. No interior do pátio, no entanto, ele conseguiu introduzir na França o ritmo *a-b-a* de Bramante, sob a forma daquilo que se poderia chamar de motivo arco do triunfo, ou seja, o vão central sendo flanqueado por pares de pilastras com um nicho entre cada um dos pares. Bramante utilizou esse motivo no pátio do Belvedere, no Vaticano; Serlio usou-o aqui, e, ao mesmo tempo, dois dos três franceses mencionados também o empregaram. A fachada de Lescot para a parte do Louvre que construiu – fachada que dá para o pátio interno – apresenta o motivo arco do triunfo como seu principal destaque. Outros motivos, no entanto, tais como os medalhões planos ovais com guirlandas pendentes, coroadas com audaciosos frontões segmentados, e o emprego generalizado da escultura decorativa, já são franceses, sem nada perder de seu classicismo do Cinquecento. O conjunto que daí resulta seria totalmente impossível em Roma, onde, naquele momento, Miguel Ângelo colocava sua vigorosa cornija no palácio Farnese. Também não seria possível no Norte da Itália, onde Palladio construía as primeiras de suas *villas* e palácios serenos, e nem mesmo na Espanha ou Inglaterra.

O motivo arco do triunfo aparece também como o elemento principal da fachada de Anet, obra de Delorme no castelo de Diane de Poitiers, iniciada em 1547 e terminada aproximadamente em 1552. Essa fachada – que agora está exposta, de maneira deplorável, no pátio da Escola de Belas-Artes – possui uma completa orquestração de colunas emparelhadas em três ordens, sendo que os pares superiores e o fundo contra o qual eles estão colocados estão inteiramente cobertos de decorações esculpidas à maneira francesa. Esta obra produzia um grande efeito. A capela de Anet, por sua vez, a primeira construção religiosa francesa em estilo renascentista, com seus arcos oblíquos entre o centro circular e os braços curtos da cruz, com os painéis diagonais ou entrelaçados da cúpula, era por demais particular para poder inspirar outras[30]. Mas o plano de Anet, com três salas e uma quarta mais baixa, de entrada, plano este que já havia sido utilizado em Bury cerca de vinte e cinco anos antes, torna-se um modelo na França durante muitas gerações e foi imitado ocasionalmente na Inglaterra elisabetana e jacobina.

É semelhante o uso que Bullant faz, em Écouen (1555), do motivo de Bramante, embora ele tenha também introduzido, em outro frontispício do mesmo castelo, um motivo tripartido com gigantescas colunas coríntias e um entablamento ricamente esculpido. É necessário recordar que o emprego de ordens colossais era bem pouco usual nessa época. Miguel Ângelo introduziu pilastras gigantes no Capitólio um pouco antes; Palladio, em seu Palazzo Valmarana, em Vicenza, irá utilizá-las somente dez anos mais tarde. Foi, de fato, um motivo francês durante muito tempo[31].

Na Espanha, o movimento se desenvolveu em sentido oposto. Após haver acolhido favoravelmente o classicismo italiano mais severo do século XVI (ver p. 215), a Espanha retornou quase que imediatamente às fantasias decorativas do passado. A austeridade do Escorial, amplo castelo-mosteiro de Felipe II, com seus dezessete pátios e seus duzentos metros de frente despidos de qualquer decoração, representa uma exceção. Chega a ser opressivo; comovente, sem dúvida, mas assustador. Por outro lado, o que se oferece ao visitante, em todos os detalhes, é o plateresco, uma mistura desordenada de elementos dos estilos gótico, muçulmano e do início da Renascença, espalhados mais arbitrariamente do que nunca pela fachada e paredes interiores. É evidente que o sentido da Renascença não foi bem compreendido na Espanha.

Quase a mesma coisa ocorreu na Holanda e na Alemanha. Num centro internacional como Antuérpia foi possível a construção de um prédio para a prefeitura (1561-1565, por Cornelis Floris) alto, austero, quadrado, de proporções ponderadas, com três intercolúnios centrais, numa distribuição altiva à maneira italiana. O motivo

---

30. No classicismo italiano, logo seria ultrapassado pela capela Valois, acrescentada à abadia de St. Denis por volta de 1560 e provavelmente projetada por Primaticcio. Isto era puro Cinquecento: uma estrutura em domo circular – o primeiro domo na França – com seis capelas radiais em trifólio e colunas internas em duas ordens, com base nos motivos de Bramante. Pertence à evolução das igrejas de plano central na Itália, mais do que à França.
31. Chegou a invadir o projeto dos *hôtels* de Paris – com o Hôtel Lamoignon de 1584, por um dos Ducerceau.

210. Écouen, por Jean Bullant, c. 1555, frontispício

das colunas emparelhadas, enquadrando nichos, o jônico corretamente colocado sobre o toscano e o coríntio sobre o jônico, provavelmente foi visto pelo arquiteto na França e não na Itália, ou, ainda, pode ter sido inspirado por Serlio. Em todo caso, a prefeitura de Antuérpia é muito antiga, para que seja provável ou mesmo possível que tenha sido influenciada por algum outro dos tratados sobre as ordens ou tratados gerais sobre arquitetura, que logo se tornaram indispensáveis: *As cinco ordens* (1550) de Hans Blum; *Livro de ar-*

*quitetura* (1559), de Ducerceau; *Normas das cinco ordens* (1562), de Vignola; *Regra geral das cinco maneiras* (1564), de Bullant; *Arquitetura* (1570), de Palladio. Já observamos anteriormente que essa súbita proliferação de tratados teóricos é bem característica do maneirismo. É preciso enfatizar, no entanto, o quanto a França participou desse entusiasmo pelas publicações. A Alemanha, por sua vez, por intermédio da modesta figura de Blum, também faz ouvir sua voz, e a Inglaterra participa de uma maneira local, de certo modo, com o *Bases principais da arquitetura*, de John Shute, publicado em 1563,

211. Universidade de Salamanca, portal, c. 1525-30

212. Prefeitura de Antuérpia, por Cornelis Floris, 1561-5

e com os projetos de John Thorpe, conservados pelo Soane Museum, em Londres, que, embora nunca publicados, certamente foram realizados com essa intenção. Thorpe trabalhou nesses projetos até o final do século XVI e mesmo nos primeiros anos do século XVII, tendo se inspirado nos livros italianos e franceses, assim como nos livros holandeses de amostras de ornamentação fantástica, em particular os de Vredeman de Vries, publicados em 1565 e 1568.

213. Leiden, Prefeitura de Rhineland, 1596-8, trapeira com decoração tipicamente flamenga e holandesa

214. Burgley House, Northamptonshire, pavilhão central no pátio interno, 1585

Esses livros de amostras reuniam as contribuições mais importantes de Flandres e Holanda ao maneirismo, uma nova linguagem decorativa conhecida como entrançado. Floris empregou-o na prefeitura de maneira discreta: aparece timidamente na empena central, com seus obeliscos, volutas e pilastras de cariátides, ostentoso acabamento desse monumento e motivo inteiramente herdado da tradição medieval do Norte. Entretanto, nos edifícios públicos menores, nas sedes de corporações, mercados e casas particulares holandesas, essas empenas, *leitmotiv* do século XVI e começo do XVII, são sobrecarregadas de entrançados. Os arquitetos-decoradores provincianos não estavam preparados para abandonar em nada a exuberância à qual o flamejante do século XV os havia acostumado e, em vez de produzir uma *olla podrida* de Gótico e Renascença como fizeram os espanhóis com seu plateresco, foram suficientemente empreendedores e imaginativos para criar um estilo próprio. É preciso chamar invenção a essas formas, embora possam ser identificadas com detalhes maneiristas, tais como os detalhes que emolduram as janelas superiores do Palazzo Massimi ou com o trabalho de Rosso Fiorentino em Fontainebleau. Consistem principalmente em densos conjuntos de curvas grossas, lembrando gregas ou entrançados de couro, às vezes planas mas quase sempre tridimensionais, contrastando com as guirlandas e cariátides naturalistas. A popularidade do estilo entrançado logo se espalhou para os países vizinhos – não para a França, naturalmente, mas para a Alemanha e Inglaterra.

Para compreender a arquitetura jacobina e elisabetana na Inglaterra é necessário estar familiarizado com as três fontes mencionadas: a Baixa Renascença italiana, o estilo Loire francês e a decoração entrançada de Flandres. Esse interesse geral pela evolução artística nos países estrangeiros é o equivalente estético da nova visão internacional da Inglaterra a partir da rainha Elizabeth, Gresham e Burghley. No entanto, devemos sempre recordar que se manteve uma forte tradição do estilo perpendicular, do pitoresco, da assimetria, dos solares de empenas em pedra com suas janelas com mainéis e sua extrema discrição de ornamentos. Assim, a arquitetura inglesa, entre 1530 e 1620, é um fenômeno complexo no qual predominam os elementos flamengos e franceses quando nos aproximamos da corte, e os ingleses quando nos afastamos dela. Muitos são derivados, por imitação ou por conservadorismo, mas, de tempos em tempos, apareceria uma expressão nova tão original e fortemente nacional quanto o Louvre de Lescot.

Burghley House, próximo de Stanford, é obra de William Cecil, Lord Burghley, amigo e conselheiro de confiança da rainha Elizabeth. É um enorme retângulo de cinqüenta por sessenta metros, com um pátio interior. O elemento central desse pátio é um pavilhão de três andares, construído em 1585 e cujo projeto retoma o motivo francês arco do triunfo, com os nichos característicos situados entre as colunas acopladas. Apresenta três ordens, superpostas segundo as normas, mas, no terceiro andar, entre as colunas coríntias, encontra-se uma janela inglesa de sacada, com travessa e mainel (os ingleses nunca ficaram satisfeitos sem suas janelas de sacada), totalmente incongruentes com o conjunto. E por cima dela saem peças de entrançado e obeliscos – um toque de ornamentação flamenga. A análise do estilo é confirmada por provas documentadas. Sabemos que nenhum arquiteto – no sentido moderno da palavra – foi inteiramente responsável pela construção. O próprio Lord Burghley deve ter feito muitas das sugestões incorporadas ao projeto. Ele representa uma nova modalidade: o diletante em arquitetura. Em 1568, escreveu a Paris encomendando um livro de arquitetura e, alguns anos depois, escreveu novamente especificando um determinado livro francês que desejava. Por outro lado, também é certo que muitos dos operários que trabalharam na obra vieram da Holanda e que parte do trabalho foi realizado em Antuérpia, sendo posteriormente transladado para a Inglaterra. Isso explica facilmente a presença, em Burghley, de motivos franceses e flamengos. O que é mais difícil de entender é como essa mistura feliz de elementos estrangeiros com elementos ingleses (os tubos das chaminés são colunas dórico-toscanas completas com entablamento) não aparenta desarticulação. A Inglaterra elisabetana – é tudo o que se pode dizer como explicação – tinha uma vitalidade tão transbordante, foi tão ávida de aventuras, de pitoresco e mesmo de amaneirado que pôde assimilar tudo aquilo que representaria sérios problemas em um período mais fraco.

No entanto, se bem que Burghley (e Wollaton Hall de 1580 e a frente do Hatfield de 1605-1612) sejam suficientemente espetaculares e estimulantes, a verdadeira força da construção inglesa se encontra em projetos com menor influência estrangeira. Longleat, em Wiltshire, iniciado em 1568 (ou mesmo antes), é o mais antigo exemplo do mais puro estilo elisabetano. Aqui só encontramos entrançados pouco evidenciados na balaustrada superior. O efeito é o de uma sólida massa cúbica. A cobertura é plana; as centenas de janelas com numerosos mainéis e travessas são retas e as janelas de sacada são apenas levemente destacadas e possuem lados retos. Essa tendência ao quadrado, tipicamente inglesa, e a predominância de muitas janelas produzem, às vezes, como em Hardwick Hall e mais

215. Longleat, Wiltshire, iniciado em c. 1568

ainda na face do jardim em Hatfield House, um efeito curioso de coisa moderna, isto é, do século XX. Freqüentemente, essas amplas janelas, na tradição do estilo perpendicular, estão associadas a uma empena triangular simples, comum na Inglaterra. As casas pequenas desse tipo são ainda tão assimétricas quanto as antigas; as maiores, ao contrário, são simétricas, pelo menos no que se refere ao plano em C ou em E, ou, se são maiores ainda, formam um pátio interno. Há grandes diferenças entre Longleat e Burghley, mas foi necessário um William Cecil, um Raleigh, um Shakespeare, um Spenser e muitos homens de negócios, lúcidos, obstinados e saudáveis, para construir a Inglaterra elisabetana. Assim ela é uma Inglaterra com um espírito, com um estilo de construção; é vigorosa, prolífica, às vezes fanfarrona, de uma solidez inquebrantável, que, na verdade, às vezes é vulgar e às vezes sem imaginação, mas nunca afeminada ou histérica.

As mudanças na arquitetura inglesa entre 1500 e 1530 parecem pouco importantes se comparadas às diferenças radicais que existem entre construções como Burghley House (ou Audley End, de 1603-1616, ou ainda Hatfield) e as maravilhosas realizações de Inigo Jones: a Queen's House, em Greenwich, projetada em 1616 mas completada apenas pouco antes da guerra civil, e a Banqueting House, no Whitehall, construída entre 1619 e 1622. Só agora a Inglaterra vivia o que a França havia experimentado antes da metade do século XVI. E vivia-o de uma maneira muito mais espetacular porque Inigo Jones transplantou construções inteiras, de estilo puramente italiano, para a Inglaterra, enquanto homens como Lescot, Delorme e Bullant transplantaram apenas algumas características e – até certo ponto – o espírito que as animava.

Inigo Jones (1573-1652) começou, ao que tudo indica, como pintor. Com a idade de 31 anos, surge como desenhista dos costumes e dos cenários de uma pantomima, gênero que constituía, nessa época, um dos divertimentos favoritos da Corte. Logo ele se tornou o cenógrafo da família real. Existem ainda muitos de seus desenhos para pantomimas. São brilhantes. Os costumes são do tipo fantástico, que no Barroco estavam relacionados com a história antiga e a mitologia. Quase todos os cenários são em estilo italiano clássico. Jones talvez tenha estado na Itália, por volta de 1600, provavelmente mais interessado pela pintura e pela decoração arquitetônica do que pela arquitetura propriamente dita. Logo após, o príncipe de Gales nomeou-o supervisor de suas construções, isto é, arquiteto, como o fizeram logo depois a rainha e, em 1613, o rei. Assim ele retornou à Itália, desta vez, como sabemos através de seus cadernos de esboços, para estudar seriamente as construções italianas. Seu ideal foi Palladio, como demonstra uma edição do livro de Palladio com anotações feitas por Jones, que chegou até nós.

Ao comparar a Queen's House – uma *villa* no sentido italiano do termo, próxima do palácio Tudor de Greenwich – com o Palazzo Chiericati, de Palladio, percebe-se que o parentesco de estilos é evidente, embora nada seja copiado. De fato, não se encontra na obra

216. Greenwich, Quee's House, por Inigo Jones, iniciada em 1616

de Jones nada que seja mera imitação. Com Palladio e com os arquitetos romanos do princípio do século XVI aprendeu a considerar uma construção como um todo, inteiramente organizada – na planta baixa e na elevação – segundo regras nacionais. Mas a Queen's House não possui o peso de uma construção da Renascença romana ou de um palácio barroco. Originalmente, foi uma construção até mesmo menos compacta do que as casas de campo de Palladio, pois não era um bloco único como é agora, mas compunha-se de dois retângulos situados à direita e à esquerda da Dover Road e ligados um ao outro apenas por uma ponte (atualmente a peça central do primeiro andar). O conjunto formava uma composição curiosa, se não única, de abertura espacial mais efetiva. Em contraste com a liberdade do plano geral, uma simetria bastante estrita governa a distribuição dos espaços interiores. Nessa época, nas casas de campo elisabetanas já se observa a tendência a dispor as fachadas segundo uma simetria mais ou menos rigorosa. É possível mesmo encontrar falsas janelas e outras invenções do mesmo tipo para forçar uma aparência de simetria exterior à qual o interior não poderia corresponder. Por volta de 1610, as composições completamente simétricas ainda são raras, embora seja inegável uma certa tendência nesse sentido. Com relação a esse aspecto, Inigo Jones é o sucessor lógico dos jacobinos. Mas, se observarmos suas elevações, sua simplicidade digna contrasta fortemente com a animação jacobina – suas janelas de diferentes tamanhos, janelas de sacadas redondas ou poligonais, suas águas-furtadas, suas empenas e telhados pontiagudos. A parte central da Queen's House com sua *loggia* projeta-se ligeiramente, e este é o único movimento da superfície da parte externa. O andar térreo é rusticado; o andar superior é liso. Uma balaustrada realça a fachada do edifício contra o céu. As janelas são cuidadosamente proporcionais. Em nenhuma parte existe ornamentação, a não ser nas cornijas delicadamente moldadas, sobre as janelas do primeiro andar.

Esse foi um dos princípios de Inigo Jones. Em 20 de janeiro de 1614, escreve: "A decoração exterior deve ser sólida, ordenada segundo as regras, viril e sem afetação." O caráter da Queen's House não poderia ser descrito melhor. E Jones sabia que, com sua arquitetura, estava defendendo um ideal que se opunha não só à Inglaterra da época mas também à Roma contemporânea, isto é, ao Barroco. "Todos esses ornamentos compostos", acrescenta ele, "executados por muitos decoradores e que foram introduzidos por Miguel Ângelo e seus seguidores, não me parecem apropriados à arquitetura sólida." Jones, porém, não desprezava de todo a ornamentação. Utilizou-a no interior da Queen's House e, com luxuosa exuberância, no chamado *double-cube room*, na Wilton House. Mas, mesmo aqui, não há nada em exagero. A forma de suas coroas e guirlandas de flores e frutas é compacta. Estão colocadas em painéis nitidamente delimitados e jamais ultrapassam as divisões estruturais de uma peça. Mais uma vez, Jones tinha consciência do contraste entre seus exteriores simples e a riqueza dos interiores. Escreveu: "O homem sábio, nos lugares públicos, mantém uma aparência de gravidade e, no entanto, sua imaginação é um fogo e, às vezes, se exterioriza em desordem, como a própria natureza o faz freqüentemente com extravagância." Reivindica a mesma atitude para uma boa construção. Dá a suas observações um caráter pessoal que seria inconcebível em um arquiteto inglês do período elisabetano e jacobino. Inigo Jones é o primeiro arquiteto inglês no sentido moderno da palavra. Realiza em seu país o mesmo que os primeiros artistas-arquitetos italianos realizaram no início da Renascença. E, quem quer que se interesse por Alberti ou Leonardo da Vinci como indivíduos, pode apenas deplorar que se conheça tão pouco da personalidade de Jones.

Entre os outros trabalhos de Jones – e aqueles que com alguma certeza lhe podem ser atribuídos – apenas outros dois merecem ser mencionados. Um deles é a Lindsay House, em Lincoln's Inn Fields, porque com o seu andar térreo rusticado e a ordem gigante de pilastras no superior, sustentando entablamento e uma balaustrada, é o protótipo de toda uma série de mansões urbanas tipicamente inglesas até o período do Royal Crescent, em Bath, e dos conjuntos de casas de Nash, no Regent's Park. A outra é o *layout* do Covent Garden, com suas casas altas, dignas e despojadas, abertas em arcadas no plano térreo, que Jones copiou de uma *piazza* de Livorno (de fato, nos tempos de Evelyn e Pepys, Covent Garden era conhecido como a "*piazza*") porque é a primeira quadra londrina inteiramente planejada. Seu lado oeste tinha como centro a pequena igreja de St. Paul com seu pórtico clássico, baixo e severo, inspirado nos tratados de arquitetura italianos do século XVI. É o primeiro pórtico clássico de colunas destacadas erigido no Norte.

Neste ponto, vale a pena fazer um breve parêntese para mencionar uma igreja. Durante quase um século, a arquitetura sacra esteve praticamente interrompida na Inglaterra. Na França, se bem que um certo número de igrejas interessantes, datando do século XVI, apresentem uma curiosa mescla, em diferentes proporções, dos princípios góticos e detalhes meridionais (por exemplo, Saint-Eustache e Saint-Etienne-du-Mont, em Paris), os monumentos religiosos não se encontram entre as obras historicamente mais importantes. Pode-se dizer o mesmo do século XVII, pelo menos no seu início. Paris adotou o esquema da igreja de Gesù, tanto para a fachada quanto para o interior, esquema este que, como já dissemos, irá se impor entre 1600 e 1750 (a igreja do Noviciado, dos jesuítas, hoje destruída, foi iniciada em 1612; a fachada de Saint-Gervais, de Brosse ou Clément Métezeau, em 1616; a igreja de Feuillants foi iniciada em 1624 (?), por François Mansart; e Saint-Paul-Saint-Louis foi iniciada em 1634, por Martellange e Derand).

Não é necessário insistir no paralelismo entre o desenvolvimento francês, baseado em Vignola, e o inglês, baseado em Palladio. Faz parte da tendência mais difundida entre os países do Norte da Europa no começo do século XVII. Na Alemanha, exatamente na mesma época, Elias Holl (1573-1646) construía a prefeitura de Augsburg (1610-1620), em estilo palladiano. E, na França, Salomon de Brosse (c. 1550/60-1626), a pedido de Maria de Medici, integrava em seu monumental projeto do palácio de Luxemburgo, iniciado em 1615, motivos retirados das partes maneiristas do palácio Pitti, de Florença. O projeto do palácio de Luxemburgo, por sua vez, é tradicionalmente francês no sentido de Anet, com suas três alas em torno do pátio e um muro de anteparo no lado da entrada, em vez de uma quarta ala. Ainda mais próximo é o paralelo entre o classicismo da prefeitura de Augsburg e o notável classicismo da última obra importante de Brosse, o Palácio da Justiça de Rennes, começado em 1618. Neste, o térreo é rusticado, o superior é articulado com pilastras e pilastras acopladas segundo um ritmo repousante, e a cobertura, ao estilo francês de inclinação pronunciada, não é interrompida por nenhum pavilhão. O conjunto é totalmente francês e é antecedente lógico da fase clássica da arquitetura francesa do século XVII.

Mas, de uma outra maneira ainda mais significativa, o período que transcorre entre Delorme e o começo do século XVII também preparou a fase clássica no que se refere ao desenvolvimento da organização axial. Uma preferência nesse sentido também já se observara em Chambord, por volta de 1520, onde resultou de uma fusão da simetria dos castelos medievais com a dos palácios da Renascença italiana. Em termos de Europa, a construção-chave da fase a que estamos nos referindo foi o palácio das Tulherias, projetado por Delorme para Catarina de Medici, em 1564. Seguramente Delorme teve presente o Escorial, com 204 metros de comprimento e quatro pátios principais, enquanto as Tulherias têm 244 metros de comprimento e cinco pátios principais. Um pouco mais tarde, sob Carlos IX, Jacques Androuet Ducerceau (c. 1510-1585), que até agora só foi mencionado por seus escritos sobre arquitetura, elabora um projeto ainda maior. Charleval, na Normandia, deveria ser um amplo quadrado, com pátio interno e uma *cour d'honneur* em frente, tendo à direita e à esquerda alas de serviço, contendo cada uma também dois pátios. O tamanho projetado – 300 m por 300 m – seria bem superior ao do Escorial, mas apenas uma parte muito pequena chegou a ser construída[32]. Foi a partir de tais projetos que Carlos I e Carlos II conceberam a idéia de construir um gigantesco palácio em Whitehall, cujo plano inicial foi elaborado por Inigo Jones e, posteriormente, exatamente no mesmo estilo italiano, por seu discípulo John Webb.

Mas antes de 1650, ou 1660, Jones e Webb eram praticamente os únicos a seguir essas idéias meridionais. O estilo popular na Inglaterra, após o jacobino – e muitas vezes ainda lado a lado com ele –, foi o singelo estilo holandês de empenas curvas com frontões (Kew Palace, etc.). A este corresponde, na França, o estilo de Henrique IV, que sobreviveu até 1630: um estilo de construções de tijolo, com janelas e quinas em pedra, de aparência alegre, um pouco rude, mas agradavelmente doméstico, cujos melhores exemplos são a Place des Vosges, em Paris, que data de 1605-1612; o pequeno castelo de Versalhes de Luís XIII (1624); castelos como Balleroi (c. 1626) e Beaumesnil (1633), ambos da Normandia; e a pequena cidade de Richelieu, fundada pelo cardeal em 1631 e projetada, assim como seu palácio, por Lemercier (c. 1585-1654). O palácio, havia muito tempo, destruído, teve como modelo o de Luxemburgo e, assim, já era conservador quando foi concluído.

Na arquitetura monumental francesa, o período de Richelieu e, ainda mais, o de Mazarin são caracterizados por um intenso e novo influxo de idéias italianas – que, então, seriam idéias do Barroco – e pelo modo como foram desenvolvidas nas mãos de alguns dos arquitetos mais importantes, no estilo clássico francês, que, em termos de construção, corresponde a Poussin na pintura, Corneille no teatro e Descartes na filosofia. Essa fase não encontra paralelo na Inglaterra, embora a partir de 1660 esse paralelismo, em diferentes idiomas nacionais, volte a ser patente.

François Mansart (1598-1664) é o primeiro grande protagonista. Louis Levau (1612-1670), o segundo. As duas *magna opera* de

---

32. Ducerceau projetou também o único grande castelo da época de Carlos IX: Verneuil, iniciado em 1565, de plano mais simples, com as três alas tipicamente francesas e uma quarta servindo de entrada e, quanto aos detalhes, de uma bárbara multiplicidade de formas. No conjunto, os anos entre Henrique II e Henrique IV foram magros para a França. As energias disponíveis foram carreadas para as assassinas lutas religiosas.

217. Blois, ala Orléans, por François Mansart, iniciado em 1635

Mansart foram construídas entre 1635 e 1650: a ala Orléans, em Blois, e a casa de campo de Maisons Lafitte. Especialmente a *cour d'honneur*, em Blois, é uma obra-prima de discrição civilizada, elegante, pouco acolhedora, mas longe de ser rigorosa ou pedante, com seu arco triunfal de dois andares e seu pequeno frontão semicircular acima do terceiro andar, notavelmente original. São evidentes os vínculos com o período anterior, de Lescot, assim como já são evidentes os elementos que anunciam a perfeição fácil do *hôtel* rococó. Particularmente as colunas em curva transmitem essa impressão de rococó. O modo como elas suavizam os ângulos é bastante refinado e particularmente francês. Um efeito interior similar é conseguido na Maisons Lafitte graças às salas ovais nas alas. Esse motivo é novo na França: é italiano, introduzido, ao que tudo indica, por Mansart e Levau. Já se disse o suficiente a respeito de sua utilização na Itália, em igrejas e palácios (Palazzo Barberini). Na França, os principais exemplos de seu emprego se encontram nos pa-

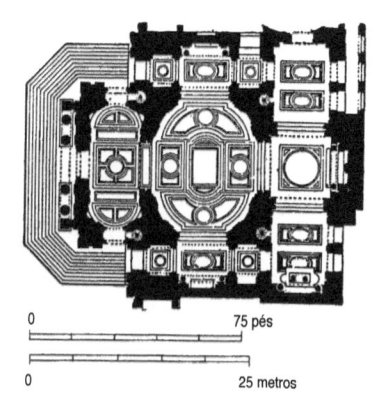

218. Paris, Collège des Quatre Nations, igreja, por Louis Levau, 1661

lácios luxuosos e vigorosos, tipicamente italianos e barrocos, apresentados por Antoine Lepautre (1621-1691) em seu *Dessins de plusieurs palais* (1652) – um paralelo com a escultura de Puget – e na capela do Còllege des Quatre Nations (atualmente Institut de France), de Louis Levau, em 1661, assim como no castelo de Vaux-le-Vicomte, iniciado em 1657 pelo mesmo arquiteto. A capela do Collège des Quatre Nations é, *grosso modo*, uma cruz grega cujos braços e cantos entre eles são projetados com liberdade considerável e diferem muito um do outro. Os elementos dominantes da igreja são o centro oval com seu domo e um átrio de forma semelhante. No exterior, os pavilhões estão ligados à capela, que fica no centro, por alas curvas. Também é oval, pelo menos como efeito, o centro da igreja que Lemercier começou para Richelieu, cerca de vinte e cinco anos antes, como parte da Sorbonne. Aqui, em 1635-1642, a cruz grega é combinada com um centro circular, mas é dada uma ênfase deliberada a um dos eixos da cruz, em detrimento do outro. Há nesses projetos tanta engenhosidade espacial quanto a que encontramos nos projetos italianos da época, embora seus detalhes pareçam frios e contidos se comparados com o Barroco de Roma. A igreja da Sorbonne é memorável também por ser a mais eminente de um grupo de igrejas com domo que, segundo modelos italianos, começam repentinamente a proliferar em Paris[33]. O Val-de-Grâce, de Mansart,

---

33. As outras são St. Paul-St. Louis, 1627-1641; St. Joseph des Carmes, contrato para o domo de 1628; Ste. Marie des Visitandines, 1632-1634, este por Mansart.

219. Paris, Collège des Quatre Nations (Institut de France) iniciado por Louis Levau, 1661. Segundo uma gravura de Israel Sylvestre

ainda mais marcante, foi iniciado em 1645. Logo o arquiteto foi substituído por Lemercier e o domo foi finalmente construído por volta de 1660, pouco antes do Collège des Quatre Nations, de Levau.

A obra-prima secular de Levau, Vaux-le-Vicomte, é, em muitos sentidos, a mais importante construção francesa da metade do século XVII. Foi encomendada a Levau pelo predecessor de Colbert, Fouquet, e está rodeada de jardins nos quais o grande Le Nôtre aplica, pela primeira vez, concepções que irá desenvolver posteriormente, de maneira espetacular, em Versalhes. Lebrun, *premier peintre* do rei Luís, também trabalhou em Vaux antes de dedicar-se a Versailles.

Para o projeto do edifício propriamente dito (como em Maisons e algumas anteriores), o tradicional plano de Luxemburgo foi substituído pelo do Palazzo Barberini, cujas alas projetadas são bem mais curtas, e cujo pavilhão central é dominado por um salão oval com

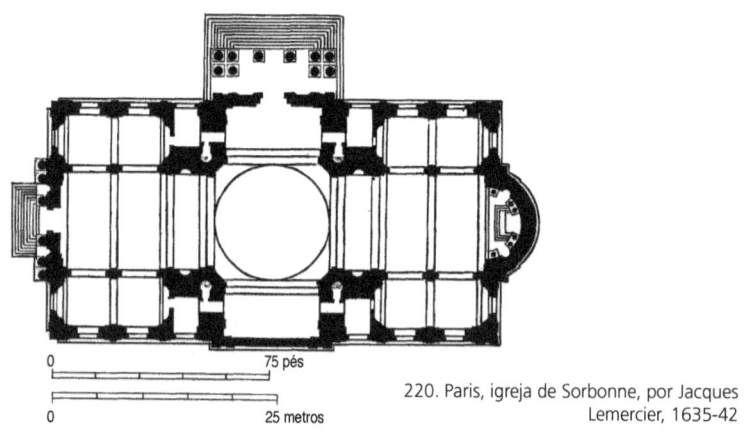

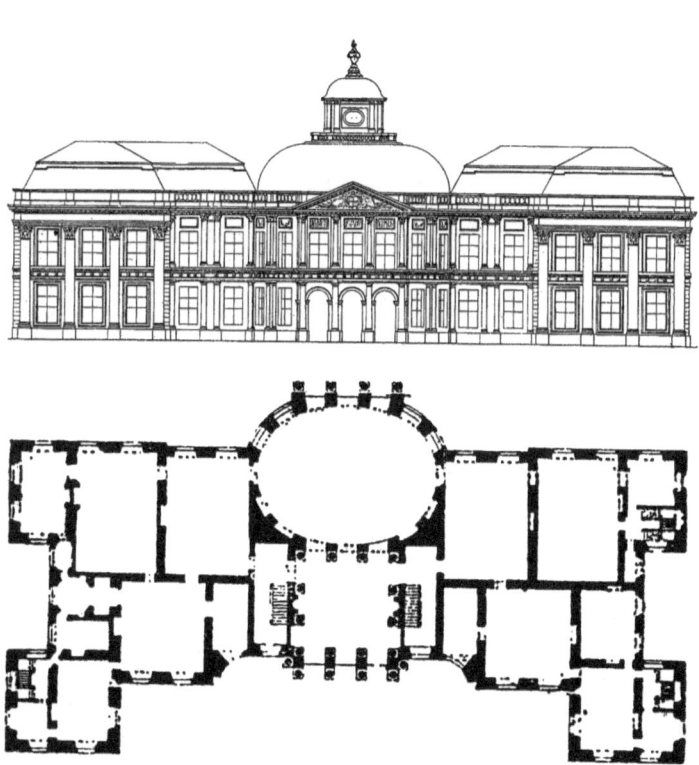

A INGLATERRA E A FRANÇA DO SÉCULO XVI AO SÉCULO XVIII **323**

220. Paris, igreja de Sorbonne, por Jacques Lemercier, 1635-42

221. Vaux-le-Vicomte, por Louis Levau, iniciado em 1657

um domo, ainda segundo o modelo do palácio Barberini. Nas alas, o telhado apresenta ainda a pronunciada declividade característica do século XVI e princípios do XVII franceses, mas delgadas pilastras coríntias aparecem em uma ordem gigante nos dois andares. Ordens gigantes não são novas na França. Já as vimos em Écouen (*c.* 1555), em Charleval (1573), no Hôtel Lamoignon (1584), etc. Inigo Jones as utilizou, a exemplo de Palladio. Mas, do modo como aparecem em Vaux (e também no Collège des Quatre Nations de Levau), são mais delgadas e mais elegantes e lembram, curiosamente, as utilizadas na Holanda a partir de cerca de 1630.

Exatamente nessa época, a Holanda assume a liderança do comércio ocidental, sendo invejada e imitada tanto por Colbert como

222. Haia, Mauritshuis, por Jacob van Campen, c. 1633-6

pelos ingleses. Destaca-se também nas ciências e pode ostentar com orgulho muitos gênios artísticos, mais do que em qualquer outro período de sua existência. Na arquitetura, seu estilo leve e agradável dos anos 1600, paralelo ao estilo de Henrique IV ou dos jacobinos, evolui para um novo classicismo, paralelo ao de Mansart, na França, e ao de Inigo Jones, na Grã-Bretanha. Seu maior arquiteto foi Jacob van Campen (1595-1657), sendo sua primeira construção clássica a Coymans House, no Keizersgracht, em Amsterdam, de 1626, aproximadamente. Segue-se a casa de Constantyn Huygens, diplomata, amigo de Rubens e pai de um dos mais famosos cientistas do período, e a Mauritshuis, construída para João Maurício de Nassau-Siegen, ambas em Haia, a primeira datando de 1634-1635 e a segunda de 1633-1636. Huygens, em uma carta a Rubens, escreve que em sua casa ele está revivendo "l'architecture ancienne"[34]. Não poderíamos dizer que essa casa ou a Mauritshuis sejam antigas no estilo; mas, sem dúvida, são clássicas.

A Mauritshuis possui um frontão exato, ou pilastras gigantes exatas e pilastras gigantes também nas laterais. Nisso, é bem possível que ela tenha influenciado a França, principalmente Vaux; nas suas dimensões modestas para uma residência principesca, suas despretensiosas paredes de tijolo e a impressão generalizada de sólido conforto são bem holandesas e completamente diferentes de qualquer construção francesa do mesmo período[35].

A Inglaterra, por outro lado, iria simpatizar com essas qualidades norte-ocidentais dos holandeses. E, de fato, sua arquitetura, a partir de 1660, foi fortemente influenciada pelas construções de van Campen, Post e Vingboons e pelas gravuras deste último, publicadas em 1648, 1674 e 1688. No entanto, arquitetos amadores, estudiosos e especialmente a corte de Stuart não ficaram indiferentes ao fascínio e às maravilhosas realizações da Paris de Colbert e Luís XIV. De um lado estava o sucesso comercial, do outro, a grandeza da monarquia absoluta. Assim, a arquitetura oficial pendeu para o

---

34. Karel van Mander, o Vasari da Holanda, em seu *Schilderboek*, de 1600, já havia mencionado o "frenesi do ornamento" desse estilo holandês que corresponde ao jacobino inglês – ver ilustração p. 309.

35. Deve-se observar neste contexto que a oval, embora um motivo italiano do maneirismo e do barroco, já havia aparecido mais cedo na Holanda: no palácio de campo de Honselaardyck, construído em 1634-1637. Por outro lado, Honselaardyck foi construído pelo francês Simon de la Vallée.

parisiense, a arquitetura doméstica para o holandês. Na obra de Sir Christopher Wren pode-se constatar a presença dessas duas fontes de inspiração. Ele deve ter estudado com grande cuidado as gravuras da arquitetura holandesa e esteve pessoalmente em Paris, onde sentiu que o seu maior interesse profissional estava em projetar e supervisionar construções. Wren (1632-1723), como era usual durante a Renascença e o Barroco, não recebeu formação de arquiteto ou mestre-de-obras. Também não era pintor, escultor ou engenheiro. Representa uma outra categoria, categoria esta de que até agora não tratamos neste livro.

Seu pai havia sido decano de Windsor; o irmão de seu pai, bispo de Ely. Foi enviado à escola de Westminster. Após terminar o curso com 15 anos, tornou-se demonstrador-assistente em anatomia no College of Surgeons. Foi, então, para Oxford. A ciência era seu principal interesse, ciência que, na metade do século XVII, tinha um curioso sentido, vago e misto. Durante esses anos, 53 invenções, teorias, descobertas e avanços técnicos foram atribuídos a esse "milagre de juventude", como o chamou John Evelyn. Alguns desses achados nos parecem, hoje, insignificantes, mas outros abordavam diretamente os problemas fundamentais da astronomia, física e engenharia. Em 1657, tornou-se professor de astronomia em Londres e, em 1661, em Oxford. Foi o momento em que a ciência experimental despontava em toda a Europa. Em Paris, estabeleceu-se a Real Academia de Ciências. Em Londres, a Royal Society, mesmo antes, já havia iniciado suas atividades. Wren foi um de seus fundadores e membro de maior destaque. Newton chamou-o, assim como a Huygens e Wallis, *"huius aetatis geometrarum facile principes"*. Seu mais importante trabalho científico refere-se às ciclóides, ao barômetro e ao problema de Pascal. Em sua aula inaugural, em Londres, falou, com uma visão profética, das nebulosas como firmamentos de outros mundos semelhantes ao nosso. Em 1664, ilustrou o trabalho de Willis, *Anatomy of the brain*. Em 1663, apresentou para a Royal Society um modelo, encomendado pela Universidade de Oxford, para a construção do Sheldonian Theatre, concluído em 1669. Seu teto é uma obra engenhosa de marcenaria, mas a arquitetura é desajeitada, evidenciando o trabalho de um homem com pouca experiência em projetos. O mesmo pode-se dizer de sua segunda obra, a capela de Pembroke, em Cambridge, que data de 1663-1666.

223. Paris, Louvre, fachada oriental, por Claude Perrault, projetada em 1665

O convite de Carlos II para que ele fizesse as fortificações de Tangier é um indício de que já antes o seu nome estava ligado à construção. Como vimos, arquitetura, engenharia, física e matemática caminham lado a lado no desenvolvimento intelectual de Wren. A decisão de especializar-se em arquitetura deve ter sido tomada na ocasião do grande incêndio de Londres, em 1666. Wren tornou-se membro da comissão real para a reconstrução da cidade e logo em seguida foi eleito projetista das muitas novas igrejas a serem construídas, inclusive a de St. Paul. Em 1669, o rei nomeou-o Supervisor Geral. Sua única viagem importante ao exterior levou-o não à Itália, mas a Paris. Este é um fato muito significativo. Na época do *Wanderjahre*, de Inigo Jones, Paris não seria mais do que uma simples etapa do caminho para Roma. Agora, em uma carta, Wren define Paris como "uma escola de arquitetura, provavelmente a melhor da Europa neste momento". Certamente, era a mais importante. Enquanto Wren estava em Paris, Luís XIV, que tencionava reconstruir a parte oriental do Louvre, convidara Bernini para fornecer os projetos. Ele assim fez, embora esses projetos tenham sido abandonados assim que deixou Paris. Wren teve oportunidade de examinar esses planos apenas por alguns preciosos minutos: tratava-se de um quadrado de proporções colossais, à moda romana, com ordens gigantescas de colunas destacadas nas fachadas que davam para a frente e para o pátio, com uma vigorosa cornija superior coroada por uma balaustrada. Em seu lugar construiu-se a famosa fachada leste com colunata, que Claude Perrault (1613-1688) projetou em 1665.

A escolha de Perrault foi característica. Ele era um amador e médico notável. Seu irmão, advogado e homem da corte, foi designado, em 1664, inspetor geral das construções reais; mais tarde ele escreveria um poema medíocre intitulado *Le siècle de Louis le Grand*. Na história da literatura francesa é conhecido principalmente como um dos líderes da *Querelle des anciente et des modernes*. Boileau defendia a Antiguidade, Perrault um estilo contemporâneo – o que, na verdade, não significava mais do que uma certa liberdade em aplicar as regras clássicas.

A fachada de Claude Perrault para o Louvre supera, em muitos sentidos, o trabalho de Mansart e Levau. Representa a evolução de Mazarin a Colbert, ou do início à maturidade do reinado de Luís XIV. À sua formalidade disciplinada Perrault acrescentou dois motivos importantes emprestados do projeto de Bernini, ao qual o arquiteto francês teve acesso. Tanto em Bernini como em Perrault aparece a cobertura plana com balaustrada e ambos destacam a fachada sem alas marcadamente salientes ou reentrantes. Esses dois elementos eram novos na França. Por outro lado, no entanto, Perrault é inteiramente nacional. Essas colunas colossais, delgadas e acopladas, do andar principal, acima do térreo, liso e semelhante a um *podium*, são de espírito francês, embora muito originais, e são tão pouco acadêmicas que seus contemporâneos menos audaciosos jamais o perdoaram. Francesas também são essas janelas com dintéis curvos, assim como os escudos ovais (derivações diretas de Lescot) de onde pendem guirlandas.

O conjunto tem uma grandeza e uma elegância rigorosa que o século XVII, apesar de Blois e Maisons, jamais havia alcançado e que os arquitetos do final do reinado de Luís XIV jamais puderam suplantar. Aqui Perrault conseguiu harmonizar as tendências, às vezes aparentemente contraditórias, do século de Luís XIV: a seriedade e a razão do velho Poussin, de Corneille e de Boileau; o ardor contido de Racine; a graça lúcida de Molière, e o poderoso sentido de organização de Colbert.

Para melhor apreciar esse estilo, é necessário recordar a atmosfera na qual ele surgiu: primeiramente, as lutas entre protestantismo e catolicismo, no século XVI; a decisão de Henrique IV de retornar à Igreja Católica Romana porque, como disse ele, "Paris vale uma missa"; a seguir, a difusão da indiferença religiosa, até que a Igreja se tornou todo-poderosa sob a condução política de Richelieu, o cardeal, e Padre Joseph, o capuchinho, que combateram os protestantes na França mas favoreceram-nos no estrangeiro, em ambos os casos motivados exclusivamente por razões de Estado. No centro de seus pensamentos e ambições estava a França, e uma França forte e próspera só poderia ser criada pela instauração de uma administração rigorosamente centralizada. Nessas circunstâncias, o único símbolo tangível da força do Estado deveria ser a pessoa do rei. O absolutismo representava, portanto, a forma apropriada de governo para os partidários da política nacional. Assim, Richelieu preparou o caminho para o absolutismo. Mazarin seguiu seus passos, e Colbert, esse burguês infatigável, competente e tenaz, fez disso um sistema. Organizou a França com uma meticulosidade sem precedentes: o mercantilismo no comércio e indústria; oficinas reais; companhias comerciais reais; fiscalização rígida de estradas, de canais e florestas – enfim, de tudo.

A arte e a arquitetura eram parte integrante do sistema. Uma florescente escola de pintura, escultura e as artes aplicadas estimulavam as exportações e, ao mesmo tempo, contribuíam para a glória da corte. A arquitetura foi útil ao gerar empregos e também por celebrar a grandeza do rei e do Estado. Mas não podia haver liberdade; o estilo teve de conformar-se aos padrões determinados pelo príncipe e seu ministro. Fundaram-se academias, uma para pintura e escultura, outra para arquitetura, as primeiras de tipo moderno a surgirem, cumprindo uma função educacional e conferindo status, concentrando um poder jamais visto. Tendo passado por essas escolas e obtido seus títulos com distinção, os artistas tornavam-se escultores ou arquitetos reais, aproximando-se gradativamente da corte; recebiam honrarias e remunerações condizentes, mas tornavam-se cada vez mais dependentes da vontade de Luís e Colbert. Foi em

Paris, nessa época, que se estabeleceu o princípio da arquitetura como um departamento do serviço civil. Os reis franceses e ingleses sempre tiveram seus mestres-de-obras desde o século XIII, mas eram artesãos e não funcionários. As responsabilidades dos vários supervisores, inspetores ou como quer que fossem chamados, nunca foram claramente definidas. Miguel Ângelo foi superintendente das construções papais, mas ninguém poderia considerar essa tarefa um emprego de tempo integral. No século XVII, o ofício de arquiteto se desenvolveu, e foi organizado um sistema de treinamento no ateliê e nos canteiros de obras.

Jules Hardouin-Mansart (1646-1708) foi o típico arquiteto oficial francês, competente, rápido e adaptável. Em sua igreja de St. Louis des Invalides (1675-1706) ele conseguiu, a exemplo de Perrault, essa combinação específica de grandeza e elegância, que não se encontra em nenhum outro lugar fora da França. A composição, tanto interna quanto externamente, pode ser considerada um aperfeiçoamento da Sorbonne de Lemercier e do Collège des Quatre Nations de Levau. O interior, à exceção do coro oval, é de um

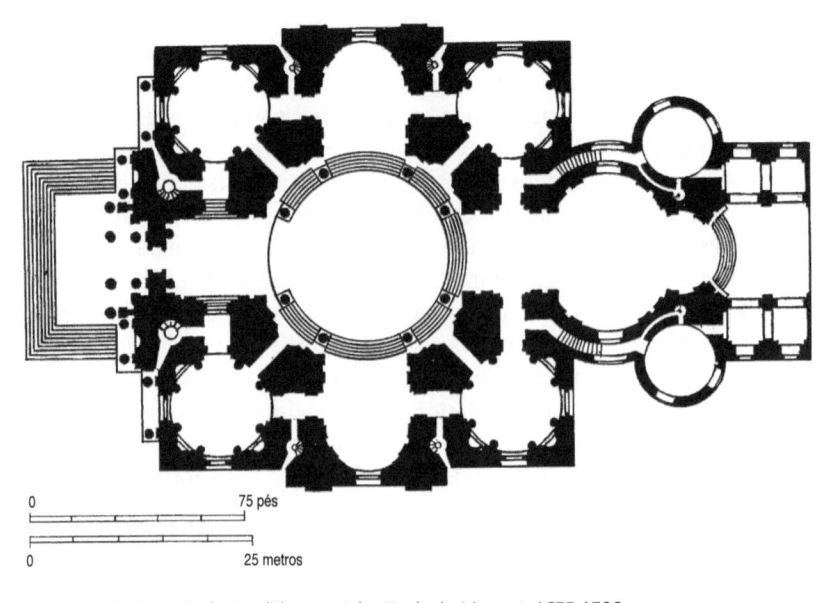

224. Paris, St. Louis des Invalides, por Jules Hardouin-Mansart, 1675-1706

225. Paris, St. Louis des Invalides, por Jules Hardouin-Mansart, 1675-1706

equilíbrio mais acadêmico, isto é, menos dinâmico em suas relações espaciais, se comparado com os trabalhos dos predecessores de Hardouin-Mansart. O domo, porém, foi construído de tal maneira que, olhando-se para cima, pode-se enxergar, através de uma ampla abertura na cúpula interna, a superfície pintada de uma segunda cúpula, iluminada por janelas ocultas – um efeito espacial inteiramente barroco. Examinando-se a fachada, percebem-se também suas qualidades barrocas, presentes apesar de seu pórtico, de aparência simples, com colunas jônicas e dóricas. O livre espaçamento rítmico das colunas (emprestado de Perrault) deveria ser sublinhado, assim como o avanço progressivo do plano em direção ao centro, primeiramente das paredes às colunas das alas, em seguida das colunas às laterais do pórtico, e, depois, daqui para as quatro colunas do meio. Não só os gregos, mas também Palladio e mesmo Vignola teriam desaprovado violentamente essa disposição.

Mas não Sir Christopher Wren. Sua St. Paul's Cathedral (1675-1710), embora aparentemente muito mais um monumento ao classicismo, é, na verdade, assim como o Dôme des Invalides, uma mescla de clássico e barroco. O domo de St. Paul, um dos mais perfeitos do mundo, é, de fato, clássico. Tem uma linha mais serena que as de Miguel Ângelo e Mansart. A decoração, uma colunata em torno do tambor da cúpula, é também caracteristicamente diferente tanto do grupo de colunas projetadas e entablamento de S. Pedro como das janelas com verga em arco abatido, de aparência doméstica, e da lanterna de forma delgada e graciosa de St. Louis des Invalides. Mas, observando-se mais detalhadamente, mesmo aí existe também um elemento pouco clássico: a alternância de nichos e *loggias* nos vãos entre as colunas. A lanterna, por sua vez, é pelo me-

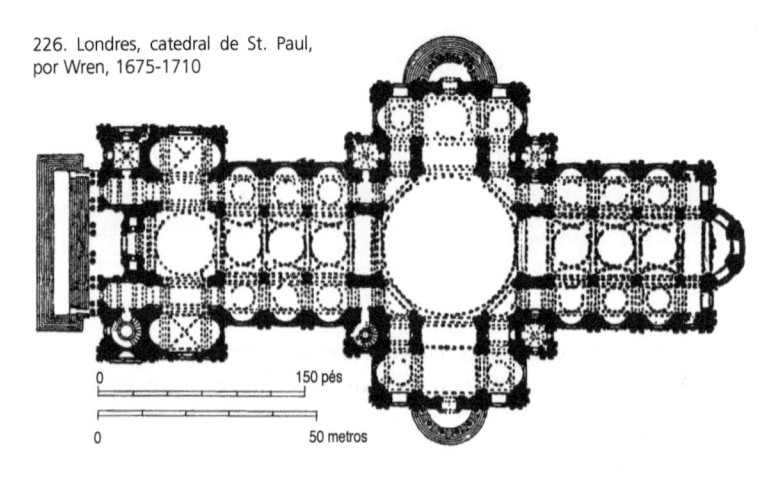

226. Londres, catedral de St. Paul, por Wren, 1675-1710

nos tão original quanto a de Mansart. Quanto à fachada, iniciada em 1685, com suas colunas duplas – cuja idéia Wren (como Mansart) toma emprestada de Perrault – e suas duas torres extraordinárias (projetadas após 1700), é uma composição decididamente barroca. As elevações laterais são impressionantes, embora tenham um efeito secular, lembrando um palácio. As janelas apresentam uma

227. Londres, catedral de St. Paul, por Sir Christopher Wren, 1675-1710

228. Londres, St. Stephen Walbrook, por Wren, 1672-7

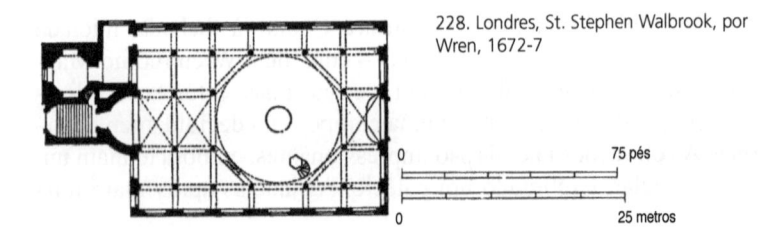

moldura de nichos em falsa perspectiva, semelhantes às de S. Carlo e do Palazzo Barberini. No interior, há um marcante contraste entre a estabilidade de cada detalhe e a dinâmica espacial do conjunto. O domo é tão amplo quanto a nave central e as naves laterais juntas – motivo que Wren deve ter buscado em Ely ou em gravuras de construções italianas como as da catedral de Pavia. Essa disposição contribui para aumentar o esplendor de toda a composição e o efeito de surpresa que ela produz. Os pilares situados em diagonal são escavados dentro de nichos colossais. São também os nichos que dão às paredes exteriores das naves e do coro o seu movimento ondulatório. Com efeito similar, as janelas são abertas dentro das abóbadas de berço e domos na forma de pires, do coro e da nave. O estilo de Wren, em suas igrejas e palácios, não é menos clássico, mas é uma versão barroca do classicismo. Essas igrejas urbanas, tais como a engenhosamente multiforme St. Stephen's Walbrook (1672-1677), demonstram isso claramente.

Analisar a planta baixa dessa igreja é tarefa quase tão difícil quanto analisar a de Vierzehnheiligen. Também aqui sua expressão é de serena claridade. Externamente trata-se de um simples retângulo que, como em Vierzehnheiligen, nada revela sobre as surpresas do interior. Dentro, no centro, há uma ampla cúpula em pires, de curvatura suave (em madeira e gesso), que repousa sobre oito arcos sustentados apenas por doze delgadas colunas. A realização técnica é tão marcante quanto a aparência de leveza sem esforço. As doze colunas formam um quadrado, e quatro arcos conectam as duas colunas centrais de cada lado do quadrado, enquanto fragmentos de abóbadas nascem de três colunas de cada canto do quadrado para formar mais quatro arcos nos cantos. Essas três colunas de can-

229. Londres, St. Stephen Walbrook, por Sir Chirstopher Wren, 1672-7

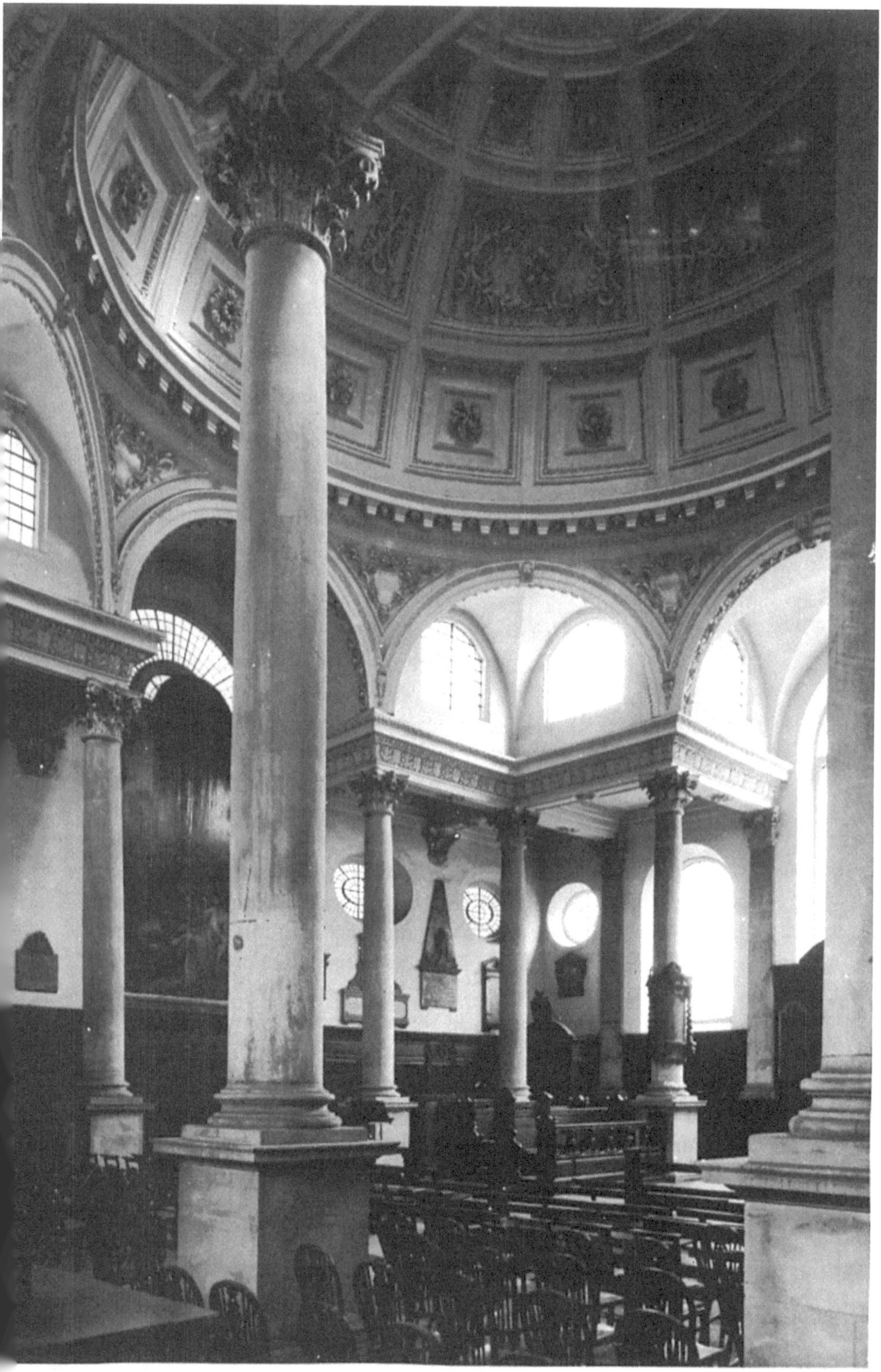

to em cada um dos lados estão também unidas por entablamentos retilíneos, de modo que cada um dos quatro lados apresenta um ritmo de reto e baixo – arqueado e alto – reto e baixo. Aqui está a primeira combinação engenhosa de efeitos. Olhando para o domo, percebemos oito arcos da mesma altura mas, observando agora à nossa frente qualquer um dos lados do quadrado, notamos que há diferenças entre os vãos. E isso não é tudo: os centros arqueados das laterais podem ser vistos como entradas para os quatro braços da cruz, uma cruz latina, uma vez que as abóbadas de berço dos braços norte e sul são pouco profundas, enquanto o braço leste, com o altar, possui uma abóbada em cruz um pouco mais longa e o braço ocidental tem o dobro do comprimento do braço do altar. Para chegar a isso, a parte ocidental da cruz se constitui de duas áreas separadas por colunas no estilo mais comum das igrejas longitudinais. Como essas colunas são idênticas às outras colunas, a primeira impressão que se tem ao entrar na igreja é de que há uma pequena nave central com naves laterais que levam a um domo de uma amplidão incalculável. Para terminar, essa nave aparente possui naves laterais externas, estreitas, de teto plano, que se prolongam até a parede oriental. Só não podemos chamá-las de naves em toda a sua extensão porque, em um ponto, elas se alçam para formar os braços norte e sul da cruz, retomando, em seguida, sua forma original, para compor as naves laterais do coro. Damo-nos conta de que as naves laterais internas conduzem para o amplo cruzeiro, assim como o faz a nave central. Todo o retângulo da igreja comporta apenas dezesseis colunas, impregnadas de nobreza e de uma neutralidade quase acadêmica. São empregadas, porém, para criar uma polifonia espacial que só poderia ser apreciada pelo Barroco – arquitetura própria da época de Purcell.

As outras igrejas urbanas de Wren também devem ser consideradas a partir de suas qualidades espaciais. Depois do incêndio de Londres em 1666, ele teve de projetar cinqüenta e uma igrejas na cidade e quatro nos arredores, e a maioria delas em apenas poucos anos. Aproveitou para fazer um verdadeiro trabalho de laboratório, produzindo uma variedade de planos centrais, longitudinais e intermediários, dotando-os de elevações variadas. As igrejas longitudinais apresentam usualmente uma nave principal e naves laterais. A presença de galerias nas naves laterais foi uma exigência protestante, na Inglaterra. A nave central pode ser separada das laterais por colunas gigantes (Christ Church, em Newgate Street) ou pilares agregados a colunas gigantes (St. Mary-le-Bow) ou duas ordens de colunas superpostas (St. Andrew, em Holborn, e St. James, em Piccadilly). Pode haver ou não um clerestório (St. Andrew, em Holborn, e St. Peter, em Cornhil); quando há clerestório, suas janelas podem estar na parede superior (St. Magnus) ou inseridas na abóbada (St. Bride, St. Mary-le-Bow, etc.). A abóbada pode ser de berço (St. Mary-le-Bow, St. James, em Piccadilly, e St. Bride, entre outras) ou de aresta (Christ Church, em New Gate Street). Esta mera enumeração não é suficiente para dar uma idéia da variedade de efeitos estéticos alcançados em cada igreja.

Nas igrejas de plano central, o esquema básico pode ser a cúpula sobre o quadrado (St. Mildred) ou octógono (St. Mary Abchurch e St. Swithin), ou o quadrado no qual se insere a cruz grega, sendo o centro também um quadrado, com um domo ou abóbada de aresta e os quatro cantos com um teto mais baixo ou domo (St. Anne e St. Agnes; St. Martin, em Ludgate Hill). Esse plano em quincôncio tem uma venerável procedência. Tornou-se familiar a partir de Mismieh (ver p. 17), e, depois, com os venezianos da Renascença (S. Giovanni Crisostomo). Foi, então, encampado pelos holandeses (Nieuwe Kerk e Harlem, por Van Campen). Naturalmente, Wren possuía gravuras holandesas e, em seu afã de introduzir sempre novos planos, esteve aberto para aceitar inspiração de qualquer fonte. Mas a questão que o interessou principalmente não se referiu aos planos de tipo central ou longitudinal, mas a uma síntese dos dois: uma construção longitudinal com tendências centrais ou uma construção central com tendências longitudinais. Nisto ele esteve inteiramente de acordo com seus contemporâneos barrocos da Itália e França. St. James Garlickhythe, por exemplo, é uma longitudinal com tendências centralizantes, com nave e naves laterais de cinco vãos; mas o vão do meio, à direita e à esquerda, é tratado como um transepto, isto é, sem galerias e terminando em janelas tão amplas quanto as que encimam o altar. St. Antholin e St. Benet Fink são de plano central com tendência longitudinal, com domos ovais, a primeira com colunas que se prolongam formando um octógono e a segunda um hexágono alongado. As paredes externas de St. Antholin são predominantemente oblongas; as de St. Benet formam um decágono alongado. E, assim, finalmente, atinge-se a complexidade de St. Stephen Walbrook.

O aguçado interesse científico de Wren pelos projetos de igrejas foi compartilhado por outros arquitetos de outros países protestantes, notadamente da Holanda e Norte da Alemanha. O silesiano Nikolaus Goldmann morreu em Leiden, na Holanda, em 1665, como professor de arquitetura. Ele havia começado a preparar um tratado de arquitetura que foi completado por Leonhard Christian Sturm (1669-1719), um matemático que, em seus escritos de1712 a 1718, sugeriu inúmeras soluções engenhosas e freqüentemente práticas para o planejamento de igrejas protestantes.

A fecundidade da influência holandesa no Norte da Alemanha é testemunhada por construções como a chamada igreja paroquial de Berlim (1695), construída por Nering, e a igreja paroquial de Hehlen (1697-1698), na Vestefália, por Korb. Ambas possuem um plano central ao estilo holandês. No final desse processo de evolução encontra-se a imponente Frauenkirche, em Dresden, outra das mais lamentáveis perdas da arquitetura durante a Segunda Grande Guerra. Foi construída entre 1722 e 1743 por Georg Bähr (1666-1738), mestre carpinteiro da cidade de Dresden. O projeto era um quadrado com cantos arredondados e um coro projetando-se em curva, formando um pouco mais que um semicírculo. O interior era essencialmente circular, com oito pilares gigantes sustentando o domo de pedra escarpada. Entre os pilares há uma série de três galerias, uma solução estética que não satisfaz plenamente. Em seu conjunto, no entanto, a Frauenkirche era irresistível, graças ao contraste das curvas de seu interior e de seu exterior e à relação delicadamente equilibrada entre o arrojado movimento do domo e a elegância das quatro pequenas torres nos ângulos. Nada poderia ilustrar de modo mais convincente a diferença entra o Barroco alemão e o Barroco da Europa Ocidental.

O princípio da composição central, elemento fundamental para a compreensão da arquitetura da Renascença e do Barroco, foi aplicado de maneira mais ousada no planejamento urbano. Os primeiros projetos desse tipo já foram mencionados (p. 182), mas, enquanto no período de Filarete foram meros planos, durante o maneirismo as cidades planejadas a partir do elemento central foram efetivamente construídas.

O mais famoso exemplo é a cidade e fortaleza em eneágono projetadas por Scamozzi: Palmanova, no Vêneto (1593). Do mesmo ano são as longas e estreitas novas vias que atravessavam a Roma de Sisto V, segundo um audacioso plano-diretor (ver p. 248), e que foram implantadas na França na época de Henrique IV. A Place de France, planejada pouco antes da morte do rei e nunca executada, era um segmento, quase um semicírculo, de onde se irradiavam amplas avenidas que levavam os nomes das províncias francesas[36]. Inspirado por Henrique, Luís XIV finalmente adotou o *rond-point* (círculo completo) como motivo predominante, tendo-se tornado a marca registrada do barroco nesse país, que havia concebido, seiscentos anos antes, o sistema de capelas irradiantes nas igrejas. A Place de l'Étoile data do reinado de Luís XIV, embora naquele momento ela estivesse fora da cidade, passando a fazer parte de Paris apenas depois de 1800[37]. O maior exemplo de tal plano, em escala colossal, é Versalhes, evidentemente. Arquiteturalmente, o castelo sofre a marca de ter sido construído em três diferentes campanhas. Havia, primeiramente, o pequeno pavilhão de caça de Luís XIII, em tijolos e pedra; em seguida, veio a ampliação realizada por Levau e, finalmente, o trabalho sem precedentes de Hardouin-Mansart. Quando iniciou sua obra, em 1678, Mansart resolveu manter o sistema de elevações de Levau, o que não lhe possibilitou a introdução de motivos que fossem esplêndidos a ponto de dominar uma fachada que deveria ter, quando terminada, 550 metros de comprimento. Os interiores foram mais favorecidos que o exterior. A retórica das salas principais é impressionante, assim como o comprimento da Galeria dos Espelhos. A capela acrescentada em 1689-1710, embora não se integre externamente, é um dos espaços arquitetônicos mais nobres da época, com sua tribuna ou galeria para o rei e seu séquito, ainda na tradição de Aachen. Delgadas colunas se elevam

36. Henrique IV, para o historiador da arquitetura, é mais importante como planejador urbano de Paris do que como patrono de palácios. O primeiro de seus esquemas foi a Place Royale, agora Place des Vosges, projetada em 1603, com casas confortáveis de entradas ocultas formando um retângulo; o segundo foi a Place Dauphine, iniciada em 1607, um triângulo de casas tendo no vértice a estátua do rei na Pont Neuf. A arquitetura é a do agradável estilo tijolo e pedra que encontramos em edifícios das décadas de 20 e 30. Henrique IV inspirou-se, para suas praças quadradas, na *piazza* de Livorno, iniciada por Cosimo I, grão-duque da Toscana, em 1571.
37. Na cidade, os principais esquemas foram a Place des Victoires, de 1685, e a Place Vendôme, de 1698.

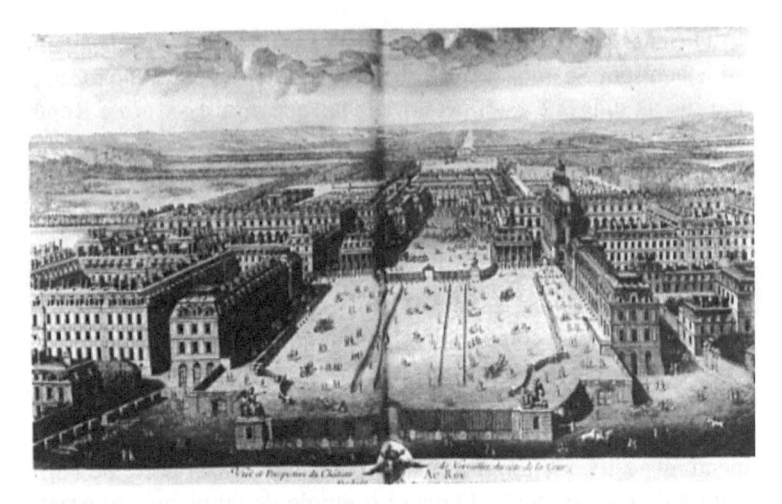

230. Versalhes, ampliado por Hardouin-Mansart, 1678, a partir de um castelo de 1623 com alas de 1661-5; jardins por Le Nôtre, iniciados em 1667

sobre uma infra-estrutura de pilares quadrados e arcos, e a luz penetra no interior através das janelas da tribuna e do clerestório. Mas a caixa do órgão está decorada com três palmeiras inteiras, lembrando-nos de que estamos em pleno Barroco.

O plano do conjunto de Versalhes, e não apenas o palácio, não pode ser chamado de outra coisa senão de barroco. O palácio faz frente para o magnífico parque de Le Nôtre, com seus vastos canteiros de flores, seus canais de água que se cruzam, suas fontes, avenidas paralelas ou radiais aparentemente infindáveis, alamedas e passeios entre sebes altas e cuidadosamente aparadas – a natureza subjugada pela mão do homem a serviço da grandeza do rei, cujo quarto foi colocado exatamente no centro de toda a composição. Do lado da cidade, a *cour d'honneur* recebe três amplas estradas convergentes que vêm de Paris. O planejamento urbano em todas as partes foi fortemente influenciado por esses princípios. No século XVIII, os mais notáveis exemplos são talvez Karlsruhe, no Sudoeste da Alemanha – uma cidade inteira projetada em 1715 como uma imensa estrela, tendo ao centro o palácio ducal –, e o plano de L'Enfant para Washington D.C., que data de 1791.

Na Inglaterra, o projeto de Wren foi rechaçado após haver sido estudado pelo rei durante alguns poucos dias. Teria sido excessivamente arrojado? Só teria sido possível implantá-lo sob uma monarquia absoluta, quando a expropriação para projetos cívicos grandiosos era mais fácil do que na cidade de Londres? Ou esse programa lógico, sem compromisso, para organizar a base da vida futura de Londres seria simplesmente muito pouco britânico para que fosse levado a sério? O que resta é o fato de que a contribuição londrina para o planejamento urbano nos séculos XVII e XVIII é a quadra – introduzida, como vimos, por Inigo Jones –, ou seja, uma área privada isolada, com casas que, via de regra, tinham projetos similares mas não idênticos, exemplos de estilo e não de estandardização. A impressão que temos ao caminhar pelo West End de Londres, de quadra em quadra, é de que se trata de algo tipicamente inglês; é nitidamente uma versão moderna e secular da sensação que o visitante tinha quando passava de um compartimento isolado para outro numa igreja saxônica ou de estilo Early English.

Considerando-se as casas da cidade individualmente, constata-se o mesmo contraste entre Londres e Paris. Em Londres, apesar de algumas exceções – embora não tão poucas quanto pensamos hoje –, o nobre e o comerciante rico viviam em *terrace-houses**; em Paris, em isolados *hôtels***. Em Londres, foi desenvolvida uma planta baixa para essas casas, a qual se mostrou tão conveniente que chegou a ser padronizada antes do século XVII. Com entrada por um dos lados, conduzindo diretamente à escada, dois amplos cômodos em cada andar, um dando para a frente da casa e o outro para os fundos, e com as áreas de serviço dispostas no térreo, esse modelo permaneceu praticamente inalterado, tanto para a maior casa quanto para a menor delas, até o final da era vitoriana. Continham poucos elementos espacialmente efetivos. Em Paris, por outro lado, a partir de 1630, os arquitetos desenvolveram projetos muito consistentes e engenhosos de casas, procurando sempre solções sutis para os requisitos funcionais e as aspirações em relação ao espaço. Os elementos-padrão eram uma *cour d'honneur*, protegida da rua, com serviços e estábulos nas alas à direita e à esquerda, e o *corps de logis* ao fundo. Os primeiros projetos de organização inteiramente simétricos se encontram no Hôtel de la Vrillière, de Mansart, começado em 1635, e no Hôtel de Bretonvillers, de Jean Ducerceau, co-

---

\* Casas idênticas construídas em fileiras, de parede da meação. (N. do T.)
\*\* Grandes residências particulares, quase pequenos palácios. (N. do T.)

meçado em 1637, aproximadamente. O primeiro marco importante foi o Hôtel Lambert (1639-1644), de Levau, com um pátio composto por dois cantos arredondados e um vestíbulo oval, ou seja, os mesmos motivos que observamos em Blois, Vaux-le-Vicomte e Collège des Quatre Nations. Um pouco mais tarde, o Hôtel de Beauvais (1655-1660), projeto de Lepautre, tem uma profusão de curvas. Novamente ocorre a mesma reação que presenciamos entre Vaux e o Louvre. A Colbert não agradavam as curvas; em 1669 disse que não eram "de bom gosto, particularmente nos exteriores", e os apartamentos dos últimos anos de Luís XIV, embora mais amplos, ricos em motivos e decorações, não apresentam nenhum grande interesse de ordem espacial.

A mais importante evolução ocorrida entre 1700 e 1715 está ligada à decoração de interiores. Pelas mãos de Jean Lepautre, um dos principais construtores de Hardouin-Mansart, ela se torna cada vez mais delicada e refinada. A grandeza foi substituída pela *finesse*, o alto-relevo por um primoroso jogo de superfícies, e um aspecto viril por uma graça quase feminina. Assim, durante os últimos anos de Luís XIV reina a atmosfera do Rococó, já consolidada.

O Rococó é, de fato, de origem francesa, embora o tenhamos introduzido neste livro através de suas formas alemãs, ou seja, nas suas formas espaciais mais extremas e brilhantes. O termo Rococó é

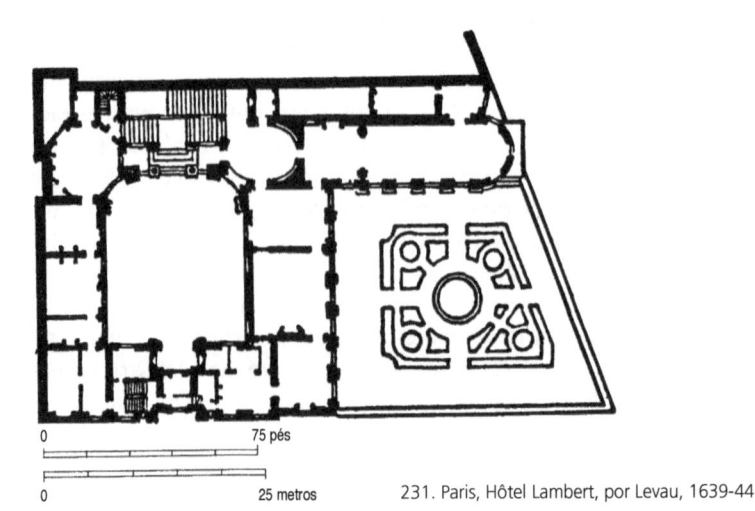

231. Paris, Hôtel Lambert, por Levau, 1639-44

um trocadilho, ao que tudo indica, decorrente de *Barroco*, fazendo alusão à paixão pelas estranhas formas que lembram rochas, rocas ou conchas que foram típicas de sua ornamentação e que já foram aqui analisadas a propósito de Bruchsal e Vierzehnheiligen. Aparecem aqui por volta dos anos 30, mas foram uma invenção francesa do período 1715-1730, ou, para ser mais preciso, uma invenção *made in France*. Isso porque os líderes da geração que foi responsável pela passagem da graça esbelta de Lepautre para o vigor do Rococó não eram propriamente franceses: Watteau, o pintor, era flamengo; Gilles-Marie Oppenord (1672-1742) era filho de pai holandês; Juste-Aurèle Meissonier (1695-1750) era de ascendência provençal e nascido em Turim; Toro tinha um nome italiano e vivia em Provence, sendo que Vassé também era provençal. Graças a estes arquitetos e decoradores, o vigor retorna à decoração francesa, as curvas do barroco italiano reaparecem em suas derivações, a decoração se lança novamente na terceira dimensão e é concebido o fantástico ornamento absolutamente original do *rocaille*.

Essa evolução pode ser observada mais na arquitetura de interiores do que na arquitetura de exteriores. Os projetos de fachadas de Oppenord e Meissonier não foram executados. É no planejamento e decoração de casas que o rococó atinge seus maiores triunfos. O rococó é um estilo de *salon*, do *petit appartement*, e da sala sofisticada. A decoração é muito mais graciosa e, via de regra, muito menos vigorosa que na Alemanha, ao passo que os projetos são de uma sutileza sem precedentes[38]. Essa evolução já tinha sido introduzida no Grand Trianon, no parque de Versalhes, que Hardouim-Mansart construiu em 1687 para os momentos de distração do rei e de Mme. de Maintenon. Trata-se de uma composição de um só andar, sobre um plano indefinido e assimétrico, embora, naturalmente, majestoso e clássico em seus detalhes.

Uma das dificuldades do modelo de *hôtel* parisiense, que os arquitetos tinham prazer em enfrentar e resolver, era, por exemplo, o

---

38. A mesma sutileza faz do grupo da Place Royale, em Nancy, por Emmanuel Héré (1705-1763), uma realização sem paralelo do planejamento do século XVIII. O modo pelo qual a praça diante da prefeitura é continuada através de um arco do triunfo, depois a Carrière longitudinal com suas quatro fileiras de árvores entrelaçadas, e o semicírculo transversal com suas colunatas, e finalmente a praça diante de Palais de L'Intendance, têm a variedade e a imprevisibilidade do Rococó, mas também a preocupação francesa com a axialidade. O trabalho foi feito entre 1752-1757.

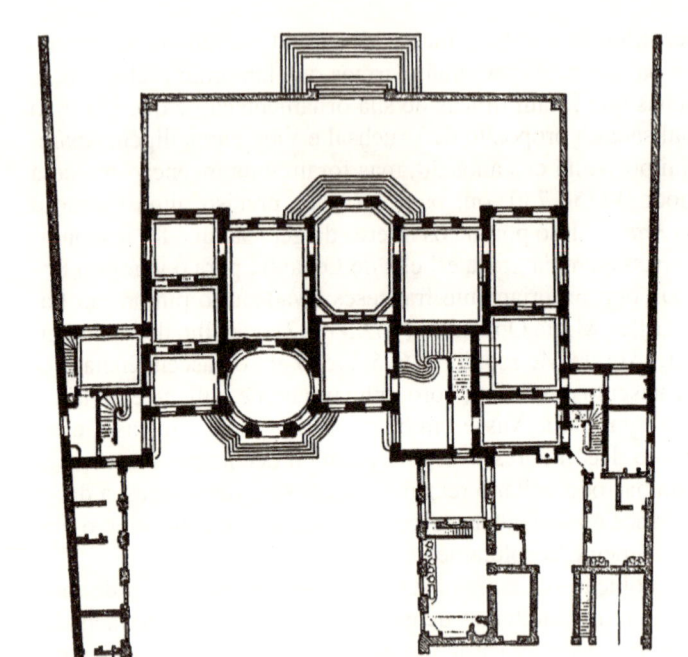

232. Paris, Hôtel de Matignon, por Courtonne, iniciado em 1722

fato de que a frente que dava para a *cour d'honneur* e os fundos voltados para o jardim deveriam ser, cada um deles, simétricos, mesmo quando não repousavam sobre o mesmo eixo. O Hôtel de Matignon, de Courtonne, apresenta uma engenhosa solução. Aqui, e em qualquer dos *hôtels* da época, o inventivo artifício de antecâmaras, gabinetes e guarda-roupas, assim como pequenas áreas de serviço internas, deveriam ser estudados sempre visando facilitar a circulação e preencher os diversos cantos que sobravam atrás de cômodos ou alcovas de linhas curvas. A forma e a disposição da escada apresentava um outro problema. De acordo com sua posição, ela deveria favorecer a fácil comunicação com o vestíbulo e as áreas de serviço, sem interferir no trânsito livre entre os quartos e no vislumbre do esplendor das perspectivas. Havia a mesma necessidade de fácil comunicação entre os andares, e isso determinava a escolha do tipo de escada. Com relação às escadas, já dissemos que a Espanha foi, no século XVI, o país mais empreendedor. Só na Espanha as possibilidades barrocas da escada foram pressentidas desde logo. Seus três novos tipos principais – a escada de caixa quadrada e aberta, a escada de plano em T e assim chamada escada imperial (ver pp. 281 s.) – alcançaram o Norte no século XVII. A escada de caixa quadrada tornou-se popular na Inglaterra jacobina, onde foi feita em madeira e reduzida em tamanho, aproximando-se das estreitas escadas medievais, mas decorada com exuberância por entalhadores flamengos ou ingleses (Hatfield, Audley End, etc.). Foi preciso chegar em Inigo Jones em Ashburnham House, Little Dean's Yard, em Londres, para que a escada inglesa pudesse rivalizar em amplitude com a escada espanhola. Mas Ashburnham House, assim como outros poucos exemplos da liberdade barroca, tais como Coleshill, Berks (por Roger Pratt, um dos primeiros concorrentes de Wren), são raras exceções na Inglaterra. Naquela época, também havia exceções na Itália (Longhena: S. Giorgio Maggiore, Veneza, 1643-1645, que serviu talvez de modelo para Coleshill). Apenas Gênova aderiu com gosto às escadas amplas, claras e arejadas como as da Espanha. A França chegou a conhecê-las por diferentes caminhos. A escada de plano em T foi introduzida por Levau em Versalhes (Escalier des Ambassadeurs), em 1671; a imperial foi introduzida, também por ele, nas Tulherias; e a de caixa quadrada foi empregada, por Mansart, algum tempo antes, em Blois. Mansart copiou de Palladio o elegante método de construção pelo qual lanços de escada, em vez de repousarem em paredes sólidas, estão ancorados apenas nas paredes externas, e do lado do vão são sustentados apenas por arcos finos, sem nenhum outro suporte. Esse tipo foi empregado com inúmeras pequenas variações, todas buscando formas ainda mais leves, na maioria dos *hôtels* de Paris e casas de campo francesas.

Externamente, os *hôtels* de Paris são tão elegantemente variados como os palácios e mansões da Alemanha e Áustria, embora em nada semelhantes ao audacioso rococó. Por outro lado, em Londres, o exterior das casas de tijolos dos séculos XVII e XVIII é quase padronizado, com exceção de alguns detalhes ornamentais. Não há nenhuma conexão com o estilo clássico francês, embora possa ter, originalmente, algum vínculo com a arquitetura doméstica menos pretensiosa do período de Henrique IV e, posteriormente, com a holandesa.

233. Hampstead, Fenton House, 1693

As casas de campo têm uma importância menor na França – pelo menos após 1660 – uma vez que a classe dirigente concentrava-se na corte. Na Inglaterra, por outro lado, a nobreza e os proprietários de terras ainda consideravam suas mansões em Londres apenas *pied-à-terre**, e consideravam as casas no campo suas verdadeiras residências. Conseqüentemente, é aí que se pode esperar encontrar maior variedade. Na segunda metade do século XVII, quando a estandardização da casa da cidade se tornou um fato aceito, foi introduzido também um tipo de casa de campo menor (nitidamente baseada no modelo de Mauritshuis) que – com muitas e agradáveis variações menores – pode ser encontrada nos vilarejos da periferia londrina, em Hampstead, Roehampton, Ham, Petersham, nas cercanias de Salisbury, enfim, em todas as partes. São comumente construídas em tijolos com cantos em pedra, completamente retangulares ou com duas pequenas alas laterais, a entrada com um frontão, toldo ou alpendre, e um frontão maior coroando a parte central da casa. Essas casas agradáveis com uma correção madura e atemporal são muito conhecidas para que seja necessário descrevê-las mais detalhadamente. Sua origem e difusão, no entanto, não estão completamente esclarecidas. O exemplo mais antigo parece ser Eltham Lodge, perto de Londres, datando de 1663. Foi projetada por Hugh May, juntamente com Pratt e Webb, o mais importante concorrente de Wren na década de 1660. O modelo estabeleceu-se definitiva-

---

* Residência secundária, para curtas estadas. (N. do T.)

mente por volta de 1685 ou 1689. Tem, em geral, uma escada de três lanços, generosamente espaçosa, com vão aberto e madeira ricamente entalhada, e cômodos de formas simples e diretas. Há muito pouco da engenhosa *commodité*, sobre a qual todos os arquitetos franceses do século XVIII insistiram em seus escritos.

Aparentemente, o conforto, para o inglês, era algo muito diferente do que era para os franceses. Mas, enquanto essas casas de cerca de 1700 são tão funcionais hoje quanto o eram quando foram construídas – apesar de tudo o que os críticos franceses possam ter dito contra elas –, há, na verdade, algumas casas de campo inglesas do século XVIII de dimensões maiores que – pelo menos do nosso ponto de vista – parecem ter sido construídas para serem exibidas e não para proporcionar conforto. Esse é um argumento usado freqüentemente contra Blenheim, perto de Oxford, palácio com o qual a nação agraciou Marlborough. Foi projetado por Sir John Van-

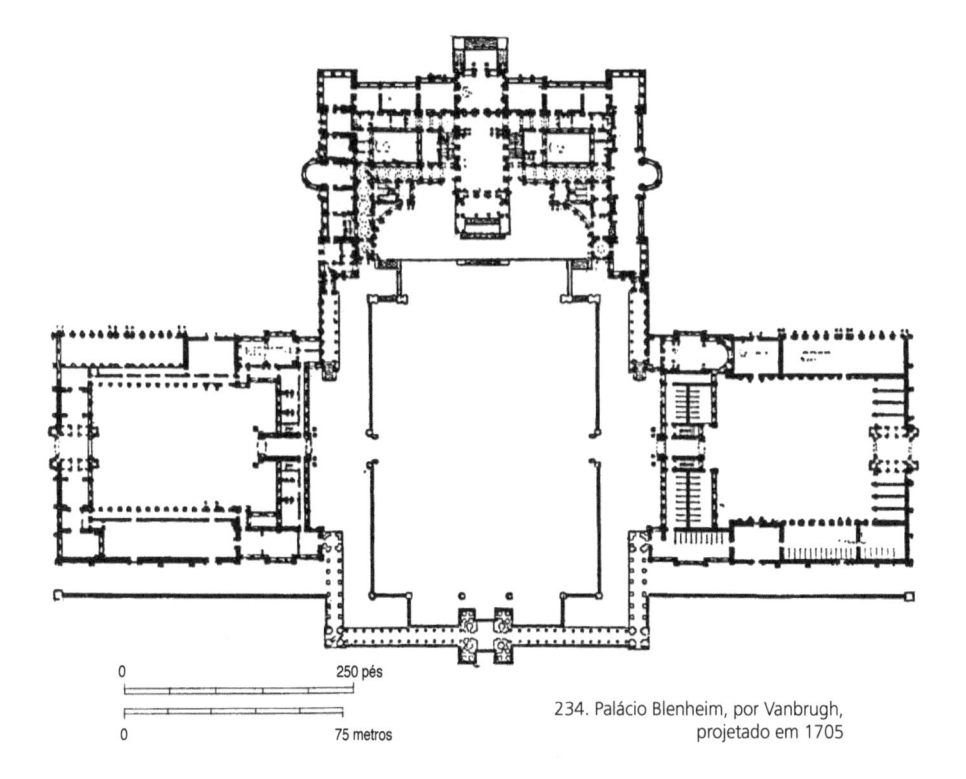

234. Palácio Blenheim, por Vanbrugh, projetado em 1705

brugh (1664-1726) em 1705. Seu estilo deriva de Wren em seu momento mais grandioso e mais barroco – o Wren de Greenwich Hospital –, mas tem sempre um caráter pessoal que o distingue. Wren parece nunca perder a cabeça; nunca é movido por forças mais fortes que sua razão. Os projetos de Vanbrugh são de uma violência e de uma franqueza tão implacáveis que não poderiam deixar de ofender aos racionalistas de seu tempo. Sua família veio de Flandres; seu temperamento expansivo parece pertencer muito mais ao país de Rubens do que ao de Wren ou Reynold. Começou na carreira militar, foi preso na França e encarcerado na Bastilha. Após haver sido solto, retornou à Inglaterra e começou a escrever peças de teatro. Suas peças tiveram um estrondoso sucesso. Repentinamente, engaja-se no trabalho arquitetônico no castelo de Howard. Em 1702, foi designado fiscal de obras, curiosa carreira, bem distinta da de Wren.

Blenheim é projetado em escala colossal. Não se sabe até que ponto a *villa* palladiana com suas alas, ou Versalhes com sua *cour d'honneur*, estão por trás desse plano. O *corps de logis* possui um pórtico pesado com colunas gigantes entre pilares gigantes, encimadas por pesado ático. O mesmo peso barroco caracteriza as elevações laterais, principalmente as torres quadradas e maciças das extremidades das alas. No caso de Wren, o termo barroco deve ser usado com prudência; mas estas torres de Blenheim poderiam ser classificadas de barrocas por qualquer pessoa familiarizada com a obra de Bernini, Borromini e de outros italianos. Sugerem um combate, forças poderosas que opõem massas opressivas; as cornijas se projetam ameaçadoras para o exterior e as janelas são comprimidas por pilastras atarracadas; há uma discordância deliberada da janela semicircular colocada contra um arco semicircular logo acima com o arco abatido que se repete na parte superior. Tudo está em dissonância e o topo dessa ousada composição não é um *happy end*. Vanbrugh não deve a ninguém as formas que coroam a torre, os obeliscos e esferas. As pilastras e as janelas também são muito originais, mas não no mesmo grau extremo. Em alguns detalhes, parecem reminiscências de Miguel Ângelo. No entanto, a menção a Miguel Ângelo faz Blenheim – todo o conjunto da fachada – repentinamente parecer vulgar e certamente teatral e ostentatório, isto é, flamengo tanto quanto barroco.

235. Palácio Blenheim, Oxfordshire, por Sir John Vanbrugh, projetado em 1705

No entanto, deve-se ter cuidado para não exagerar a ascendência flamenga de Vanbrugh. Colaborou em Blenheim e em outros lugares com Nicolas Hawksmoor (1661-1736), antigo assistente principal de Wren, homem com grande prática em negócios e com vasta experiência e, até onde podemos observar, inteiramente inglês. O estilo de Hawksmoor é tão barroco quanto o de Vanbrugh e tanto quanto Wren nas torres ocidentais de St. Paul. Isso fica evidente em seus trabalhos posteriores, onde ele foi inteiramente responsável pelo projeto e execução, e especialmente em suas igrejas londrinas. Uma edificação como a Christ Church, em Spitalfields, de 1723-1739 – afinal, apenas uma igreja paroquial de um subúrbio em crescimento –, é tão megalômana – e tão despropositada – quanto tudo o que é de Vanbrugh. A composição parece propositadamente desarticulada: o pórtico com seu singular centro arqueado que tem origem no romano tardio e em Wren, e o bloco logo acima dando

236. Palácio Blenheim, ala da cozinha, 1708-9

efeito de afastamento e repetindo o mesmo motivo com pilastras, em uma superfície mais ampla que a da torre propriamente dita. Assim, esse nível intermediário projeta-se como anteparos à esquerda e à direita, e nenhum tipo de artifício é aplicado a esses dois lados para camuflá-los. Finalmente, a composição é coroada por uma flecha que acrescenta a esse complexo Barroco romano tardio um singular toque gótico. As torres de algumas das outras igrejas de Hawksmoor são ainda mais francamente góticas. Para isso tinham o respaldo de algumas igrejas de Wren, e essa inclinação para o medievalismo – muito maior do que tudo quanto foi encontrado em outros países – é parte integrante do Barroco inglês.

Barroco inglês é a única expressão razoável que se pode aplicar ao período em que foram construídas as torres ocidentais de St. Paul,

237. Londres, Christ Church Spitalfields, por Nicholas Hawksmoor, 1723-39

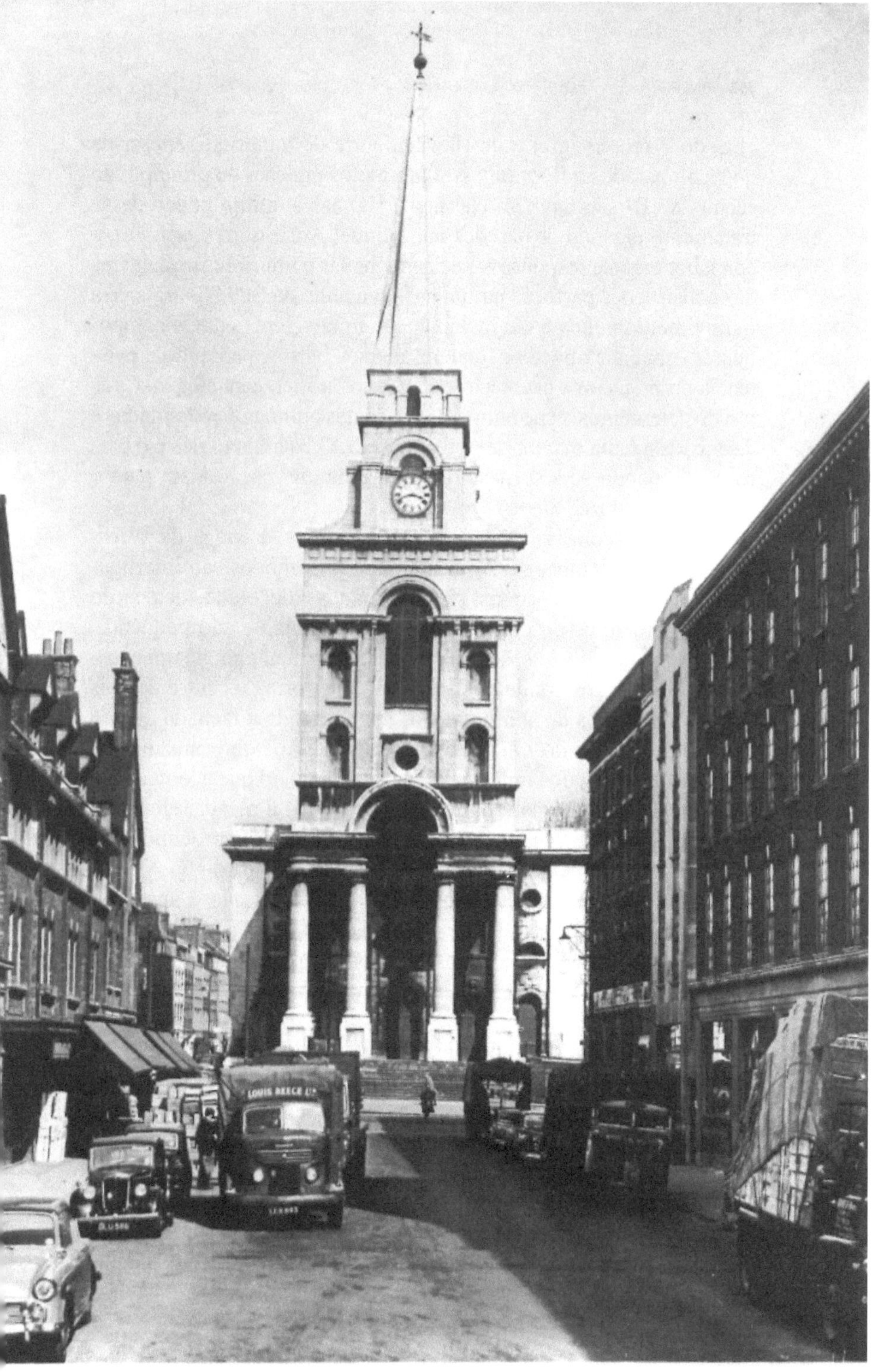

LOUIS BEECK LTD

obra de Wren, as igrejas de Hawksmoor e de Vanbrugh, apesar de que, comparados a Bernini, esses arquitetos ingleses do princípio do século XVIII são também clássicos. Há, neles, muito pouco desse tratamento plástico de paredes que Miguel Ângelo foi o primeiro a conceber e que é responsável pelas fachadas e interiores ondulantes das construções barrocas na Itália e Alemanha do Sul. Na Inglaterra o movimento nunca é tão insinuante nem tão frenético. Os componentes espaciais nunca se fundem uns nos outros, perdendo a existência própria, como acontece em S. Carlo ou Vierzehnheiligen. Cada um dos elementos, especialmente as sólidas colunas arredondadas e destacadas, tenta manter-se por si mesmo. O barroco inglês é o barroco afirmando-se a si mesmo contra uma inclinação inata para o estático e a sobriedade.

O mesmo conflito aparecerá nos interiores, à época de Wren, Hawksmoor e Vanbrugh. Aqui também os cômodos são interligados pelas relações espaciais; são articulados e decorados de acordo com os princípios do classicismo – por painéis, se são pequenos, por colunas ou pilastras, se são grandes. Em Blenheim, há um enorme *hall* de entrada conduzindo ao salão que forma o centro de dois grupos simétricos de aposentos ao longo de toda a fachada que dá para o jardim, sendo que todas as portas estão sobre um mesmo eixo, ou, como se diz, uma *enfilade*, a exemplo do que acontece em Versalhes. Mas – e isso é muito significativo – a escada, elemento dinâmico *par excellence*, não tem nem um pouco da proeminência que teria em um palácio da mesma época na França ou na Alemanha. Essa falta de interesse na dinâmica espacial não é absolutamente um sinal de pobreza do projeto. Ao contrário, Blenheim é tão amplo quanto o maior dos novos palácios dos pequenos senhores da Alemanha. E, pelo menos do nosso ponto de vista, é tão pouco prático quanto eles.

Por outro lado, seria tolo insistir no fato de que a cozinha e as áreas de serviço estão localizadas bem longe da sala de jantar – estão em uma das duas alas opostas à que contém os estábulos (uma tradição palladiana aceita). Os criados tinham de caminhar um longo trecho e os pratos quentes certamente ficavam frios muito antes de alcançarem seu destino. Para nós, isso poderia parecer um erro funcional; Vanbrugh e seus clientes taxariam esses argumentos de extremamente pobres. Criados, eles os tinham em profusão, e aquilo a que chamamos conforto importava menos do que uma etiqueta muito mais rígida do que de possa imaginar. A função do edifício não é apenas utilitária. Há também uma função ideal, que em Blenheim se cumpria integralmente. Porém, nem todos os contemporâneos de Vanbrugh concordavam com isso. Há, por exemplo, a famosa frase de Pope, sempre mencionada: *"'tis very fine. But where d'ye sleep, or where d'ye dine?"*\*. O que ele quis dizer com isso? Os críticos hoje entendem que se referia à falta de conforto material. Pope foi mais filósofo do que isso. Em nome do bom senso, o que ele pretendeu foi que um quarto ou um edifício deveriam aparentar aquilo que são. Não gostava das proporções colossais e do esplendor decorativo de Vanbrugh por serem irracionais, não naturais. Pois o "esplendor", insistia ele, deveria retirar "todo o seu brilho da razão", e mais:

> *Something there is more needful than expense,*
> *And something previous ev'n to taste – 'tis sense*\*\*.

Aqui ele expressou os sentimentos de sua geração, a geração que sucedeu a de Vanbrugh. Pope nasceu em 1688, enquanto Vanbrugh pertence à mesma época de Swift e Defoe (e Wren e Dryden).

A arquitetura que corresponde à poesia de Pope é a de Lord Burlington e seu círculo. Richard Boyle, conde de Burlington, nasceu em 1694, sendo portanto um pouco mais jovem que Pope. Foi levado a admirar a simplicidade e serenidade de Palladio por um jovem arquiteto escocês, Colen Campbell (morto em 1729), que, em 1715, começou a construção de uma grande casa de campo em Wanstead, perto de Londres, no mais puro estilo palladiano. Provavelmente, nesse mesmo ano, deu início à casa de Lord Burlington, em Picadilly, que existe até hoje, embora bastante remodelada. Em 1716, um arquiteto veneziano, Leoni, começou a preparar uma suntuosa edição inglesa dos trabalhos de Palladio. Em 1717, o próprio Burlington projeta para seus jardins em Chiswick, perto de Londres, um *bagno* ao estilo de Palladio. Em 1719, retornou à Itália e

---

\* "Tudo muito bem. Mas onde você dorme, onde você come?"
\*\* "Há algo mais necessário que o luxo,
  Algo que precede mesmo o gosto: é a razão."

estudou Palladio seriamente. Em 1730, financiou a publicação de uma série de esboços inéditos de Palladio que ele trouxe da Itália, assim como, em 1727, ele havia encarregado o arquiteto, pintor e paisagista William Kent da publicação das obras de Inigo Jones. Essas publicações estabeleceram tão firmemente a moda palladiana para as casas de campo inglesas, que ela permaneceu quase inalterada por cinqüenta anos e, com algumas modificações, por quase todo um século.

A moradia urbana comum, no entanto, foi pouco afetada. São pouquíssimos os exemplos da influência de Palladio que ultrapassam os motivos das fachadas. E quando se tentou – como na casa projetada pelo próprio Lord Burlington – interferir no plano padronizado londrino, o protesto contra essa imposição das novas normas racionalistas foi tão veemente quanto o foi o protesto dos racionalistas contra o desregramento de Vanbrugh. Lord Chesterfield sugeriu a Burlington que ocupasse a casa em frente à que construiu, de modo que pudesse admirar sua obra sem ter que se sujeitar a viver nela.

A casa de campo, por seu lado, se tornaria inteiramente palladiana pelos esforços de Lord Burlington. Na obra de Vanbrugh, a variedade de planos e composições exteriores tinha sido ilimitada. Agora, o *corps de logis* com um pórtico central e alas separadas vinculadas ao edifício principal por meio de galerias baixas tornam-se de *rigueur*. Holkham Hall, em Norfolk, e Prior Park, perto de Bath, são exemplos típicos. Holkahm Hall foi projetada em 1734 por William Kent para Thomas Coke, conde de Leicester, o reformador da agricultura. Prior Park foi projetada para Ralph Allen em 1735 por John Wood, o Velho (*c*. 1700-1754), um arquiteto local mas, em virtude de seu talento e das oportunidades que teve na mais famosa estação de águas da Inglaterra, um dos mais importantes arquitetos de sua geração. Comparadas às *villas* de Palladio, as variantes inglesas são maiores e mais pesadas. Freqüentemente, incorporam também motivos de uma maneira muito mais livre do que Palladio teria tolerado: mais variações nas formas dos cômodos ou uma escada externa audaciosamente curvilínea, dando para o jardim (a que se encontra em Prior Park é do século XIX). Mas mais importante ainda é o fato de que as casas de campo palladianas, na Inglaterra, são projetadas para serem localizadas em parques ingleses.

Parece contraditório, à primeira vista, que um mesmo cliente pudesse querer uma casa palladiana formal e um informal jardim inglês, e que um mesmo arquiteto pudesse projetar os dois. É fato, também, que William Kent, protegido de Lord Burlington, foi celebrado como um dos criadores do estilo inglês de jardins e que a própria casa de Lord Burlington em Chiswick (1720, aproximadamente), uma cópia livre da Villa Rotonda de Palladio, foi um dos primeiros exemplos do que se chamou de "gosto moderno" em jardim. Como isso pôde acontecer? O jardim-paisagem foi apenas uma extravagância? Não; isso fazia parte deliberadamente de uma política antifrancesa nas artes. Os parques de Le Nôtre expressam absolutismo, o domínio absoluto do rei sobre a Nação e mesmo o domínio do homem sobre a natureza. A força barroca, expansiva e ativa, que dá

238. Bath, Prior Park, por John Wood, o Velho, projetado em 1735

forma à casa, estende-se sobre a natureza. Os pensadores progressistas ingleses reconheceram isso e o desaprovaram. Shaftesbury falou na "zombaria dos jardins senhoriais" e Pope satirizou-os nestes hábeis versos:

*Grove nods at grove, each alley has a brother,*
*And half the platform just reflects the other\**.

Esse esforço de regramento arquitetônico dos jardins pareceu algo evidentemente antinatural. Por essa razão, Addison escreveria para *The Spectator*, em 1712: "De minha parte, gosto muito mais de observar uma árvore em toda sua luxúria e profusão de ramos e folhagens do que quando é podada e moldada em forma geométrica." Essa profissão de fé na natureza não confinada é, evidentemente, uma revolta do liberalismo e da tolerância contra a tirania; é uma revolta *whig*. Mas o curioso de tudo isso é que, embora esses ataques fossem feitos em nome da natureza, esta ainda era compreendida, por Addison e Pope, no sentido newtoniano e mesmo no de Boileau. Boileau, em sua *Arte poética*, de 1674, fazia objeções ao Barroco sulino pelo seu caráter irracional e, portanto, não-natural. Razão e natureza são ainda sinônimos para Addison e Pope, como vimos pelos comentários de Pope a respeito de Blenheim.

Acrescente-se a isso a "paixão pelas coisas naturais" de Shaftesbury e sua idéia de que "a vaidade ou o capricho do Homem desvirtuaram a ordem original rompendo com seu estado primitivo", e estaremos próximos da solução do quebra-cabeça que é o paralelismo entre a arquitetura clássica e o jardim natural. O estado original do Universo é harmonia e ordem, como percebemos nas trajetórias ordenadas das estrelas, reveladas pelos novos telescópios, e nas estruturas dos organismos, reveladas pelos novos microscópios. "Por todo lado, a idéia de Razão, Ordem e Proporção", para empregar mais uma vez as palavras de Shaftesbury. Para ilustrar a superioridade da harmonia sobre o caos, Shaftesbury refere-se explicitamente à superioridade do "edifício regular e uniforme de algum nobre arquiteto" sobre "um amontoado de areia ou pedras". Mas o amontoado de areia não é a natureza em seu estado primitivo? Isto, os

---

\* "Um arvoredo acena para outro, cada aléia tem uma irmã,
E metade da plataforma é apenas espelho da outra."

primórdios do século XVIII não quiseram reconhecer, e assim chegamos a essa curiosa ambigüidade. A natureza pura é ordem e harmonia de proporções. Portanto, a arquitetura natural é uma arquitetura segundo Palladio. Mas, na linguagem comum, campos e sebes também são natureza pura e deles as pessoas gostavam realmente, pelo menos na Inglaterra. Assim, o jardim deveria ficar o mais próximo possível dessa natureza pura. Addison foi o primeiro a chegar a essa conclusão. Exclamou: "Por que não transformar toda uma propriedade numa espécie de jardim ?", e "Um homem deveria poder fazer de sua propriedade uma linda paisagem." Pope seguiu a opinião de Addison, num artigo para *The Guardian*, em 1713, e, mais importante ainda, em seu próprio jardim-miniatura em Twickenham. No entanto, quando se "aperfeiçoou" Twickenham, para usar uma expressão do século XVIII, em 1719-1725, aconteceu outra coisa igualmente marcante. Esses primeiros jardins antifranceses não eram de modo algum jardins-paisagem no sentido que lhes seria conferido posteriormente. Não eram a "natureza sem adornos" de Pope. Seus planos, com seus fios de água e córregos em elaborados meandros, são de uma irregularidade tão artificial quanto a regularidade barroca de antes. Ou, como foi colocado por Horace Walpole em 1750: "Não há um só cidadão que não se esforce para deformar seu pedaço de terra com irregularidades, empregando aí mais energia do que a que teria gasto anteriormente para torná-lo tão formal quanto sua gravata." Agora, tudo isso, esse "torcer e entrelaçar" – para usar as palavras de Walpole – é evidentemente Rococó e mais próximo, em espírito, do *rocaille* de Bruchsal do que daqueles jardins do final do século XVIII que procuravam imitar a natureza intocada. É a versão inglesa do Rococó, tão tipicamente inglesa quanto o foi o Barroco de Wren em comparação com o Barroco continental.

Assim, quando lembramos a grandeza e a elegância da arquitetura francesa dos séculos XVII e XVIII sempre como uma arquitetura urbana (pois as avenidas retilíneas do parque de Versalhes também são urbanas em espírito), não podemos esquecer que as casas inglesas formais de estilo palladiano, entre 1660 e 1760, têm como complemento o jardim inglês. O Prior Park, de John Wood, possui esses jardins informais e naturais. E mesmo nos desenvolvimentos urbanos mais importantes da Inglaterra georgiana, tais como New Edinburgh e sobretudo Bath, a natureza está próxima e é prontamente incorporada.

239. Bath, Royal Crescent, por John Wood, o Moço, 1767-c. 1775

John Wood foi o primeiro, após Inigo Jones, a impor a uniformidade palladiana à quadra inglesa como um todo. Todas as quadras construídas a partir de 1660, em Londres e em outros lugares, foram deixadas para que os proprietários das casas decidissem sua organização como melhor lhes aprouvesse e, unicamente em razão dos padrões estéticos da sociedade georgiana, nenhuma dessas casas contrasta violentamente com as suas vizinhas. John Wood fez, então, o seu Queen Square, em Bath, como se fosse um só palácio com fachada de um pórtico central, dando menor destaque às construções de canto. Isso foi em 1728. Vinte e cinco anos mais tarde, ele projetou o Circus (1754-c. 1770), novamente como um tema uniforme. Seu filho, John Wood, o Moço (morto em 1781), rompeu, com seu Royal Crescent, a massa compacta das quadras anteriores atrevendo-se a contrapor à sua vasta fachada de palácio semi-elíptica, com trinta casas com gigantescas colunas jônicas, um amplo gramado em leve declive. Aqui chegou-se ao extremo oposto de Versalhes. A natureza já não está a serviço da arquitetura: ambas se equivalem. Já está próximo o Movimento Romântico.

Em Londres, o princípio da fachada de palácio para todo um conjunto de casas foi introduzido por Robert Adam em seu Adelphi (aquela magnífica composição de ruas, cuja frente para o Tâmisa é conhecida em toda a Europa, e que foi destruída não por bombas, mas por londrinos mercenários, pouco antes da guerra) e em seguida aplicado em Fitzroy Square e Finsbury Square. Mas o trabalho de Adam, que ganhou fama internacional nas décadas de 60 e 70 – no mesmo período em que também o jardim inglês começou a influenciar a Europa – não deveria ser considerado tão ligado ao palladianismo e ao grupo de Burlington. É, fundamentalmente, uma outra coisa. Geralmente, essa diferença é expressa situando-se Adam no começo do assim chamado neoclássico. Mas isso não explica tudo, porque o neoclássico é, realmente, apenas uma parte de um processo muito mais amplo: o Movimento Romântico. Assim, da renovada abordagem direta da Antigüidade greco-romana bem como da criação inglesa do jardim-paisagem, passamos à consideração do problema central da Europa no período de 1760 e 1830: o Romantismo.

# 8. O MOVIMENTO ROMÂNTICO, O HISTORICISMO E O INÍCIO DO MOVIMENTO MODERNO
1760-1914

O Movimento Romântico teve origem na Inglaterra. Esse fato é bastante conhecido no que se refere à literatura; para as artes e a arquitetura, em particular, ele ainda precisa ser confirmado. Na literatura, o Romantismo é a reação do sentimento contra a razão, da natureza contra o artificialismo, da simplicidade contra a ostentação, da fé contra o ceticismo. A poesia romântica expressa um novo entusiasmo pela natureza e uma abnegada veneração pela vida plena, elementar e confiante de civilizações primitivas ou distantes. Essa veneração leva à descoberta do nobre selvagem e do nobre grego, do virtuoso romano e do piedoso cavalheiro medieval. Qualquer que seja seu objeto, a atitude romântica é de nostalgia, isto é, antagonismo ao presente, um presente que, para alguns, era principalmente a frivolidade rococó, para outros, o racionalismo sem imaginação, e para outros ainda, um feio industrialismo e comercialismo.

A oposição ao presente e ao passado imediato permeia todas as formas de expressão do espírito romântico, embora algumas tendências dentro do novo movimento se desenvolvam a partir do racionalismo e do Rococó do século XVIII. Mostramos, por exemplo, como a concepção do jardim-paisagem – concepção verdadeiramente romântica – remonta a Addison e Pope, embora aparecendo primeiramente sob a vestimenta do Rococó. De modo semelhante, aquela expressão arquitetônica mais popular do Romantismo – o ressurgimento das formas medievais – iniciou-se muito antes do Movimento Romântico propriamente dito e atravessou todas as fases do estilo do século XVIII antes de assumir um caráter inteiramente romântico.

Na verdade, o estilo gótico nunca desapareceu completamente na Inglaterra. Há uma sobrevivência inconsciente do Gótico em muitos trabalhos nas províncias antes de 1700 e um ressurgimento consciente do gótico já nos últimos anos da rainha Elizabeth (Wollaton Hall, 1580) ou durante o período do rei James (a biblioteca do St. John College, em Cambridge, 1624). Wren, como já dissemos, também utilizou formas góticas em algumas das igrejas londrinas, e usava em sua defesa dois tipos de argumentos, ambos prenunciando aqueles que seriam empregados nos séculos XVIII e XIX. Recomendou que se desse continuidade ao Gótico onde houvesse obras góticas, porque "desviar-se da velha forma poderia acarretar uma desagradável mistura que nenhuma pessoa de bom gosto poderia

240. Blackheath, Londres, casa de Sir John Vanbrugh, contruída por ele próprio em 1717-18

suportar"; mas também escreveu que considerava suas igrejas góticas de Londres "não desprovidas de graça, mas ornamentais". Aqui, o gótico é difundido em nome da conformidade e da graça.

O elemento medieval das torres nas igrejas de Hawksmoor não foi determinado nem por um desejo de conformidade, nem pela graça, e sua concepção da Idade Média como um período de virilidade primeva ultrapassa Wren. É, de fato, uma concepção que poderia ser chamada de Gótico barroco. Seu líder foi Vanbrugh, a quem se deve a penetração do Gótico barroco na arquitetura residencial. Sua própria casa em Blackheath (1717-1718) tem a aparência de um castelo e possui uma torre arredondada que lembra uma fortificação. Introduziu também estruturas de castelo em muitas das construções que executou ou projetou. Tratando-se dele, sabemos quais foram suas razões; elas aparecem em suas cartas. Queria que sua arquitetura fosse *masculina* e as ameias proporcionavam essa impressão. Assim, grossas torres redondas e ameias apareciam mesmo em suas casas de campo que, quanto ao mais, são de estilo comum. Entretanto, além do primitivo caráter medieval, os castelos, para ele, significavam alguma coisa mais. Não que ele construísse de fato simulacros de ruínas como se fez no final do século XVIII, mas defendeu a preservação de ruínas autênticas quando as encontrou porque elas "provocam reflexões vivas e agradáveis... sobre as pessoas que aí habitaram e sobre os memoráveis feitos que aí se realizaram" e também porque "com teixos e azevinhos da agreste vegetação" compuseram "um dos mais agradáveis objetos que o melhor dos pintores de paisagens poderia criar".

A austera versão do medievalismo de Vanbrugh e Hawksmoor morreu com eles, mas as duas passagens acima mencionadas, extraídas do memorando de Vanbrugh (sobre Blenheim), compõem a base do ressurgimento romântico. Vanbrugh utiliza dois argumentos, ambos empregados pelos teóricos do século XVIII: o associativo e o pitoresco. Um edifício é revestido com a roupagem de um estilo específico devido às meditações que esse estilo suscitará. Ele é concebido em conjunção com a natureza circundante porque os especialistas em arte haviam descoberto no Grand Tour\*, entre as ruínas romanas em Roma e nos seus arredores, a verdade e o pito-

---

\* Viagem que outrora era costume fazer-se pelos principais países da Europa, para completar a educação recebida. (N. do E.)

241. Palácio Blenheim, vista aérea. Composição do gramado por Capability Brown

resco das paisagens heróicas e idílicas de Claude Lorraine, Poussin, Dughet e Salvator Rosa. Estas foram compradas em profusão pelos colecionadores ingleses e ajudaram a formar o gosto de artistas e paisagistas, amadores e profissionais.

Lorraine deve ter sido admirado por Pope e Kent (que, além de tudo, foi pintor antes de se tornar arquiteto), mas os jardins de Twickenham e Chiswick nada tiveram da calma serena da paisagem de Lorraine. O Rococó teve que morrer para que esse tipo de beleza pudesse ser reproduzido. O Leasowes, jardim que o poeta William Shenstone projetou para si por volta de 1745, foi aparentemente um dos primeiros a substituir o "torcer e entrelaçar" do estilo anterior

242. Syon House, Middlesex, por Robert Adam, iniciada em 1761 (Copyright *Country Life*)

243. Syon House, pórtico de entrada, 1773 (Copyright *Country Life*)

por um fluxo mais suave de curvas que, juntamente com os diversos monumentos e templos que erigiu, ajudou a criar sentimentos de uma agradável melancolia. O grande nome da história do paisagismo da metade do século XVIII foi Lancelot Brown (Capability Brown, 1715-1783). São dele os gramados amplos e suaves, os grupos de árvores artisticamente espalhados e lagos sinuosos que revolucionaram a arte do paisagismo em toda a Europa e América. Já não é mais o Rococó; possui a simplicidade delicada do *Vicar of Wakefield*, de Goldsmith, e a singela elegância da arquitetura de Robert Adam.

O caso de Adam, porém, é mais complexo que o de Brown. Robert Adam é conhecido internacionalmente como o pai do neoclássico na Grã-Bretanha. A recuperação que faz da decoração de estuque romana e sua delicadeza não é exatamente o que o nosso atual conhecimento sobre gregos e romanos nos levaria a esperar de um verdadeiro adepto do neoclássico. Onde está, na obra de Adam, a severa nobreza de Atenas ou a virilidade romana? Na verdade, há mais severidade no palladianismo de Lord Burlington e maior virilidade em Banbrugh do que se poderia encontrar em Adam. Comparem-se, por exemplo, as paredes da Longitudinal Gallery de Adam na Syon House com as de qualquer mansão palladiana. Adam recobre suas paredes com um trabalho em estuque executado com requinte e primor num ritmo leve e ligeiro. Gosta de terminar um cômodo com um nicho suavemente arredondado, ladeado por duas colunas com um entablamento. Essa dissimulação das relações espaciais, essa transparência que permite à ventilação penetrar por entre as colunas e por cima do entablamento, é decididamente antipalladiana, original e espirituosa. O motivo se repete na arquitetura exterior, no pórtico de entrada da Syon House. Também aqui Lord Burlington poderia falar em frivolidade e mau gosto. Os pavilhões centrais de Vanbrugh nas alas do Blenheim Palace, se comparados com o pórtico de Adam, pareceriam blocos de rocha amontoados por um gigante. As pilastras graciosamente ornamentais e o leão cujo perfil se destaca contra o céu fazem com que Vanbrugh pareça um tártaro e Burlington um pedante. O que Adam admirava em um edifício, segundo suas próprias palavras, era "a ascensão e a queda, o avanço e o retrocesso e outras diversidades de formas", assim como "a variedade de modelagens leves".

Isso, agora, é eminentemente revelador; não é nem barroco, nem palladiano – embora no exterior de suas casas de campo Adam não se afaste com freqüência dos padrões palladianos – e nem mesmo clássico. Se isso é alguma coisa, é rococó – mais uma passagem ligeira pela Inglaterra do estilo geral europeu da metade do século XVIII. Do mesmo modo, não é errado ver em Robert Adam um representante do neoclássico. Esteve em Roma, quando jovem, a caminho de Spalato, com o propósito de estudar minuciosamente as ruínas do palácio de Diocleciano. De volta à casa, publicou os resultados de sua pesquisa em um suntuoso volume que data de 1763. Essas gravuras dos monumentos da Antiguidade são hoje corretamente consideradas um marco do neoclássico. A obra de Adam foi precedida pela mais importante de todas – a *Antiquities of Athens*, de James Stuart e Nicholas Revett, cujo primeiro volume surgiu em 1762. Os dois arquitetos trabalharam sob o patrocínio da então recém-fundada Sociedade dos Diletantes, clube londrino de *gentlemen* interessados em arqueologia. Dois anos mais tarde, surgiu uma publicação sobre os templos de Paestum, realizada por Dumont. Nesses livros, o arquiteto e o conhecedor de arte ingleses puderam ver, pela primeira vez, a força e a simplicidade da ordem dórica grega. Até esse momento – e desde que surgiram os tratados sobre as ordens, no século XVI – o que vinha sendo empregado como dórico era uma variedade muito mais esbelta, atualmente conhecida como romana, quando estriada, ou toscana, quando não. As proporções curtas e grossas da ordem dórica grega e a completa ausência de base chocaram os palladianos. Sir William Chambers, defensor das tradições palladianas da geração posterior a Burlington e um dos fundadores da Royal Academy, em 1768, qualificou-a de francamente bárbara. A Adam, tampouco lhe agradou. Sua reaparição nos livros da década de 60 é memorável. Torna-se o *leitmotiv* da fase ou variedade mais radical do neoclássico, conhecida na Inglaterra como o neogrego. A obra de Stuart e Revett encontrou na França um paralelo na obra mais modesta, *Ruines de Grèce* (1758), de Le Roi, e na Alemanha, na clássica *História da arte antiga* (1763), de Winckelmann, primeiro livro a reconhecer e analisar as verdadeiras qualidades da arte grega, sua "simplicidade nobre e a grandeza serena".

No entanto, o reconhecimento dessas qualidades por Winckelmann ocorre mais no plano literário do que no visual, uma vez que ele coloca o Apolo do Belvedere e o Laocoonte – isto é, exemplos

244. Caramanchão, gravura de P. Decker de *Gothic Architecture Decorated*, 1759

do Barroco tardio e do Rococó gregos – em um nível superior a qualquer outra estatuária antiga. As estátuas de Olímpia e Egina, ou mesmo as do Partenon, tê-lo-iam chocado? Isto não é de todo improvável. Seu gosto pela Grécia provavelmente não ia além do gosto de Josiah Wedgwood. Este copiava vasos a partir de exemplares gregos do século V – então atribuídos aos etruscos – denominando mesmo sua nova fábrica de *Stoke-on-Trent Etruria*. Mas o estilo da porcelana de Wedgwood é delicado e elegante, mais próximo de Adam do que dos gregos. Há, também, o desejo inegável de ser grego, a marcante tendência das publicações de arqueologia a preferir os gregos aos romanos, e há também, se não em Adam, em seu contemporâneo James Stuart – o "ateniense" Stuart (1713-1788) –, a reprodução integral de estruturas gregas inteiras em solo inglês e a construção de pequenos templos dóricos para mecenas do Norte. Se isso não é um genuíno neogrego, o que seria? Mas, uma vez mais, se deixarmos de lado as associações e as intenções e usarmos apenas nossos olhos, veremos miniaturas de pavilhões em formas dóricas colocadas em jardins-paisagens, pitorescas peças de decoração de jardim. Um templo dórico como o de Stuart, por exemplo, embeleza o gramado de Hagley, perto de Birmingham; nas proximidades, o mesmo proprietário levantou, ao mesmo tempo, uma ruína gótica para servir de casa de guarda, e um pavilhão rústico em memória do poeta Thomson, autor de *Seasons*. O templo dórico de Hagley foi construído em 1758 e é o primeiro monumento do neodórico na Europa.

A única diferença entre o dórico e o gótico de Hagley é que um é correto e o outro não. O proprietário, devido a sua educação clássica, pôde observar um, mas não outro. Também os arquitetos, e mesmo os construtores das províncias, por volta de 1760, conheciam o suficiente sobre as ordens e detalhes da Antiguidade para poderem reproduzir um Panteon em miniatura ou uma ruína de aqueduto romano sem muitas falhas. Porém, no caso do ressurgimento gótico inicial, o conhecimento a respeito da Antiguidade ainda era deficiente. Assim, enquanto os resultados nas cópias gregas e romanas tendem a ser de algum modo fiéis, os inumeráveis pavilhões, quiosques, falsas ruínas, eremitérios e outros disparates góticos são encantadoramente ingênuos e despreocupados – um Rococó gótico, assim como o estilo de Adam foi um Rococó clássico.

O mérito de haver estabelecido o estilo gótico nas casas de campo inglesas coube a Horace Walpole. Sua Strawberry Hill, perto de Londres, tornou-se famosa entre conhecedores e arquitetos da nova escola em toda a Europa. Ampliou e goticizou o *cottage* original em 1750. Em um aspecto ele estava, em seu trabalho gótico, à frente de outros que tinham gosto similar, notadamente William Kent, a quem conhecemos como palladiano e como pioneiro do paisagismo pitoresco: Walpole insistia em que seus interiores tivessem detalhes corretos. Lareiras ou painéis murais eram copiados de gravuras de tumbas e painéis medievais. Evidentemente, ele admirava certas qualidades do estilo gótico que não coincidem com o nosso gosto atual. Em cartas que escreveu entre 1748 e 1750, ele fala do "venerável e encantador gótico" e de um "excêntrico ar de novidade" que

245. Twickenham, Middlesex, Strawberry Hill, ampliada e goticizada, c. 1750-70, aposentos Holbein Chamber (Copyright *Country Life*)

os motivos góticos acrescentavam às construções contemporâneas. Strawberry Hill é, de fato, encantadora e excêntrica com seu exterior finamente trabalhado e sua graciosa galeria interior cujas abóbadas em leque e rendilhados dourados têm espelhos colocados como se fossem painéis. Essa utilização lúdica das formas góticas está mais próxima, em espírito, do mobiliário chinês de Chippendale do que dos sentimentos de Wordsworth em Tintern Abbey ou das igrejas neogóticas vitorianas. O próprio Walpole era contra a moda da *chinoiserie*, mas, numa visão mais ampla do estilo de 1750, uma ponte chinesa, um Panteon em miniatura e uma ruína gótica pertencem ao mesmo conjunto. De fato, observamos que mesmo Robert Adam se comprazia em projetar ruínas com todo o brilho do rococó de Piranesi, e ocasionalmente concebia obras de caráter doméstico segundo um gosto ligeiramente medieval. E descobrimos, também, Sir William Chambers projetando o pagode de Kew Gardens, apesar de sua firme adesão ao palladianismo.

Kew teve, originalmente, a maior variedade dessas extravagâncias que apareciam nos jardins rococó: além do pagode (que, felizmente, sobreviveu) havia um templo de Pan, um templo de Ele, templos consagrados à Solidão, ao Sol e à Vitória, um templo de Bellona, uma casa de Confúcio, um teatro romano, um Alhambra, uma mesquita, uma catedral gótica, um arco em ruínas, etc. A graça da presença do turco, do mouro, do gótico e do chinês nesse *omnium gatherum* de estilos exóticos é a mesma que encontramos no *Zadig* e no *Babouc*, de Voltaire, e nas *Lettres persanes*, de Montesquieu, ou seja, a graça do duplo sentido de um refinado rococó. Na verdade, nada da solene meditação dos românticos poderia ser evocado em um pagode. Quando, um pouco mais tarde, o Movimento Romântico introduziu esses sentimentos no paisagismo, grande parte dos ornamentos comuns nos jardins foram eliminados por serem considerados inadequados. Também para Walpole, Strawberry Hill possuía qualidades associativas. Foi, em alguns aspectos, seu *Castelo de Otranto*. Parece difícil acreditar nisso. Mas a mansão de Beckford, Fonthill Abbey, com suas vastas galerias e sua torre enorme, tinha, para ele, algumas das qualidades da obscura Idade Média que inspiravam medo, e isso pode ser observado em ilustrações que chegaram até nós. Aqui, a excentricidade de um milionário parece haver criado algo verdadeiramente romântico. Fonthill foi construída por James Wyatt (1746-1813) a partir de 1796. Mas, já em 1772, Goethe, diante da catedral de Estrasburgo, proferiu palavras de apaixonada admiração pelo espírito gótico na arquitetura: "Ela se eleva como uma sublime Árvore de Deus que, abrindo-se em arco, com milhares de ramos, milhões de galhos e folhagens como as areias do mar, proclama à sua volta a glória do Senhor, seu mestre... Tudo é forma, até a mais minúscula fibrila, tudo concorre para o todo. Como se eleva suavemente nos ares essa construção gigante firmemente plantada no solo! Toda ela filigrana, e permanece para a eternidade... Detém-te, irmão, e decifra o mais profundo sentido da verdade... que se desprende do solo forte e rude da Alemanha... Não abandones, cara juventude, a grandeza rústica pela doutrina frágil da balbuciante beldade moderna."[39]

O Gótico, agora, já não é apenas um estilo da mesma categoria do Rococó, do chinês e do hindu; representa tudo que é genuíno, sincero, elementar – na verdade, representa tudo aquilo que Winckelmann e, um pouco mais tarde, o próprio Goethe perceberam na arte grega. O grego e o gótico foram ambos, nas mentes de estetas e artistas sérios, a salvação para a frivolidade do século XVIII. A França dedicou-se ao Rococó muito mais do que a Inglaterra e, conseqüentemente, a reação contra ele foi mais violenta na França. Começou já na década de 1750. O abade Laugier, um aficcionado, publicou seu *Essai sur l'architecture* em 1753 e nele pregava: "Tenons nous au simple et au naturel."* Charles-Nicolas Cochin, o Moço (1715-1790), jovem gravador bem-sucedido, publicou no *Mercure de France*, em dezembro de 1754, seu encantador *Supplication aux Orfèvres*, implorando aos ourives que não prosseguissem com suas curvas em S e outras "formas barrocas" e pregando que "só do ângulo reto podem resultar bons efeitos".

O primeiro grande arquiteto francês a voltar-se para as formas mais clássicas foi Ange-Jacques Gabriel (1698-1782). Ele nunca esteve na Itália e deve ter forjado seu estilo maduro no exemplo dos arquitetos franceses mais clássicos do século XVII – um paralelo ao ressurgimento de Palladio e Inigo Jones na Inglaterra. Gabriel foi *premier architecte du roi*. Seus trabalhos mais importantes foram a

---

39. Geoffrey Grigson foi o autor da tradução, publicada em *The Architectural Review*, vol. 98, 1945.
\* "Atenhamo-nos ao simples e ao natural."

O MOVIMENTO ROMÂNTICO, O HISTORICISMO E O MOVIMENTO MODERNO **373**

246. Paris, École Militaire por Ange-Jacques Gabriel, iniciada em 1751

École Militaire, iniciada em 1751, as duas construções ao longo da ala norte da Place de la Concorde, iniciadas em 1757, e o Petit Trianon, nos jardins de Versalhes, iniciado em 1762. Não há nada de revolucionário em nenhum deles. A escadaria da École Militaire, por exemplo, é do mesmo tipo que a de Mansart em Blois, mas as abóbadas de almofadas rasas e o sólido corrimão bronze conferem-lhe firmeza e tranqüilidade, apesar das elegâncias do Rococó. O traba-

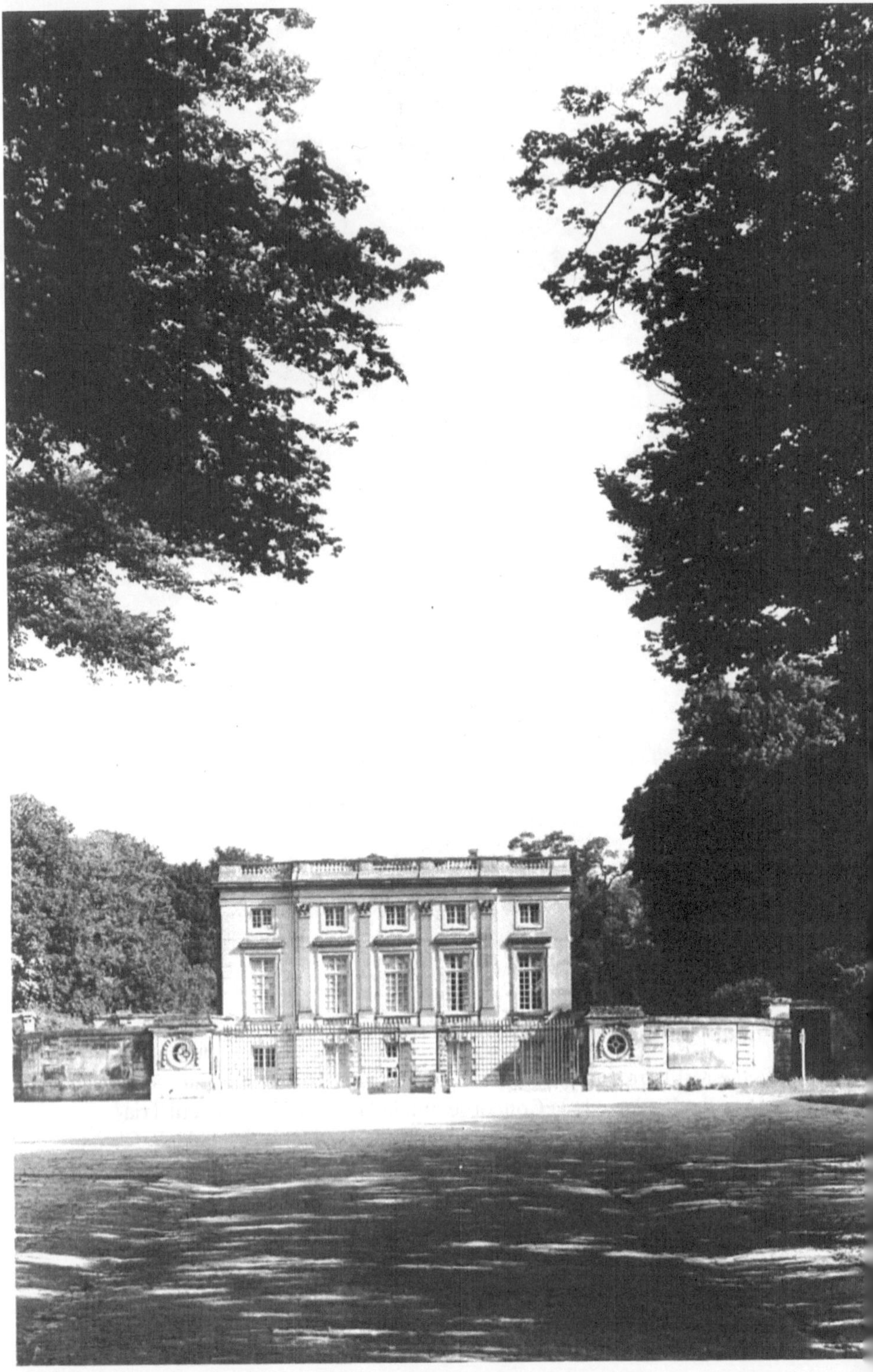

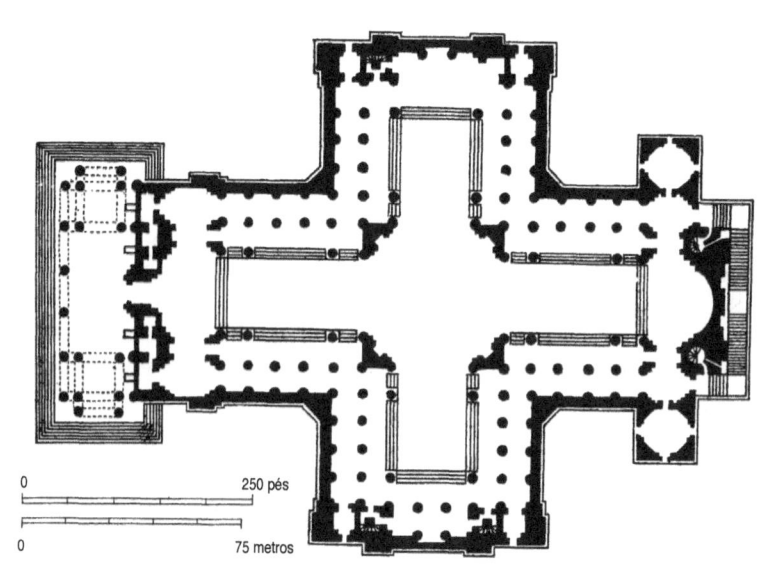

O MOVIMENTO ROMÂNTICO, O HISTORICISMO E O MOVIMENTO MODERNO **375**

248. Paris, Panthéon (Ste. Geneviève), por Soufflot, 1755-92

lho de construção em pedra, em todos os edifícios de Gabriel, é primoroso. As fachadas da Place de la Concorde possuem *loggias* no primeiro andar a exemplo das que usou Perrault na fachada oriental do Louvre; o Petit Trianon não apresenta projeções curvas, tampouco qualquer domo arredondado e nem mesmo qualquer frontão. Trata-se de um pequeno cubo extremamente elegante, com apenas alguns poucos e discretos ornamentos externos.

Diz-se que o Petit Trianon pressupõe influências do palladianismo inglês. Mas há poucos elementos, no conjunto ou nos detalhes, que justifiquem tal afirmação. A influência inglesa em Versalhes chegou um pouco mais tarde, tanto sob a forma de palladianismo – o Couvent de la Reine (1770 aproximadamente) por Richard Mique (1728-1794) e sob a forma mais movimentada de ornamentos pitorescos de jardim: uma rotunda ou monóptero dedicado a Cupido e construído por volta de 1777 por Mique e o famoso Hameau, imitação de uma casa normanda de Maria Antonieta, construída por volta de

247. Versalhes, Petit Trianon, por Ange-Jacques Gabriel, iniciada em 1762

1781, também por Mique. Os cidadãos abastados de Paris estavam igualmente ávidos, à época, por possuírem *jardins anglais*. O especialista nessas *folies* foi François-Joseph Belanger (1744-1818), que projeta a Bagatelle e a Folie Saint-James durante os anos 70. A Ermenonville de Rousseau pertence ao mesmo período[40]. Em 1775 publica-se uma carta *Sur la manie des jardins anglais**. Havia um pintor – e isso, por si mesmo, é um fato característico – estreitamente vinculado a Belanger e ao jardim-paisagem: Hubert Robert (1733-1808). Trabalhou em Versalhes em 1775 e parece que também teve algo a ver com o Désert de Retz. Hubert Robert foi enviado a Roma em 1754 como protegido do irmão mais novo de Mme. Pompadour, o superintendente de construções. Ele mesmo havia sido enviado a Roma por sua irmã, quatro anos antes. Nessa excursão em busca de um estilo mais sério e clássico foi acompanhado por Cochin, autor de *Supplication aux Orfèvres* e por Jacques-Germain Soufflot (1713-1780), que veio a ser o mais importante arquiteto francês da geração que sucedeu a Gabriel. Soufflot é conhecido principalmente pelo Panthéon, que recebeu esse nome durante a Revolução. Foi construído para ser a igreja de Ste. Geneviève em 1755-1792. O Panthéon foi, de fato, um projeto revolucionário para a França da época – se tivesse sido para a Inglaterra, o impacto seria menor. O conhecimento e a simpatia de Soufflot pelas construções inglesas podem ser comprovados pela evidente relação que existe entre o domo de sua igreja e o da igreja de St. Paul de Wren. Esse domo esplêndido, erigido sobre um tambor formado por colunas, eleva-se sobre o cruzamento de uma construção em cruz grega isolada. Domos mais baixos cobrem os quatro braços, de modo muito semelhante ao que foi feito na igreja dos Santos Apóstolos, em Bizâncio; no Périgueux, e em S. Marcos, em Veneza, e na Medalha dos Sforza (1460 aproximadamente). Enquanto nessas igrejas e em todas as similares os domos repousam sobre paredes sólidas ou pilares, Soufflot decidiu colocá-los, tanto quanto possível, sobre colunas que sustentam entablamentos retos. Os deambulatórios que circundam totalmente a igreja possuem apenas colunas, exceto nos cantos que sustentam o domo central, onde Soufflot introduziu delgados pilares triangula-

---

40. Mas o jardim inglês de Montesquieu, em La Brède, remonta a 1750.
* "Sobre a mania dos jardins ingleses."

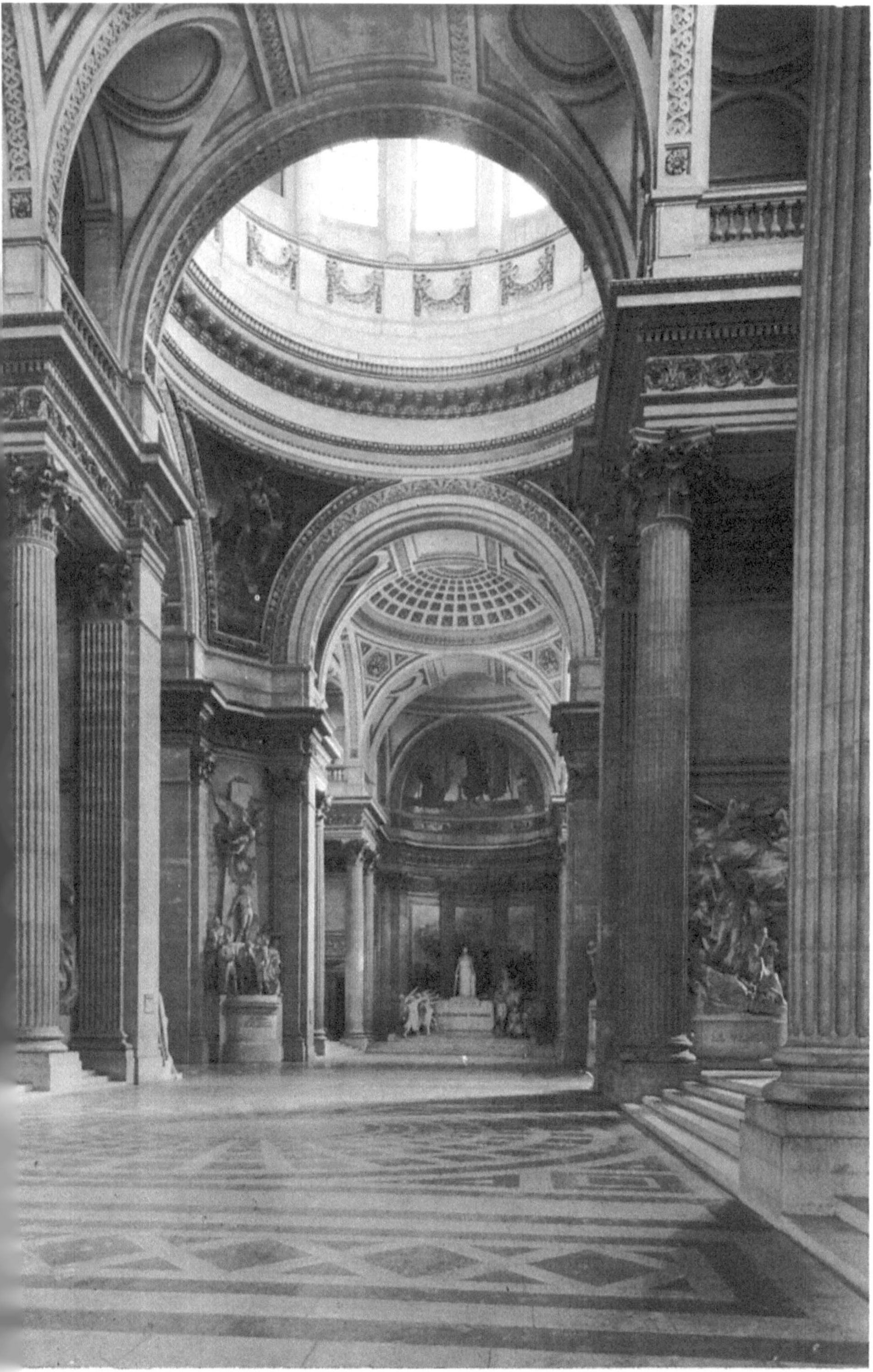

res com colunas apoiadas de encontro a eles. Foram posteriormente alargados e as janelas externas tapadas. Isso, até certo ponto, prejudica a luminosidade que Soufflot pretendia criar para sua igreja. A combinação da regularidade estrita e dos detalhes romanos monumentais com essa luminosidade é sua mais original contribuição. Corresponde aproximadamente ao que Robert Adam começava a fazer na Inglaterra naquele momento. Adam, porém, iluminava seus modelos instintivamente, enquanto Soufflot o fazia segundo uma teoria cuidadosamente estudada, teoria tão curiosa e ambígua que merece consideração. Laugier e outros denunciaram as pilastras acopladas a pilares como sendo antinaturais – querendo dizer, com isso, barrocas. A coluna, ao contrário, seria natural, e mesmo correta, de acordo com o precedente grego. Ao mesmo tempo, a coluna era o suporte mais elegante e, assim, desde que pudesse suportar satisfatoriamente sua carga, seria a solução mais racional. O modelo para essas idéias sobre uma massa mínima suportando uma carga máxima eram as igrejas góticas, e Soufflot diria mesmo, em 1762, que "se deveria combinar as ordens gregas com a leveza que pode ser admirada em algumas construções góticas". Perronnet, diretor da famosa escola de engenheiros de pontes e estradas, diria o mesmo alguns anos mais tarde: "Ste. Geneviève se situa entre a maciça arquitetura da Antiguidade e a leve arquitetura gótica." Nesse sentido, também a França teve seu ressurgimento gótico da metade do século XVIII[41]. Mas, enquanto o ressurgimento gótico na Inglaterra é evocativo, na França é estrutural, tão puramente estrutural, na verdade, que dificilmente é notado.

Já em 1741, Soufflot fez uma conferência sobre arquitetura gótica. Quando esteve na Itália, em 1750, foi visitar os templos de Paestum, desenhando-os detalhadamente. Seus desenhos foram finalmente publicados em 1764, por Dumont, no volume já mencionado. Também neste caso a admiração de Soufflot pela arte romana não o leva à imitação, ao contrário do que ocorreu com os jovens arquitetos franceses da geração seguinte que foram enviados à Académie de France, em Roma, nos anos 50 e 60. Essa geração de arquitetos nascidos entre 1725 e 1750 não possuía um verdadeiro líder na França. O nome de Ledoux é o mais conhecido; Boullée tornou-

---

41. Estou aqui antecipando o que deve ser demonstrado, com muito mais detalhes, num estudo que o dr. Robin Middleton está preparando.

se mais conhecido recentemente, mas nenhum dentre eles chegou a ser tão bem-sucedido quanto muitos outros; e, ainda assim, quase não eram conhecidos fora de um círculo restrito; de Wailly e Marie-Joseph Peyre, os dois arquitetos do Odéon; Antoine, Louis, Gondoin, que construíram a Escola de Cirurgia; Brongniart, que trabalhou no convento dos capuchinhos (atual Lycée Condorcet); Chalgrin, famoso pelo Arco do Triunfo e pela igreja de St. Philippe-du-Roule; Desprez, que trabalhou na Suécia; Belanger, e outros. Seus estilos têm muito em comum e foram influenciados por Gabriel e Soufflot, pela Inglaterra e por Roma. Caracterizam-se por formas estritamente cúbicas sem telhados de pavilhão ou mesmo sem nenhum telhado visível; por domos hemisféricos seguindo o modelo do Panteon em Roma (opondo-se, assim, ao domo barroco do Panthéon em Paris) e de Bramante, por pórticos com entablamento retilíneo em vez de frontão (Hôtel d'Uzès, de 1767, e Château de Bénouville, de 1768, ambos de Ledoux; Hôtel de Brunoy, de 1772, por Boullée; o teatro de Bordeaux, em 1772-1780, por Louis; Odéon, de 1779-1782; Hôtel de Salm, agora Légion d'Honneur, de 1782-1786, por Rousseau; a Bolsa, de 1807, por Brongniart, etc.), por abóbadas de berço almofadadas (St. Philippe-du-Roule, de 1774-1784, por Chalgrin) e por uma preferência pelo toscano e dórico grego em detrimento das outras ordens mais delicadas. A Inglaterra, naturalmente, sempre preferiu a ordem toscana, desde os últimos anos de Wren, e introduziu o dórico grego já em 1758 em Hagley. Na França aparecerá entre 1778-1781 na entrada da capela do Hospital da Caridade, de Antoine. Os franceses, porém, apreciavam mais a coluna toscana, baixa e atarracada, do que a dórica grega. A ausência de caneluras dava-lhe um aspecto ainda mais primitivo. Brongniart empregou-as no claustro dos capuchinhos (Lycée Condorcet, rue du Havre) em 1780; David, o pintor, em seu *Serment des Horaces*, que marcou época em 1784; Poyet, no conjunto da rue des Colonnes, em 1798; Thomas de Thomon, na Bolsa em São Petersburgo, em 1801, e assim por diante. As colunas toscanas e dóricas são a antítese das pilastras de superfície encurvada, tão ao gosto do Rococó. Representam o poder como que em oposição à elegância. Da mesma maneira, como reação contra a delicadeza e *petitesse* do Rococó, os arquitetos começam a insistir na escala colossal. Isso produziu, muitas vezes, sonhos arquitetônicos que eram colocados no papel,

250. São Petersburgo, Bolsa, por Thomas de Thomon, 1801

sem levar em conta a viabilidade de execução: palácios reais ou construções com fins mais democráticos como edifícios para academias, museus ou bibliotecas vagamente definidos ou os monumentos a Isaac Newton, descobridor da ordem do infinito, tantas vezes planejados.

Todos esses jovens arquitetos em Roma eram fascinados por Giovanni Battista Piranesi (1720-1778), arquiteto veneziano que viveu em Roma, que construiu pouco – e, quando o fez, o resultado foi decepcionante – mas que gravou a água-forte inúmeras pranchas de arquitetura, algumas fantásticas, e que, quase sempre, pretendiam retratar a Antiguidade romana. De fato, são verdadeiras em seus detalhes mas, no que se refere à escala e à composição, são de uma grandeza visionária que, como escreveu Horace Walpole, "ultrapassa aquilo que era o orgulho de Roma, mesmo no auge de seu esplendor". É sabido que Flaxman confessou ter achado "as ruínas de Roma menos impressionantes do que supunha pelas gravuras de

251. Projeto para a entrada de um cemitério, por Étienne-Louis Boullée, c. 1780-90

Piranesi". Suas gravuras tornaram-no famoso também por toda a Europa. Tornou-se membro honorário da Sociedade de Antiquários de Londres em 1757 e dedicou uma publicação do Campus Martius a Robert Adam. Em suas gravuras, todos os edifícios parecem obras de gigantes, e as figuras humanas aparecem aí diminutas e encolhidas, como se fossem insignificantes pigmeus (ver ilustr. p. 11). Há nisso mais do que um mero toque de *capriccio* rococó, assim como na manipulação espirituosa do buril e da agulha de Piranesi. Mas muita coisa nele está voltada para a era do Romantismo: o fervor com que ele, ainda segundo Horace Walpole, "alcança o céu com montanhas de edifícios", e seu deslumbramento com as formas primitivas tais como a pirâmide e – já no final de sua vida – as colunas dóricas de Paestum.

O resultado mais espetacular do culto a Piranesi pelos estudantes franceses da Académie de France foi o *Obras de arquitetura*, de Peyre, publicado em 1765, e que contém desenhos megalômanos para um palácio das academias francesas, uma catedral, etc. Peyre esteve em Roma de 1753 a 1757, Chalgrin de 1759 a 1763, Gondoin de 1761 a 1766, e assim por diante. Nem Boullée, nem Ledoux conheceram a Itália[42], mas seus estilos não podem ser compreendidos sem Piranesi ou Peyre. Étienne-Louis Boullée (1728-1799), a exemplo de Piranesi, não desperta muito interesse como arquiteto praticante. Sua glória consiste num conjunto de grandes desenhos

---

42. É o que se tem pensado recentemente quanto ao caso de Boullée, mas as provas não são convincentes.

252. Paris, posto de postagem, por Ledoux, 1784-9

preparados entre 1780 e 1790 para conferências ou publicações. Apresentam o mesmo caráter megalômano que os de Peyre: uma catedral em plano de cruz grega com pórticos de dezesseis colunas gigantes compondo as quatro fachadas, contendo um museu de plano central que é um bloco quadrado com pórticos semicirculares nos quatro lados, cada um com trinta e oito colunas que se repetem quatro vezes em profundidade, perfazendo um total de 152 colunas para cada pórtico; uma biblioteca nacional com uma vasta sala de leitura coroada por uma abóbada de berço de dimensões indescritíveis; um cemitério cuja entrada tem a forma de uma pirâmide baixa e de base ampla, flanqueada por dois obeliscos; um cenotáfio para um guerreiro, em forma de sarcófago, aparentando uma altura de aproximadamente 75 m; e um monumento a Newton, completamente esférico no interior e com um diâmetro de cerca de 300 metros, se é que as figuras humanas que constam do desenho podem ser tomadas como base para avaliar as dimensões. A precisão de proporções, no entanto, não é exatamente o que mais se deveria esperar do projeto. Piranesi afastou qualquer preocupação com isso e Boullée, em seus comentários, advoga em favor de uma arquitetura sentida e não racionalizada, em favor do caráter, da grandeza e da magia. Preocupava-se pouco com as necessidades práticas.

Claude-Nicolas Ledoux (1736-1806) teve mais êxito. Apesar de seu caráter excêntrico e irritadiço, recebeu inúmeras encomendas de residências, casas de campo e outros edifícios. Das mansões mais ricas construídas em Paris entre 1760 e 1820, apenas umas poucas sobrevivem e não são as mais características. Para um visitante que perambulava por Paris, o estilo deve ter parecido muito mais impressionante e convincente do que nos pode parecer agora, testemunhado quase que exclusivamente por gravuras. Das construções de Ledoux, além das residenciais, as mais interessantes são, ou foram, em primeiro lugar, os postos de postagem de Paris, construídos entre 1784 e 1789, com uma infinita variedade de plantas e elevações mas sempre num estilo vigoroso e maciço, com colunas toscanas, dóricas ou muito rústicas. Depois vem o teatro de Besançon, que foi construído entre 1778 e 1784, com colunas greco-dóricas no interior, como já foi observado, e que formam uma colunata no topo de um anfiteatro semicircular. O semicírculo, como forma geométrica simples, certamente agradava a Ledoux e a outros do grupo. Gondoin já o havia utilizado em 1769-1770 em seus planos para a École de Chirurgie, e foi novamente empregado após a Revolução por Gisors e Lecointe no Conseil des Cinq-Cents, no Palácio de Bourbon (1797). Mas o trabalho mais emocionante de Ledoux, mesmo em sua forma fragmentária, é a Salines des Chaux, em Arcs-et-Senans, sobre o rio Loue, perto de Besançon, cuja maior parte foi

253. Arc-et-Senans, Salines de Chaux, por Claude-Nicolas Ledoux, 1775-9

construída entre 1775 e 1779. A entrada possui um largo pórtico com vigorosas colunas toscanas; atrás dele, um nicho gigantesco e rusticado como se fossem rochas brutas com urnas cavadas na pedra das quais jorrasse água esculpida em pedra: a perfeita harmonia entre o clássico e o romântico, atraídos mutuamente por uma adoração compartida pelo elementar e primitivo.

Essas qualidades, no entanto, assumiram formas contraditórias, diferentes ou semelhantes, em outros projetos de Ledoux, projetos esses que, por bons motivos, nunca foram executados. Ele quis dar à casa do inspetor do rio Loue um centro em forma cilíndrica através do qual o rio pudesse passar e descer com "quedas d'água" em uma das extremidades; para os guardas do parque de Maupertuis sugeriu casas de forma completamente esférica e pirâmides como fornos para uma fundição de armamentos. Assim, a busca daquelas formas geométricas elementares, que o Rococó havia substituído em todos os lugares por curvas mais complexas e graciosas, levou um arquiteto a uma "arquitetura pela arquitetura", totalmente divorciada de qualquer preocupação com a utilidade. Ledoux também projetou uma cidade ideal que publicou em uma vasta edição em 1806 juntamente com um confuso texto repleto de reformas sociais. Os edifícios públicos, nessa cidade, destinam-se a funções imprecisas tais como "palácio dedicado ao Culto dos Valores Morais". Essa imprecisão é comum na retórica da Revolução Francesa. Pessoalmente, Ledoux era a favor da Revolução, mas o grupo do qual ele foi o representante que fazia maior alarde ainda é chamado, com razão, de "arquitetos da revolução", pois eles se revoltaram contra a autoridade estabelecida e a convenção e lutaram pela originalidade.

A situação era caracteristicamente diferente daquela de 1750-1760. Naquele momento, o inimigo havia sido o Barroco. Agora, era a cega aceitação da Antiguidade como ditadora de regras. Ledoux recusou-se a aceitar tanto Palladio quanto os gregos. Ele e seus companheiros quiseram repensar o problema e voltar a sentir o caráter de cada novo projeto. Estavam certos quando afirmavam que em arquitetura não é possível um estilo saudável enquanto for uma simples imitação de um estilo passado. A Renascença nunca se limitou apenas a copiar. Os palladianos do século XVIII e os neogregos do começo do século XIX fizeram-no freqüentemente. Goethe, no momento mais clássico de seu *Efigênia*, ainda assim manteve-se essencialmente original. E, de fato, o que ele valorizou mais que nada em Estrasburgo foi precisamente a originalidade no sentido de Young. Da mesma maneira, os poucos arquitetos do período de Goethe que possuíam autêntica genialidade empregaram as formas gregas e romanas com a mais ampla liberdade.

Dois deles merecem destaque: Sir John Soane, na Inglaterra, e Friedrich Gilly, na Prússia. Soane (1753-1837) tinha, como Ledoux, um caráter difícil, desconfiado e autocrático, embora generoso. Tinha 12 anos quando apareceu o *Livre d'architecture* de Peyre, que deve tê-lo impressionado profundamente, mesmo antes de sua ida a Roma, em 1776, onde é até provável que tenha conhecido Piranesi. Com certeza conheceu Paestum e começou a usar as colunas grecodóricas – sempre um sinal evidente de aspiração à austeridade – no mesmo ano de 1778, quando apareceu o livro de gravuras de Piranesi sobre Paestum. Em 1788 foi nomeado arquiteto do Banco da Inglaterra. Antes que os recentes diretores o transformassem numa

254. Londres, Banco da Inglaterra, por Sir John Soane, 1788-1808, projeto para a rotunda

255. Londres, casa e museu de Sir John Soane, Lincoln's Inn Fields, construídos pelo próprio arquiteto em 1812-13

espécie de *podium* de ostentação comercial do século XX, o exterior da construção revelava uma nova e, para a maioria, chocante austeridade. O interior dá uma idéia ainda mais clara de seu sentido de integridade de superfície. As paredes fluem placidamente para a cúpula, as molduras se resumem ao mínimo, e arcos se elevam de pilares que parecem apenas tocar em alguns pontos. Não admite que qualquer precedente limite o estilo. A Dulwich Gallery (1811-1814) e a própria casa de Soane em Lincoln's Inn Fields – construída em 1812-1813 e destinada a ser duas vezes maior – são seus projetos mais independentes. O andar térreo da casa tem, na fachada, arcadas simples e severas; o primeiro andar repete esse motivo pouco usual com a variação de um centro com colunas jônicas sustentando a mais leve das arquitraves e, nas alas, o peso dos pilares é suavizado por um ornamento gravado típico de Soane. Os pavilhões do topo, à direita e à esquerda, são igualmente originais. Além das colunas jônicas, não há nenhum outro motivo em toda a fachada que tenha uma ascendência grega ou romana. Aqui, mais do que em qualquer outro exemplo arquitetônico, a Inglaterra aproximou-se de um novo estilo não limitado pelo passado. Os ingredientes do estilo de Soane, porém, são muito mais complexos na medida em que não são apenas piranesianos ou franceses, mas também ingleses. A fachada da casa de Soane, como é atualmente, possui apenas um dos painéis projetados; como enfeite adicional tem quatro mísulas góticas que não sustentam nada. Essas mísulas vieram do Westminster Hall e foram incorporadas à fachada quando Soane executava um trabalho no palácio de Westminster. Esta é uma das mais evidentes demonstrações daquilo que Perronnet classificou como a posição intermediária entre a Antiguidade e o estilo gótico. De fato, no museu que Soane construiu e equipou atrás de sua casa, fragmentos de construções da Antiguidade se justapõem a fragmentos góticos, surgem detalhes neoclássicos e neogóticos, e um genuíno sarcófago egípcio é a dramática peça central – centro de uma composição de complexidade quase inacreditável, na qual pequenos cômodos se encaixam ou desembocam uns nos outros, com inesperadas alterações de nível, vãos que se abrem sobre sua cabeça ou quase abaixo de seus pés, e espelhos – quase sempre espelhos que distorcem a imagem – colocados em todos os cantos para ocultar os fundos. Somente num dos pequenos quartos há mais de noventa deles. Essa falta de fé na estabilidade e na segurança é absolutamente antigrega e tipicamente romântica. O neoclássico, como já foi observado, é apenas uma das facetas do Movimento Romântico.

A reduzida obra de Friedrich Gilly (1772-1800) manifesta o mesmo espírito. Foi educado em Berlim e nunca esteve na Itália. Entretanto, teve a oportunidade de ir a Paris e Londres, onde pôde

256. Projeto para um Teatro Nacional em Berlim, por Friedrich Gilly, 1798

entrar em contato com o estilo do grupo de Ledoux e possivelmente com o de Soane. Essas influências não devem ser exageradas, pois, antes da viagem, Gilly havia projetado uma de suas duas obras-primas que nos deixou como testemunho de sua genialidade – embora as tenha deixado apenas no papel. Elas nunca foram executadas. A primeira é o monumento nacional a Frederico, o Grande (1797), e a segunda um teatro nacional para Berlim, uma concepção que traz claramente a marca do período de Goethe. O pórtico dórico sem qualquer frontão é uma entrada forte e austera. As janelas semicirculares – um dos motivos favoritos dos arquitetos revolucionários de Paris –, embora importadas da Inglaterra, acrescentam mais força à força, e o contraste entre a forma semicilíndrica do auditório (lembrando a forma semicilíndrica do teatro de Besançon, de Ledoux) e o cubo do palco é funcionalmente eloqüente e esteticamente soberbo. Aqui, novamente, aproximamo-nos de um novo estilo do novo século.

Por que, então, foi preciso que um século se passasse para que um estilo "moderno" original fosse realmente aceito? Como pôde o século XIX esquecer-se de Soane e Gilly e permanecer petulantemente satisfeito com a imitação do passado? Essa falta de autoconfiança é a última coisa que se esperaria de uma época tão independente quanto ao comércio, indústria e engenharia. Para as coisas do espírito é que faltou vigor e coragem ao período vitoriano. Os padrões em arquitetura foram os primeiros a desaparecer; pois, enquanto um poeta e um pintor podem esquecer a sua época e ser grandes na solidão de seus estúdios, um arquiteto não pode existir em oposição à sociedade. Aqueles dotados de sensibilidade visual viram tanta beleza destruída à sua volta pelo crescimento súbito, expansivo e incontrolado das cidades e fábricas, que se divorciaram de seu século e voltaram-se para um passado mais inspirador. Além do mais, os senhores do ferro e os donos das fábricas, via de regra *self-made men* sem qualquer tipo de educação, já não se sentiam comprometidos com um determinado gosto aceito, como ocorria com os *gentlemen*, educados para acreditar nas regras do bom gosto. Uma construção que constrariasse essas regras revelaria falta de boas maneiras. A conseqüência disso é a uniformidade com pouca variação das casas inglesas do século XVIII. O novo industrial, no entanto, não tinha "boas maneiras" e era individualista convicto. Se, por qualquer razão, ele gostasse de um estilo arquitetônico, nada o impedia de realizar sua vontade e ter uma casa ou fábrica ou um edifício de escritórios ou um clube construído nesse estilo. E, infelizmente para o futuro imediato da arquitetura, ele conheceu um grande número de estilos possíveis pois, como vimos, alguns *congnoscenti* ociosos e sofisticados do século XVIII haviam explorado, por divertimento, algumas linguagens arquitetônicas fora das regras, e um conjunto de poetas românticos se deliciava com fantasias nostálgicas de um tempo e um espaço distantes. O rococó havia introduzido estilos alienígenas e o Movimento Romântico dotou-os de associações sentimentais. O século XIX perdeu a leveza de toque do rococó e o fervor emocional do Romantismo, mas instituiu a variedade de estilos porque os valores associativos eram os únicos valores em arquitetura acessíveis à nova classe dirigente.

Vimos Vanbrugh defender as ruínas por razões associativas. Sir Joshua Reynolds, em seu décimo terceiro *Discourse*, em 1786, insistiu de modo mais incisivo sobre esse mesmo ponto. Incluiu explicitamente entre os princípios da arquitetura o de "afetar a imaginação por meio de associação de idéias". Continua: "temos, naturalmente, uma veneração pela Antiguidade, e sempre que uma construção nos traz à lembrança costumes e modos de vida antigos, tais como os castelos de barões da antiga cavalaria, é certo que nos dá prazer".

Sendo essa a opinião do antigo presidente da Real Academia, os fabricantes e comerciantes puderam sentir-se justificados ao valorizar os critérios associativos. Seus olhos não eram treinados para apreciar os critérios visuais. Mas os olhos dos arquitetos eram, e esse foi um grave sintoma de um século doentio cujos arquitetos se satisfizeram em ser contadores de histórias em vez de artistas. Mas os pintores não eram melhores. Também eles, para serem bem-sucedidos, tiveram que contar histórias ou apresentar objetos da natureza com cuidado científico.

Conseqüentemente, encontramos, por volta de 1830, a mais alarmante situação social e estética na arquitetura. Os arquitetos acreditavam que qualquer coisa criada nos séculos anteriores à industrialização seria necessariamente melhor que qualquer obra que expressasse o caráter de sua própria era. Os clientes haviam perdido toda suscetibilidade estética e queriam outras qualidades que não as estéticas para aprovar um edifício. Eram capazes de compreender as associações. E uma outra qualidade que também podiam captar – e mesmo checar – era a fidelidade da imitação. O tratamento livre e fantasioso dos estilos desenvolveu-se na direção da exatidão arqueológica. Isso se deve ao aprimoramento dos instrumentos de conhecimento histórico que caracteriza o século XIX. É, de fato, o século do historicismo. Após o século XVIII com seus sistemas de construção, o século XIX parece satisfazer-se enormemente com, digamos, o estudo histórico e comparativo das filosofias existentes em vez do estudo da ética, estética, etc., em si. E ocorreu mesmo com relação à teologia e à filologia. De modo semelhante, o ensino da arquitetura abandonou a teoria estética e concentrou-se na pesquisa histórica. Graças a uma subdivisão de trabalho, que a arquitetura, como todos os outros campos das artes, ciências e letras, assimilou da indústria, os arquitetos puderam sempre realizar seus projetos a partir de um estoque bem sortido de detalhes históricos. Não importava que um mínimo de tempo e vontade fosse dedicado ao desenvolvimento de um estilo original do século XIX. Mesmo com relação a Soane e Gilly, devemos ter o cuidado de não superestimar sua originalidade e "modernidade". Soane realizou muitos projetos que são mais convencionais do que sua própria casa; fez até alguns projetos góticos. Gilly, por sua vez, desenhou e publicou em detalhes a grandeza dos castelos medievais dos cavaleiros alemães da

Prússia Ocidental. Por mais primorosas que sejam essas gravuras, o motivo que levou Gilly a dedicar a elas tanto tempo é romântico e patriótico apenas em parte. A ambição de antiquário é um impulso igualmente forte. O caso das primeiras aquarelas de Girtin e Turner é muito semelhante. São a transição – embora ainda uma transição romântica cheia de força criadora – entre as elegantes gravuras de Atenas e Paestum do século XVIII e os volumosos tratados do século XIX sobre antiguidades sacras e detalhes medievais. Mesmo entre esses tratados a transição pode ser observada: os mais antigos são ainda basicamente esboços, enquanto os últimos foram se tornando mais e mais minuciosos e, em geral, muito enfadonhos.

Encontramos, nas construções, exatamente o mesmo desenvolvimento do elegante e caprichoso, algumas vezes inspirado, para o erudito, mas algumas vezes deploravelmente vulgar. Strawberry Hill representa o Rococó-gótico, Robert Adam o Rococó-neoclássico. A geração seguinte é caracterizada por John Nash (1752-1835). Nash não teve nada da intransigente fúria criativa de Soane. Era generoso, despreocupado, socialmente bem-sucedido e artisticamente conservador. Suas fachadas da velha Regent Street, assim como a maioria das fachadas palacianas ao redor do Regent's Park, planejadas e executadas entre 1811 e 1825 aproximadamente, apresentam ainda uma flexibilidade típica do século XVIII. O que as torna memoráveis é o modo como fazem parte do brilhante esquema de planejamento urbano, esquema que conecta o pitoresco do século XVIII às idéias de cidades-jardim do século XX. Esses vastos alinhamentos abrem-se para a paisagem do parque, onde se encontram numerosas *villas* elegantes, realizando assim aquilo que havia sido vislumbrado na justaposição de casas e gramado no Royal Crescent, em Bath. As fachadas de Regent Street e Regent's Park são quase que inteiramente clássicas, mas Nash, se solicitado, teria construído o gótico com o mesmo prazer. Tinha um apurado sentido de adequação das combinações, como o demonstram a esolha do neoclássico para sua casa na cidade e do gótico para sua casa de campo (complementada com estufas góticas). Além do mais, ele construiu Cronkhill, em Shropshire, em 1802, como uma *villa* italianizada, com uma *loggia* em arcos de pleno cimbre sustentados por colunas delgadas e com beiral bastante projetado como nas fazendas sulinas (o *Lorenzo Medici*, de Roscoe, apareceu em 1796). Construiu o cas-

257. Londres, British Museum, por Sir Robert Smirke, iniciado em 1823

telo de Blaise, perto de Bristol, por volta de 1809, no estilo rústico *old english cottage*, com empenas em tábuas e telhado de colmo (lembramos de *O vigário de Wakefield*, da leiteria de Maria Antonieta no Parque de Versalhes e das graciosas crianças camponesas de Gainsborough e Greuze), e completou o pavilhão Brighton segundo a moda "hindu", introduzida primeiramente logo após 1800 em Sezincote, Cotswolds, por insistência de seu proprietário, a quem o estilo trazia recordações pessoais. "Gótico indiano" é o nome que vai caracterizar tipicamente esse estilo da época.

Assim, no começo do século XIX, o baile de fantasias da arquitetura vai estar em plena agitação: clássica, gótica, italianizada, *old-*

*english*. Por volta de 1840, os álbuns de modelos para construtores e clientes incluíam muitos outros estilos: Tudor, Renascença francesa, Renascença veneziana, e outros. Isso não quer dizer, no entanto, que o tempo todo, durante o século XIX, todos esses estilos tenham sido realmente utilizados. As preferências variaram conforme a moda. Certos estilos tornaram-se associados a certas funções. Um exemplo familiar é a sinagoga moura; outro é a perseverança de castelos amuralhados para as prisões. Um balanço da arquitetura entre 1820 e 1890 revela um ir e vir de estilos históricos.

Quanto ao clássico, os anos de 1820-1840 caracterizam-se pelo mais correto neogrego. A fantasia deixou de ser utilizada no tratamento da Antiguidade antes mesmo de deixar de sê-lo no tratamento da Idade Média. Os resultados são eficientes e, nas mãos dos melhores arquitetos, de uma dignidade nobre. O Museu Britânico, iniciado em 1823 por Sir Robert Smirke (1780-1867), está entre os melhores exemplos na Inglaterra, ou pelo menos poderia estar se sua fachada com a gigantesca ordem jônica no estilo do Erectéion de Atenas pudesse ser vista a distância. No continente, o arquiteto mais sensível, o maior e mais original representante desse momento, é o discípulo de Gilly, Carl Friedrich Schinkel (1781-1841), que encon-

258. Berlim, Altes Museum, por Schinkel, 1822-30

tra seu equivalente nos Estados Unidos na figura de William Strickland (1787-1854; cf. p. 462).

A partir de agora, com o ressurgimento grego, a América não pode mais ser excluída do panorama da arquitetura ocidental. As construções norte-americanas foram coloniais até o final do século XVIII, coloniais como as últimas construções góticas, renascentistas e barrocas dos espanhóis e portugueses na América do Norte, Central e do Sul. O ressurgimento grego nos Estados Unidos é também estreitamente dependente dos modelos europeus, em especial do inglês, embora, a partir de então, adquira características nacionais tais como a grande importância das técnicas de engenharia, das instalações sanitárias e dos equipamentos em geral. O pano de fundo ideológico do neogrego estrito é o humanismo liberal das classes cultas do início do século XIX, o espírito de Goethe, isto é, o espírito que criou os primeiros museus públicos e galerias de arte e os

259. Londres, Parlamento, por Sir Charles Barry e A. W. N. Pugin, iniciado em 1836

primeiros teatros nacionais, e que é responsável pela reorganização e ampliação da educação.

O desenvolvimento correspondente do gótico nos faz voltar ao Movimento Romântico. O entusiasmo do jovem Goethe por Estrasburgo fora uma revolucionária veneração do gênio pelo gênio. Para a geração seguinte, a Idade Média tornou-se o ideal de civilização cristã. Friedrich Schlegel, um dos mais brilhantes escritores românticos e um dos mais inspirados adeptos do gótico, converteu-se à Igreja Católica Romana. Isso foi em 1808. Chateaubriand escrevera seu *Génie du christianisme* em 1802. Por volta de 1835, na Inglaterra, Augustus Welby Pugin (1812-1852) transferiu a equiparação entre cristianismo e gótico para a teoria e a prática arquitetônicas. A partir dele, construir segundo as formas da Idade Média era um dever moral. E ele foi além. Argumentava que, uma vez que o arquiteto medieval era um trabalhador honesto e cristão fervoroso, e que como a arquitetura medieval era uma boa arquitetura, era necessário ser um honesto trabalhador e bom cristão para ser um bom arquiteto. Aqui, a atitude associativa aparece fatalmente ampliada. De modo similar, os clássicos contemporâneos começaram a estigmatizar como obscurantista o arquiteto que mostrava predileção pelo gótico e, pior ainda, classificavam seu trabalho de "papismo". No conjunto, os argumentos dos adeptos do gótico prevaleceram e tiveram, de modo inusitado, um efeito mais benéfico sobre a arte e a arquitetura. No entanto, o valor estético das construções projetadas pelos clássicos foi superior. O Parlamento inglês, iniciado em 1836, é, do ponto de vista estético, mais bem-sucedido do que qualquer edifício público posterior de grande dimensão, no estilo gótico. Na concorrência – significativo sintoma – eram solicitados projetos nos estilos gótico ou Tudor. Um monumento da tradição nacional deveria ser em estilo nacional. O arquiteto, Sir Charles Barry (1795-1860), preferiu o clássico e o italiano, mas Pugin trabalhou com ele e foi responsável por quase todos os detalhes, tanto no interior quanto no exterior. Conseqüentemente, o edifício possui uma intensidade de vida que não se encontra em outros arquitetos adeptos do estilo perpendicular.

No entanto, quando se consideram as casas do Parlamento como um todo, mesmo o gótico de Pugin torna-se apenas superficial. De fato, elas possuem uma pitoresca assimetria em suas torres e flechas, mas a fachada que dá para o rio é, apesar disso, com sua parte central e pavilhões laterais realçados, uma composição de formalismo palladiano. "Completamente grego, senhor", foi o que disse, segundo seu discípulo e biógrafo Ferrey, o próprio Pugin; "detalhes Tudor em um corpo clássico". Podemos até, sem muito esforço, visualizar a fachada das casas do Parlamento com pórticos do tipo empregado por William Kent ou John Wood. Até mesmo o Museu Britânico, com sua aparência perfeitamente grega, revela ao observador mais atento uma estrutura igualmente palladiana: o pórtico central e a projeção das alas são características familiares. A Atenas de Péricles jamais concebeu algo tão livremente aberto.

Assim, enquanto se travava batalha entre godos e pagãos, ninguém se dava conta de que toda essa aplicação de detalhes de época permanecia na superfície. Argumentos morais e rótulos correlatos eram usados livremente, mas a arquitetura, como atividade de projetar com vistas a cumprir funções, permaneceu descuidada ou, pelo menos, não foi discutida. Ainda hoje, em casos como o do Museu Britânico e do Parlamento, as pessoas pensam demais na estética e muito pouco no aspecto funcional. Mesmo assim, não se pode esquecer que construir um palácio para um governo democrático e um palácio para a cultura do povo eram coisas igualmente novas. De fato, construir edifícios públicos especialmente projetados havia sido extremamente raro antes de 1800. Houve a construção de prefeituras, naturalmente, sendo que a mais esplêndida de todas encontra-se em Amsterdam (atualmente Palácio Real), construída por Jacob van Campen em 1648-1655, e as Bolsas de Valores de Antuérpia, Londres e Amsterdam. A Somerset House, em Londres, também se destinava, desde o início, a órgãos governamentais e sociedades culturais. Mas eram exceções. Por outro lado, se tomarmos o século XIX e tentarmos destacar os melhores exemplos de arquitetura urbana de todos os períodos e de todos os países, muitas igrejas deverão ser incluídas, palácios raramente, e casas particulares obviamente; mas a grande maioria do que poderíamos selecionar seriam edifícios para órgãos governamentais, prédios municipais e, posteriormente, edifícios privados, para escritórios, museus, galerias, bibliotecas, universidades e escolas, teatros e casas de concerto, bancos e bolsas, estações ferroviárias, lojas de departamentos, hotéis e hospitais, ou seja, todas construções executadas não para o culto ou a ostentação, mas para o benefício e o uso diário do povo, representado por diversos grupos de cidadãos. Aqui aparece uma nova função da arquitetura, representativa da nova estratificação da sociedade. Mas o trabalho de planejar as formas para todos esses novos usos foi, com bastante freqüência, anônimo, ou pelo menos assim nos parece. A biblioteca renascentista compunha-se de um grande salão de duas ou três alas. O hospital renascentista era, em planta, quase que idêntico. Ambos derivavam quase sem alterações essenciais das construções monásticas da Idade Média. Agora, eram elaborados projetos de livros com sistema de estantes; nos hospitais foram tentados grupos de enfermarias separadas e prédios separados para cada tipo de enfermidade. Para as prisões, foi criado e aceito o plano em estrela (Pentonville). Para os bancos e bolsas, o salão central coberto com vidro revelou-se a solução mais eficiente. Para museus e galerias, era essencial um sistema especialmente eficaz de iluminação; para os edifícios de escritórios, um plano térreo dos mais flexíveis, e assim por diante. Cada novo tipo de construção exigiu um tratamento específico.

Mas os arquitetos de sucesso estavam muito ocupados com as novas decorações das fachadas para se darem conta disso. Sir George Gilbert Scott (1811-1878), o mais reputado dos arquitetos vitorianos, declarou que o grande princípio da arquitetura era "decorar as construções", e mesmo Ruskin, que deveria estar mais bem informado, diria: "a ornamentação é a parte principal da arquitetura" (*Lectures on architecture*, 1853, Libr. Ed., vol. XII, p. 83). Quando a disputa entre clássico e gótico começou a arrefecer, outros estilos vieram substituí-los. No terreno medieval, as gerações anteriores a Pugin eram todas adeptas do perpendicular. Para Pugin e seus seguidores, notadamente Scott, o perpendicular era um anátema. Agora, o gótico, para ser considerado correto, teria de ser do século XIII ou princípios do XIV, e Scott e seus colegas jamais tiveram escrúpulos em substituir uma janela pependicular genuína por uma imitação das anteriores sempre que tiveram que restaurar uma igreja. Seus conhecimentos arqueológicos se aprimoraram e, no geral, com o correr do século melhorou sua sensibilidade para fazer imitações. A mudança do perpendicular para o *Early English* pertence à década de 1830, embora tenha havido durante os anos 50 e 60 um interlúdio de gótico veneziano, trazido à tona pelo *As pedras de Veneza*, de

Ruskin. Do neo-século XIII, as mais refinadas obras pertencem às últimas décadas do período vitoriano, particularmente as igrejas de Bodley e, em especial, de Pearson (St. Augustine, em Kilburn, Londres, e a catedral de Truro). Quando se trata de originalidade, porém, esses perfeitos adeptos do ressurgimento eram superados de longe por personalidades como William Butterfield e James Brooks. A originalidade dos detalhes em Butterfield está no limite da desarmonia e da feiúra ostensiva (All Saints em Margaret Street, Londres; St. Alban, Holborn, Londres), e os planos de Brooks abandonam, eventualmente, qualquer dependência em relação ao gótico inglês anterior (Ascensão, Lavender Hill, Londres).

Nenhum outro país dedicou-se tão integralmente ao ressurgimento gótico em todas as suas tendências e matizes quanto a Inglaterra. A França permaneceu distante por muito tempo; as construções do gótico pitoresco em jardins foram raras, a interpretação romântica do gótico apareceu apenas nos anos de 1820, e a interpretação arqueológica, gradualmente, nas décadas de 1830 e 1840. Um exemplo do gótico romântico é a decoração de Hittorff para o batizado do duque de Bordeaux, em 1820; o mais expressivo exemplo do gótico arqueológico é a igreja de Sta. Clotilde, de Gau, iniciada em 1846. Tanto Hittorff (1792-1867) como Gau (1790-1853) nasceram em Colônia. Essa cidade, de fato, tornou-se um centro internacional de difusão do gótico desde que os planos originais da catedral foram encontrados em 1814 e 1816 e que se decidiu concluir a construção de acordo com esses planos. Em 1842, o rei da Prússia colocou a pedra inaugural da nova obra. Depois disso surgem boas construções góticas de igrejas e, posteriormente, de edifícios de Hamburgo a Viena. Enquanto isso, na França, Arcisse de Caumont havia iniciado os Congrès Archéologiques (1833), fundado a Société Française d'Archéologie (1834) e iniciado um inventário dos edifícios medievais de modo acadêmico (Statistique Monumentale du Cavaldos, 1846, etc.), e havia sido criada a Commission des Monuments Historiques (1837).

No campo oposto, dos sulinos, o grande estilo dos *palazzi* da Alta Renascença italiana substituía a castidade do neogrego. Este já havia sido anunciado em parte, por Ledoux e alguns de seus contemporâneos, nas arcadas ou *loggias* com colunas, um motivo do Quattrocento. Mas o primeiro palácio realmente neo-renascentista

260. Londres, Travellers' Club, 1829, e Reform Club, 1837, por Sir Charles Barry

na Europa parece ser o Beauharnais Palace, em Munique, obra de Klenze de 1816. Depois dele, Munique produziu um grande número de excelentes exemplos dos anos 30 (Biblioteca Nacional, por Gärtner, 1831). O mesmo sucedeu em Dresden, graças a Gottfried Semper (Opera, 1837). Em Paris, o mais interessante dos primeiros exemplos é o quartel da rue Mouffetard, de 1827, por Charles Rohault de Fleury (1801-1875), com seu pesado rusticado Quattrocento. Em Londres, o estilo apareceu com o Travellers' Club e o Reform Club de Sir Charles Barry (1829 e 1837). O que ajudou a popularizar o estilo renascentista deve ter sido seu alto-relevo em contraste com a superfície plana do neoclássico e a leveza da forma neoperpendicular. Representa também uma prosperidade mais substancial, e isso, como se sabe, era o ideal das classes dirigentes durante o período vitoriano.

Além da renascentista, uma outra forma de reintroduzir o arco em pleno cimbre na arquitetura foi voltar-se para o românico do Norte, o românico italiano, o paleocristão e o bizantino. Os alemães foram sábios em forjar um termo para designar todos eles e também algumas das imitações do Renascimento italiano: *Rundbogenstil*. Schinkel introduziu-o na Alemanha nos anos 1820 com planos para igrejas vagamente paleocristãs. Seu discípulo Ludwig Persius (1803-1845) desenvolveu-o com grande sucesso (Heilandskirche, Sacrow, 1841; Friedenskirche, Potsdam, 1842). Na Inglaterra, os principais exemplos são a Christ Church (Streatham, Londres, 1840-1842), de J. W. Wild, nitidamente influenciada pela Prússia, e a igreja de Wilton (1842-1843), de T. H. Wyatt; na França, a igreja neo-românica de St. Paul, em Nîmes, de 1835-1851, de Ch. Aug. Questel (1807-1888); a catedral românico-lombarda (ou bizantina?) de Marselha de 1852, de Léon Vaudoyer (1803-1872), etc.

Mas, já antes de 1830, a França redescobriu sua própria Baixa Renascença. Uma autêntica casa da Baixa Renascença, a Maison de François I, foi reconstruída em 1822 como parte de uma nova composição; em 1835, o Hôtel de Ville, datando da Baixa Renascença, foi bastante ampliado dentro do mesmo estilo por Godde e Lesueur, e em 1839 Vaudoyer começou a construção do Conservatoire des Arts et Métiers no estilo renascentista francês. A isso corresponde, na Inglaterra, o ressurgimento das formas elisabetanas e jacobinas, especialmente para as casas de campo. Seu valor evocativo era, naturalmente, nacional; seu apelo estético repousava num jogo mais vivo de ornamentos sobre superfícies. Aparentemente, a tendência subjacente, acobertada pelas mudanças periódicas de costumes, ia em direção ao *mouvementé* e ao espetacular, ao estilo flamejante de Disraeli e à pompa de Gladstone. Pode-se mesmo dizer que o estilo império francês já se distingue do estilo de Ledoux e seu grupo por um caráter menos severo, mais retórico e mais ornamental. A Madeleine (1816 e seg.), de Pierre Vignon (1763-1828), possui um caráter decididamente imperial-romano; não é mais grego e não é mais tão original quanto Ledoux. Mas apenas nos anos 40 e 50 as formas do Sul tornaram-se cada vez mais indisciplinadas e exuberantes, até alcançar o neobarroco. A Ópera de Paris, de 1861-1874, obra-prima de Charles Garnier (1825-1898), é um dos primeiros e melhores

261. Paris, Ópera, por Charles Garnier, 1861-74

exemplos. Outro é a gigantesca Corte de Justiça de Bruxelas, obra de Poelaert que data de 1866-1883. Na Inglaterra, há pouco desse estilo segundo império. Em seu lugar houve um ressurgimento do palladianismo em suas formas mais barrocas e uma forte inspiração no Wren de Greenwich Hospital. Depois, com uma tendência ligeiramente mais sóbria de formas e uma marcante influência do re-ressurgimento clássico norte-americano (McKim, Mead & White), impõe-se o estilo caracteristicamente próspero edwardiano imperial (de Selfridge). Na Alemanha, o neobarroco do final do século XIX e princípios do XX se desenvolve sob o nome de wilhelmiano; na Itália, esse movimento enfeia Roma com o monumento nacional ao rei Vitório Emmanuel II.

262. Paris, Ópera, escada

No entanto, à época em que essas construções foram projetadas, houve uma reação, que se expandiu contra essa superficial – verdadeiramente superficial – concepção de arquitetura. Ela não se originou entre arquitetos. Não poderia, porque refere-se a problemas de reforma social e engenharia e os arquitetos não estavam interessados nisso. A maioria deles detestava o desenvolvimento industrial do período, tão energicamente quanto os pintores. Não percebiam que a Revolução Industrial, na mesma medida em que destruía uma or-

263. Londres, Palácio de Cristal, por Joseph Paxton, 1851

dem e um padrão de beleza estabelecidos, criava oportunidades para um novo tipo de beleza e de ordem. Oferecia à imaginação novos materiais e novos processos de fabricação e abria um panorama para o planejamento arquitetônico em uma escala jamais sonhada.

Os novos materiais, o ferro e, depois de 1860, o aço, tornaram possíveis construções mais altas, a construção de vãos muito mais amplos do que até então e o desenvolvimento de plantas baixas mais flexíveis. O vidro, em combinação com o ferro e o aço, permitiu aos engenheiros construir tetos e paredes inteiramente transparentes. O concreto armado, introduzido no final do século, combinou a resistência à tração do ferro com a resistência à compressão da pedra. Os arquitetos pouco sabiam sobre essas coisas, e relegaram-nas aos engenheiros. Por volta de 1800, em função da crescente divisão de especializações, o trabalho do arquiteto e o do engenheiro passaram a constituir profissões independentes, requerendo formação diferenciada. Os arquitetos aprendiam nos ateliês dos arquitetos mais velhos e em escolas de arquitetura, até que se estabelecessem na prática, executando as tarefas que os arquitetos do rei realizavam no século XVII, sendo que agora trabalhavam principalmente para clientes particulares e não mais para o Estado. Os engenheiros eram treinados em faculdades especiais da universidade (na França e Europa Central) ou em universidades técnicas especiais. Os mais perfeitos exemplos da primeira arquitetura em ferro, as pontes pênseis, tais como a Clifton Bridge, de Brunel, projetada em 1829-1831 e iniciada em 1836, são obras de engenheiros e não de arquitetos[43]. Paxton, que concebeu o Palácio de Cristal em 1851, era um notável cultivador de plantas de jardim e horticultor, familiarizado com o ferro e o vidro na construção de estufas e jardins de inverno. Os homens que introduziram os suportes de ferro na construção dos magazines americanos e, algumas vezes, nos anos 40 e 50, abriram fachadas inteiras, preenchendo com vidro os intervalos entre os suportes, eram, na maior parte, desconhecidos ou então arquitetos sem renome. Na França, onde poucos arquitetos preparados e conhecidos fizeram uso manifesto do ferro (Bibliothèque Ste. Geneviève, 1845-1850, de Henri Labrouste (1801-1875), externamente no estilo nobre e sóbrio da Renascença italiana e, internamente, ordenado com colunas de ferro e arcos abobadados), até mesmo empregando-o às vezes em todo o interior de uma igreja (St. Eugène, Paris, iniciada em 1854), foram atacados e ridicularizados pela maioria[44].

Em tudo isso, evidencia-se uma concepção fundamentalmente alienada do papel social da arquitetura. Este fato foi reconhecido pela primeira vez por Pugin, que viu um único remédio: voltar à velha fé romana. Logo após, John Ruskin proclamava em *The seven lamps of architecture* que um edifício deveria ser, antes de mais nada, verdadeiro. Pouco mais tarde, ele começou a perceber que para con-

---

43. As mais antigas pontes pênseis são chinesas. As mais antigas da Europa foram construídas inicialmente na Inglaterra, por volta de 1740. A primeira ponte de ferro – não com o princípio de suspensão – é a Coalbrookdale Bridge, na Inglaterra, 1777-1781. As possibilidades da ponte pênsil foram percebidas primeiramente nos Estados Unidos por James Finley, que construiu várias delas a partir de 1801, tendo a mais comprida um vão de aproximadamente 100 metros. Na Inglaterra, a Menai Bridge, de Thomas Telford, 1815, é o primeiro grande exemplo.

44. O ferro foi inicialmente usado na arquitetura apenas como recurso estrutural, já na Idade Média, em tirantes e, depois, em traves, vigas para sustentar um teto à prova de fogo num teatro (Louis, Theatre Bordeaux, 1772-1780) ou em toda uma fábrica à prova de fogo (fábricas inglesas da década de 1790). O domo em ferro e vidro foi uma inovação francesa. Foi proposto pela primeira vez na Halle au Blé, 1805-1811 (por Belanger).

cretizar essa idéia deveria dedicar-se tanto aos problemas sociais quanto aos estéticos. A passagem da teoria à prática foi realizada por William Morris (1834-1896). Recebeu a influência de Ruskin e dos pré-rafaelitas; foi por algum tempo discípulo de Rossetti e também de um dos arquitetos neogóticos mais conscientes. Mas não se contentava com o que via ser praticado em pintura e em arquitetura, ou seja, a pintura como uma arte de fazer quadros de cavalete para exposições e a arquitetura como um trabalho de prancheta e escrivaninha.

Enquanto Ruskin manteve suas atividades sociais distanciadas da teoria estética, Morris foi o primeiro a unir as duas do único modo em que essa união poderia dar certo. Em vez de tornar-se pintor ou arquiteto, abriu uma firma de projetos e confecção de mobílias, tecidos, papel de parede, carpetes, vitrais, etc., e convidou seus amigos pré-rafaelitas para associar-se a ele. Acreditava que enquanto o artista não se tornasse de novo um artesão e o artesão um artista, a arte não poderia ser salva da aniquilação pela máquina. Morris era inimigo mortal da máquina. Atribuía todos os males da época à mecanização e à divisão do trabalho. E, do seu ponto de vista, estava certo. Esteticamente a solução que encontrou era correta, embora, a longo prazo, socialmente inadequada. Desenvolver um novo estilo de projeto era perfeitamente válido, mas desenvolvê-lo em oposição às potencialidades técnicas do século era exatamente o mesmo escapismo dos classicistas que disfarçavam o prédio da prefeitura de templo grego. A exemplo da poesia de Morris, as formas que Morris & Co. escolheu para seus produtos eram inspiradas na Idade Média. Mas Morris não imitou. Reconhecia o historicismo como sendo o perigo que de fato era. O que fez foi apoiar-se nos princípios estéticos e na atmosfera da Idade Média, criando algo novo mas com sabor e princípios semelhantes. É por isso que os tecidos e papéis de parede de Morris sobreviverão ainda por muito tempo depois que toda a arte aplicada da geração anterior à sua tiver perdido o significado.

A teoria estético-social de Morris, que aparece nas conferências e discursos proferidos a partir de 1877, garante o seu lugar na história. Ao tentar reviver a velha fé no trabalho a serviço da sociedade, ao denunciar a arrogante indiferença dos arquitetos e artistas contemporâneos pelo atendimento das necessidades cotidianas, ao desacreditar toda arte criada por gênios individuais destinada a um pequeno grupo de *connoisseurs*, ao proclamar incessantemente que as formas artísticas só têm importância "se todos podem dela partilhar", Morris lançou as bases do Movimento Moderno.

O que Morris fez pela filosofia da arte e pelo design, Richardson, nos Estados Unidos, e Webb e Norman Shaw, na Grã-Bretanha, fizeram pela estética da arquitetura. Henry Hobson Richardson (1838-1886) pertence ainda, sem dúvida, à era dos ressurgimentos. Estudou em Paris e retornou à Nova Inglaterra profundamente impressionado pela força do estilo românico francês. Continuou a empregá-lo em igrejas e edifícios públicos e privados (Marshall Field's Wholesale Store, Chicago), mas não mais por motivos puramente evocativos. Percebeu que essas superfícies despojadas, de pedra maciça, e esses arcos arredondados e vigorosos podiam transmitir conteúdos emocionais mais adequados à nossa própria era do que tudo aquilo que lhe era familiar. Juntamente com seus seguidores, projetou casas de campo, na década de 1880, com uma liberdade e uma ousadia desconhecidas na Europa (talvez devêssemos dizer: na Europa, com exceção de Philip Webb na Inglaterra). Webb (1830-1915) apreciava as paredes de tijolos inteiramente lisas e introduziu nelas as janelas delgadas e simples do período de William-and-Mary e Queen Anne, continuando, no entanto, a mostrar simpatia pelas tradições das boas e sólidas construções dos estilos Gótico e Tudor. A Red House, em Bexley Heath, perto de Londres, seu primeiro trabalho, projetado para (e junto com) Morris em 1859, apresenta já uma combinação de arco ogival e altas janelas de guilhotina com verga curva.

Quem mais prontamente captou as possibilidades de criar o pitoresco pela mistura de motivos dos mais variados estilos foi Richard Norman Shaw (1831-1912). Tinha um toque mais leve, uma imaginação mais ágil mas um gosto menos apurado. Em sua carreira profissional, que durou mais de quarenta anos, nunca deixou de experimentar a atração de seu tempo por novos estilos de época. Assim, ele adere às casas de campo parcialmente em madeira do estilo Tudor, depois à arquitetura em tijolo de numerosos coruchéus do Renascimento holandês, depois à sobriedade do neo-Queen Anne, ou melhor, neo-William-and-Mary e, finalmente, ao pomposo estilo edwardiano imperial. No entanto, aquilo de que ele realmente gosta é simplesmente jogar com motivos de diferentes séculos. Ao combi-

264. Bexley Heath, Kent, Casa Vermelha, construída por Philip Webb para William Morris, 1859

nar uns poucos motivos do período Tudor e do século XVII com outros de sua própria invenção, alcança uma leveza e uma animação que faria Morris parecer melancólico.

A influência de Norman Shaw na profissão foi imediata e muito ampla. De seu ateliê saiu uma geração de arquitetos aos quais o mestre permitiu toda a liberdade de seguir as idéias de Morris, inspirando-se, ao mesmo tempo, nas formas que ele próprio havia criado. Esses arquitetos, juntamente com alguns discípulos mais próximos de Morris, fundaram o movimento *Arts and Crafts* (Artes e Ofícios). Uma vez que se conhece o pensamento de Morris, o nome do movimento em si já diz tudo. Os membros desse grupo elaboravam, cada vez mais, interpretações originais das tradições arquitetônicas, quase que exclusivamente para projetos de casas de campo ou de cidade. Lethaby, Prior, Stokes, Halsey Ricardo estão entre os nomes mais notáveis. São pouco conhecidos atualmente, mas o

265. Subúrbio-jardim de Belford Park, por Norman Shaw, 1878

frescor e a independência de suas concepções foram únicos na Europa durante o período em que realizaram seus primeiros trabalhos, entre 1885 e 1895. O mais brilhante dentre eles não esteve ligado pessoalmente nem a Shaw nem a Morris: Charles F. Annesley Voysey (1857-1941). Seus desenhos de tecidos, papéis de parede, mobílias e sobretudo seu trabalho em metal, originais e agradáveis, tiveram um efeito revolucionário, não inferior ao dos trabalhos de Morris. Em suas construções ele é igualmente elegante e adorável. Dos detalhes de época pouco transparece, mas não faz nenhum esforço no sentido de eliminar o sabor geral da época. De fato essa natureza displicente, sem afetação, da arquitetura de Voysey é justamente o seu maior atrativo. Analisando mais em detalhes, é surpreendente a audácia de suas paredes nuas e de suas longas fileiras horizontais de janelas. Com esse tipo de construções da década de 90, a Inglaterra aproxima-se ainda mais do Movimento Moderno.

266. Colwall, mansão Malvern, por Voysey, 1893

Quanto aos quarenta anos seguintes, nas primeiras décadas do século XX, nenhum nome inglês merece aqui ser mencionado. A Grã-Bretanha liderou a Europa e a América em arquitetura e design durante muito tempo; agora, sua ascendência chega ao fim. Nasceu na Inglaterra a arte do paisagismo e daí se expandiu, assim como os estilos de Adam e Wedgwood; na Inglaterra foi concebido o neogótico e a ele se deve a degradação da arte aplicada produzida pela máquina, nela nascendo o construtivo movimento de reação. O *revival* doméstico de Morris, Norman Shaw e Voysey foi inglês; inglês foi o novo conceito social de uma arte unificada sob a orientação da arquitetura e foram inglesas as primeiras realizações do design completamente independentes do passado. Eles se encontram na obra de Arthur H. Mackmurdo, *Century guide*, de 1885 aproximadamente.

A Art Noveau, o primeiro estilo original do continente – e, de fato, um estilo que hoje nos parece desesperadamente apoiado na ori-

267. Munique, Atelier Elvira, por August Endell, 1897. Destruído

ginalidade – inspirou-se no design inglês, em especial em Mackmurdo. Iniciou-se em Bruxelas, em 1892, com a casa de Victor Horta, na rua Paul-Émile Janson. Por volta de 1895, havia se tornado o *dernier cri* na França e na Alemanha (Guimard: Castel Béranger, Paris, 1894-1898; Endell: Atelier Elvira, Munique, 1897). Mas permaneceu quase que exclusivamente um estilo de decoração. As únicas exceções a essa regra são dois arquitetos que trabalharam na periferia dos eventos europeus: Antoni Gaudí (1852-1926), em Barcelona, e Charles Rennie Mackintosh (1868-1928), em Glasgow. O estilo de Gaudí, apesar de certos vínculos com a exuberância e fantasia do Gótico tardio e do Barroco espanhol e, ao que parece, com a arquitetura marroquina, é essencialmente original – de fato, original ao extremo. Na pequena igreja da Colonia Güell (1898-1914), nas estruturas do Parque Güell (1905-1914), no transepto frontal da igreja da Sagrada Família (1903-1926) e nos dois blocos de apartamentos datando de 1905, formas crescem como pães de açúcar e formigueiros, colunas são colocadas fora de prumo, tetos ondulam como vagas ou serpentes e as superfícies são revestidas em maiólica ou com fragmentos de pratos e copos dispostos sobre grossa argamassa. Pode ser de mau gosto, mas é repleto de vitalidade e manipulado com uma audácia implacável.

Não há nada do barbarismo de Gaudí em Mackintosh, mas ele é tão original quanto Gaudí. Aquilo que o gótico e o barroco espanhóis significaram para Gaudí, os castelos e os solares escoceses significaram para Mackintosh. Obras suas como a Escola de Arte de Glasgow (1898-1899) apresentam uma combinação de curvas longas, estiradas, melancólicas, de nuances cinza-prateado, lilás e rosado de Art Noveau com uma estrutura rígida, ereta, viva e inflexivelmente angular. Onde isto aparece em madeira, esta é laqueada de branco. Nessa combinação peculiar aparece uma possibilidade de superar a Art Noveau; e se Mackintosh era mais admirado na Áustria e na Alemanha do que na Inglaterra era porque esses países, logo após 1900, começaram a buscar um caminho para sair da selva da Art Noveau. A Inglaterra de Voysey poderia ser tão útil nesse sentido quanto a Escócia de Mackintosh; assim, o governo prussiano, em 1896, enviou Hermann Muthesius a Londres como adido da embaixada com a função de observador das questões referentes à arquitetura, planejamento e design. Permaneceu sete anos na Ingla-

268. Barcelona, Sagrada Família, por Antoni Gaudí, 1903-26, frente do transepto visto do exterior

terra e pôs a Alemanha em estreito contato com o *revival* doméstico inglês. Os responsáveis pela criação de um novo estilo do século XX na Alemanha jamais disfarçaram sua dívida para com a Inglaterra. Aqui reside a principal diferença entre a situação na Alemanha e a situação na França ou nos Estados Unidos. Esses três países detêm a parte do leão no estabelecimento da arquitetura moderna. Neste momento, a Inglaterra desertou. O caráter britânico é fundamentalmente contra revoluções ou mesmo contra coerências lógicas, medidas drásticas e ações intransigentes. Assim, o progresso estancou na Grã-Bretanha por trinta anos. O tradicionalismo Tudor de Voysey foi sucedido pelo tradicionalismo de Wren e do estilo georgiano, ambos igualmente agradáveis na arquitetura doméstica, mas frágeis, ou mesmo dolorosamente empolados, nas grandes construções e nas construções oficiais.

As primeiras casas particulares nas quais pode ser reconhecido o novo e original estilo do século XX são as de Frank Lloyd Wright (1869-1959), construídas durante a década de 1890 nas redondezas de Chicago. Elas apresentam plantas baixas que se expandem livremente, exteriores e interiores que se integram por meio de terraços e telhados em balanço, cômodos que se abrem uns para os outros, predominância de horizontais, janelas compondo longas faixas, todos elementos que são familiares nas casas de hoje. Também em Chicago, já nos anos 1880 e 1890, foram levantados os primeiros edifícios com estruturas de ferro (William Le Baron Jenney: Home Insurance Co., 1884-1885) e fachadas que não ocultam essas estruturas (Holabird & Roche: Marquette Building, 1894). Se ainda se utilizava algum estilo de época para os detalhes externos era usualmente o severo e despojado estilo românico americano de Richardson, até Louis Sullivan (1856-1924), que alcançou total independência do passado com seus arranha-céus como o Wainwright Building (1890), em St. Louis, o Guaranty Building (1895), em Buffalo, e o Carson, Pirie & Scott Store (1899-1904), em Chicago. Sua grelha de pilares e peitoris que marcam todo o edifício, exceto o térreo e o andar superior, estabeleceram um sistema válido até hoje.

Contrapondo-se à primazia americana nesse campo, a França foi o primeiro país a projetar casas com as características verdadeiras do concreto. Pertencem aos primeiros anos do século XX e são devidas a Tony Garnier (1861-1948) e Auguste Perret (1874-1955).

269. Buffalo, Guaranty Building, por Louis Sullivan, 1895

Tony Garnier foi a Roma como bolsista da Académie em 1901 e lá, em vez do estudo obediente das ruínas do Império Romano, trabalhou no projeto de uma cidade industrial ideal, uma cidade possível de ser construída no vale do Ródano, de onde ele era nativo. Foi um trabalho pioneiro do ponto de vista do planejamento, como veremos agora, e também do ponto de vista da aparência dos edifícios. Todos os edifícios deveriam ser essencialmente em concreto, as ca-

270. Edifício da Administração na Cité Industrielle, por Tony Garnier, exibida em 1904

sas particulares rigidamente cúbicas e os edifícios públicos com amplos vãos a partir de vigas em balanço, pelo menos tão ousados quanto as casas de Frank Lloyd Wright. A Cité Industrielle foi exibida em 1904, mas só foi publicada em 1917; isso faz com que Perret tenha sido o primeiro a demonstrar as qualidades do concreto como um material mais do que simplesmente utilitário. Seu famoso bloco de apartamentos na rua Franklin data de 1902-1903; sua garagem na rua Ponthieu, onde o concreto é exposto sem nenhum revestimento, é de 1905, e seu Théâtre des Champs Élysées, o primeiro edifício público construído em concreto armado, data de 1911-1912.

Exatamente na mesma época, Josef Hoffmann (1870-1956) e Adolf Loos (1870-1933) projetaram edifícios e suas partes internas em um estilo igualmente novo e ainda igualmente atual. Na Alemanha, a data mais significativa é a da fundação do *Deutscher Werkbund* (1907). Pretendia ser um local de encontro de empresários, arquitetos e *designers* progressistas. Efetivamente, apenas um ano depois de ter sido estabelecido, o arquiteto Peter Behrens (1868-1938) foi convidado pela Allgemeine Elektrizitäts-Gesells-

271. Alfeld, Faguswerk, por Walter Gropius e Adolf Meyer, 1911-14

chaft, de Berlim, a AEG, a encarregar-se do projeto de suas novas unidades, de seus produtos, suas embalagens e mesmo de seus impressos. A fábrica de turbinas de Behrens, de 1909, proclama uma nova dignidade para a arquitetura industrial. O primeiro trabalho de seu mais importante discípulo, Walter Gropius (nascido em 1883), também foi uma fábrica, a Fagus, em Alfeld, perto de Hanover, construída em 1911-1914. O ritmo da fachada do bloco principal, as vidraças contínuas que formam os cantos do edifício sem nenhuma ombreira ou coluna no ângulo, o teto plano e a ausência de cornija, as faixas horizontais do pórtico, tudo isso poderia levar a uma confusão de datas, podendo ser atribuído à década de 1830. Isso também é válido para o projeto seguinte de Gropius: a fábrica modelo e o bloco de escritórios na exposição da Werkbund, realizada em Colônia em 1914. Aqui, o elemento mais surpreendente eram as duas escadarias inteiramente envolvidas por vidro curvo de modo que o esqueleto e o funcionamento interior do edifício eram orgulhosamente expostos. Nota-se imediatamente que neste motivo, assim como no plano livre de Wright, a eterna paixão ocidental pelo movimento espacial está mais uma vez expressa.

Assim, por volta de 1914, os líderes da nova geração de arquitetos romperam corajosamente com o passado e aceitaram a era da máquina com todas as suas implicações: novos materiais, novos processos, novas formas, novos problemas. Um desses problemas ainda não foi mencionado, embora seja talvez da maior importância para a arquitetura, mais do que a arquitetura propriamente dita: o planejamento urbano. Já foi dito que uma das maiores mudanças provocadas pela Revolução Industrial foi o repentino crescimento das cidades. Para enfrentá-lo, os arquitetos tiveram de concentrar-se nas condições adequadas de habitação para a vasta população das novas classes trabalhadoras dessas cidades e no planejamento de vias adequadas de tráfego para que o operário pudesse se deslocar diariamente de casa para o trabalho. Mas eles estavam interessados apenas em fachadas e em nada mais e, de certa forma, o mesmo ocorria com as municipalidades do século XIX. Novos edifícios públicos surgiam em todas as partes. Quanto maiores os recursos, mais esplêndidos

272. Colônia, fábrica modelo na Werkbund Exhibition de 1914, por Walter Gropius e Adolf Meyer

eram. Como exemplos, o Manchester Town Hall, o Royal Holloway College (em Egham, perto de Londres), a Corte de Justiça de Birmingham, o County Hall de Londres, além dos já mencionados como a Ópera de Paris e a Corte de Justiça de Bruxelas. Há ainda muitos outros de padrão equivalente, como a Corte de Justiça de Roma, o Rijksmuseum de Amsterdam e a Technische Hochschule, em Berlim. O maior conjunto, e o mais incongruente, é o que se encontra ao longo da nova Ringstrasse, em Viena: a prefeitura gótica, o parlamento clássico, os museus renascentistas, etc.; não se poderia dizer que os governadores e prefeitos tenham falhado em seu dever indiscutível de dar à arquitetura uma ampla oportunidade.

Mas onde eles falharam foi no seu dever infinitamente maior de proporcionar condições de vida decente a seus cidadãos. Poder-se-ia dizer que essa foi uma conseqüência da filosofia do liberalismo, que os ensinou que todos são felizes se cada um puder cuidar de si mesmo e a interferência na vida privada é antinatural e sempre prejudicial. Mas, se essa explicação pode satisfazer o historiador, certamente não satisfaz o reformador social. Este percebeu que 95% das novas casas das cidades industriais eram construídas por especuladores do modo mais barato que lhes permitiam os deficientes regulamentos, e tratou de agir da melhor maneira possível. Se era um homem do tipo de William Morris, pregava o socialismo medievalizante e buscava refúgio no mundo mais feliz do artesanato. Se era do tipo do príncipe Albert e do Lord Shaftesbury, fundava associações para, através da generosidade privada, promover a melhora das condições de habitação dos artesãos e trabalhadores. No entanto, se ele próprio era um empregador esclarecido, dava um passo além e dispunha de uma prosperidade para construir habitações de melhor padrão para seus operários. Assim, Sir Titus Salt fundou Saltaire, nas proximidades de Leeds, em 1853. Hoje parece banal, mas foi uma obra pioneira. A Lever Brothers iniciou Port Sunlight em 1888 e a Cadbury iniciou sua Bournville em 1895. Estas duas foram as primeiras cidades operárias planejadas como subúrbios-jardim. A partir delas – e do Bedford Park, perto de Londres, que foi projetado segundo os mesmos princípios ainda em 1875 por Norman Shaw, embora destinado a inquilinos de classes mais favorecidas – os subúrbios-jardim e as cidades-jardim se expandiram enquanto movimento: outra contribuição inglesa para a pré-história da moderna arquitetura européia. Alcança seu ápice com a fundação da primeira cidade-jardim independente – Letchworth, projetada por Barry Parker e Raymond Unwin em 1904 – e com a fundação do subúrbio-jardim mais bem acabado esteticamente, o Hampstead Garden Suburb, projetado pelos mesmos arquitetos em 1907. Todos estes, porém, e de fato toda a concepção da cidade-jardim e do subúrbio-jardim, são uma forma de escapar da própria cidade. O primeiro arquiteto a enfrentar o problema da cidade, a reconhecer a necessidade de estabelecer áreas destinadas às indústrias, habitação e serviços públicos foi Tony Garnier em sua Cité Industrielle, exatamente nessa mesma época.

# 9. DO FIM DA PRIMEIRA GUERRA MUNDIAL AOS DIAS DE HOJE

Este último capítulo difere necessariamente dos anteriores. Eles eram história; até que ponto este pode ser história é uma questão duvidosa, considerando-se que começa mais ou menos no momento em que este autor "surgiu".

Quando as atividades de construção foram retomadas após a pausa de seis ou sete anos da Primeira Grande Guerra e suas conseqüências imediatas, a situação era a seguinte: existia um novo estilo de arquitetura; ele havia sido estabelecido por um certo número de homens de grande coragem e determinação, de extraordinária imaginação e inventividade. Realizaram uma revolução maior do que qualquer outra desde que a Renascença substituíra, quinhentos anos antes, os princípios e as formas góticas; sua ousadia foi mesmo superior à de Brunelleschi e Alberti, pois os mestres do Quattrocento pregaram um retorno a Roma, enquanto os novos mestres propunham uma aventura no inexplorado. Seus nomes e suas obras foram apresentados no capítulo anterior e eles aparecerão aqui, novamente, de vez em quando. Indiscutivelmente, todos os argumentos da lógica estavam do seu lado. O que eles fizeram tinha de ser feito. O estilo que haviam criado estava claramente de acordo com a nova situação social e industrial da arquitetura. O século XX – podemos afirmar sem generalização indevida – é o século das massas e o século da ciência. O novo estilo, com sua recusa a aceitar o artesanato e as extravagâncias do design, é perfeitamente adequado à vasta clientela anônima e, com suas superfícies limpas e um mínimo de molduras, é perfeitamente adequado à produção industrial de seus elementos. O aço, o vidro e o concreto armado não determinaram o novo estilo, mas pertencem a ele. Assim sendo, podia-se esperar – e alguns efetivamente esperavam – que o novo estilo, uma vez estabelecido, pudesse se desenvolver sem problemas. Mas é bastante curioso que os anos entre 1920 e 1925 não tenham sido anos de progresso absoluto para as diretrizes lançadas pelos pioneiros de 1900 a 1914.

Em vez disso, as condições tumultuadas de 1919 – de irreparável perda de confiança na paz e na prosperidade, de homens que viveram anos em condições violentas e primitivas – desviaram a nova arquitetura e design para o expressionismo, em certo sentido muito mais próximo da Art Nouveau que do estilo de 1914. Os mais fa-

273. Potsdam, Torre de Einstein, por Erich Mendelsohn, 1920

274. Modelo para um arranha-céu de vidro, por Mies van der Rohe, 1919

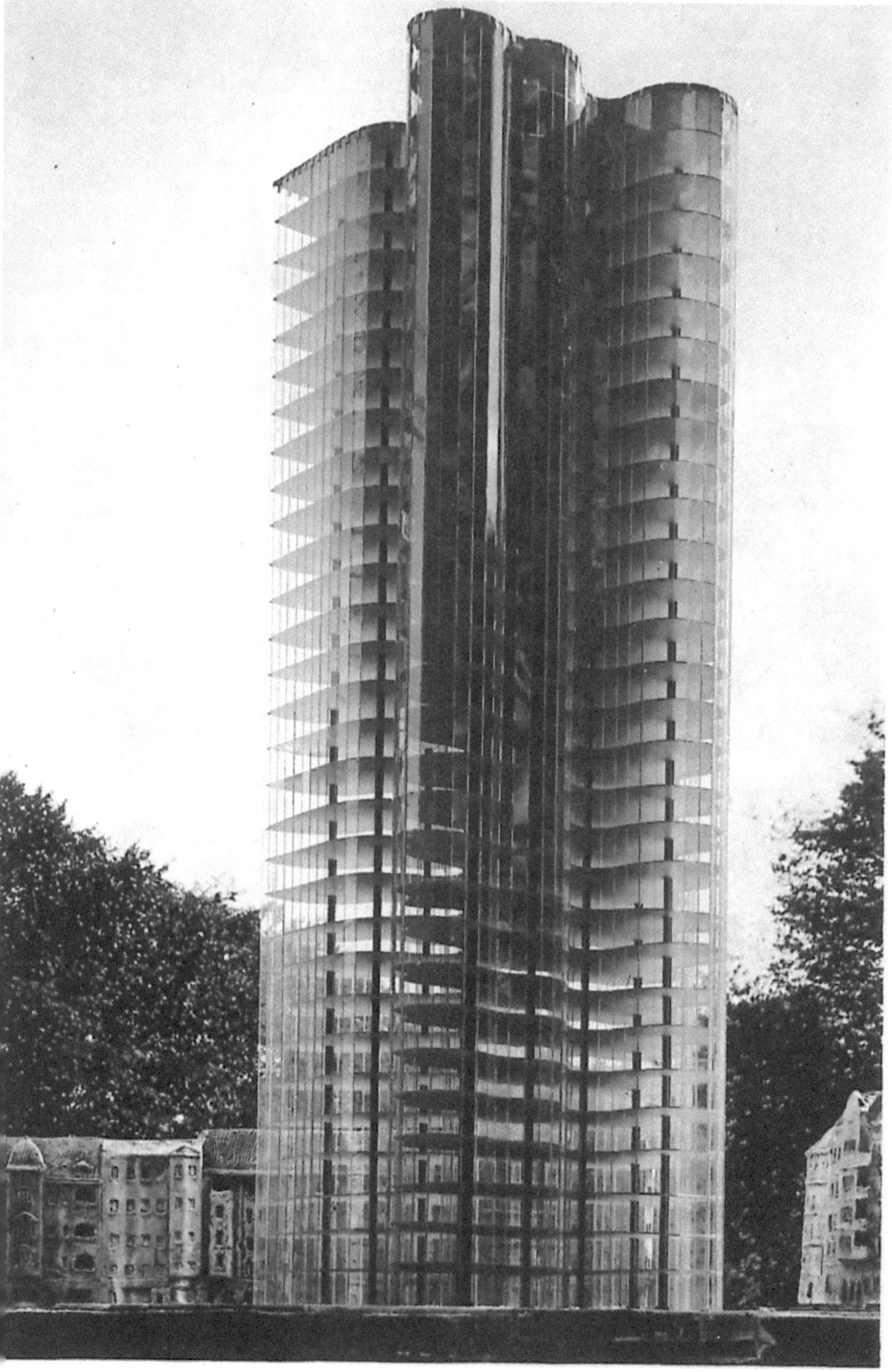

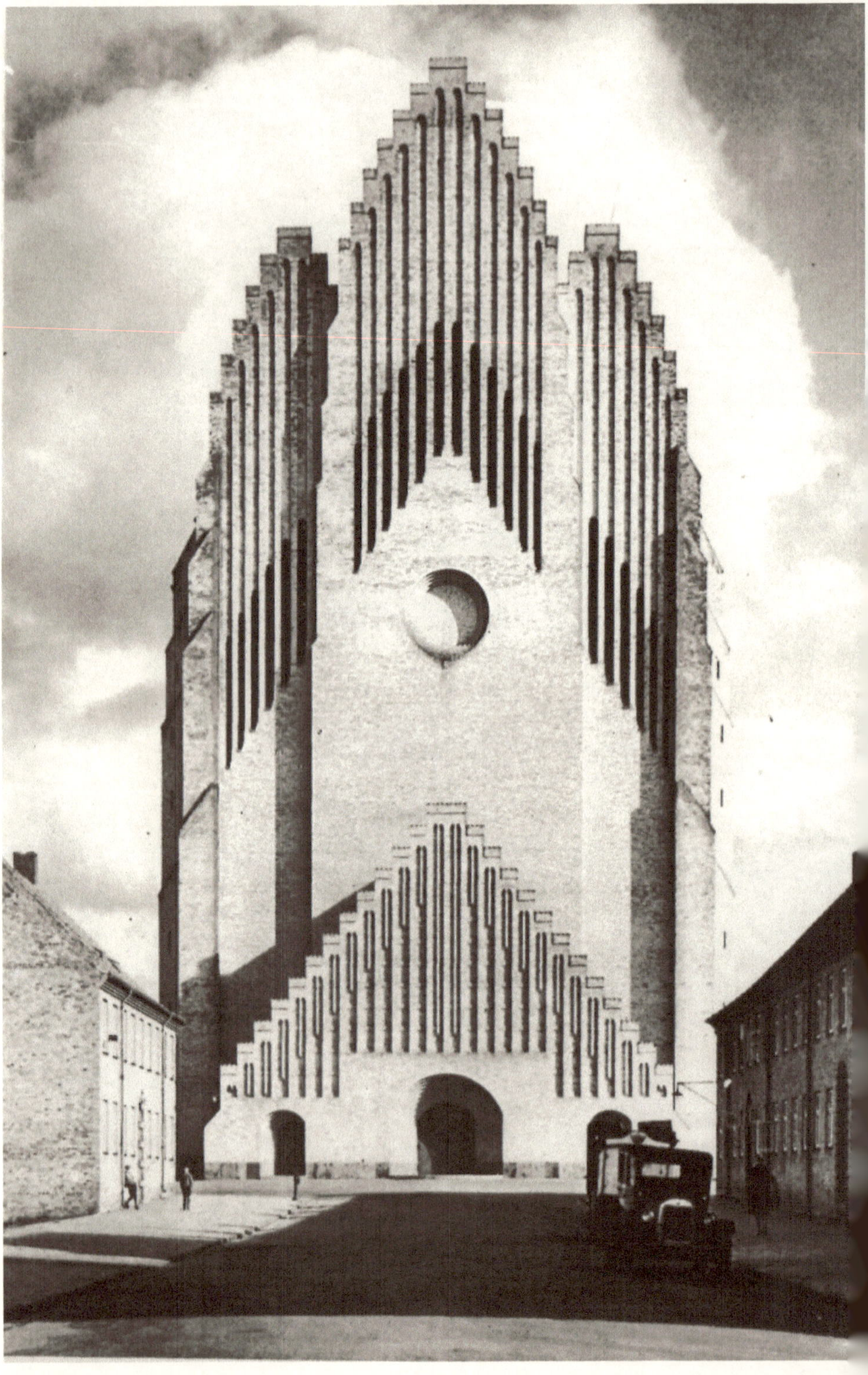

mosos exemplos são o Chilelahus (1923), em Hamburgo, obra de Fritz Hoeger (1877-1949), com seus sensacionais pilares verticais até o topo e seu trabalho de tijolos recortados, e o interior do Grosses Schauspielhaus (1919), em Berlim, de Hans Poelzig (1869-1936), com suas fantásticas estalactites. O que é menos conhecido é que mesmo Gropius, em seu memorial da guerra, em Weimar, de 1921, construído em concreto, pagou seu tributo ao expressionismo, e que Mies van der Rohe, em 1926, projetou um monumento para os comunistas Karl Liebknecht e Rosa Luxemburgo no mais pesado expressionismo cubista. O design dificilmente se adapta entre os blocos de apartamentos perfeitamente racionais de 1925 a 1927. Mais importante para o futuro do que esse surpreendente capricho foi a torre Einstein (em Potsdam, 1920), de Mendelsohn, pois, lado a lado com seus inúmeros projetos do período entre 1914 e 1924 (que parecem influenciados por Sant'Elia), estabeleceu o motivo da linha aerodinâmica que se impôs tão decisivamente no design industrial americano. Também na arquitetura, os cantos horizontais, arredondados e movimentados de Mendelsohn foram imitados muito mais do que se pensa. Mesmo as paredes inteiramente de vidro dos arranha-céus com os quais Mies van der Rohe começa a sonhar em 1919 apresentam um elemento de fantasias que inexistia em seus trabalhos anteriores, apesar de ter sido integrado no desenvolvimento racional dos últimos anos. O interesse pelos arranha-céus, em si mesmo, foi, é claro, um reflexo de um fascínio mais geral pela América, e o assombro com a ousadia, frieza e ritmo nesses anos pode também ser entendido como um sinal de uma estrutura mental mais romântica do que racional. O livro de gravuras de Mendelsohn, sobre a América, publicado em 1926, ilustra essa atitude de modo convincente. Le Corbusier (1888-1965) também se antecipa, em 1922, propondo um fantástico projeto para uma cidade de três milhões de habitantes. As residências deveriam se distribuir segundo um rígido plano quadriculado, e o centro da cidade estaria reservado aos locais de trabalho, agrupados em vinte e quatro arranha-céus dispostos em forma de cruz.

Essa tendência expressionista foi mais forte na Alemanha, sem dúvida devido a razões políticas, principalmente à inflação. Mas

275. Copenhague, igreja de Grundtvig, por P. V. J. Klint, iniciada em 1921

276. Amsterdam, conjunto habitacional de Eigen Haard, por Michel de Klerk, 1921

não está totalmente ausente em outros países, como testemunha a fachada da igreja de Grundtvig (concorrência aberta em 1913 e início da construção em 1921), em Copenhague, obra de P. V. J. Klint, com seus portais pequenos sobre os quais se eleva abruptamente uma simples parede de tijolos, terminando em empenas ascendentes em forma de tubos de órgão. A contribuição internacionalmente mais conhecida ao expressionismo na arquitetura é holandesa, sendo seu mais louco monumento dos primeiros tempos o Scheepvaarthuis (Amsterdam, 1911-1916), de J. M. van der Mey. Sua fonte de inspiração foi o trabalho bastante mais sóbrio de Hendrik Petrus Berlage (1856-1934), notadamente a Bolsa de Amsterdam (1897-1903), que pode ser colocada em paralelo com as inovações moderadas e criteriosas de um Voysey na arquitetura doméstica. Berlage, apesar de toda sua moderação e honestidade, gostava de jogar com o tijolo e criar formas angulares originais. Em Amsterdam, os conjuntos habitacionais de grandes dimensões, projetados por Michel de Klerk (1884-1923), Piet Kramer (nascido em 1881) e outros, a partir de 1917, apresentam projeções bruscas, angulosas ou curvas, as mais originais, e tetos e perfis também inusitados. Willem Marinus Dudok (nascido em 1884) começou por um caminho similar quando foi designado arquiteto da cidade de Hilversum, mas logo rejeita o atavismo da Art Nouveau, voltando-se para a concepção de blocos de edifícios mais rigidamente cúbicos, de tijolos, que tiveram uma ampla influência fora da Holanda. Sua obra-prima é a prefeitura de Hilversum, de 1928-1932, sendo que por essa época o episódio do expressionismo estava definitivamente encerrado.

Efetivamente, esse movimento esgotou-se por volta de 1924 ou 1925. Os anos entre 1925 e a eclosão da Segunda Guerra foram anos bem peculiares. O novo estilo de 1914, temporariamente narcotizado pela fumaça do expressionismo, reestabeleceu-se e evoluiu, em alguns países, para um estilo aceito e predominante em todos os campos. Em outros países, transformou-se em um estilo de monumentalidade semiclássica, mais aceitável para aqueles que eram muito fracos para absorver a novidade tal como era ou que estavam muito ávidos por satisfazer as massas ainda não convertidas. O grau de aceitação do estilo do século XX pode ser analisado assim: na Europa Central (Alemanha, Áustria, Holanda, Suíça) foi universal; na França, nunca foi além da restrita clientela de uns poucos arquitetos empreendedores, liderados, a partir de 1923, por Le Corbusier; a Suécia acatou a mudança a partir de 1930 e, na Itália, nenhuma alteração se manifesta até a Casa del Fascio (1932), em Como, obra de Terragni. Na Inglaterra, o marco foi a casa em Northampton, construída por Peter Behrens para um industrial inglês, em 1926, passando-se a seguir um período de cinco anos durante os quais pouco se produziu até a chegada de refugiados alemães que vieram dinamizar o processo (Gropius, Mendelsohn, Breuer, etc.). Nos Estados Unidos, o ponto de partida foram alguns arranha-céus de Raymond Hood, em Nova York (1928, e especialmente o Daily News de 1930 e o McGraw-Hill Building de 1931) e o Philadelphia Savings Fund Society (1931), de Howe & Lescaze, embora, no geral, tenha se desenvolvido bem pouco durante esse período que antecede a Segunda Grande Guerra. No Brasil, a primeira aparição do novo estilo deve-se a um russo, Gregori Warchavchik, que construiu algumas casas em São Paulo em 1928; mas, a partir de então, nada mais aconteceu por um período de dez anos. Na Rússia, a estréia audaciosa, ou pelo menos singular, foi fortemente reprimida a partir de 1931 e houve, então, um retrocesso ao classicismo convencional, ingenuamente retórico. Na Alemanha, Hitler conteve o movimento em 1933 e esse país, após anos de liderança, desapareceu da cena da arquitetura moderna.

Mas a Alemanha havia absorvido muito até então para correr o risco de retornar a colunas gigantes e ornamentações corpulentas. Juntou-se a outros países, como a França, que acreditavam na possibilidade de um ressurgimento, ou mesmo de uma sobrevivência, dos princípios e proporções clássicas pela eliminação das bases e capitéis dos pilares, tornando-os uniformemente quadrados, pela eliminação das molduras em torno de portas e janelas e pela eliminação das cornijas. Esse estilo, empregado com maior ou menor êxito, existiu na França (onde ainda sobrevive), na Itália e na Alemanha. Na França, foi o resultado do desenvolvimento pessoal de Perret que, após uma estréia audaciosa, havia se voltado para a questão da medida clássica aplicada ao concreto armado. Sua igreja em Raincy (1922-1923), perto de Paris, com suas paredes de vidro moldadas por uma malha cerrada de motivos geométricos em concreto, tinha ainda muito da coragem de seus primeiros trabalhos, assim como a torre abruptamente escalonada tem muito a ver com o expressionismo então em voga. Seu Museu do Mobiliário e a sede da Marinha francesa, ambos em Paris e ambos datando de 1930, colocam-se, por outro lado, a salvo das virtudes negativas do classicismo em concreto. Perret nunca deixou de utilizar esse estilo com convicção, especialmente em seus edifícios comerciais do período de pós-guerra no *front de mer* do Havre (1948-1950). A mais elegante e talvez a mais francesa expressão desse classicismo (cuja versão inglesa, muito mais tímida e convencional, leva o nome de neogeorgiana) encontra-se na obra de Michel Roux-Spitz (nascido em 1888), que construiu blocos de apartamentos, em Paris, em 1925, etc. Quanto às construções alemãs para o Partido Nacional Socialista, em Munique, e para o governo, em Berlim, é melhor não dizer nada[45]. Os fascistas italianos foram, por certo, mais afortunados na manipulação desse estilo, cujos termos de referência lhes foram impostos e facilmente apreendidos. Suas tradições clássicas eram mais fortes e ressurgiram mais naturalmente. Pouco familiarizados com a arquitetura moderna, eles puderam voltar-se para a linguagem fascista de modo mais fácil e natural. Além do mais, em termos de composição nobre e sem vulgaridade, ninguém pode competir com os italianos. Assim, construções tais como as que encontramos na nova Bérgamo e na nova Brescia, nas novas cidades de Littoria e Sabaudia, como o pavilhão da Exposição de Paris de 1937 (por Marcello Piacentini e Pagano), como o Foro Mussolini (1937) em Roma, etc., e todos os novos edifícios comerciais e residências dos centros urbanos serão algum dia, de novo, reconhecidos pelo seu valor. Todos eles combinam uma convincente retangularidade mostrando belos e brilhantes mármores, tanto no exterior quanto no interior. Na verdade, Mussolini nunca se afastou totalmente do estilo do século e muitas coisas foram toleradas (mesmo a excelente e despojada estação de Florença (1936), obra de Giovanni Michelucci (nascido em 1891), que se encontra diante da abside de S. Maria Novella, obra de Alberti). Isso jamais teria acontecido na Alemanha ou na Rússia.

O classicismo da Dinamarca e da Suécia foi de um tipo diferente, muito menos pretensioso e muito menos rígido. Os melhores exemplos dinamarqueses são o quartel-general da polícia, obra de H. Kampmann, Aage Rafn e outros, datando de 1925, e o Hornbaekhus (1923), de Kay Fisker – ambos em Copenhague –, e a escola Øregaard, em Haellerup, obra de E. Thomson, de 1923. Na Suécia, o tratamento foi mais original e mais jocoso, com colunas delicadamente adelgaçadas (o salão de concertos (1926), de Ivar Tengbom, a biblioteca (1921) e o cinema Scandia (1922), de Asplund, todos três em Estocolmo). Mas o que repentinamente tornou a arquitetura sueca famosa em toda a Europa não foi a contribuição do classicismo, mas o ecletismo deliciosamente leve e sutil da prefeitura de Es-

---

45. Por P. L. Troost (1878-1934), a Haus der Deutschen Kunst, os templos, etc., na Königsplatz, a Führerbau e o edifício para a administração do partido, projetados todos entre 1932-1934; por A. Speer (nascido em 1905), o estádio de Nuremberg, c. 1936, e o Reichskanzlei em Berlim; por E. Sagebiel, o amplo Ministério da Aeronáutica em Berlim; pelo mais velho e melhor Werner March, o Olympia Stadium, em Berlim.

tocolmo, projeto de Ragnar Östberg (1866-1945). A construção foi iniciada em 1911 mas terminada apenas em 1923. Aqui encontramos um plano audacioso para um sítio soberbo, com uma torre de ângulo, forte e alta, coroada por uma lanterna aberta pequena e graciosa. Havia um toque do palácio dos Doges, um toque do românico, e detalhes vigorosos inspirados no século XVI sueco em contraposição a outros inspirados em um expressionismo jovial. O projeto era genuíno e original, mas sancionava perigosamente a continuidade do velho jogo com motivos da época que caracterizou a juventude de Östberg.

Tudo isso foi descrito antes de retornarmos à principal linha de desenvolvimento, aquela cuja fonte foi o trabalho dos pioneiros de 1900-1914, porque é importante lembrar que o novo estilo não era absolutamente o único em vigor entre 1924 e 1939. Já mencionamos a aceitação que esse estilo teve. Os exemplos a seguir foram retirados principalmente daqueles países que a ele aderiram com maior convicção. Embora a França tenha se mostrado resistente ao novo estilo, o primeiro arquiteto a ser introduzido tem de ser necessariamente Le Corbusier (1888-1965), que – embora suíço de nascimento – se estabeleceu em Paris após um estágio com Perret na capital francesa e outro com Peter Behrens, em Berlim. É o Picasso da arquitetura, brilhante, de inesgotável inventividade, instável e imprevisível. É o extremo oposto de Gropius, cujo equilíbrio, cuja consciência social, cuja fé pedagógica contribuíram tanto para estabelecê-lo firmemente no conceito internacional quanto contribuíram, no caso de Le Corbusier, os seus escritos e a qualidade de seus projetos. No entanto, há um elemento em comum entre eles: a linguagem do estilo que se desenvolveu antes de 1914 e que, em grande parte, foi criado por Gropius. Os edifícios construídos entre 1925 e 1930 eram brancos (embora não tenham permanecido assim) e cúbicos. Isso se aplica às *villas* de Le Corbusier em Vaucresson (1922), Auteuil (1923), Boulogne-sur-Seine (1926), Garches (1927), assim como aos excelentes alojamentos operários que J. J. P. Oud construiu em Rotterdam e arredores entre 1924 e 1930, e às construções de Bauhaus de Gropius, em Dessau, sobre as quais voltaremos a falar mais adiante. O paralelo com os problemas dos cubistas na pintura é evidente, especialmente no caso de Le Corbusier, que também era pintor, e daqueles arquitetos que davam mais asas à

277. Garches, *villa*, por Le Corbusier e Pierre Jeanneret, 1927

fantasia do que Gropius e Oud (Rietveld na Holanda, por volta de 1924; Mendelsohn em Berlim, por volta de 1922, etc.). Uma fantasia de ordem arquitetônica mais elevada impediu Le Corbusier de fazer do cubismo de suas *villas* um sistema. Já no pavilhão de *l'Esprit Nouveau*, na Exposição de Paris em 1925, deixou dentro da casa uma árvore que atravessava o teto; na casa da Suíça, da Cidade Universitária de Paris, em 1930, a pedra – um material natural, apenas com um tratamento rústico – aparece, lado a lado com o vidro, com o concreto branco e o plástico. A natureza, no sentido de irracional, reivindica o seu retorno. Mas ainda não era chegado o momento propício e, no geral, temos boas razões para nos felicitarmos por isso.

Embora sempre tenha havido tendência a imitar a obra de Le Corbusier e estabelecer clichês, ela sempre foi uma obra pessoal e

278. Utrecht, *villa*, por Gerrit Rietveld, 1924

inimitável. A obra que se construiu no melhor padrão de 1925-1930 foi menos pessoal, freqüentemente quase anônima, pela ausência de individualidade conscientemente expressa. Entre os melhores exemplos está a Bauhaus de Gropius em Dessau e um certo número de blocos de apartamentos. A Bauhaus foi construída em 1925-1926, e consiste em um corpo central com construções secundárias de alturas e volumes variados, lembrando a forma aproximada de dois L que se sobrepõem. O centro é um bloco de escritórios de dois andares sobre pilotis. Ligado a ele, ao norte, encontra-se o bloco de quatro andares da escola; ao sul, uma ala transversal com auditório, cantina, etc., e, abrindo-se a partir das extremidades desta, o bloco de dormitórios – um edifício semelhante a uma torre de seis andares com pequenos balcões – e o bloco de escritórios, todo em vidro. A composição é lógica e visualmente satisfatória. Quanto aos pré-

DO FIM DA PRIMEIRA GUERRA MUNDIAL AOS DIAS DE HOJE **431**

279. Dessau, Bauhaus, por Walter Gropius, 1925-6, bloco dos escritórios

dios de vários andares, merecem menção os de Mies van der Rohe em Berlim (1925) e Stuttgart (Weissenhof, 1927, ver mais adiante); entre os grandes conjuntos de prédios destacam-se os de Bruno Taut (1880-1938) em Berlim e Ernst May (nascido em 1886) em Frankfurt, ambos iniciados por volta de 1926, um de utilidade pública e o outro, um edifício municipal. Uma síntese do que se fizera de melhor até então é o conjunto experimental da Deutscher Werkbund em Weissenhof, perto de Stuttgart, de 1927, para o qual colaboraram vários arquitetos, desde Gropius e Mies van de Rohe até

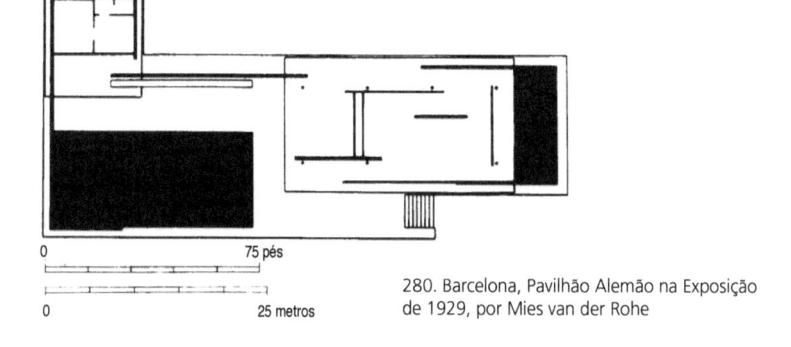

280. Barcelona, Pavilhão Alemão na Exposição de 1929, por Mies van der Rohe

Oud e Le Corbusier. Os cubos brancos e os conjuntos de blocos cúbicos compostos de diversas maneiras representam, inegavelmente, o estilo de 1925-1930.

A liberação da ditadura dos cubos começa por volta de 1930, embora Le Corbusier nunca tenha aceito isso plenamente. O principal evento foi a Exposição de Estocolmo, no verão de 1930, na qual Gunnar Asplund (1885-1940), até então essencialmente um clássico sensível, modernizou-se e demonstrou as possibilidades da leveza e da transparência que convenceram a muitos dos arquitetos visitantes. A interconexão íntima entre os espaços interiores e exteriores, já por muitos anos explorada por Frank Lloyd Wright na América do Norte, e a fé na delicadeza dos elementos de aço aparentes, mais do que das superfícies sólidas de concreto, caracterizam os melhores trabalhos dos anos que se seguem a 1930. Se

281. Barcelona, Pavilhão Alemão na Exposição de 1929, por Mies van der Rohe

282. Estocolmo, Crematório, por Gunnar Asplund, 1935-40

fosse necessário escolher um trabalho como o mais perfeito, essa escolha recairia provavelmente sobre o Pavilhão Alemão de Exposição de Barcelona de 1929, obra de Mies van der Rohe (nascido em 1886, em Aachen): baixo, com uma base de travertino completamente despida de molduras, paredes de vidro e mármore verde escuro, com um telhado branco plano. O interior era inteiramente aberto, com suportes de aço brilhante em X e dividido apenas por divisórias de ônix, vidro verde-garrafa, etc. Nesse pavilhão, infelizmente já há muito demolido, Mies van der Rohe provou – o que os inimigos do novo estilo sempre negaram – que era possível atingir a monumentalidade não por meio de falsas colunas, mas sim por meio de materiais esplêndidos e um ritmo espacial imponente. A ar-

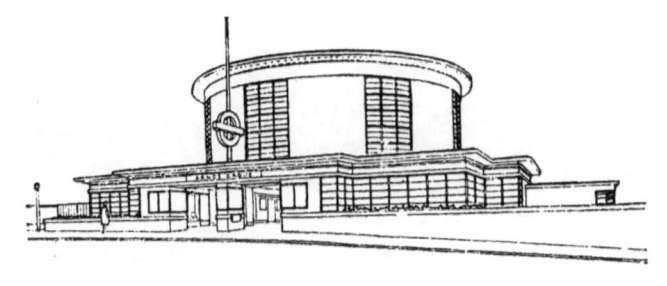

283. Arnos Grove, estação de metrô, Londres, por Charles Holden, 1932

quitetura religiosa muito sofreu, naturalmente, com essa hostilidade. É verdade que, na Suíça, as igrejas estritamente modernas aparecem já em 1925-1927 (St. Antonius Basel, por Karl Moser)[46]; mas, obviamente, o problema era menos complexo para a Igreja Reformada Suíça do que para qualquer outra. Asplund, no entanto, em seu último trabalho, o Crematório de Estocolmo de 1935-1940, conseguiu aliar reverência e conforto. O pórtico, com suas linhas horizontais e verticais sem relevo – não muito distantes em caráter da melhor produção italiana do edifício, são verdadeiramente monumentais: as capelas interiores e as pequenas salas de espera são intrincadas e tranqüilizantes. Por fim, a austeridade do exterior é maravilhosamente realçada pela mais admirável das implantações, pelo gramado em declive suave, pelo espelho de água e pelas árvores ao fundo. Nunca antes do século XX houve combinação tão perfeita entre arquitetura e paisagem. Viria a ser uma das mais proveitosas lições para o futuro. Essa mesma harmonia, sob condições mais cotidianas, havia sido demonstrada anteriormente no projeto de um moinho de trigo e as habitações anexas que Eskil Sundahl (nascido em 1890) construiu em Kvarnholm, nos arredores de Estocolmo, em 1927-1928. Grandes silos, usina, apartamentos e pequenas casas estão engenhosamente dispostos entre os rochedos e pinheiros da ilha.

---

46. Ainda aqui a dependência de Perret é patente. O passo na direção do estilo mais arejado e metálico de 1930 foi dado por E. F. Burckhardt & Egender na Johanneskirche, em Basiléia, 1936.

A obra foi encomendada pela Sociedade Cooperativa, uma das mais esclarecidas empresas daquele período em todo o mundo, levando adiante aquilo que havia sido realizado de modo pioneiro pela AEG de Berlim. Outra empresa a ser destacada foi a London Transport, orientada em sua política de projetos por Frank Pick. O fato de que, no século XX, essas grandes corporações tenham tomado o lugar dos Sugers, dos Medicis e dos Luís XIV do passado é muito significativo. Se elas atuam como corporações representadas por comissões, como acontece na maioria dos casos, o resultado estético em geral se restringe ao denominador comum da comissão ou, no melhor dos casos, carece de individualidade. Um patrono tem mais condições do que uma comissão de atuar com coragem e confiar em um arquiteto. São extremamente raros os casos em que uma comissão é dirigida por alguém que, além de ser um patrono nato, tenha a habilidade de convencer e entusiasmar um grupo emperrado. Frank Pick foi uma dessas exceções. Já antes da Primeira Grande Guerra, promoveu uma reforma dos tipos de letra, fazendo desenhar para o uso de sua empresa um dos melhores caracteres modernos, e impressionou tão profundamente seus contemporâneos, que provocou uma revolução na tipografia inglesa. Paralelamente, começou uma campanha para melhorar a qualidade dos cartazes e, novamente, acabou por colocar a Inglaterra no primeiro plano também na arte do cartaz. Quando, nos anos 20 e 30, foi necessário construir muitas novas estações, deu-se conta de que o continente havia desenvolvido um estilo infinitamente mais adequado a esse fim do que o distinto neogeorgiano ou o pomposo neobarroco-palladiano, correntes na Inglaterra. Viajou, então, com seu arquiteto, dr. Charles Holden (1875-1960), e o resultado foram estações de subúrbio tão boas quanto as do continente, de planta baixa funcional e de elevação sóbria que, de fato, quando compreendidas em profundidade, não contrariam as tradições georgianas inglesas. As primeiras são de 1932 e contribuíram mais do que qualquer outra coisa para abrir o caminho para o estilo do século XX na Inglaterra. As mais brilhantes realizações de Le Corbusier provavelmente não teriam produzido o mesmo resultado.

O mesmo vale para os arranha-céus sonhados por Le Corbusier (e por Mies van der Rohe). Sua ousadia levou-os a serem confinados às páginas impressas. O caso do *Hochhaus* é um pouco diferente. Sua aceitação ocasional nas cidades continentais (Antuérpia é uma delas, 1924-1930) já foi mencionada. Agora aparecem também para fins residenciais, e o primeiro a merecer menção é o de J. F. Staal, em Amsterdam, de 1931[47]. Mas só passaram a ter características de urbanismo doméstico quinze anos mais tarde, quando os suecos os adotaram e construíram conjuntos residenciais constituídos inteira ou parcialmente de grupos desses edifícios. O primeiro é Danviksklippan, em Estocolmo (de 1945-1948, por Backström & Reinius).

Com isso, as barreiras da Segunda Guerra são ultrapassadas. A guerra significou, para muitos países – embora não para todos –, um novo intervalo de cinco anos ou mais. O Brasil construiu o que desejava, os Estados Unidos construíram grandes indústrias e muitos alojamentos de emergência e, no processo, consolidaram o estilo do século XX que, a partir de 1947, iniciou uma conquista espetacular por todo o continente. A Itália proclamou sua conversão na mesma época, de maneira excessivamente entusiástica. A Inglaterra fez o mesmo, embora de modo mais hesitante e moderado. A Alemanha, liberada do nacional-socialismo e beneficiada com a *Währungsreform*, retomou seu ponto de partida de 1933 e, em poucos anos, alcançou facilmente o primeiro plano. Apenas a Rússia e a Espanha permaneceram resistentes. Mas o estilo do século, agora tão amplamente reconhecido, seria ainda o estilo criado pelos gigantes dos primeiros anos e reivindicado pelos líderes de 1925-1935? Em certos aspectos, sim, mas em outros – o que é alarmante – já não o é mais.

Agora, devemos acompanhar aquilo que está em mudança e aquilo que permaneceu inalterado. O que está em mudança, antes de tudo, são as condições sob as quais a arquitetura opera. Uma das maiores mudanças já foi mencionada porque foi uma herança do começo do século, embora, agora, esteja acumulando mais e mais força. É a passagem do cliente pessoal para o impessoal. É ponto pacífico que um estilo impessoal, tal como o foram o racionalismo e o funcionalismo de 1930, esteja mais adequado a essas condi-

---

47. Lado a lado com isto, um caso anterior de *"high-slab"*, outra forma de grande futuro, aparece na Holanda: os Bergpolder Flats em Rotterdam, 1934, por W. van Tijen, H. A. Maaskant, J. A. Brinkman e L. C. van der Vlucht.

ções do que qualquer estilo derivado do passado. Que o anonimato das comissões, sejam municipais ou comerciais, tende a desencorajar a empresa individual, inclusive o gênio, é igualmente patente. Longas e exasperadas foram as contendas entre Le Corbusier e as autoridades: primeiro, por Pessac, perto de Bordeaux; depois, pela Unité d'Habitation, em Marseille, e, por último, pela Interbau, em Berlim. Entre as duas guerras ficou provado que um grande órgão pode manter com êxito uma arquitetura de alto nível, como foi o caso da Gehag, em Berlim, e do departamento municipal de Frankfurt e como é o caso, atualmente, da Ina Casa, na Itália. Foi provado, por Frank Pick, na Inglaterra, entre as duas guerras, e por Adriano Olivetti, na Itália, depois da guerra, que o cliente pessoal ainda pode existir, mesmo que apenas como industrial ou gerente. Na mesma medida em que o cliente deixa de ser personalizado e se torna uma comissão, assim também o arquiteto passa a ser parte de uma parceria ou de uma firma. O Departamento de Arquitetos do Condado de Londres emprega três mil profissionais (dos quais 1.500 são arquitetos formados). A Skidmore, Owings & Merrill, nos Estados Unidos, uma firma que produz apenas dentro do mais elevado padrão, tinha, em 1953, dez diretores, sete acionistas, onze associados participantes e um quadro de mil profissionais. Outras firmas prósperas na América e Europa possuem quadros de cem profissionais ou mais, mas tendem a crescer. No continente, esse desenvolvimento é até agora menos marcante, mas – a par com o declínio dos pequenos escritórios – como parte de um processo universal de americanização da Europa. Os casos em que um grupo de arquitetos individuais aparece como responsável por um projeto de edifício podem ser entendidos à luz desses desenvolvimentos. Foi o caso do prédio do Secretariado das Nações Unidas, construído por W. K. Harrison com a consultoria de Le Corbusier, Markelius, Niemeyer, Sir Howard Robertson, N. D. Bassov, Ssu-Cheng-Liang, e quatro outros. Também é o caso da Unesco, em Paris, por Breuer, Zehrfuss e Nervi. A reconstrução do Hansaviertel para a Exposição Interbau em Berlim em 1956-1958 também pode ser vista por esse ângulo. Mais de uma dúzia de arquitetos alemães colaboraram, além de outros nove estrangeiros, incluindo o brasileiro Oscar Niemeyer. Nada poderia representar melhor a espetacular mudança que ocorreu entre 1930 e 1950, mudança de um estilo de pioneiros e de países pioneiros para um estilo que produz extraordinárias obras em todo o mundo. O estilo gótico foi criado na Île de France; foi necessário esperar toda uma geração até que fosse introduzido na Inglaterra, duas ou três para que fosse introduzido na Alemanha, Itália e Espanha. O estilo renascentista foi criado em Florença. Foi necessário que se passasse toda uma geração para aclimatá-lo a Roma e Veneza, e oitenta anos ou mais para introduzi-lo na Espanha, França, Alemanha e Inglaterra. O estilo do século XX, graças à maior facilidade de locomoção, ao desenvolvimento e barateamento dos custos da indústria gráfica e das técnicas de impressão das ilustrações, foi muito mais rápido. Cinqüenta anos após sua criação, ele tem seus postos avançados em todos os cantos e nada melhor do que uma viagem ao redor do mundo para dar a conhecer ao crítico ou ao estudioso as mais extraordinárias tentativas ou as realizações mais sensacionais. Deve-se, certamente, visitar o Brasil, a Venezuela, Chandigarh em Punjab, Japão e alguns edifícios educacionais construídos por arquitetos ingleses na África Ocidental, assim como a Birmânia. Podemos encontrar Le Corbusier em Chandigarh e Berlim, Niemeyer, como vimos, também em Berlim; Skidmore, Owings & Merril em Istambul; Breuer em Paris; Eero Saarinen em Londres; Alvar Aalto em Cambridge, Massachusetts; e assim por diante.

Esse crescente internacionalismo – porque o novo estilo foi, naturalmente, como qualquer estilo sadio, essencialmente internacional no seu começo – foi bem recebido por uns, injuriado por outros. Os argumentos a favor proclamam que, para uma época de comunicação rápida como a nossa e com tais realizações internacionais como as das ciências modernas, os estilos nacionais em arquitetura e design seriam um atavismo e que, além disso, cada um pode constatar os perigos que a exacerbação do nacionalismo trouxe para a paz e a prosperidade. O argumento contrário afirma que, embora todos os estilos vigorosos do passado tenham tido um começo essencialmente internacional, todos eles assumiram, no fim, características decisivamente nacionais: o perpendicular na Inglaterra em contraposição ao *Sondergotik* na Alemanha, o estilo de Delorme na França em contraposição ao de Burghley na Inglaterra. Assim, deveria isso ser desencorajado? Ora, o caráter nacional existe, inegavelmente, assim como as línguas existem, e contribui para enriquecer a cena internacional e não necessariamente ameaçá-la. Em todo o caso, mesmo agora, o crítico pode, em geral, distinguir uma importante construção moderna em Essen de uma outra no Rio de Janeiro ou em Milão. Nesse sentido, a aventura de Interbau em Berlim, com todo o respeito pela audácia de sua concepção e execução, pode, em definitivo, vir a ser considerada negativa mais do que benéfica para a Alemanha.

A mudança de escala entre Weissenhof (1927) e Hansaviertel (1957) é bastante significativa. Por toda parte a escala de construção aumenta. Meia dúzia de novas cidades nos arredores de Londres são planejadas para 60 mil a 80 mil habitantes cada; a expansão dos subúrbios londrinos cobre cerca de 50 quilômetros de leste a oeste e 25 quilômetros de norte a sul; a terrível idéia de uma cidade linear sem fim unindo Portland, no Maine, a Norfolk, na Virgínia, foi recentemente evocada pelo professor Tunnard nos Estados Unidos, onde Los An-

284. Nova York, Henry Hudson Parkway na 79th Street

285. Orbetello, hangar de avião, por Pier Luigi Nervi, 1938

geles já avança mais de 100 quilômetros em ambas as direções. O corolário desse crescimento das cidades e seus bairros-dormitório é o crescimento do sistema rodoviário e o inacreditável grau de engenhosidade que orienta o traçado. Os trevos viários, as passagens em dois níveis, as estradas de dois andares dos Estados Unidos da América, especialmente em Nova York e arredores, confundirão os arqueólogos do ano 7000 tanto quanto Karnak e Stonehenge nos desconcertaram.

A linha divisória entre engenharia e arquitetura em tais trabalhos de planejamento já não existe. Foi questionada pela primeira vez quando surgiram as primeiras pontes pênseis. Werkbund e Le Corbusier exaltaram os grandes silos; Le Corbusier também exaltou os vapores e o aeroplano. Hoje, nas obras mais relevantes da arquitetura, o engenheiro deve ser mencionado ao lado do arquiteto e às vezes sua contribuição é, arquitetonicamente, mais estimulante do que a do arquiteto. Pier Luigi Nervi (nascido em 1891), o engenheiro do concreto, é, na verdade, um dos maiores arquitetos vivos. Seu nome veio à tona com a construção do estádio (1930-1932), em Florença, com sua estrutura em tesoura, com seu par de escadas em espirais entrelaçadas e suspensas ao fundo e seu teto cuja curvatura, em console, alcança facilmente 15 metros. Depois disso fez o hangar de Orbetello (1938), de 100 metros de comprimento e uma envergadura de 40 metros, construído em lamela de concreto, e no fabuloso Salão de Exposição de 1948-1950, em Turim, com um vão de aproximadamente 100 metros e todo um conjunto de projetos e obras de idêntica ousadia, inventividade e – é necessário ressaltar – solidez.

As escadas espirais do estádio de Florença curvam-se para diante sem qualquer suporte porque são lajes de concreto curvas em tensão. A descoberta de que o concreto armado não necessita ser tratado pelo velho princípio de pilar e verga, como o fez Perret, podendo ser tratado monoliticamente como lajes curvas ou pela completa unidade de suporte e peso, remonta no tempo ao ano de 1905, quando Maillart construiu sua primeira ponte de concreto, na Suíça, cujos arcos eram lajes curvas em tensão, e a 1908, quando construiu seu primeiro teto-cogumelo, isto é, um teto que consiste no encontro das curvas de pilares que se expandem em forma de cogumelo ou guarda-chuva.

O emprego integral desse novo princípio, atualmente, é feito apenas por uns poucos e somente nos últimos anos. Do ponto de vista estético, o resultado é uma revolução tão grande quanto a de 1900-1914, se não maior. Os mais extraordinários trabalhos são todos americanos, o que é, em si, muito significativo. O lugar de honra pertence ao Arena Building, em Raleigh, Carolina do Norte, projetado pelo brilhante jovem polonês-americano Martin Nowitzki, que morreu em 1951 com apenas 41 anos de idade. O Arena foi projetado naquele ano em colaboração com o engenheiro W. H. Dietrick, e foi completado em 1953. Consiste em dois arcos intercruzados, que se inclinam muito para fora à medida que se elevam suportados por pilares verticais (colocados segundo uma disposição mais cerrada do que a pretendida pelo arquiteto). Desses arcos pende um teto fino como uma membrana, que, no centro, descai em vez de se elevar. O espaço é de 100 metros. O mesmo princípio foi exportado para a Europa, mais recentemente, para o salão do Congresso em Berlim, pelo americano Hugh Stubbings. Aqui, os arcos não se intercruzam mas se estiram de duas fundações interligadas. O espaço é novamente de 100 metros para cada direção. A sala acomoda 1250 pessoas sentadas.

Formas como essas jamais foram vistas em arquitetura ou engenharia. O mesmo vale para as formas bem diferentes com as quais Felix Candela está trabalhando no México. Candela (nascido em 1910) é espanhol, e os espigões e picos abruptos, lembrando precipícios, de sua igreja de Virgem Milagrosa, na Cidade do México, de 1955-1957, são, de certo modo, reminiscências de Gaudí. Quanto à estrutura, Candela é tão inovador quanto Nervi e Nowitzki. O uso que faz de parabolóides hiperbólicas nas membranas em forma de lenços de seus tetos, que ascendem abruptamente em ângulos agudos, é tão interessante quanto os arcos de Nowitzki. A primeira construção de Candela a alcançar importância internacional foi o Instituto de Radiações Cósmicas na Universidade do México, em 1954, ainda mais próxima, no que se refere à concepção da estrutura, dos projetos desses outros pioneiros. Mas a igreja, assim como o mercado da Cidade do México, provam conclusivamente que a expressão individual extrema é possível dentro dessas inovações no uso do concreto. Seu efeito sobre a arquitetura como arte tem sido, de fato, um ressurgimento do individualismo radical.

Isso pode ter sido um fato favorável. Foi certamente uma resposta aos argumentos do leigo contra o estilo de 1900-1914 ou de seu período de maturidade de 1930. Quais foram esses argumentos? No plano do formal, o estilo foi chamado estilo de caixa de charutos; no plano humano foi chamado duro, intelectual, mecanizado, sem graça e sem plenitude, enfim, desumano. Como ninguém podia negar seus méritos funcionais, dizia-se que era aceitável para fábricas, mas nada mais. Hoje podemos ser mais imparciais do que há vinte e cinco anos atrás, para julgar a validade de tais argumentos. Em primeiro lugar, a idéia de "caixa de charutos" era certamente verdadeira em sua essência, pois os cubos e os conjuntos de cubos foram tão característicos de 1930 quanto o arco ogival foi característico do século XIII. Esse argumento dificilmente se aplica ao estilo transparente da década de 30. Falta de graça também era um argumento válido, e, às vezes, até mesmo desumanidade. No entanto continuava a ser perturbador o fato de que os regimes mais desumanos, como o dos nacional-socialistas e dos comunistas, fossem os maiores inimigos do estilo desumano e os mais preocupados em vestir sua desumanidade com gigantescas colunas e pilares quadrados. A mecanização é também uma das características do estilo, mas um disfarce por meio de colunas colossais ou pilares quadrados imensos não faria nenhuma diferença. *Mechanization takes command* ("A mecanização assume o comando") é o título de um dos livros de pesquisa do dr. Giedion, e o título formula um dos fatos básicos dos séculos XIX e XX. O novo estilo admite isso; o anterior o disfarçava pela imitação do velho; e isso é tudo. E aqui há mesmo um grão de verdade na acusação de que o novo estilo é um estilo para fábricas. Que esse estilo pode ser ideal para as fábricas ficou demonstrado desde logo pela fábrica de Van Nelle, nos arredores de Rotterdam (por Brinkman & Van der Vlucht, 1929). Tem também entre seus ancestrais mais remotos o utilitarismo explícito das fábricas do final do século XVIII e começo do XIX e o arrojo metálico das primeiras pontes, construídas com partes industrializadas; e entre seus ancestrais mais imediatos, os silos e os navios transatlânticos. Além disso, também é verdade que um estilo que enfatiza tanto a franca exposição da função deveria ser especialmente adequado para os edifícios cuja função é evidente para todos porque é prática, e menos para edifícios cuja função é mais espiritual do que prática. Eis por que a arquitetura religiosa e a dos grandes edifícios cívicos ficaram para trás.

O Salão de Exposições de Turim, de Nervi, e a Arena Raleigh, de Nowitzki, não podem ser chamados, voltando aos argumentos do leigo, caixas de charutos nem duras, nem mecanizadas, nem tampouco carentes de graça e de plenitude. Eles podem parecer industriais mais do que individuais, mas apenas na mesma medida em que todos os objetos feitos segundo um projeto prévio parecem industriais, mais do que aqueles feitos à mão, espontaneamente. Mas eles parecem orgânicos, e não cristalizados; pessoais, e não anônimos. Assim, eles puderam enfrentar muitas das objeções que se faziam no período entreguerras. E enfrentaram-nas com admirável ousadia e audaciosa inventividade. Essas soluções formais, sem precedentes, foram encontradas por homens que se preocupavam, principalmente, com o velho desejo do Ocidente de ganhar espaço. Havia, porém, ligado a isso, um novo desejo que teria sido absurdo em 1900-1950, o desejo direto de inovação da forma. Esse desejo reapareceu apenas nos últimos dez anos, e deveríamos apreciar esse ressurgimento como um valor positivo. Uma vez mais, como nos tempos do abade Suger, o anseio espiritual por uma nova expressão criou novas formas e encontrou meios técnicos para expressá-las.

O anseio era grande, e só raramente se tomou o caminho árduo do cálculo matemático ou se tentou uma síntese da forma com a estrutura. Mas quase sempre apareceu pura e simplesmente como uma revolta contra a razão. Nem todos os tetos dos últimos anos, que se curvam para baixo e para cima, que ondulam como o monstro do Loch Ness, que ascendem curvando-se para fora, que se rebaixam no centro, nem todos eles foram resultado de sérias considerações sobre necessidades e custos. Eles são, de fato, o que Nervi particularmente chamou de acrobacias estruturais, motivos difíceis de calcular e de construir, introduzidos por auto-recreação. E essa auto-recreação significa, naturalmente, em termos mais sérios, o prazer na busca de formas bizarras, prazer que não existia vinte anos antes, embora tenha existido cinqüenta anos antes, quando a Art Nouveau dominava.

O Brasil é o país onde o fascínio e os perigos da inconseqüência dos meados do século aparecem de modo mais concentrado. Isso talvez não seja surpreendente, porque o Brasil, por volta de 1930-1935, ainda não estava convertido e, além disso, possui a tradição do mais ousado e disparatado Barroco do século. Assim, encontramos no Brasil as mais fabulosas estruturas de hoje, mas também as mais frívolas. A igreja da Pampulha (1943), de Niemeyer, com sua nave de seção parabólica, suas pequenas parábolas do transepto e sua torre quadrada partindo de uma base delgada que se alarga progressivamente até o topo, e o conjunto residencial do Pedregulho (1950-1952), no Rio de Janeiro, de Affonso Reidy, com seu longo bloco de apartamentos em curva dupla, blocos isolados, uma escola e um ginásio, piscina, lojas, etc., são os exemplos mais audaciosos. Tanto a escola quanto as lojas possuem paredes com apoio na parte de trás. Maneirismos como esse ou como as torres afiladas na direção da base de Niemeyer, assim como seu pórtico com teto em curva que não dá nenhuma proteção (Cassino da Pampulha, Minas, 1942), e

286. Pampulha, Minas Gerais, por Oscar Niemeyer, 1943

também os planos que se contraem e se expandem em curvas bem livres totalmente independentes da função, ocorrem com bastante freqüência. O Brasil não está sozinho em sua revolta contra a razão. Le Corbusier foi consultado sobre o novo edifício do Ministério da Educação no Rio de Janeiro, em 1937, e visitou o Brasil naquela ocasião. É compreensível que o país tenha tido sobre ele o efeito de liberar os traços irracionais do seu caráter; e que ele tenha transmitido o seu entusiasmo impulsivo a seus jovens admiradores. Seja como for, desde então Le Corbusier mudou completamente o estilo de suas próprias construções, e a capela de peregrinação de Ronchamp (1950-1955), não longe de Besançon, é o mais discutido monumento do novo irracionalismo. Aqui novamente aparece o teto moldado como se fosse o chapéu de um cogumelo e, além do mais, a iluminação é garantida por inúmeras pequenas janelas, de formas e distri-

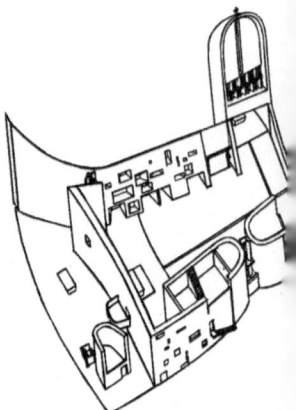

287. Ronchamp, Notre Dame du H
por Le Corbusier, 195

288. Ronchamp, Notre Dame du
por Le Corbusier, 19

buição completamente arbitrárias. A capela é bem pequena, acomodando apenas duzentas pessoas, e é inteiramente construída em concreto aparente. Alguns visitantes afirmam que o efeito é de um mistério comovente; mas ai daquele que sucumbir à tentação de reproduzir o mesmo efeito em outra construção menos isolada, menos remota, com uma localização menos inesperada e com uma função menos excepcional[48].

48. O inevitável já está acontecendo por toda parte, inclusive na Inglaterra.

A revolta contra a razão não se restringe ao Brasil e a Le Corbusier. Apareceu também em outros países. Na Inglaterra, as formas que assumiu são, naturalmente, menos drásticas. Os arquitetos gostam de aplicar motivos geométricos às paredes, balcões, etc. Uma fachada com balcões uniformes de acesso aos apartamentos pode ter os apoios dos balcões colocados verticalmente de modo a criar um efeito de tabuleiro de xadrez, ou, então, os próprios balcões podem se alternar, sendo uns de concreto e outros de grade de ferro, a fim de obter o mesmo efeito. Alguns arquitetos italianos vão além, como Luigi Moretti (nascido em 1909), que avança o estreito topo dos oito ou dez andares superiores de um alto edifício sobre a linha do térreo, formando um ângulo com ele, e, além do mais, chanfra as paredes verticalmente de modo que ângulos inesperados das paredes voltam a ocorrer, tanto entre uma e outra como em relação ao térreo. Em outros edifícios, uma repentina e estreita fenda abre-se entre as duas metades de um bloco. A Alemanha manteve-se afastada dessa nova tendência, protegida sem dúvida pelo entusiasmo inicial de seu retorno à razão, após dez anos de um falso classicismo compulsório. Agora, no entanto, ela também foi atingida, mais nas construções monumentais do que em residências e escritórios, e algumas de suas novas salas de concerto ou teatros de ópera são tão bizarras quanto quaisquer outras. Mas essas críticas não poderiam ser respondidas com uma defesa do bizarro? Por que a arquitetura e o design deveriam privar-se dele? E por que criticar Reidy e Moretti, e não Nowitzki e Candela? É válido, do ponto de vista estético, o argumento de que enquanto suas formas são estruturais as dos outros são decorativas? Poder-se-ia contra-argumentar que, certamente, em assuntos de estética, o olho deve ser o juiz, e para o olho dá no mesmo se uma forma inesperada, talvez sem precedentes, está sendo usada por motivos estruturais ou decorativos. No entanto, esse argumento é altamente artificial. É verdade que cada um gosta mais de uma curva do que de outra, ou não gosta de nenhuma curva, mas o homem foi contemplado com a razão e não se pode excluí-la sem um esforço consciente. Esse esforço é, na verdade, até certo ponto, um esforço especificamente estético, mas só até certo ponto. Na mesma medida em que a apreciação de uma pintura sob o critério exclusivamente estético empobrece a experiência de pintar, também a exclusão do intelecto empobrece a experiência da arquitetura e do design. Um banco de jardim feito de troncos brutos e um banco de ferro moldado para reproduzir a mesma forma podem, para fins de discussão, ser considerados iguais para o olho. No entanto, nossa razão irá aceitar o primeiro como normal e rejeitar o segundo como uma tolice, mesmo que o tenhamos achado divertido. Do mesmo modo, o falso aerodinamismo dos carros dos últimos anos não pode ser aceito pela razão. Além disso, dificilmente ele é divertido, porque, em uma rodovia ou na corrente de tráfego de uma cidade, ninguém pensa em se divertir com a máquina que está dirigindo.

Tudo isso vale também para a arquitetura. Se uma parede comum comporta uma decoração Art Nouveau, podemos apreciá-la esteticamente como um padrão, mas se uma parede tem suas janelas dispostas arbitrariamente e sem uma relação visual convincente com o plano, ou se toda uma parede se projeta para fora sem uma razão estrutural visualmente convincente, tendemos a rejeitá-la como sendo uma bobagem. E a arquitetura dificilmente pode suportar ser tola; como regra, é uma norma muito permanente e muito importante para ser uma mera diversão. É justo que se defenda a continuidade de construção dos pequenos pavilhões de exposições, por mais frívolas que possam ser, mas outras construções devem ser aceitas em todas as circunstâncias, o que quer dizer que devem ter uma certa seriedade. Seriedade não exclui um desafio à razão, mas deve ser um desafio sério, como é o caso de Ronchamp, segundo o que sentem muitos de seus visitantes. O que não pode ser é irresponsável, e a maioria das estruturas acrobáticas de hoje – deixemos de lado as acrobacias puramente formais que imitam acrobacias estruturais – são irresponsáveis. Esse é um dos argumentos contra elas.

Outro argumento é o de que não estão em conformidade com as condições sociais básicas da arquitetura. Essas condições não se alteraram entre 1925 e 1955. O arquiteto ainda tem que construir, principalmente, para clientes anônimos e para um número muito grande de usuários – vejam-se as fábricas, edifícios de escritórios, hospitais, escolas, hotéis, blocos de apartamentos que ele é convidado a projetar – e tem ainda de construir com materiais produzidos industrialmente. Esta última combinação exclui a decoração, uma vez que a decoração feita com a máquina, isto é, decoração que não é feita pelo indivíduo, carece de sentido; a primeira condição também a exclui, uma vez que a decoração aceita por todos, isto é, decoração não produzida para o indivíduo, também carece de sentido.

Por outro lado, a ânsia de libertação parece-nos compreensível quando examinamos agora um excelente conjunto residencial da década de 30 como o Dammerstock (1927-1928), em Karlsruhe, ou o Siemensstadt (1929), próximo de Berlim, ambos de Gropius, com suas linhas de um paralelismo rigoroso, com suas alas rigorosamente distribuídas. Embora o projeto da elevação seja excelente, apesar da boa funcionalidade da planta-baixa, de fato falta alguma coisa, e nós nos surpreendemos procurando pelo orgânico em vez do rigidamente organizado.

Isso explica por que Ronchamp e Pampulha tinham que acontecer, assim como as acrobacias estruturais e o padrão de acabamento em forma de tabuleiro de xadrez. Mas explicação não é justificação. Uma tal afirmação poderia ser considerada totalmente alheia aos domínios do historiador. Além disso, o historiador não se pode deixar arrastar por essa controvérsia tópica; para ele, o que importa saber é se o estilo criado entre 1900 e 1914 é ainda o estilo de hoje ou se 1950 deve ser definido em termos completamente diferentes, ou mesmo opostos.

Este historiador nega essa necessidade, e o faz apoiado no fato de que essa neo-Art Nouveau não é a única resposta de nossos dias ao ataque da mecanização e da desumanidade. Existem outras construções recentes nas quais o desafio é aceito e enfrentado plenamente sem abandonar as conquistas de 1930. Constituem aquilo que, na futura história da arquitetura do século XX, representará evolução como oposição à revolução de Ronchamp. A descoberta desses evolucionários é tríplice, embora descoberta seja talvez uma palavra demasiado forte, na medida em que as três inovações já haviam sido antecipadas aqui e ali nos primeiros trabalhos do século. A primeira dessas novas teses é a de que o relevo, o contraste, a libertação necessária não dependem da decoração, mas podem ser alcançados pela variedade de conjuntos e superfícies; a segunda é que o princípio da variedade de conjuntos pode ser ampliado para todo um bairro ou mesmo para todo um centro urbano; a terceira é que a variedade pode ser obtida na relação do edifício com a natureza muito mais efetivamente do que na relação de edifícios entre si. Assim, com esses três meios evita-se a uniformidade, dá-se campo à fantasia campo e cria-se um sentido de satisfação humana sem recorrer a extravagâncias. Como exemplos da primeira, mencionaria a sede das Nações Unidas em Nova York e, principalmente, o Lever Building (por Skidmore, Owings & Merrill), com o contraste brilhantemente obtido entre os vinte e quatro andares revestidos de vidro e bloco inferior de dois andares que incluem uma *piazza* ajardinada. O melhor exemplo da segunda é Vällingby, próximo de Estocolmo, com sua praça-mercado rodeada por edifícios-torre, projeto de Sven Markelius e outros, construída em meados da década de 50[49]. É o centro de um grupo de novos subúrbios destinados a abrigar cerca de 60 mil pessoas, mais ou menos o mesmo número das *New Towns* iniciadas na Inglaterra durante a guerra. Entre estas, a mais interessante é Harlow, a 65 quilômetros de Londres, por Frederick Gibberd, embora apresente um caráter muito menos urbano que Vällingby. Isso se deve, sem dúvida, à tradição generalizada na Inglaterra de se viver em pequenas casas – e não em apartamentos – andando no seu próprio jardim. É uma tradição sadia, mesmo que dificulte um planejamento esteticamente convincente. Uma outra tradição inglesa que readquire hoje uma grande importância é a do pitoresco. Como já vimos, sua expressão original foram os parques e jardins, e a relação que os edifícios têm com eles. Os princípios do Lever Building e de Vällingby são, em termos arquitetônicos, exatamente os mesmos dos reformadores do século XVIII: irregularidade, informalidade, surpresa, complexidade. Mas encontram-se expressos em edifícios. Expressá-los em uma síntese de edifícios e natureza seria uma tarefa inglesa. Ela foi levada a cabo brilhantemente pelo então arquiteto do comando de Londres, J. Leslie Martin; seu Roehampton (1952-1959), nos arredores de Londres, é, esteticamente, um dos melhores bairros residenciais até os dias de hoje. Consiste em cerca de duas dúzias de edifícios-torre em três grupos, algumas torres altas, muitos blocos de apartamentos de cinco andares e várias renques de casas pequenas em ladeira, além de escolas e algumas lojas. O conjunto comporta perto de 10

---

49. Ainda mais urbano, e arquitetonicamente o melhor de seu tipo já construído, é o Distrito de St. Paul para a cidade de Londres, por Sir William Holford, prova de que é possível um tratamento consistentemente moderno e inteiramente não-retórico de uma área central em torno de um monumento histórico, de que as mais ricas formas do monumento podem atuar como a desejada ruptura da retangularidade dos novos edifícios e que estes, por sua vez, podem realçar o efeito do monumento. Mas o projeto Holford ainda não foi totalmente aceito e a construção ainda não foi iniciada.

289. Nova York, Lever House, por Skidmore, Owings & Merrill, 1950-1

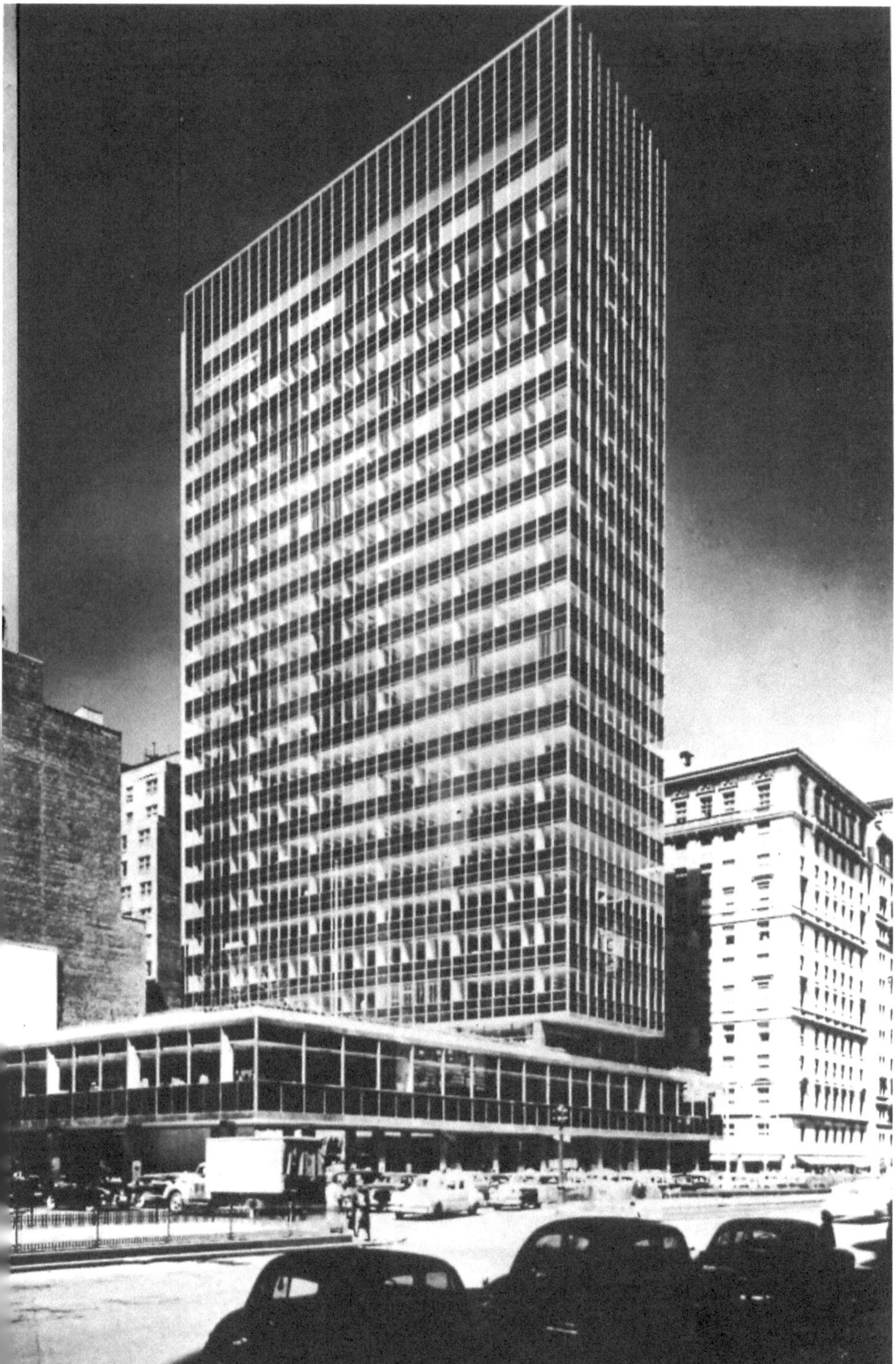

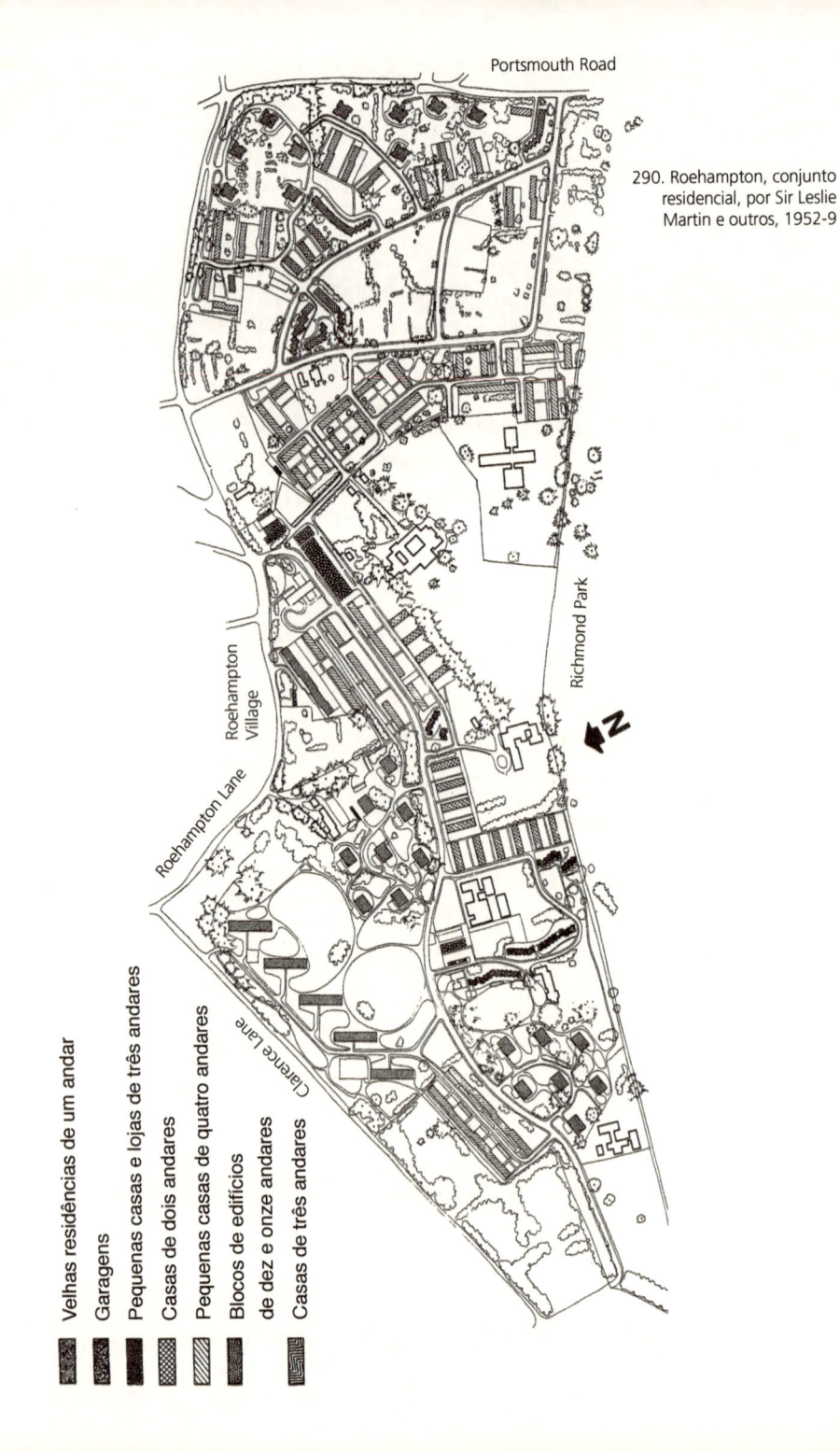

290. Roehampton, conjunto residencial, por Sir Leslie Martin e outros, 1952-9

Portsmouth Road

Roehampton Village

Roehampton Lane

Clarence Lane

Richmond Park

N

- Velhas residências de um andar
- Garagens
- Pequenas casas e lojas de três andares
- Casas de dois andares
- Pequenas casas de quatro andares
- Blocos de edifícios de dez e onze andares
- Casas de três andares

mil pessoas mas em nenhuma parte se tem a impressão de ter sido pensado para habitação em massa. Isso é evitado não pela criação de modelos para as fachadas, mas pela localização e pela paisagem. Toda a área era ocupada anteriormente por amplas e obsoletas mansões vitorianas e seus jardins. Assim, encontra-se aí muito gramado e muitas velhas árvores. Tudo isso foi aproveitado e reintegrado e, conseqüentemente, é a natureza que cria a liberdade e os ramos e folhas das árvores pelos quais os arquitetos estão ávidos. A combinação de construções modernas com árvores é sueca, assim como o emprego de grupos de edifícios-torre. Se o efeito é superior a tudo o que foi feito na Suécia, isso se deve à escala. A superfície aqui é maior que a dos bairros privados que foram construídos naquele país, e a escala ajuda a criar a unidade-na-variedade.

O conjunto residencial de Roehampton é prova cabal da tese de que a arquitetura se desenvolveu entre 1925 e 1956, tanto quanto as estruturas de Nervi. Ambos também são uma prova da outra tese, isto é, de que a evolução predomina de 1925 a 1955, e que a revolução pode ser não só desnecessária como também indesejável. Devemos agradecer de todas as maneiras pelo fato de o gênio individual ter tido sua oportunidade, como Le Corbusier em Ronchamp, ou por ter o gênio explorado a fundo as possibilidades excepcionais, como foi o caso de L. Calini, E. Montuori e seus colegas na estação ferroviária de Roma, onde inclinaram o teto em uma curva dupla para que atuasse como um eco da linha geral do topo de um fragmento pitoresco de parede sérvia que podemos ver através de uma placa de vidro. Mas devemos tomar cuidado com os gênios medíocres, que tentam suprir as nossas necessidades cotidianas.

"Devemos" soa mais adequado para um sermão do que para um livro de história. E não se pode evitar que o historiador se torne advogado, se ele escolhe trazer sua história até os eventos dos dias de hoje. Além do mais, é grande a tentação de fazer isso. Escrever história é um processo de seleção e avaliação. Para evitar que isso seja feito arbitrariamente, o historiador não deve nunca esquecer a ambição de Ranke de escrever os fatos "como eles realmente aconteceram" ("wie es wirklich gewesen ist"). Essa ambição, se tomada com toda seriedade, inclui a seleção e avaliação segundo os critérios da época estudada e não os da época do historiador. Seria suficiente uma vida consagrada a aplicar esses critérios para garantir ao historiador a objetividade de que necessita para abordar sua própria era? É preciso que se deixe ao leitor deste livro a decisão sobre se estas últimas páginas são ou não um tratamento justo dos problemas e soluções arquitetônicas "como realmente aconteceram".

# PÓS-ESCRITO AMERICANO

A mais óbvia diferença entre a história da arquitetura nos Estados Unidos e na Europa Ocidental é que a arquitetura americana, como parte da arquitetura ocidental, tem menos de 500 anos de idade, enquanto na Inglaterra, França, Itália, Alemanha, Holanda, Espanha, uma mesma linha de desenvolvimento coerente e ininterrupto atravessa os últimos mil anos ou mais. Durante esse dez ou onze séculos, o alcance de cada novo passo importante na arquitetura nunca foi maior do que 1.500 milhas do mar, da Alemanha à Sicília, da Irlanda e Galícia à Prússia Ocidental e à Boêmia. Nesse território, de extensão bem menor que a dos Estados Unidos, Carlos Magno restaurou um Império Romano e, contra sua vontade, ajudou a erguer os primeiros monumentos de um jovem espírito ocidental; os clunianos na França e os imperadores saxônicos na Alemanha desenvolveram o estilo românico. Em Île de France, engenhosos construtores elaboraram o sistema gótico. Os construtores ingleses, espanhóis, alemães e italianos, posteriormente, modificaram-no de modo a se adequar à sua crescente consciência nacional; a Itália rebelou-se contra ele primeiro em nome de uma nova pureza, de uma ordem científica e da graça, a seguir em nome de uma severidade e solenidade ainda mais nova e, depois, em nome de uma artificialidade forçada e atormentada, respectivamente durante a Baixa Renascença, a Alta Renascença e o maneirismo.

Tudo isso – esse poderoso drama do nascimento, adolescência, maturidade viril e primeiros sintomas do envelhecimento do Ocidente – aconteceu antes que qualquer construção de caráter ocidental fosse erguida nos Estados Unidos. E mesmo que consideremos as Américas em seu conjunto, somente aqui e ali é que distinguimos um eco, um fraco eco – digamos, nas abóbadas de nervuras de algumas igrejas franciscanas no México – de um gótico ocidental póstumo. Por outro lado, o maneirismo é o primeiro estilo europeu a aparecer em solo americano.

Por outro lado, a pré-história – no sentido em que nos referimos, na Europa, ao Mediterrâneo de antes do advento dos estilos históricos, primeiro no Egito e na Ásia Menor, a seguir na Grécia e nas nações helênicas, depois em Roma e no Império Romano e, quanto ao Norte, mais ou menos até a chegada dos romanos e, em alguns lugares, até a civilização carolíngia – aplica-se nas Américas a tudo que seja anterior a Colombo, Cortez, Pizarro, Raleigh, os Pilgrim Fathers e Penn.

Assim, nem mesmo o mais breve esboço da arte e arquitetura pré-históricas poderia omitir os templos mexicanos, maias e incas, e os artefatos dos índios norte-americanos. Mas um esboço da arquitetura ocidental pode, em minha opinião, deixar de lado qualquer menção a construções na América que sejam anteriores ao século XVIII, e mesmo ao século XIX. Num livro em que o austero maneirismo de Herrera e seus seguidores espanhóis aparece em algumas linhas, seria tamanha maldade abrir espaço para as ruínas de Tecali – a "mais pura" igreja franciscana no México, datando de 1569 – quanto o seria escolher exemplos da Dalmácia para discutir a arquitetura veneziana ou exemplos da Nicósia, em Chipre, para discutir as igrejas góticas francesas.

Mais uma vez, os *incunabula* da arquitetura doméstica da Nova Inglaterra – que receberam a justa admiração dos *New Englanders* e são tratados com todo o respeito e cuidados com que os ingleses deveriam tratar (e freqüentemente não tratam) sua própria herança de grandes casas de campo espalhadas por uma região não muito maior do que a da Nova Inglaterra – não têm lugar num breve manual. Tudo o que a América fez durante o século XVII em termos de construções tem "todo o encanto de um esforço sincero, da ignorância ingênua, e da execução sem experiência", como Talbot Ham-

291. Catedral de Zacatecas, México, consagrada em 1752, detalhe da fachada ocidental

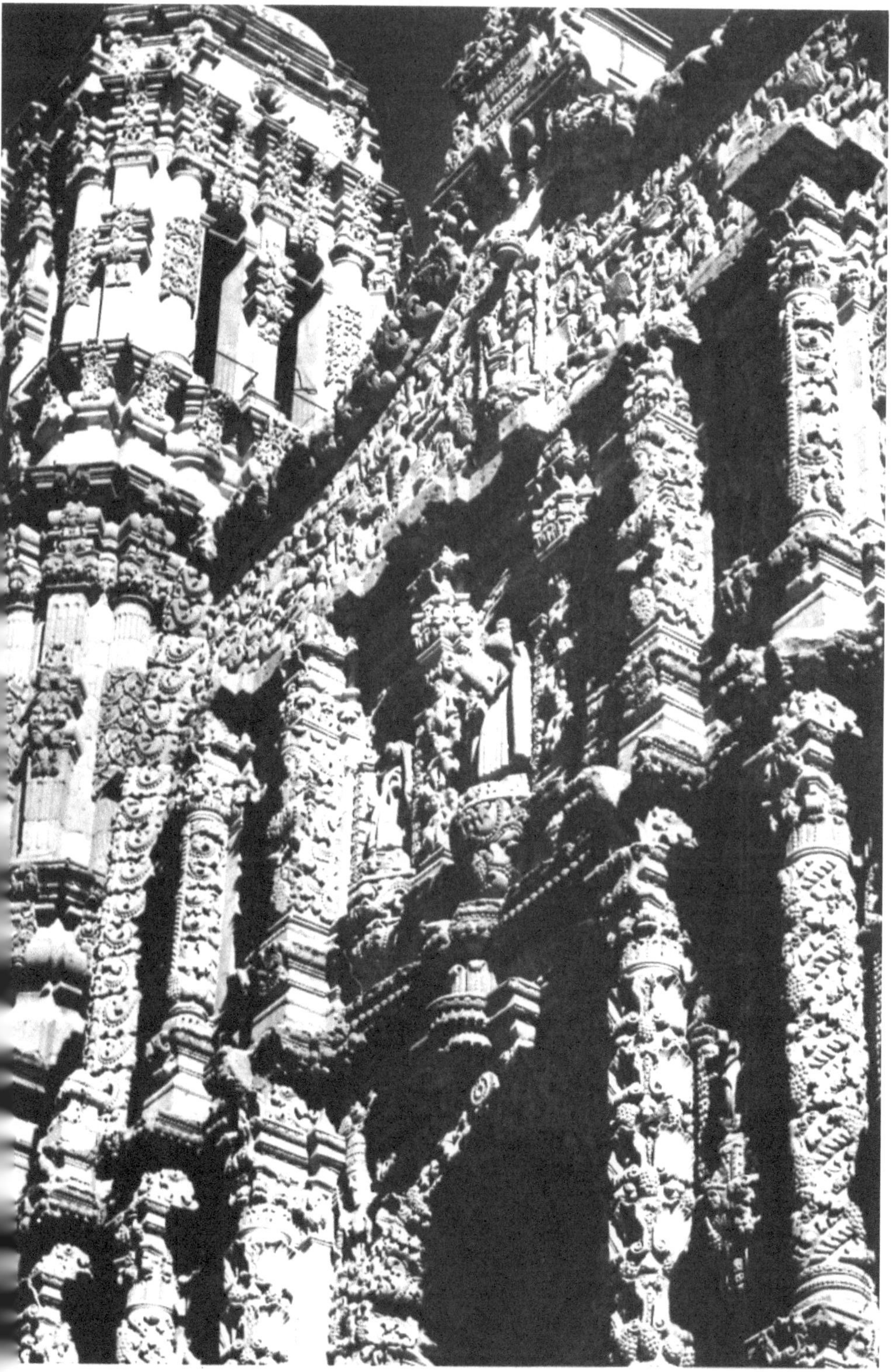

lin diz, mas não constitui uma das forças tributárias essenciais da corrente principal do desenvolvimento da arquitetura.

No entanto, com o século XVIII muda a tônica. A arquitetura americana ainda é colonial, isto é, basicamente dependente das nações colonizadoras – Inglaterra, Espanha e Portugal e, até certo ponto, França –, mas a dependência já não é total e a qualidade estética, por certo, já não é necessariamente provinciana. A catedral de Zacatecas, no México, ou a igreja da Ordem Terceira de São Francisco na Bahia, Brasil, podem ter alguma coisa de bárbaro e sensacional mas assim é a maior parte do churrisguesco da Espanha. E como esta desenfreada superabundância, este excesso de detalhes gritantes é parte e parcela do Barroco menor ibérico, não seria menos legítimo ilustrá-lo com exemplos mexicanos ou brasileiros do que com exemplos tirados da Cartuja de Granada, como fiz. É verdade que certos traços da arquitetura americana devem ser atribuídos menos à influência espanhola e portuguesa do que aos trabalhadores indígenas, para os quais a decoração selvagemente retorcida e elaborada dos templos astecas e incas ainda estava viva e era válida. A influência indígena, já por volta de 1500, foi utilizada (ver p. 167) para explicar a ornamentação manuelina portuguesa. Mas então havia artistas europeus impressionados com as realizações dos nativos; agora, são os próprios nativos que transformam os padrões europeus. Na América do Norte, durante as mesmas décadas, uma mudança similar de equilíbrio pôde ser observada, mas com alterações eminentemente significativas. Havia uma sólida prosperidade tanto na América do Norte quanto na Central e na do Sul, mas, em vez do padrão social católico romano das missões e do trabalho nativo habilidoso, desenvolveu-se no Norte um sistema de propriedade secular da terra e uma civilização urbana protestante. O estilo da arquitetura era ali tão inglês quanto era ibérico o do Sul. Variações locais nos temas das casas eram igualmente constantes. Mas enquanto nos futuros Estados Unidos tanto os proprietários quanto os construtores eram ocidentais por origem e tradição, e freqüentemente até mesmo por nascimento, estas variações resultam mais de condições climáticas do que raciais. A ingenuidade dos peles-vermelhas foi marginalizada e aos poucos erradicada. Assim, o estilo colonial da América do Norte, o estilo colonial *par excellence*, é, inteiramente, o georgiano inglês. As mais notáveis modificações americanas devem-se ao uso mais acentuado da madeira como material

292. Nantucket, uma rua

de construção. A madeira foi a responsável pelas colunas delgadas e também pelos esquemas vivamente coloridos. Um clima mais quente permitia a existência de terraços, varandas e *loggias*, e os amplos espaços, que deveriam ser povoados apenas de modo gradual, possibilitavam uma disposição mais generosa das edificações, a preservação de muitas árvores e, nas cidades menores, a implantação dessas veneráveis avenidas e gramados que agora dão a Salem, Nantucket, Charleston e muitas outras, e mesmo ao que sobrou das mais antigas cidades manufatureiras da Nova Inglaterra, o delicioso aspecto de cidades-jardim.

Além disso, embora uma breve história geral da arquitetura pudesse ser ilustrada pela igreja de Cristo, na Filadélfia, ou por uma das igrejas de Charleston em vez de uma igreja inglesa, ou Salem ou Nantucket como exemplos particularmente bem conservados da cidade interiorana e georgiana, certamente não há necessidade alguma de que seja assim. Aquilo que existe de diferente entre o gergiano americano e o inglês não vai além das diferenças que existem, digamos, entre o Rococó da Baviera e o de Dresden. E no que diz respeito à qualidade, embora o Barroco mexicano possa ser considerado sob certos aspectos como o auge do Barroco espanhol, mesmo os melhores exemplos do colonial americano dificilmente podem ser colocados no mesmo nível dos trabalhos de Vanbrugh ou de Adam.

Esta última observação, e tudo o mais que me aventurei a dizer sobre a América, é corroborada, creio, pelas opiniões publicadas de estudiosos americanos. No entanto, quando se chega ao começo do século XIX, eu discordo um pouco de pelo menos alguns dos mais notáveis historiadores da arquitetura dos Estados Unidos. Talbot Hamlin dedica os capítulos 2 e 3 de seu profundamente erudito *Greek Revival Architecture in America*, a "*The Birth of American Architecture*", tratando especialmente de Latrobe, e a "*American Architecture Comes of Age*", abordando Mills, Strickland e outros adeptos do ressurgimento grego. Ele sustenta que o ressurgimento grego é o primeiro estilo nacional americano. Não vejo as coisas assim. A meu ver, as diferenças entre Latrobe e Seone, entre Mills e Strickland, de um lado, e Smirke e Hamilton, de outro, não são maiores do que as existentes entre as casas de campo do século XVIII da Virgínia e da Louisiana e as projetadas por Robert Adam ou Henry Holland. Assim, não se pode considerar, penso eu, que as relações entre a Europa e a América tenham mudado entre 1770 e 1820. Durante esses 50 anos, a América afastou-se da delicadeza em direção a um novo esplendor e severidade; mas o mesmo fizeram a Inglaterra, a França e a Alemanha.

Thomas Jefferson entusiasmou-se pelas ruínas romanas de Nîmes quando as visitou na década de 1780, e o resultado disso foi um estilo que ia da imitação daquele sóbrio palladianismo que Paris desenvolvia naquele momento a partir dos precedentes ingleses (Monticello, Capitol Richmond – cf. Clérisseau, e especialmente Ledoux e seu grupo de arquitetos franceses) até uma imitação bem mais ingênua do detalhe romano (Universidade de Virgínia). Latrobe, Ramée, Mangin eram de origem francesa. Latrobe havia recebido uma formação inglesa. Ramée havia trabalhado na Alemanha (e seu filho editou o segundo volume da *Architecture* de Ledoux). Pode ser que, quando Latrobe saiu da Inglaterra para estabelecer-se na América em 1796, ele tenha visto projetos e talvez outros trabalhos revolucionários de Soane no Bank of England e em Tyringham. Isso explicaria as inovações mais notáveis de Latrobe – por exemplo, sua mudança do dórico toscano para o dórico grego – e também alguns dos detalhes do interior da mais bela igreja da América do Norte, a Catedral de Baltimore, por Latrobe, de 1805-1818. Há aqui uma verdadeira composição espacial, audaciosa e imaginativa, embora tão dependente da catedral de São Paulo, de Wren, quanto de Soane.

A Inglaterra também é o pano de fundo do ressurgimento gótico de Latrobe. Parece que ele introduziu essa moda na América ("Sed-

293. Catedral de Baltimore, por Benjamin Latrobe, 1805-18

geley"; projetos góticos para a catedral de Baltimore) em sua forma romântica, e não em sua forma rococó. O rococó gótico de Strawberry Hill está ausente nos Estados Unidos. O desenvolvimento das formas neogóticas no sentido de uma fidelidade arqueológica, no entanto, é exatamente paralelo nos Estados Unidos e na Inglaterra (Upjohn, Renwick), com a inspiração inglesa mantida por meio de viagens, livros de desenhos e publicações arqueológicas.

Assim, por volta de 1850, embora a arquitetura americana não tivesse mais nenhum traço colonial e, tal como aparecia no trabalho dos principais arquitetos, não fosse mais provinciana, ainda era essencialmente original. Apresentava uma larga parcela de ressurgimento grego, nas mais diversas escalas, e uma boa dose de ressurgimento gótico, egípcio, e do *cottage* estilo Old English (com tudo, incluindo os pitorescos jardins de Downing – ver o Llewellyn Park), mas tudo isso havia sido introduzido nela através da força do exemplo europeu, especialmente inglês.

Quando se procuram características e pontos de vista originais, eles devem ser encontrados, creio, em coisas como o vigor e a crueza adolescente com os quais o Capitólio e outros edifícios públicos continuaram tentando combinar a forma do templo grego com um domo central (Davis e outros). A Madeleine, em Paris, tinha domos por trás de suas colunatas, mas, sabiamente, eles não apareciam exteriormente. Os americanos não eram tão escrupulosos assim. No entanto, mais importante para o futuro papel da América na arquitetura ocidental do que tais suntuosas monstruosidades foi um acentuado interesse, por parte dos arquitetos, pela engenharia e pelos equipamentos modernos. Sabemos que Latrobe estudou com Smeaton, o grande engenheiro, bem com S. P. Cockerell; Strickland "era quase mais conhecido como engenheiro do que como arquiteto" (Hamlin). Town, de Town & Davis, foi o inventor de um bem-sucedido tipo de armação para pontes de madeira; McComb projetou faróis e fortificações, além do antigo New York City Hall; Willard inventou máquinas para pedreiras, e assim por diante. Quanto ao avanço americano sobre a Europa em relação a equipamentos mecânicos, conforto doméstico, equipamento sanitário, etc., basta acompanhar a reação das velhas nações diante da exposição americana em Filadélfia em 1876, ou então comparar a história do hotel entre 1825 e 1875 na América, na Inglaterra e na França.

Recentemente, foi dada ênfase especial (Giedion) à introdução pelos americanos da *balloon frame*, por volta de 1825 – um sistema primitivo de construção em madeira com partes pré-fabricadas e que necessitava apenas de trabalho não-especializado de montagem no local –, e ao desenvolvimento americano na construção em ferro de edifícios de escritório, depósitos e coisas semelhantes. Mas ainda não está suficientemente claro até que ponto os Estados Unidos foram realmente inventores nesses campos, ou até que ponto foram apenas ávidos e inteligentes promotores dessas idéias. Em relação ao ferro, a Inglaterra sem dúvida fez em trabalhos de engenharia, entre 1800 e 1850, mais do que se tem reconhecido, embora se reconheça a manipulação interessante que Labrouste fazia desse material. Parece que na França também foi concebida a idéia de uma estrutura inteiramente de ferro para edifícios (por Viollet-le-Duc, por volta de 1870), bem como a idéia de um esqueleto de ferro com paredes externas que não suportavam peso algum e serviam apenas de anteparo (a fábrica de chocolate de Meunier, 1871-1872, segundo Giedion)[50].

Na América e na Europa as experiências com o ferro aconteciam essencialmente por trás da cena arquitetural. O novo material era, via de regra, autorizado a se mostrar apenas em estruturas utilitárias e temporárias. A arquitetura, como profissão, emperrou dentro do arcabouço do historicismo tão firmemente a leste quanto a oeste do Atlântico.

No entanto, um novo desenvolvimento deve ser mencionado. Os Estados Unidos finalmente se livraram do jugo inglês – uma guerra de independência travada com oitenta anos de atraso. E assim como após a luta política a jovem nação inicialmente voltou os olhos para a França em busca de inspiração (e Thomas Jefferson fez o mesmo em arquitetura, embora se tratasse de uma França sob influência inglesa), também agora a jovem profissão fez o mesmo. Richard M. Hunt (1828-1895) estudou com Lefuel em Paris, enquanto o Louvre era finalmente terminado no renascido estilo florido de Lescot e Delorme, trazendo de volta, consigo, o encanto do Terceiro Império, passível de ser imitado por milionários e municipalidades orgulhosas.

---

50. De *The builder*, vol. 23, 1865, pp. 296-7, soa como se a estação de St. Ouen, de Fontaine e de um período pré-Fontaine, já tivesse sido construída segundo o mesmo princípio.

Contudo, mais significativa do que a Renascença neofrancesa é a outra relação franco-americana ligeiramente posterior, entre Henry Hobson Richardson (1836-1886) e o estilo românico do Sul da França. Encontramos aqui, pela primeira vez, um arquiteto americano atuando de modo independente e por isso é nesse ponto que, pela primeira vez, aparece um arquiteto americano neste livro. Assim, é neste texto que o leitor encontrará referências (pp. 406-7) à fé de Richardson no estilo românico francês e suas possibilidades no século XIX. Um ressurgimento românico não era uma idéia completamente nova. Ele já existia em vários países, em construções de arcos redondos chamados de paleocristãos, bizantinos ou normandos, conforme o caso. Mas naquele momento – Richardson voltou para a América, vindo da França, em 1865, e iniciou sua efetiva campa-

294. Chicago, armazém de vendas por atacado da Marshall Field, por H. H. Richardson, 1885-7

nha neo-românica por volta de 1870 – nem a Inglaterra, nem a França ou a Alemanha especializavam-se em românico. A determinação de Richardson de construir em estilo românico, e apenas românico, era uma decisão pessoal ditada por um forte sentimento em relação às qualidades modernas que poderiam ser obtidas através do uso de tais formas simples e elementares. Acrescentou aos detalhes românicos uma franqueza rude e primitiva, característica da América do Norte de sua época. O sentido da textura e a rica organização das superfícies, que sublinhavam a massa compacta de seus edifícios, por outro lado, eram inteiramente pessoais.

A influência de Richardson foi grande. De certa maneira ele deve ter sido sentido, embora inconscientemente, como sendo mais americano, isto é, mais direto do que qualquer outro arquiteto de sua geração. Sullivan (ver p. 412) não pode ser entendido sem Richardson, nem podem ser entendidas sem ele as formas dos arranha-céus que espantaram a Europa. Com Sullivan, os Estados Unidos atingiram o limiar da criação em arquitetura. Até o fim do século XVIII, a América havia sido colonial; entre 1800 e 1880, era uma das muitas províncias do Ocidente. Agora passava a ser um dos poucos centros de progresso – fato despercebido, deve-se dizer, pelos mais bem-sucedidos arquitetos e críticos americanos e europeus da época. A arquitetura oficial, geralmente aceita na América, ainda era, não se deve esquecer, a arquitetura imitativa de 1890 e 1920, como acontecia na Inglaterra. Sullivan não era mais conhecido do que Voysey ou Mackintosh. No entanto, a importância crescente da América refletia-se no fato de que a arquitetura acadêmica dos Estados Unidos estava agora influenciando a Inglaterra, enquanto a arquitetura acadêmica inglesa deixava de influenciar a América. O estilo imperial edwardiano da Grã-Bretanha e suas colônias (p. 401) extraía boa parte de sua força, se não toda, do re-ressurgimento clássico que, nos Estados Unidos, havia se seguido à Exposição de Chicago de 1893, e que na verdade às vezes chegou a atingir formas maiores, mais amplas e mais simples do que na Inglaterra. Referindo-se à Exposição de Chicago, Sullivan disse que os danos causados por ela durariam meio século. O prognóstico demonstrou-se acurado, se aceitarmos o Movimento Moderno como a única expressão verdadeira do espírito de nossa época. Este havia obtido uma grande vitória no Médio Oeste um pouco antes de 1893. E Chicago poderia ter-se transformando no centro internacional da pri-

295. Chicago, loja da Carson, Pirie & Scott, por Louis Sullivan, 1899-1904

meira arquitetura moderna, se não tivesse havido aquela Feira Mundial. Ora, Chicago não era apenas a sede do arranha-céu em esqueleto de aço e do idioma peculiar, inteiramente original, desenvolvido por Sullivan, mas também do grande aluno de Sullivan, Frank Lloyd Wright. À época das primeiras casas de Wright, nenhuma nação européia havia feito algo que se pudesse comparar com elas. A primeira publicação de seus projetos na Alemanha, em 1910 e 1911, ajudou a elaborar o moderno estilo continental tanto quanto as mais familiares casas de Voysey, Baillie Scott e Mackintosh. França e Áustria, por outro lado, com sua contribuição de 1900-1905 (Garnier, Perret, Loos, Hoffmann) parecem ter seguido um caminho independente da América.

Nas páginas anteriores achei necessário mencionar alguns arquitetos europeu que deixei de lado nos capítulos sobre a arquitetura européia. Isto se aplica, por exemplo, a Holland e Lefuel. Isso se justifica pelo fato de que, como a história conhecida da arquitetura dos Estados Unidos se condensa praticamente em duzentos anos, cada ramificação assume uma importância maior do que uma ramificação correspondente na história, mais longa, da construção na Europa. Todo o interesse que dedicamos aqui aos estilos grego e romano, românico e gótico, renascentista e barroco, concentra-se, nos Estados Unidos, nas realizações desses dois séculos.

Isto tem uma outra conseqüência, que pretendo destacar a título de conclusão. Junto com a intensidade do interesse caminha a intensidade da pesquisa. Na Inglaterra, a pesquisa arquitetural não foi muito intensa durante os últimos trinta anos. Após Lethaby e Prior, a pesquisa medieval de caráter internacional praticamente parou, e só está recomeçando agora. A pesquisa sobre a Renascença é tão rara agora como foi sempre. Assim, é principalmente sobre os séculos XVI e XIX ingleses que tem sido feito um trabalho consciente e inteligente. Nos Estados Unidos, graças a um sistema de ensino de história da arte e arquitetura muito mais sólido e amplamente estabelecido nas universidades e colégios, graças a uma tendência nacional no sentido de fazer as coisas até o fim, com base numa documentação internacional, a pesquisa sobre arquitetura é infinitamente mais ativa e mais bem-sucedida.

Isto é particularmente notável se compararmos livros publicados entre as duas guerras, nos Estados Unidos, sobre a arquitetura americana dos séculos XVIII e XIX, e na Inglaterra, sobre a arquitetura inglesa do mesmo período. Posso enumerar apenas alguns. Antes de mais nada, o *State guides of the Federal Writer's Project* (1937), de qualidade irregular mas, no conjunto, muito mais vivo e abrangente do que os manuais ingleses. A seguir, os trabalhos de estudiosos como Fiske Kimball e Talbot Hamlin. Não existem manuais e ensaios que sejam tão detalhados quanto os deles, sobre o georgiano inglês e o ressurgimento grego. Também não existem, na Inglaterra, livros que abordem a interação entre a arquitetura e o social de modo tão sólido e atraente quanto o de John Coolidge (*Mill and Mansion*). Finalmente, há as monografias sobre os arquitetos de 1760 a 1900. Temos livros (de qualidade variável) sobre Adam, Soane, Wyatt, Nash, Pugin, Webb, Norman Shaw e Mackintosh. Mas onde estão as biografias modernas de Barry, Scott, Burges, Street, Brooks, Pearson, Sedding e assim por diante? Na América, nem sobre todos os líderes se escreveram livros, mas entre as duas guerras, e especialmente nos últimos quinze anos, foram produzidas monografias sobre McIntire, Jefferson, Bulfinch, Latrobe, Strickland, Mills, Town e Davis, Upjohn, Richardson, Burnham, McKim, Goodhue, para não falar nos artigos e ensaios publicados em revistas.

Os leitores poderão perguntar por que a América aparece de modo singular, ao final deste livro inglês, com uma lista de publicações referentes a arquitetos e obras que mal aparecem no texto. A resposta é que há nisto uma lição tanto para os ingleses quanto para os americanos. Uma razão ainda não suficientemente evidente para o progresso mais coerente da pesquisa sobre arquitetura nos Estados Unidos é que lá há maior orgulho por suas próprias realizações do que na Inglaterra ou, pelo menos, que lá as pessoas são mais apegadas a suas obras. Isto leva a uma seriedade muito elogiável na pesquisa, mesmo em tópicos inicialmente não muito promissores, como o desenvolvimento da arquitetura na Detroit vitoriana (B. Pickens), enquanto na Inglaterra a pouca atenção dedicada a projetos e edificações vitorianas ainda tende a ser, com a gloriosa exceção do professor americano Hitchcock, e alguns outros, assunto de curiosidade, caprichos.

Por outro lado, na concentração americana sobre a arquitetura local, regional e nacional existe o perigo do bairrismo. As coisas são vistas como sendo peculiarmente americanas, porque todos os seus antecedentes, fases e detalhes são agora muito mais conhecidos na América do que na Europa. Com isso, os precedentes ingleses ou continentais são quase sempre desconsiderados por não serem familiares. Mesmo a integridade e a meticulosidade exemplares de Hamlin nem sempre o protegeram de um desequilíbrio em seus julgamentos.

Se isto acontece com estudiosos, será que essa não é uma razão aceitável para oferecer ao leigo americano este esboço do que ocorreu na arquitetura do nosso lado do Atlântico?

# ALGUNS TERMOS TÉCNICOS

Apenas termos de arquitetura não familiares foram aqui incluídos, e só aqueles que não foram explicados nos trechos em que apareceram pela primeira vez, ao longo do texto. As referências entre parênteses indicam os desenhos que ilustram os termos técnicos.

**Aduela:** pedra em forma de cunha usada na construção do arco de uma porta ou janela (D2).
**Arcada:** grupo de arcos sobre colunas ou pilares.
**Arco ogival:** (D).
**Arco transversal:** (E3).
**Arquitrave:** elemento inferior de um entablamento (C3).
**Ático:** andar baixo situado acima da cornija principal.
**Bandeira:** divisão horizontal de uma janela.
**Basílica:** igreja com naves laterais e com a nave principal mais alta que as naves laterais.
**Cariátide:** figura esculpida usada como suporte.
**Clerestório:** parte superior da nave de uma igreja situada acima do teto das naves laterais.
**Cornija:** parte saliente do entablamento ou qualquer friso saliente de um edifício (A3 e A4).
**Cruz grega:** cruz com os quatro braços de igual tamanho.
**Deambulatório:** galeria ao redor de uma abside ou de uma construção circular.
**Entablamento:** parte horizontal superior de uma ordem da arquitetura clássica. É sustentada por colunas e consiste de arquitrave, friso e cornija (C5).
**Friso:** faixa horizontal saliente ao longo da parede de um edifício (A4).

**Frontão:** parte frontal, triangular ou segmental, de um telhado de lance moderado (A1).
**Lanterna:** pequena estrutura aberta ou vazada que coroa um domo ou telhado (B1).
**Lierne:** numa abóbada gótica, nervura decorativa que não se origina na parede e que não chega até a bossagem central (E5).
**Métopa:** painel que ocupa o espaço entre tríglifos (C1). Ver **Tríglifo**.
**Mainel:** divisão vertical de uma janela.
**Nártex:** pórtico na frente da nave principal e naves laterais de uma igreja medieval.
**Nervura dorsal:** (E2).
**Nervura transversal:** (E1).
**Ombreira:** parte vertical da alvenaria de uma porta ou janela (D1).
**Pedra angular:** pedra de canto numa construção (A2).
**Plinto:** base saliente de um edifício ou coluna.
**Rusticado:** tratamento de uma parede com grandes blocos de pedra de formato livre, bem encaixados, com as juntas chanfradas, e com a superfície rústica como rocha, ou lisa.
**Solar:** aposento em andar superior.
**Tambor:** estrutura circular ou poligonal sobre a qual se ergue o domo (B2).
**Terciarão:** numa abóbada gótica, nervura inserida entre as nervuras transversais e as diagonais (E4).
**Tímpano:** espaço entre a curva de um arco; o empuxo vertical vem da base do arco, e o empuxo horizontal do topo (C6).
**Trifório:** passagem entre a arcada da nave principal de uma igreja e o clerestório, ou entre a galeria e o clerestório. Abre-se em arcadas na direção da nave principal. As arcadas também podem ser falsas, isto é, não permitem a passagem por elas. Alguns autores chamam a galeria de trifório.
**Tríglifo:** elemento vertical, com três sulcos, num friso dórico.
**Vão:** unidade vertical de uma parede ou fachada; indica também os compartimentos em que uma nave se divide.

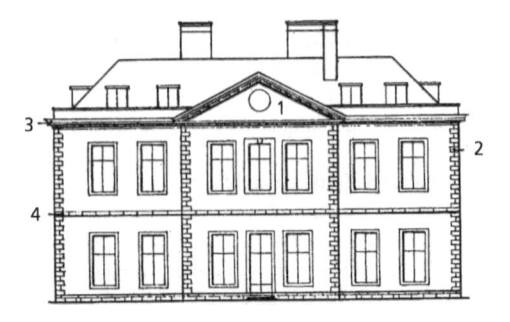

*A. – Casa Rainha Ana*

1. Frontão
2. Pedra angular
3. Cornija
4. Friso

*B. – Domo*

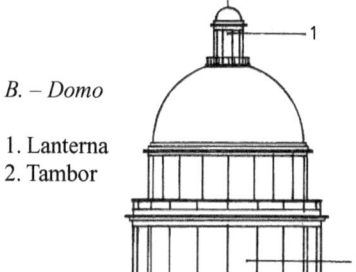

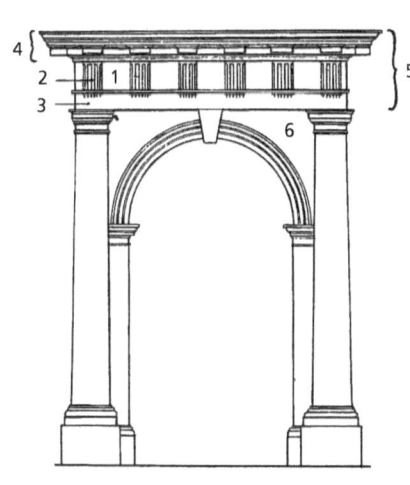

1. Lanterna
2. Tambor

*C. – Elementos clássicos*

1. Métopa
2. Tríglifo
3. Arquitrave
4. Cornija
5. Entablamento
6. Tímpano

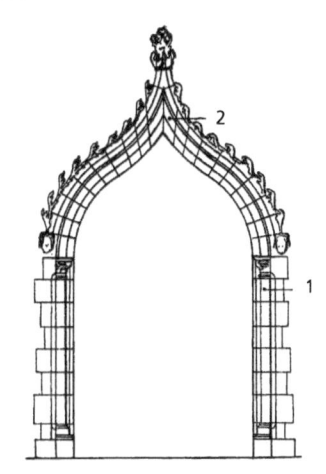

*D. – Arco ogival*

1. Ombreira
2. Aduela

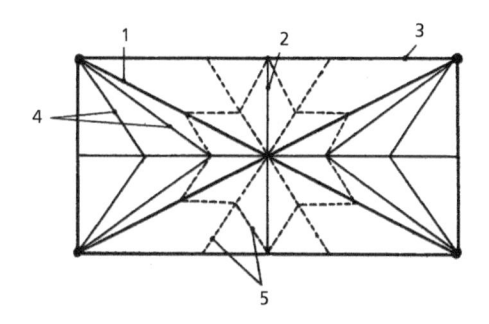

*E. – Abóbada gótica*

1. Nervura diagonal
2. Nervura dorsal
3. Arco transversal
4. Terciarão
5. Liernes

# BIBLIOGRAFIA

**Geral**

*Encyclopaedia of World Art*, 14 vols. Nova York, 1959-67.
Pierre Lavedan: *Histoire de l'art*, 2. *Moyen Âge et temps modernes*, 2.ª ed. Paris, 1950.
E. Lundberg: *Arkitekturen's Kunstspräk*, 10 vols. Estocolmo, 1945-61.
*Wasmuths Lexikon der Baukunst*, 5 vols. Berlim, 1929-37.
U. Thieme e F. Becker: *Allgemeines Lexikon der bildenden Künstler*, 37 vols. Leipzig, 1907-50.
M. S. Briggs: *The Architect in History*. Oxford, 1927.
G. Dehio e F. von Bezold: *Die kirchliche Baukunst des Abendlandes*, 10 vols. Stuttgart, 1884-1901.

INGLATERRA

P. Kidson, P. Murray e P. Thompson: *A History of English Architecture*. Harmondsworth, 1966 (Penguin Books).
N. Lloyd: *A History of the English House*. Londres, 1931.
H. Avray Tipping: *English Homes*, 9 vols. Londres, 1920-37.
N. Pevsner: *The Buildings of England*, Londres, 1951.

FRANÇA

C. Enlart: *Manuel d'archéologie française*, 2.ª ed., 4 vols. Paris, 1919-32.
P. Lavedan: *L'architecture française*, Paris, 1944; edição inglesa (Penguin Books), Londres, 1956.
A. Boinet: *Les églises parisiennes*, 3 vols. 1958-64.

ALEMANHA

G. Dehio: *Geschichte der deustschen Kunst*, 2.ª ed., 6 vols. Berlim, 1921-31.
E. Hempel: *Geschichte der deutschen Baukunst*. Munique, 1949.

HOLANDA

F. Vermeulen: *Handboek tot de Geschiedenis der nederlandsche Bouwkunst*, 3 vols. Haia, 1928.

S. J. Fockema Andreae, E. H. ter Kuile, e M. D. Ozinga: *Duizend Jaar Bouwen in Nederland*. 2 vols. Amsterdam, 1957-8.
H. E. van Gelder (e outros): *Kunstgeschiedenis der Nederlanden*, 1936; 2ª ed. Utrecht, 1946.

ITÁLIA

A. Venturi: *Storia dell'arte italiana*. 21 vols. Milão, 1901.
*Storia dell'arte classica e italiana*. 5 vols. Turim, 1920-61:
Vol. 1. P. Ducati: *L'arte classica*, 1920; edição revista 1952.
Vol. 2. E. Lavagnino: *Storia dell'arte medioevale italiana*, 1936; 2ª ed. *L'arte medioevale*, 1960.
Vol. 3. M. L. Gengaro: *Umanesimo e Rinascimento*, 1940; edição revista por P. d'Ancona, 1948.
Vol. 4. V. Golzio: *Il Seicento e il Settecento*, 1950; 2ª ed., 2 vols., 1960.
Vol. 5. E. Lavagnino: *L'Arte moderna dei neoclassici ai contemporanei*, 2 vols., 1956; edição revista 1961.
M. Salmi: *L'arte italiana*, 3 vols. Florença, 1943-4.
A. Chastel: *L'art italien*. Paris, n. d. [1956].
W. Buchowiecki: *Handbuch der Kirchen Roms*, Viena, 1967, 1970.

ESPANHA

*Ars Hispaniae*. Madri, 1947-65.
B. Bevan: *A History of Spanish Architecture*. Londres, 1938.
Marqués de Lozoya: *Historia del arte hispanico*, 5 vols. Barcelona, 1931-49.

**Romano tardio**

A. Boëthius e J. B. Ward-Perkins: *Etruscan and Roman Architecture* (Pelican History of Art). Londres, 1970.
D. S. Robertson: *A Handbook of Greek and Roman Architecture*, 1929; 2ª ed. Cambridge, 1943.
L. Crema: *L'Architettura Romana*, Turim etc., 1959.
W. Zschietzschmann: *Die hellenistische und römische Kunst* (Handbuch der Kunstwissenschaft). Neubabelsberg, 1939.
W. L. Macdonald: *The Architecture of the Roman Empire*, I. New Haven, 1965.

**Paleocristão e bizantino**

R. Krautheimer: *Early Christian and Byzantine Architecture* (Pelican History of Art). Londres, 1965.
O. Wulff: *Altchristliche und Byzantinische Kunst* (Handbuch der Kunstwissenschaft), 2 vols. Neubabelsberg, 1914-18; Supplement 1935.
J. G. Davis: *The Origin and Development of Early Christian Church Architecture*. Londres, 1952.
O. M. Dalton: *East Christian Art*. Oxford, 1925.
J. B. Ward-Perkins: "Constantine and the Origin of the Christian Basilica", *Papers of the British School at Rome*, vol. 22, 1954.
J. B. Ward-Perkins: "The Italian Element in Late Roman and Early Medieval Architecture", *Proc. Brit. Academy*, vol. 33, 1948.
E. Mâle: *The Early Churches of Rome*. Londres, 1960.

R. Krautheimer: *Corpus Basilicarum Christianarum Romae*, 4 vols. Roma, 1937-70.
M. de Vogüé: *Syrie Centrale*, 2 vols. Paris, 1865-77.
H. C. Butler: *Early Churches in Syria*. Princeton, 1929.
J. Lassus: *Sanctuaires chrétiens de Syrie*. Paris, 1944.
W. Ramsay e G. L. Bell: *The Thousand-and-one Churches*. Londres, 1909.
U. Monneret de Villard: *Les couvents près de Sohag*. Milão, 1925-6.
U. Monneret de Villard: *Le chiese della Mesopotamia*. Roma, 1940.
C. A. Sotiriou: Χριστιανικὴ καὶ Βυζαντινὴ Ἀρχαιολογια vol. 1. Atenas, 1942.
C. Talbot Rice: *Byzantine Art*, 1935; 3.ª ed. Penguin Books, 1968.
D. Diehl: *Manuel d'art byzantin*, 2.ª ed. Paris, 1925-6.
L. Bréhier: *L'art byzantin*, 1910; Paris, 1924.
J. Ebersolt: *Manuel d'architecture byzantine*. Paris, 1934.
J. Ebersolt: *Les eglises de Constantinople*. Paris, 1913.
W. F. Volbach e J. Lafontaine-Dosogne (ed.): *Byzanz und der christliche Osten* (Propyläen-Kunstgeschichte, vol. 3). Berlim, 1968.
K. Wessel (ed.): *Real-Lexikon der byzantinischen Kunst*. Stuttgart, 1963.
W. R. Lethaby and H. Swanson: *The Church of St. Sofia*. Londres, 1894.
W. R. Zaloziecky: *Die Sophienkirche in Konstantinopel*. Freiburg i. B., 1936.
H. Jantzen: *Die Hagia Sophia*. Colônia, 1967.
H. Kähler: *Die Hagia Sophia*. Berlim, 1967.

## Idade Média

GERAL

P. Frankl: *Die Frühmittelalterliche und Romanische Baukunst* (Handbuch der Kunstwissenschaft). Neubabelsberg, 1926.
K. J. Conant: *Carolingian and Romanesque Architecture*: 800-1200 (Pelican History of Art). Londres, 1959; 2.ª ed., 1966.
A. W. Clapham: *Romanesque Architecture in Western Europe*. Oxford, 1936.
P. Frankl: *Gothic Architecture* (Pelican History of Art). Londres, 1963.
F. R. Hahnloser: *Villard de Honnecourt*. Viena, 1935.
W. Gross: *Abendländische Architektur um 1300*. Stuttgart, 1948.
J. Fitchen: *The Construction of Gothic Cathedrals*. Oxford, 1961.

INÍCIO DA IDADE MÉDIA

V. H. Elbern: *Das erste Jahrtausend*, 2 vols. Munique, 1962-4.
H. Böhmer: *Die Kunst der Merowingerzeit*, 2 vols. 1958.
F. Oswald, L. Schaeffer e H. R. Sennhauser: *Vorromanische Kirchenbauten*. Munique, 1966-8.
P. Verzone: *The Dark Ages from Theodoric to Charlemagne*. Londres, 1968.
S. Degani: *L'architettura religiosa dell'alto medioevo* (da lezioni di Luigi Crema). Milão, 1956.
J. Hubert: *L'art pré-roman en France*. Paris, 1938.
J. Hubert: *L'architecture religieuse du haut Moyen-Âge en France*. Paris, 1952.

P. Verzone: *L'architettura religiosa dell'alto medioevo nell'Italia settentrionale*. Milão, 1942.

E. Lehmann: *Der frühe deutsche Kirchenbau*. Berlim, 1938; 2.ª ed. 1949.

W. Braunfels e H. Schnitzler: *Karolingische Kunst*. Düsseldorf, 1965.

H. E. Kubach: "Übersicht über die wichtigsten Grabungen in... Deutschland", *Kunstchronik*, vol. 8, 1955.

H. E. Kubach e A. Verbeek: "Die vorromanische und romanische Baukunst in Metteleuropa", *Zeitschrift für Kunstgeschichte*, vol. 16, 1951, e H. E. Kubach, ibidem, vol. 18, 1955.

L. Grodecki: *L'architecture ottonienne*. Paris, 1958.

*Centula*: W. Effmann, Münster, 1912.

*Aachen*: H. Schnitzler, *Der Dom zu Aachen*. Düsseldorf, 1950.

*Lorsch*: F. Behn, *Die karolingische Klosterkirche von Lorsch a.d. Bergstrasse, nach den Ausgrabungen von 1927-28 und 1932-23*. Berlim, 1934.

*Corvey*: W. Rave, Münster, 1958.

F. Kreusch: *Bonner Jahrbücher*, Beiheft 10. 1963.

*Ingelheim: Rheinhessen in seiner Vergangenheit*, vol. 9, 1949.

INGLATERRA

F. Harvey: *English Medieval Architects, a Biographical Dictionary*. Londres, 1954.

G. Webb: *Architecture in Britain: The Middle Ages* (Pelican History of Art). Londres, 1956.

F. Bond: *Gothic Architecture in England*. Londres, 1906.

F. Bond: *An Introduction to English Church Architecture*, 2 vols. Londres, 1913.

E. S. Prior: *A History of Gothic Art in England*. Londres, 1900.

E. S. Prior: *The Cathedral Builders in England*. Londres, 1905.

J. Harvey: *The English Cathedral*. Londres, 1950.

M. Hürlimann e P. Meyer: *English Cathedrals*. Londres, 1950.

A. Clifton-Taylor: *The Cathedrals of England*. Londres, 1967.

A. Hamilton Thompson: *The Ground Plan of the English Parish Church*. Cambridge, 1911.

A. Hamilton Thompson: *The Historical Growth of the English Parish Church*. Cambridge, 1913.

J. C. Cox: *The English Parish Church*. Londres, 1914.

F. E. Howard: *The Medieval Styles of the English Parish Church*. Londres, 1936.

G. H. Cook: *The English Medieval Parish Church*. Londres, 1954.

G. Hutton e E. Smith: *English Parish Churches*. Londres, 1952.

A. Hamilton Thompson: *Military Architecture in England during the Middle Ages*. Londres, 1912.

D. Renn: *Norman Castles in Britain*. Londres, 1968.

H. Braun: *The English Castle*, 1936; 3.ª ed. Londres, 1948.

M. Wood: *The English Medieval House*. Londres, 1965.

G. Baldwin Brown: *The Arts in Early England*. Vol. 2: *Anglo-Saxon Architecture*. 2.ª ed. Londres, 1925.

H. M. e J. Taylor: *Anglo-Saxon Architecture*, 2 vols. Londres, 1965.

A. W. Clapham: *English Romanesque Architecture*, 2 vols. Oxford, 1930-4.

T. S. R. Boase: *English Art 1100-1216* (Oxford History of English Art). Oxford, 1953.

P. Brieger: *English Art 1216-1307* (Oxford History of English Art). Oxford, 1957.

J. Bilson: artigos sobre as primeiras abóbadas de nervura em *Journal Royal Institute of British Architects*, vol. 6, 1899; *Archaeological Journal*, vol. 74, 1917; e *Archaelogical Journal*, vol. 79, 1922.

C. Enlart: *Du rôle de l'Angleterre dans l'évolution de l'art gothique*. Paris, 1908.

J. Bony: artigos muito importantes sobre a arquitetura normanda e *Early English* em *Bulletin Monumental*, vol. 96, 1937 e vol. 98, 1939, em *Journal of the Warburg and Courtauld Institutes*, vol. 12, 1949 e em *Gedenkschrift Ernst Gall*, 1965.

N. Prevsner: "Bristol, Troyes, Gloucester", *The Architectural Review*, vol. 113, 1953.

M. Hastings: *St. Stephen's Chapel*. Cambridge, 1955.

Joan Evans: *English Art 1307-1461* (Oxford History of English Art). Oxford, 1949.

H. Bock: *Der Decorated Style*. Heidelberg, 1962.

D. Etherton: "The Morphology of Flowing Tracery", *The Architectural Review*, vol. 138, 1965.

FRANÇA

H. Focillon: *Art d'Occident; le Moyen Âge roman et gothique*. Paris, 1938.

R. de Lasteyrie: *L'architecture religieuse en France à l'époque romane*, 1912; 2ª ed. Paris, 1929.

M. Aubert e S. Goubert: *Romanesque Cathedrals and Abbeys of France*. Londres, 1966 (em francês, Paris, 1965).

J. Baum: *Romanesque Architecture in France*, 2ª ed. Londres, 1928.

Zodiaque, Paris (nome do editor). Série sobre arquitetura românica de regiões francesas, por vários autores. O título de cada livro é composto pelo nome da região seguido do adjetivo *roman* (ex.: Poitou roman). Até agora, foram publicados 36 vols., mas nem todos sobre regiões francesas.

J. Evans: *The Romanesque Architecture of the Order of Cluny*. Cambridge, 1938.

R. Crozet: *L'art roman en Poitou*. Paris, 1948.

E. Panofsky: *Abbot Suger*. Princeton, 1946.

E. Gall: *Die gotische Baukunst in Frankreich und Deutschland*, vol. 1. 1925; 2ª ed. Leipzig, 1957.

R. de Lasteyrie: *L'architecture religieuse en France à l'époque gothique*, 2 vols. Paris, 1926-7.

H. Jantzen: *High Gothic*, Londres, 1962.

M. Aubert: *Gothic Cathedrals of France*. Londres, 1959.

R. Branner: artigos recentes em *Journal of the American Society of Architectural Historians*, vol. 18, 1958 e vol. 21, 1962, *Bulletin Monumental*, vol. 118, 1960, *Art de France*, vol. 2, 1962, e *Art Bulletin*, vol. 44, 1962 e vol. 45, 1963.

J. Bony: "The Resistance to Chartres", *Journal of the British Archaeological Association*, 3ª série, vols. 20-21, 1957-8.

R. Branner: *St. Louis and the Court Style*. Londres, 1965.

P. Abraham: *Viollet-le-Duc et le rationalisme médiéval*. Paris, 1934.

R. Rey: *L'art gothique du midi de la France*. Paris, 1934.

L. Schürenberg: *Die kirchliche Baukunst in Frankreich Zwischen 1270 und 1380*. Berlim, 1934.

É. Mâle: *L'art religieux du XIIe siécle en France*. Paris, 1922.

É. Mâle: *L'art religieux du XIIe siécle en France*. Paris, 1902 (tradução inglesa: *The Gothic Image*, Londres, 1961).

*St. Denis*: S. Mck. Crosby. Paris, 1953. J. Formigé. Paris, 1960.

*Noyon*: C. Seymour. New Haven, 1939.

*Laon*: H. Adenauer. Düsseldorf, 1934.

*Notre Dame, Paris*: M. Aubert. Paris, 1928.

*Bourges*: R. Branner. Paris, 1960.

*Reims:* H. Reinhardt. Paris, 1963.

*Amiens*: G. Durand. Paris, 1901-3.

*Troyes*: F. Salet, *Congrès Archéologique*, vol. 113, 1955.

## ITÁLIA

P. Toesca: *Storia dell'arte italiana*, vols. 1 e 2. Turim, 1927 e 1951.

A. Kingsley Porter: *Lombard Architecture*, 4 vols. New Haven, 1915-17.

C. Ricci: *Romanesque Architecture in Italy*. Londres, 1925.

M. Salmi: *L'architettura romanica in Toscana*. Milão, 1927.

J. White: *Art and Architecture in Italy: 1250-1400* (Pelican History of Art). Londres, 1966.

G. C. Argan: *L'architettura del Duecento e Trecento*. Florença, 1937.

C. Enlart: *Les origines de l'architecture gothique française en Italie*. Paris, 1894.

R. Wagner-Rieger: *Die italienische Baukunst zu Beginn der Gotik*, 2 vols. Viena, 1956-7.

W. Paatz: *Werden und Wesen der Trecento-Architektur in der Toskana*. Burg bei Magdeburg, 1937.

W. Paatz: *Die Kirchen von Florenz*. 6 vols. Frankfurt, 1940-55.

## ESPANHA E PORTUGAL

V. Lampérez y Romea: *Historia de la arquitectura cristiana española en la Edad Media*, 1908; 2.ª ed. Madri, 1930.

Zodiaque, Paris (ver França, acima). Os volumes sobre a Espanha referem-se a Castela (2), Aragon e Leon.

G. G. King: *Pre-Romanesque Churches of Spain*. Bryn Mawr, 1924.

M. Gomez-Moreno: *El arte románico español*. Madri, 1934.

É. Lambert: *L'art gothique en Espagne*. Paris, 1931.

P. Lavedan: *L'architecture religieuse gothique en Catalogne*. Paris, 1935.

R. C. Smith: *The Art of Portugal*. Londres, 1968.

R. dos Santos: *O estilo manuelino*. Lisboa, 1952.

## ALEMANHA E ÁUSTRIA

H. Schmidt-Glassner e J. Baum: *German Cathedrals*. Londres, 1956.

E. Lehmann: *Der frühe deutsche Kirchenbau*, 1938; 2.ª ed., Leipzig, 1949.

*Hildesheim*: H. Beseler e H. Roggenkamp, *Die Michaeliskirche in Hildesheim*. Berlim, 1954.

*Speier*: R. Kautzsch, "Der Dom zu Speier", *Staedel Jahrbuch*, vol. 1, 1921.
F. Klimm, *Der Kaiserdom zu Speyer*. 2.ª ed. Speier, 1953.

*Worms*: R. Kautzsch, *Der Wormser Dom*. Berlim, 1938.

*Reno Médio*: H. Weigert, *Kaiserdome am Mitterlrhein*. Berlim, 1933.

*Colônia*: W. Meyer-Barkhausen, *Das grosse Jahrhundert Kölnischer Kirchenbaukunst*. Colônia, 1952.
K. M. Swoboda: *Peter Parler, der Baukünstler und Bildhauer*. Viena, 1939.
E. Hanfstaengl: *Hans Stetthaimer*. Leipzig, 1916.
K. Gerstenberg: *Deutsche Sondergotik*. Munique, 1913.

**Renascença, Maneirismo e Barroco na Itália**

J. Burckhardt: *Geschichte der Renaissance in Italien*, 1867; 7.ª ed. Esslingen, 1924.
P. Murray: *The Architecture of the Italian Renaissance*. Londres, 1963.
C. von Stegmann and H. von Geymüller: *Die Architektur der Renaissance in Toskana*, 12 vols. Munique, 1909.
A. Haupt: *Renaissance Palaces of Northern Italy and Tuscany*, 3 vols. Londres, c. 1931.
D. Frey: *Architettura della Rinascenza*. Roma, 1924.
P. d'Ancona: *Umanesimo e Rinascimento*, 1940; 3.ª ed. Turim, 1948.
R. de Fusco: *Il Codice dell'Architettura; Antologia di Trattatisti*. Nápoles, 1968.

J. Baum: *Baukunst und dekorative Plastik der Frührenaissance in Italien*. Stuttgart, 1920.
C. Ricci: *Baukunst der Hoch-und Spätrenaissance in Italien*. Stuttgart, 1923.
G. Giovannoni: *Saggi sull'architettura del Rinascimento*. Milão, 1931.
N. Pevsner: "The Counter-Reformation and Mannerism" in *Studies in Art, Architecture and Design*, I, Londres, 1968 (em alemão, 1925).
N. Pevsner: "The Architecture of Mannerism", *The Mint*, 1946.
R. Wittkower: *Architectural Principles in the Age of Humanism*. Londres, 1948, 2.ª ed. 1952, paperback, Nova York, 1965.
R. Wittkower: *Art and Architecture in Italy: 1600-1750* (Pelican History of Art). Londres, 3.ª ed. 1972.
V. Golzio: *Seicento e Settecento*, 1950; 2.ª ed., 2 vols. Turim, 1960.
A. E. Brinckmann: *Die Baukunst des 17 and 18. Jahrhunderts in den Romanischen Ländern* (Handbuch der Kunstwissenschaft). Neubabelsberg, 1919.
C. Ricci: *Baroque Architecture and Sculpture in Italy*. Londres, 1912.
D. Frey: *Architettura barocca*. Roma e Milão, 1926.
A. Muñoz: *Roma barocca*. Milão, 1919.
T. H. Fokker: *Roman Baroque Art*, 2 vols. Oxford, 1938.
P. Portoghesi: *Roma barocca*. Roma, 1966.

*Brunelleschi*: H. Folnesics. Viena, 1915.
L. H. Heydenreich, *Jahrbuch der preussischen Kunstsammlungen*, vol. 52, 1931.

P. Sanpaolesi: *La cupola di S. Maria del Fiore*. Roma, 1941.
E. Carli, Florença, 1950.
G. C. Argan, Mondadori, 1955.
P. Sanpaolesi, Milão, 1962.
E. Luporini. Milão, 1964.

*Michelozzo*: L. H. Heydenreich, *Mitteilungen des Kunsthistorischen Instituts in Florenz*, vol. 5, 1932, e *Festschrift für Wilhelm Pinder*, Leipzig, 1938.
O. Morosini, Turim, 1951.

*Alberti*: M. L. Gengaro. Milão, 1939.
R. Wittkower, *Journal of the Warburg and Courtauld Institutes*, vol. 4, 1941.
(ed. G. Orlandi, e P. Portoghesi) *L. B. Alberti, L'architettura*. Milão, 1966.

*Filarete*: P. Tigler. Berlim, 1963.
J. R. Spencer: *Filarete: Treatise on Architecture*. New Haven, 1965.

*Francesco di Giorgio*: R. Papini, 3 vols. Florença, 1946.
(ed. C. Maltese) *Francesco di Giorgio, Trattati*. Milão, 1967.

*Palácio Ducal, Urbino*: P. Rotondi, 2 vols. Urbino, 1950.

*Bramante*: C. Baroni. Bergamo, 1941.
O. H. Foerster. Viena, 1956.

*Leonardo da Vinci*: L. H. Heydenreich. Londres, 1954.
*The Literary Works of Leonardo da Vinci*: ed. J. P. Richter. Londres, 1883.
*Leonardo as an Architect*: G. Chierici e C. Baroni in *Leonardo da Vinci*, volume comemorativo da Exposição de 1939. Novara e Berlim, s.d.
*A Chronology of Leonardo da Vinci's Architectural Drawings*: C. Pedretti. Genebra, 1962.

*Raphael*: T. Hofmann, 4 vols. Zittau, 1900-14.

*Michelangelo as an architect*: J. S. Ackerman, 2 vols. Londres, 1961.

*Giulio Romano*: E. Gombrich, *Jahrbuch der Kunsthistorischen Sammlungen in Wien*, N. F., vols. 8 e 9, 1935-6.
F. Hartt. 2 vols. New Haven, 1958.

*Serlio*: G. C. Argan, *L'arte*, Nova Série, vol. 10, 1932.
W. B. Dinsmoor, *The Art Bulletin*, vol. 24, 1942.

*Palladio*: J. S. Ackerman (Penguin Books), Londres, 1966.
R. Pane. Turim, 1961.
J. S. Ackerman: *Palladio's Villas*. Nova York, 1967.
E. Forssmann: *Palladios Lehrgebände*. Estocolmo, 1965.
G. Zorzi: *Le opere pubbliche e i palazzi privati di Andrea Palladio*. Vicenza, 1965.
*Corpus Palladianum*. Vicenza, 1968-71.

*Vignola*: M. Walcher-Casotti, 2 vols. Trieste, 1960.

*Maderna*: H. Hibbard. Londres, 1971.
*Bernini*: S. Fraschetti. Milão, 1900.
R. Pane: *Bernini architetto*. Veneza, 1953.
V. Martinelli: Mondadori, 1953.

*Borromini*: E. Hempel, Viena, 1924.
H. Sedlmayr. Munique, 1939.
P. Portoghesi. Londres, 1968 (Milão, 1967).
G. C. Argan. Mondadori, 1952.
*Quaderni dell'Instituto di Storia d'Arte*, ser. iv, 1955, 1957, 1959, 1961.

*Guarini*: P. Portoghesi. Milão, 1956.

*Architettura civile*, ed. N. Carboneri e B. Tavassi la Greca. Milão, 1968.

**Do século XVI ao século XVIII na Inglaterra, França e Espanha**

GERAL

*Palladianism*: N. Pevsner em *Venezia e l'Europa*. Atti del. XVIII Congresso Internazionale di Storia dell'Arte. Veneza, 1957.
E. Kaufmann: *Architecture in the Age of Reason*. Harvard U. P., 1955.

INGLATERRA

K. Summerson: *Architecture in Britain: 1530-1830* (Pelican History of Art), 1953; 5ª ed. Londres, 1969; *paperback*, 1970.
H. M. Colvin: *A Biographical Dictionary of English Architects 1660-1840*. Londres, 1954.
S. Garner e A. Stratton: *Domestic Architecture of England during the Tudor Period*, 2ª ed., 2 vols. Londres, 1929.
J. A. Gotch: *Early Renaissance Architecture in England*. Londres, 1914.
J. Lees Milne: *Tudor Renaissance*. Londres, 1951.
M. Whiffen: *An Introduction to Elizabethan and Jacobean Architecture*. Londres, 1952.
M. Girouard: *Robert Smythson and the Architecture of the Elizabethan Era*. Londres, 1966.
M. D. Whinney e O. Millar: *English Art, 1625-1714* (Oxford History of English Art). Oxford, 1957.
O. Hill e J. Cornforth: *English Country Houses, 1625-85*.

K. Downes: *English Baroque*. Londres, 1966.
C. Hussey: *English Country Houses, 1715-1840*, 3 vols. 1955-8.
J. Summerson: *Georgian London*. Londres, 1946. (Penguin Books, 1962.)
S. E. Rasmussen: *London, the Unique City*. Londres, 1937. (Penguin Books, 1960.)

*Inigo Jones*: J. Summerson. Londres, 1966 (Penguin Books).
J. A. Gotch. Londres, 1928.
J. Lees Milne. Londres, 1953.

*Thorpe*: John Summerson, Walpole Society, vol. 40, 1966.

*Wren*: E. Sekler. Londres, 1956.
G. Webb. Londres, 1937.
J. Summerson. Londres, 1953.
K. Downes. Londres, 1971.
M. Whinney. Londres, 1971.
Wren Society, 20 vols. Londres, 1923-43.

*Vanbrugh*: H. A. Tipping e C. Hussey (English Homes, vol. 4, parte 2) Londres, 1928.
L. Whistler. Londres, 1938.
L. Whistler. Londres, 1954.

*Hawksmoor*: K. Downes. Londres, 1959.
S. Lang: "Vanbrugh's Theory and Hawksmoor's Buildings", *Journal of the Society of Architectural Historians*, vol. 24, 1965.

*Lord Burlington*: R. Wittkower, *Archaeological Journal*, vol. 102, 1945.

*Wood*: W. Ison: *The Georgian Buildings of Bath*. Londres, 1948.
J. Summerson: *Heavenly Mansions*. Londres, 1949.

*Adam*: A. T. Bolton, 2 vols. Londres, 1922.
J. Lees Milne. Londres, 1947.
J. Fleming (to 1758). Londres, 1962.

FRANÇA

L. Hautecoeur: *Histoire de l'architecture classique en France*, 4 vols. em 6 partes (até o fim do século XVIII). Paris, 1943-52. Segunda edição do vol. 1 em quatro partes, Paris, 1963-7.

Anthony Blunt: *Art and Architecture in France: 1500-1700* (Pelican History of Art). Londres, 1953; 3.ª ed. 1970.

A. Haupt: *Baukunst der Renaissance in Frankreich und Deutschland* (Handbuch der Kunstwissenschaft). Neubabelsberg, 1923.

A. E. Brinckmann: *Die Baukunst des 17. und 18. Jahrhunderts in den Romanischen Ländern* (Handbuch der Kunstwissenschaft). Neubabelsberg, 1919.

M. Roy: *Architectes et monuments de la Renaissance en France*, vol. 1. Paris, 1929.

H. Rose: *Spätbarock*. Munique, 1922.

F. Kimball: *The Creation of the Rococo*. Filadélfia, 1943.

F. Kimball: *Le Style Louis XV* (em grande parte, uma tradução do volume anterior). Paris, 1950.

E. de Ganay: *Châteaux de France*. Paris, 1949.

E. de Ganay: *Châteaux et manoirs de France*, 11 vols. Paris, 1934-8.

J. Vacquier e outros: *Les anciens châteaux de France*, 14 vols. s.d.

F. Gébelin: *Les châteaux de la Renaissance*. Paris, 1927.

L. Hautecoeur: *L'histoire des châteaux du Louvre et des Tuileries...* Paris e Bruxelas, 1927. (Inglês: Londres, 1964).

G. Brière: *Le châteaux de Versailles*, 2 vols. Paris, c. 1910.

P. de Nolhac: *Versailles et la Cour de France*, 10 portfolios. Paris, 1925-30.

P. Verlet: *Versailles*. Paris, 1961.

J. Vacquier e P. Jarry: *Les vieux hôtels de Paris*, 22 portfolios. Paris, 1910-34.

G. Pillement: *Les hôtels de Paris*, 2 vols. Paris, 1941-5.

J. P. Babelon: *Demeures parisiennes sous Henry IV et Louis XIII*. Paris, 1965.

M. Gallet: *Demeures parisiennes, époque de Louis XVI*. Paris, 1964. (Inglês: Londres, 1972.)

*P. Delorme*: A. Blunt. Londres, 1958.

*S. de Brosse*: R. Coope. Londres, 1972.

*François Mansart*: A. Blunt. Londres, 1941.

*A. Le Nôtre*: E. de Ganay. Paris, 1962.

*J. Hardouin-Mansart*: P. Bourget e G. Cattani. Paris, 1960.

*Gabriel*: Comte de Fels. Paris, 1912.
G. Gromort. Paris, 1933.

*Soufflot*: J. Mondain-Monval. Paris, 1918.

ALEMANHA E ÁUSTRIA

E. Hempel: *Baroque Art and Architecture in Central Europe* (Pelican History of Art). Londres, 1965.

W. Pinder: *Deutscher Barock*, 2.ª ed. Königstein, 1924.

W. Hager: *Die Bauten des deutschen Barock*. Iena, 1942.

M. Hauttmann: *Geschichte der kirchlichen Baukunst in Bayern, Schwaben und Franken*. Munique, 1924.
H. R. Hitchcock: *Rococo Architecture in Southern Germany*. Londres, 1968.
A. Feulner: *Bayrisches Rokoko*. Munique, 1923.
N. Lieb: *Barockkirchen zwischen Donau und Alpen*. Munique, 1953.
G. Barthel e W. Hege: *Barockkirchen in Altbayern und Schwaben*. Munique, 1953.
M. Riesenhuber: *Die kirchliche Barockkunst Österreichs*. Linz, 1924.

*Pöppelmann*: B. Döring, Dresden, 1930.

*Asam*: E. Hanfstaengl. Munique, 1955.
H. R. Hitchcock: *Journal of the American Society of Architectural Historians*, vols. 24-25, 1965-6.

*Neumann*: M. H. von Freeden. Munique e Berlim, 1953.

*Vierzehnheiligen*: R. Teufel. Berlim, 1936.
H. Eckstein. Berlim, 1939.

*Zimmermann*: H. R. Hitchcock: *German Rococo; the Zimmermann Brothers*. Londres, 1969.

ESPANHA

G. Kubler e M. Sorai: *Art and Architecture in Spain and Portugal and their American Dominions: 1500-1800* (Pelican History of Art). Londres, 1959.
F. Chueca Goitia: *Arquitectura del siglo XVI* (Ars Hispaniae, vol. 11). Madri, 1953.
G. Kubler: *Arquitectura de los siglos XVII e XVIII* (Ars Hispaniae, vol. 14). Madri, 1957.

PAÍSES BAIXOS

H. Gerson e E. H. ter Kuile: *Art and Architecture in Belgium 1600-1800* (Pelican History of Art). Londres, 1960.
J. Rosenberg, S. Slive e E. H. ter Kuile: *Dutch Art and Architecture 1600-1800* (Pelican History of Art). Londres, 1966; *paperback*, 1972.
*Van Campen*: P. T. A. Swillens. Assen, 1961.

De 1800 a 1920

H.-R. Hitchcock: *Architecture: Nineteenth and Twentieth Centuries* (Pelican History of Art). Londres, 1958; 2.ª ed., 1963.
N. Pevsner: *Some Architectural Writers of the Nineteeth Century*. Oxford, 1972.
S. Giedion: *Spätbarocker und Romantischer Klassizismus*. Munique, 1922.
N. Pevsner e S. Lang: "The Doric Revival" in *Studies in Art, Architecture and Design*, I. Londres, 1968.
N. Pevsner: "The Genesis of the Picturesque" in *Studies in Art, Architecture and Design*, I. Londres, 1968.
Kenneth Clark: *The Gothic Revival*. Londres, 1928; 2.ª ed., 1950.
C. L. Eastlake: *A History of the Gothic Revival in England*. Londres, 1872. (*Paperback*: Leicester, 1970, ed. J. M. Crook.)
T. S. R. Boase: *English Art 1800-1870* (Oxford History of English Art). Oxford, 1959.
M. Girouard: *The Victorian Country House*. Oxford, 1971.

H. R. Hitchcock: *Early Victorian Architecture in Britain*, 2 vols. New Haven e Londres, 1954.

S. Muthesius: *The High Victorian Movement in Architecture*. Londres, 1972.

P. Ferriday (ed.): *Victorian Architecture*, Londres, 1963.

R. Furneaux Jordan: *Victorian Architecture*. Penguin Books, 1966.

N. Pevsner: *Pioneers of Modern Design, from William Morris to Walter Gropius*, 1936; 3.ª ed. (Penguin Books). Londres, 1960.

S. Giedion: *Space, Time and Architecture*, 1941; 3.ª ed. Harvard, 1954.

K. Hautecoeur: *Histoire de l'architecture classique en France*, vols. 5, 6 e 7 (1792-1900), 1953, 1955 e 1957.

*Laugier*: W. Hermann. Londres, 1962.

*Boullée*: E. Kaufmann: "Three Revolutionary Architects: Boullée, Ledoux and Lequeu", *Transactions of the American Philosophical Society*, Nova Série, vol. 42, 1952.
H. Rosenau (ed.): *Boullée's Treatise on Architecture*. Londres, 1953.
J. M. Pérouse de Montclos. Paris, 1968.

*Ledoux*: E. Kaufmann: "Three Revolutonary Architects: Boullée, Ledoux and Lequeu", *Transactions of the American Philosophical Society*, Nova Série, vol. 42, 1952.
G. Levallet-Haug. Paris, 1934.
M. Raval and J. C. Moreux. Paris, 1946.

*Soane*: D. Stroud. Londres, 1961.
J. Summerson. Londres, 1952.
J. Summerson. *Journal of the Royal Institute of British Architects*, vol. 58, 1951.

A. T. Bolton. Londres, 1927.
*Nash*: J. Summerson. Londres, 1952.
T. Davis. Londres, 1960.
*Gilly*: A. Oncken. Berlim, 1935.
*Schinkel*: A. Grisebach. Leipzig, 1924. *Lebenswerk* (ed. P. O. Rave). Berlim, 1939-62. N. Pevsner em *Studies in Art, Architecture and Design*. I. Londres, 1968.

*Pugin*: B. Ferrey. Londres, 1861. P. Stanton. Londres, 1971.

*Butterfield*: P. Thompson. Londres, 1971.

*Willian Morris*: J. W. Mackail. 2.ª ed. Londres, 1922.
P. Thompson. Londres, 1967.
P. Henderson. Londres, 1967.

*P. Webb*: W. R. Lethaby. Londres, 1935.

*Norman Shaw*: Sir Reginald Blomfield. Londres, 1940.
N. Pevsner. *In Victorian architecture* (ed. P. Ferriday), Londres, 1963.

*Mackintosh*: T. Howarth. Londres, 1952.
N. Pevsner em *Studies in Art, Architecture and Design*, II. Londres, 1968.
R. McLeod. Londres, 1968.

*Gaudí*: G. Collins. Nova York, 1960.
J. J. Sweeney e J. L. Sert. Londres, 1960.
C. Martinell. Barcelona, 1967.
R. Pane. Milão, 1964.

*Perret*: P. Collins: *Concrete*. Londres, 1959.
E. N. Rogers. Milão, 1955.

*Garnier*: G. Veronesi. Milão, 1958.
C. Pawlowski. Paris, 1967.

*Otto Wagner*: H. Geretsegger e M. Peintner. Salzburg, 1964. (Inglês: Londres, 1970.)

*Hoffmann*: L. W. Rochowalski. Viena, 1950.

G. Veronesi. Milão, 1956.

*Loos*: H. Kulka. Viena, 1931.

L. Münz. Milão, 1956.

L. Münz and G. Künstler. Londres, 1966.

*Gropius*: G. C. Argan. Einaudi, 1951.

H. M. Wingler. *Das Bauhaus*. Bramsche, 1962. (Inglês: Londres, 1970.)

*Frank Pick*: N. Pevsner. *Studies in Art, Architecture and Design*, II. Londres, 1968.

*F. L. Wright*: H. R. Hitchcock. *In the Nature of Materials*. Nova York, 1942.

AMÉRICA

D. Angulo Iníquez: *Historia del arte hispano-americano*. Madri, 1945.

M. J. Buschiazzo: *Estudios de arquitectura colonial en Hispano-America*. Buenos Aires, 1944.

P. Kelemen: *Baroque and Rococo in Latin America*. Nova York, 1951.

J. Armstrong Baird Jr.: *The Churches of Mexico, 1530-1810*. University of California Press, 1963.

G. Bazin: *L'architecture religieuse baroque au Brésil*, 2 vols. Paris, 1956-9.

J. M. Fitch: *American Building*, 2 vols. Nova York, 1966-72.

W. Andrews: *Architecture in America, a photographic history*. Londres, 1960.

W. Jordy: *American Building and their Architects*. Garden City, 1972.

Hugh Morrison: *Early American Architecture*. Nova York, 1952.

F. Kimball: *Domestic Architecture of the American Colonies and of the Early Republic*. Nova York, 1922.

T. Hamlin: *Greek Revival Architecture in America*. Nova York, 1944.

C. W. Condit: *American Building Art: The Nineteenth Century*. Nova York, 1960.

C. W. Condit: *The Chicago School of Architecture*. Chicago, Londres, 1964.

H. Allen Brooks: *The Prairie School*. Toronto, 1972.

*Jefferson*: F. Kimball. Boston, 1916.

*Latrobe*: T. Hamlin. Nova York, 1956.

*Mills*: H. M. P. Gallagher. Nova York, 1935.

*Strickland*: A. Addison Gilchrist. Filadélfia, 1950; edição ampliada, Nova York, 1969.

*Davis*: R. Hale Newton. Nova York, 1942.

*Richardson*: H.-R. Hitchcock. 3.ª ed., Nova York, 1969; *paperback*, 1971.

*Sullivan*: H. Morrison. Nova York, 1935.

*F. L. Wright*: ver acima.

G. Manson. Nova York, [1958].

De 1920 a 1970

J. M. Richards: *An Introduction to Modern Architecture*. Penguin Books. 4.ª ed., 1963.

J. Joedicke: *A History of Modern Architecture*. Londres e Nova York, 1959.

H.-R. Hitchcock: *Architecture: Nineteenth and Twentieth Centuries* (Pelican History of Art). 2ª ed. Londres, 1963.

L. Benevolo: *Storia dell'Architettura Moderna*. Bari, 1960. (Inglês: Londres, 1971.)

B. Zevi: *Storia dell'Architettura Moderna*. Turim, 1950; 3ª ed., 1955.

G. E. Kidder Smith: *The New Architecture of Europe*. Penguin Books, 1962.

BRASIL

P. L. Goodwin e G. E. Kidder Smith. Nova York, 1943.

H. E. Mindlin: *Modern Architecture in Brazil*. Londres, 1956.

INGLATERRA

J. Summerson: *Ten Years of British Architecture*. Londres, 1956.

T. Dannatt: *Modern Architecture in Britain*. Londres, 1959.

G. L. C. Roehampton Estate: N. Pevsner, *The Architectural Review*, vol. 126, 1959.

SUÉCIA

G. E. Kidder Smith: *Sweden builds*. 1950; 2.ª ed., Londres, 1957.

ESTADOS UNIDOS

E. B. Mock: *Built in US*. Nova York, 1944.

H.-R. Hitchcock e A. Drexler: *Built in US*. Nova York, 1952.

Ian McCallum: *Architecture USA*. Londres, 1959.

MONOGRAFIAS SOBRE ARQUITETOS

*Aalto*: F. Gutheim. Londres, 1960.
H. Ginsberger (ed.) Londres, 1963.

*Asplund*: G. Homdahl, S. I. Lind, e K. Oden. Estocolmo, 1950.
B. Zevi. Milão, 1948.

*Candela*: C. Faber. Londres, 1963.

*Gropius*: ver acima.

*Le Corbusier*: *L'œuvre complète*, vols. 1-8. Zurique, 1930-61.
P. Blake, Penguin Books, 1963.

*Mies van der Rohe*: P. Johnson. Nova York, 1947; 2.ª ed., 1953.
A. Drexler. Nova York, 1960.

*Nervi*: E. N. Rogers. Londres, 1957. G. C. Argan, Milão, 1955.
A. L. Huxtable. Nova York, 1960.

*Skidmore, Owings and Merrill*: H.-R. Hitchcock e E. Dauz. Londres, 1963.

# CRÉDITOS DAS ILUSTRAÇÕES

Aerofilms e Aero Pictorial Ltd., Londres 241. Alinari, Florença 7, 15, 16, 59, 115, 123, 152, 166, 172, 177, 184. Alterocca, Terni 167. Embaixada Americana, Bad Godesberg 269, 284, 289. Anderson, Roma 126, 136, 137, 144, 146, 148, 149, 173, 178. Andrews, Wayne 292. *Architectural Review*, Londres 290. Archives Photographiques, Paris 62, 84, 91, 208, 209, 261. Aufsberg, Lala, Sonthofen 185, 186. Baerend, Hans, Munique 160. Baldwin Smith, E., *The Dome* 13. Bastsford, Messrs B. T., Londres 104, 105, 116, 199. Bertotti Scamozzi, *Le fabbriche e i disegni di Palladio e le term* (redesenhado por Sheila Gibson) 157. Biblioteca Nazionale, Florença 130. Bibliothèque Nationale, Paris 143. Blauel-Bavaria, Munique 151. Brogi, Florença 124, 156. *Builder, The* (1892) 100. Busch, Harald, Frankfurt über Main 24. Chicago Architectural Photographing Co. 294, 295. Combier, Macon 57. *Country Life*, Londres 242, 243, 245. Crossley, F. H. (Courtauld Institute of Art, London) 93, 98 (National Buildings Record) 101. Dehio e von Bezold, *Die kirchliche Baukunst des Abendlandes* 4, 48, 72, 88. Deutsche Fotothek, Dresden 192. Esparcieux, Claude, Fontainebleau 206. Foto Marburg, 79, 114, 219, 225, 246, 247, 262, 267. Gabinetto Fotografico Nazionale, Roma 133, 135, 150. Gemeentelijke Woningdienst, Amsterdam 276. Grimm, Kurt, Feucht bei Nürnberg 103. Guarini, *Architettura civile* (redesenhado por Sheila Gibson) 183. Gudiol, Barcelona 31. Gundermann, Leo, Würzburg 194, 201. Haverbeck, Anneliese, Hanover 60. Hervé, Lucien, Paris 277, 288. Hewicker, Friedrich, Kaltenkirchen 1. Hildebrandt, Lily, Munique 274. Hitchcock, H.-R. (cortesia de) 250. Johnson, Philip, *Mies van der Rohe* 280. Jonals Co., Copenhagen 275. Judges Ltd., Hastings 117. Kersting, A. F., Londres 33, 41, 86, 89, 94, 99, 109, 111, 112, 215, 223, 236, 239, 240, 249, 255, 259. Kidder Smith, G. E., Nova York 282. Kusch, Eugen, Nürnberg 291. Mas, Barcelona 32, 106, 120, 180, 181, 182. Matt, Leonard von, Buochs 174. Medieval Academy of America 49. National Buildings Record, Londres 38, 95, 107, 108, 118, 214, 227, 260, 264. Papini, R., *Francesco di Giorgio, architetto* 200. Photo Service d'Architecture de l'Oeuvre Notre Dame, Strasbourg 121. Piranesi, G. B., *Antichità romane* (Roma, 1756) 5. Popper, Paul, Londres 286. Powell, Josephine, Roma 18. Prestel Verlag, Munique 263. Ravaisson-Mollien, *Les manuscrits de Leonardo da Vinci* (fotógrafo W. J. Toomey, Chobham) 143. Renger-Patzsch, A., Wamel-Dorf über Soest i. W. 195. Retzlaff, Hans, Tann 26. Richter, E., Roma 10. Rietdorf, Alfred, *Gilly* (Berlim 1940) 256. Rijksdienst v. d. Monumentenzorg, Haia 222. Roubier, Jean, Paris 45, 46, 47, 50, 51, 52, 53, 54, 56, 68, 70, 73, 80, 81, 210. Royal Commission on Historical Monuments (Inglaterra), Crown Copyright 113, 203, 216. Sandrart, Joachim von, *Teustche Akademie* (Nürnberg, 1768) 162. Sartoris, Alberto, *Gli elementi dell'architettura funzionale* (Milão, 1941) 279. Schaefer & Son, J. F., Baltimore 293. Schmidt-Glassner, Helga, Stuttgart 78, 122, 188, 190, 196, 204, 217. Scott, Walter, Bradford 39. Smith, Edwin, Londres 37, 90, 92, 229, 235, 237, 257. Staatliche Graphische Sammlung, Munique 85. Stoedtner-Heinz Klemm, Düsseldorf 272, 278, 281. Trustees of Sir John Soane's Museum, Londres 254. Vasari, Roma 285. Weigert, *Geschichte der europ. Kunst* 55. Winstone, Reece, Bristol 238. Wolgensinger, Michael, Zurique 268. Zentralinstitut für Kunstgeschichte, Munique 164, 273.

Os editores também agradecem à Prestel Verlag, Munique, pela cooperação útil e amável em questões referentes às ilustrações.

# ÍNDICE REMISSIVO
Os números em itálico referem-se às ilustrações

Aachen, capela palatina de, 31-3, *24*; ver também Aix
Aalto, Alvar, 438
Abelardo, 54
Adam, Robert, 359, 366-8, 369, 371, 378, 381, 391, 409, 460, *242, 243*
Addison, Joseph, 3556, 357, 361
Adriano, 29
Aethewold, bispo, 49
Agostinho, Santo, 7-8
Aidan, Saint, 29
Aigues-Mortes, 119
Aix, 294; ver também Aachen
Alan de Walsingham, 133
Albert, príncipe, 417
Alberti, Leone Battista, 187-98,199, 200, 206, 231, 283, *133, 134, 137, 138, 139*
Alberto, o Grande, 108
Albi, catedral de, 139
Alcuíno, 30
Aldeburgh, igreja, 161
Alexandre IV, papa, 199
Alfed, fábrica Fagus, 415, *271*
Allen, Ralph, 354

Amiens, catedral de, 85, 89, 97, 100, 101, 103, 104, 115, 121, 125, 134, *77, 79*
Amsterdam, Coymans House, 325
  apartamentos por Staal, 436
  Bolsa de Valores, 396, 424
  conjuntos habitacionais, 425, *276*
  Palácio Real, 396
  prefeitura de, ver Palácio Real
  Rijksmuseum, 417
  Scheepvaarthuis, 424
Ancy-le-Franc, castelo de, 305
Andrea da Firenze, 171
Andrea del Sarto, 298
Anet, 305, 318, *209*
Angers, catedral, 122n
  St. Serge, 122n
Angilbert, abade, 35
Angoulême, catedral, 72, *54*
Annaberg, St. Anne, 141
Anthemius de Trallas, 23
Antoine, Jacques-Denis, 379
Antuérpia, catedral de, 159
  apartamentos, 436
  Bolsa de Valores, 396
  prefeitura de, 306, 307, *212*

Arc-et-Senans, salinas, 383, *253*
Aretino, Pietro, 210
Arévalo, Luis de, 263, *181, 182*
Aristóteles, 127, 183
Arles, 63, 97n
Arnolfo di Cambio, 171, 180, *123*
Arnos Grove, *ver* Londres
Arruda, Diego da, *122*
Asam, C. D. e E. Q., 267, 268-71, 273, *185, 186*
Asplund, Gunnar, 427, 432, 434, *282*
Assis, São Francisco de, 111, 138
astecas, 458
Atanásio, Santo, 8
Atenas, Erectéion, 393
   Partenon, 5, *1*
Audley End, 314
   escada de, 345
Augsburg, capela dos Fuggers, 294-5
   prefeitura de, 318
Augustus, o Forte, eleitor, 278
Auteuil, *villa* de Le Corbusier, 428
Autun, catedral de, 67, 75, *50*
Auxerre, catedral de, 124n
   St. Germain, 47n, 55n


Bach, J. S., 106, 269, 271
Backström & Reinius, 436
Bahia, igreja da Ordem Terceira de São Francisco, 458
Bähr, Georg, 338
Balleroi, castelo, 319
Baltimore, catedral de, 461, *293*
Bamberg, catedral, 112
Baños, San Juan de, 42, *30*
Banz, igreja abacial, 275n
Barcelona, catedral de, 139
   Colonia Güell, 410
   Exposição de 1929, Pavilhão Alemão, 433, *280, 281*
   Parque Güell, 410
   Sagrada Família, igreja da, 410, *268*
   Sta. Catarina, 139

Barry, Sir Charles, 395, 399, *259, 260*
Bartholomeus Anglicus, 108
Basiléia, Johanneskirche, 434n
   St. Antonius, 434
Basílio, Santo, 8
Bassov, N. D., 437
Batalha, mosteiro, 167
Bath, 357, 358
   Circus, 358
   Prior Park, 293, 354, 357, *238*
   Queen Square, 358
   Royal Crescent, 317, 358, 391, *239*
Beaumaris Castle, 151
Beaumesnil, castelo, 319
Beauvais, catedral de, 89, 97, 101, 122, 161n, *91*
Becket, St. Thomas, 54
Beckford, William, 371
Bedford Park, *ver* Londres
Behrens, Peter, 414, 425, 428
Belanger, François-Joseph, 376, 379, 404n
Belém, igreja da Natividade, 10, 21
Benedito, São, 29, 37
Benedito XIV, papa, 243
Benno, bispo de Osnabrück, 49
Bénouville, Château de, 379
Bérgamo, 427
Berlage, Hendrik Petrus, 424
Berlim, fábrica AEG, 415
   Altes Museum, *258*
   apartamentos por Mies van der Rohe, 431; por Taut, 431
   Gehag, 437
   Grosses Schauspielhaus, 423
   Hansaviertel, 437-8
   igreja paroquial, 338
   Interbau, 437-8
   Ministério da Aeronáutica, 427n
   Olympia Stadium, 427n
   Reichskanzlei, 427n
   residências por Mendelsohn, 429
   salão do Congresso, 442
   Siemensstadt, 449

ÍNDICE REMISSIVO **493**

Teatro Nacional, projeto para um, 388, *256*
Technische Hochschule, 417
Bernardo de Clairvaux, São, 54, 59, 113
Bernini, Gianlorenzo, 209, 244-6, 248, 254-9, 263, 269, 271, 327, 328, 348, *166, 167, 170, 176, 177, 178*
Bernward of Hildesheim, Saint, 48, Bertoldo, 222
Besançon, teatro, 383, 388
Beverley Minster, 140
Bewcastle Cross, 28
Bexley Heath, Red House, 406, *264*
Binbirkilisse, igreja, 12
Birmingham, Corte de Justiça de, 417
Bizâncio, *ver* Constantinopla
Blackheath, *ver* Londres: Vanbrugh
Blaise, castelo de, 391-2
Blenheim Palace, 347-9, 352-3, 367, *234, 235, 236, 241*
Blois, ala de François I, 299; ala Orléans, 320, *217*; escadas, 282, 345, 373, *196*
Blum, Hans, 308
Blythburgh, igreja, 161
Bobbio, 29
Boccaccio, Giovanni, 174
Bodley, G. F., 398
Boffiy, Guillermo, 146, *105, 106*
Boileau, Nicolas, 328-9, 356
Bolonha, 216
  S. Stefano, 39n
Bonaventura, S., 108
Bordeaux, teatro de, 379, 404n
Borgia, César, 199
Borgia, Francesco, 238
Borromeo, São Carlos, 229
Borromini, Francesco, 244, 245, 246-53, 252, 254, 263, 278, *166, 171, 172, 173*
Boston, igreja, 159
Boullée, Étienne-Louis, 379, 381-2, 381n, *251*

Boulogne-sur-Seine, *villa* de Le Corbusier, 428
Bourges, catedral, 96-7
Bournville, 417
Bradford-on-Avon, St. Lawrence, 43, 22
Bramante, Donato, 141n, 200-7, 209, 214, 222, 228, 231-4, 245, 257, 285, 297, 305, 306, 379, *144, 145*
Brescia, 427
Breuer, Marcel, 425, 437, 438
Brevnov, igreja, 275n
Brighton, Pavilhão Real, 392
Brinkman & van der Vlucht, 436n, 443
Bristol, catedral de, 130-3, 136, 140, 141, 146, *97, 98*
  Clifton Bridge, 404
  St. Mary Redcliffe, 141, 161
Brixworth, igreja, 30, 48n
Brongniart, A.-T., 379
Bronzino, Angelo, 210
Brooks, James, 398
Brosse, Salomon de, 318
Brown, Capability (Lancelot), 366, *241*
Bruchsal, palácio episcopal, 281; escada de, 281, 282, 287-9, *193, 194, 195, 201*
Bruges, prefeitura de, 159
Brunel, Isambard Kingdom, 404
Brunelleschi, Filippo, 176-82, 187, 191, 193n, 205, 207, 223, 229, 234, 285, *124, 125, 126, 127*
Bruni, Leonardo, 174
Bruxelas, Corte de Justiça de, 401, 417
  rua Paul-Émile Janson, casa de Horta, 410
  prefeitura de, 159
Buda, castelo de, 296
  residências, 296
Buffalo, Guaranty Building, 412, *269*
Bullant, Jean, 304, 306, 308, 314, *210*
Burckhardt, Jacob, 225n
Burckhardt & Egender, 434n
Burghley, Lord, *ver* Cecil

Burghley House, 311-3, 314, *214*
Burgos, catedral de, 144, 168; *Escalera Dorada*, 285
Burlington, Lord, 49, 353-5, 367, 368
Bury, castelo, 306
Butterfield, William, 398

Cadbury, Messrs, 417
Caen, Saint-Etienne, 52, 63, 71, 72, 90, 91, *45*
  Ste. Trinité, 52, 63, 72, 90, 91; *ver também* Trindade, igreja da
Calini, L., 453
Cambridge, capela do King's College, 154, 157, 165, *112*, *113*; tribuna, 297, *203*
  Pembroke, capela de, 326
  St. John's College, biblioteca do, 362
Campbell, Colen, 353
Campen, Jacob van, 325, 337, 396, *222*
Candela, Felix, 442, 447
Canterbury, catedral de, 58, 86-7, 106, 113, 115, 149, 168, *43*
Caprarola, Villa Farnese, 226
Cápua, porta de, 168
Carcassone, catedral de St. Nazaire, 137
Carlone, Michele, 285
Carlos I, rei da Inglaterra, 319
Carlos II, rei da Inglaterra, 319, 327
Carlos V, imperador, 216, 229
Carlos VIII, rei da França, 294
Carlos IX, rei da França, 318
Carlos Magno, 30-3, 34, 35, 45, 455
Casa Vermelha, *ver* Bexley Heath
Casanova, Giovanni, 273
Caserta, palácio real, 278
Castel del Monte, 119, 168, *88*
Castiglione, conde Baldassare, 183, 187, 228
Catânia, Castel Ursino, 118-9
Catarina, a Grande, 276
Caumont, Arcisse de, 398

Cecil, William, Lord Burghley, 311, 312, 313
Cellini, Benvenuto, 216
Centula, 35, 48, *27*
Chalgrin, J.-F. T., 379, 381
Chambers, Sir William, 368, 371
Chambord, 299-300; escada de, 283, 229-300, *204*
Chandigarh, 438
Charleston, 459
Charleval, 318, 324
Charlottesville, Universidade de Virgínia, 460
Chartres, 63
  catedral de, 75, 89, 96, 97, 102, 105, 112, *72*, *73*, *74*, *75*
Château Gaillard, 118
Chateaubriand, François René, visconde de, 395
Chaucer, Geoffrey, 158
Chesterfield, Lord, 354
Chicago, 412, 465-7
  Carson, Pirie & Scott, loja, 412, *295*
  Exposição de 1893, 465
  Home Insurance Co., edifício da, 412
  Marquette Building, 412
  Marshall Field's Wholesale, armazém, 406, *294*
Chippendale, Thomas, 371
Chipping Campden, igreja, 141
Chiswick, *ver* Londres: Burlington, *villa* de
Churriguera, José de, 263
Cidade do México, igreja da Virgem Milagrosa, 407
  Instituto de Radiações Cósmicas, 442
  mercado, 442
Cité Industrielle, 414, 418, *270*
Cividale, S. Maria della Valle, 55n
Claude Lorraine, 364
Clérisseau, C.-L., 460

Clermont-Ferrand, catedral de (antiga), 28, 47n; atual, 122n
Clifton Bridge, *ver* Bristol
Clóvis, rei, 27
Cluny, abadia de, 46
  Cluny II, 47, *35*
  Cluny III, 55, 65-7, 113, *49*
Coalbrookdale Bridge, 404n
Cochin, Charles-Nicolas, o Moço, 372, 376
Cockrell, S. P., 462
Cogolludo, Medinaceli Palace, 294
Colbert, Jean-Baptiste, 242, 322, 324, 325, 329
Colchester, castelo, 52
Coleshill, 345
Colombe, Michel, 294
Colônia, 77, 398
  catedral de (antiga), 36, 48n; atual, 97, 168, 398, *78*
  Sta. Maria no Capitólio, 60
  Werkbund, exposição da (1914), 415, *272*
Columba, Saint, 29
Columbanus, Saint, 29
Colwall, Malvern, *266*
Como, Casa del Fascio, 425
  S. Fedele, 78
Conques, 63
Constantino, imperador, 6, 7, 10-2, 15, 21
Constantinopla, 7, 111
  defesas de, 118
  S. Sérgio-e-S. Baco, 21
  SS. Apóstolos, igreja dos, 10, 18, 23n, 26, 73, 376
  Sta. Irene, igreja de, 10, 26
  Sta. Sofia, igreja de, 10, 18, 23-6, 235, *17*, *18*, *19*
Copenhague, igreja de Grundtvig, 424, *275*
  Hornbaekhus, 427
  quartel-general da polícia, 427
Corbie, 35

Córdoba, 42
  mesquita de, 42, 266
Corneille, Pierre, 319, 329
Correggio, Antônio da, 225
Cortona, Pietro da, 244, 251, *174*
Corvey sobre o Weser, 35, 47n
Cosimo I, primeiro grão-duque da Toscana, 173, 175, 339n
Cothay, mansão, *110*
Courtonne, Jean, 344, *232*
Coventry, igrejas paroquiais de, 162, *117*
Cracóvia, catedral de, capela funerária de Sigismund, 296
  Vavel, 296
Cristal, Palácio de, *ver* Londres
Cronkhill, 391
Cuthbert, Saint, 29

David, J.-L., 379
Davis, A. J., 462
Decker, P., *244*
Defoe, Daniel, 353
Delorme, Philibert, 275n, 304, 305, 314, 318, *209*
Derand, 317
Descartes, René, 319
Desprez, L.-J., 379
Dessau, Bauhaus, 428, 430-1, *279*
Diane de Poitiers, 305
Dietrick, W. H., 441
Dijon, Notre Dame, 122n
  palácio dos duques de Borgonha, 164
Diocleciano, imperador, 7, 8
Disraeli, Benjamin, 400
Dorchester, abadia, 136
Doudran, castelo, 118
Downing, 462
Dresden, Frauenkirche, 356
  Opera House, 399
  Zwinger, 278-82, *191*, *192*
Dryden, John, 353

Ducerceau, Jacques Androuet, 308, 318-9, 319n
Ducerceau, Jean, 341
Dudok, Willem Marinus, 425
Dughet, Gaspar, 364
Dulwich Gallery, ver Londres
Dumont, 368, 378
Duns Scotus, 127
Dürer, Albrecht, 294
Durham, 29
  catedral de, 52, 54-9, 71, 75, *41*

Earl's Barton, igreja, 43, 149, 164, *33*
Echternach, igreja, 30n
Écouen, 306, 324, *210*
Edinburgh, 357
Eduardo I, rei da Inglaterra, 117
Eduardo III, rei da Inglaterra, 153
Egas, Enrique de, 285, *199*
Egham, Royal Holloway College, 417
Einhard, 30
Elizabeth I, rainha da Inglaterra, 311
Eltham, ver Londres
Ely, catedral de, 52, 97n, 130, 134-5, 136, 146, 149, 171, 334, *37*, *100*, *101*
Endell, August, 410, *267*
Éfeso, São João, 23n
Erfurt, igreja franciscana, 139
Ermenonville, 376
escadas, 282 e ss. 344-5, *197*, *198*, *199*, *200*
Escorial, 185, 229, 287, 306, 318,
  escada do, 287
Estocolmo, salão de concertos, 427
  biblioteca, 427
  crematório, 434, *282*
  Danviksklippan, 436
  Exposição de 1930, 432
  Kvarnholm, moinho de trigo, 434
  prefeitura de, 427
  Scandia, cinema, 427

Estrasburgo, catedral (de 1015), 63; atual, 18n, 106, 165-6, 372, 385, 395, *121*; desenhos de fachadas, 106
Esztergom, catedral de, capela de Bakócz, 296
Eton College, capela do, 154
Eusébio de Cesaréia, bispo, 17
Evelyn, John, 316, 326
Exeter, catedral de, 157, *93*, *94*

Faenza, catedral de, 198
Feichtmayr, Johann Michael, 289, *201*
Felipe II, rei da Espanha, 229, 306
Ferrara, 198
Ferrey, Benjamin, 396
Filadélfia, igreja de Cristo, 459
  Exposição de 1876, 462
  Sedgeley, 461-2
Filarete, Antônio, 185-7, 186n, 200, 296n, *130*, *131*, *132*
Finley, James, 404n
Fioravanti, Aristotile, 296
Fisker, Kay, 427
Flavigny, igreja, 47n
Flaxman, John, 380
Florença, Batistério, 177
  Asilo dos Enjeitados, 176-7, 192, ver também Hospital do Menor Abandonado
  catedral de, 171, 174, 175, 180, 181, 234, *123*
  estação ferroviária de, 427
  estádio de, 441
  fortificações de, 230
  Hospital do Menor Abandonado, *124;* escada do, 285
  Palazzo di Parte Guelfa, 193n
  Palazzo Medici, 191, 195, *135*
  Palazzo Rucellai, 195, 196, 199, 231, *137*
  Pitti, palácio, 191, 318

S. Lorenzo, 223
biblioteca Laurenziana, 223-4, 225, 297, *155*
capela Medici, 223, 297
S. Maria degli Angeli, 180-2, 207, *127*
S. Maria Novella, 138, 171, 174, 180-1, 189
S. Miniato al Monte, 80, 174, 177, *60*
S. Spirito, 177-80, 192, 196, *125*, *126*
SS. Annunziata, 182, 184, *128*
SS. Apostoli, 177
Sta. Croce, 138, 171, 174
Strozzi, palácio, 191
Uffizi, palácio dos, 225-8, *156*
Floris, Cornelis, 306, 310, *212*
Fontainebleau, 216, 302, 311, *206*
Fonthill Abbey, 371
Fouquet, Jean, 294
Fouquet, Nicolas, 322
Francesco di Giorgio, 193, 200, 285, *200*
Francisco de Salles, São, 243
François I, rei da França, 298, 299, 300, 302
Frankfurt, apartamentos por May, 430, 437
Frederico, o Grande, monumento nacional a, 388
Frederico II, imperador, 118, 119, 168
Fréjus, batistério, 28
Fulda, abadia, 33, *25*


Gabriel, Ange-Jacques, 372, 379, *246*, *247*
Gaddi, Taddeo, 171
Gaillon, castelo de, 294, 299
Gainsborough, Thomas, 399
Garches, *villa* de Le Corbusier, 428, *277*
Garnier, Charles, 400, *261*, *262*
Garnier, Tony, 413, 418, 467, *270*

Gärtner, Friedrich, 399
Gau, F.-X., 398
Gaudí, Antoni, 410, 442, *268*
Gênova, palácios, 245; escadas, 285, 345
Gerash, igreja, 18
Germigny-des-Prés, 37-8, *29*
Gerona, catedral de, 144-6, *105*, *106*
Gervásio de Canterbury, 86
Gibberd, Frederick, 450
Gilly, Friedrich, 385, 387, 388, 390, 393, *256*
Giotto, 174, 187, 222
Girtin, Thomas, 391
Gisors, J.-P. de, 383
Giulio Romano, 210, 215-7, 225, *150*
Giusti, *ver* Juste
Gladstone, W. E., 400
Glanfeuil, oratório, 55n
Glasgow, Escola de Arte de, 410
Gloucester, catedral de, 72, 146-9, 157, 164, *107*, *108*
Godde, É.-H., 400
Goethe, Johann Wofgang von, 290, 372, 385, 394
Goldmann, Nikolaus, 338
Goldsmith, Oliver, 366
Gondoin, Jacques, 379, 381, 383
Gonzaga, família, 184
Grado, igrejas, 39
Gran, *ver* Esztergom
Granada, palácio de Alhambra, 216, 263, *151*
Cartuja, 167, 263, 458, *181*, *182*
Greco, El, 210
Greenwich, *ver* Londres: Greenwich Hospital, Queen's House
Gregório de Tours, bispo, 28
Gresham, Sir Thomas, 311
Greuze, J.-B., 392
Grimm, barão, 276
Gropius, Walter, 415, 423, 425, 428, 429-30, 449, *271*, *272*, *279*

Guarini, Guarino, 242, 263-6, 275n, *183*, *184*
Guilherme, o Conquistador, 52, 54, 63
Guilherme de Sens, 86, 113
Guilherme Durand, 109
Guillaume de Nogaret, 152
Guimard, Hector, 410

Haellerup, escola Øregaard, 427
Hagley Hall, templo dórico de, 369, 379
Haia, casa de Huygens, 325
Mauritshuis, 325, 346, *222*
Ham, ver Londres
Hamburgo, Chilehaus, 423
Hamilton, Thomas, 460
Hampstead, ver Londres: Fenton House, Hampstead, Hampstead Garden Suburb
Hampton Court, 303, *207*
Hans de Landshut, 140
Hardwick Hall, 312
Harlech, castelo de, 119, 149, 151, *87*
Harlem, Nieuwe Kerk, 337
Harlow, *New Town*, 450
Harrisson, W. K., 437
Hatfield House, 312, 313; escada, 345
Hatra, palácio, 10
Hawksmoor, Nicholas, 349-52, 363, *237*
Hedingham, castelo de, *38*
Hehlen, igreja paroquial de, 338
Heinzelmann, Konrad, 140, *103*
Henrique II, rei da Inglaterra, 54
Henrique III, rei da Inglaterra, 118, 152
Henrique IV, imperador, 59
Henrique IV, rei da França, 325, 329, 339, 339n
Henrique VI, rei da Inglaterra, 154
Henrique VII, rei da Inglaterra, 154, 295

Henrique VIII, rei da Inglaterra, 154, 295, 303
Heré, Emmanuel, 343n
Herland, Hugh, 163
Herle, William, 134
Herrera, Juan de, 287
Hexham, igreja do priorado, 30, 33n
Hildesheim, catedral de, 47n, 59
S. Miguel, 59; *ver também* St. Michael
St. Michael, 48, 48n, 49, *36*, *42*, *44*
Hilversum, prefeitura de, 425
Hitler, Adolf, 426
Hittorff, J.-I., 398
Hoeger, Fritz, 423
Hoffmann, Josef, 414, 467
Holabird & Roche, 412
Holden, Charles, 435, *283*
Holford, Sir William, 450n
Holkham Hall, 293, 354
Holl, Elias, 217, 318
Holland, Henry, 460, 467
Hollar, Wenzel, *85*
Honselaardyck, 325n
Hontañon, Juan Gil de, *104*
Hood, Raymond, 425
Horta, Victor, 410
Howard, castelo de, 348
Howe & Lescaze, 425
Hull, Santíssima Trindade, 162
Humbertus de Romanis, 137
Hunt, Richard M., 463
Huygens, Christian, 326
Huygens, Constantyn, 325


Inácio de Loyola, Santo, 229
Ina Casa, 437
Incas, 456, 458
Ingelheim, palácio de Carlos Magno, *23*
Iona, 29
Isidoro de Mileto, 23

ÍNDICE REMISSIVO **499**

Jaca, catedral, 58
Jarrow, igreja, 30
Jeanneret, Pierre, *277*
Jefferson, Thomas, 460, 463
Jenney, William Le Baron, 412
Jerônimo, São, 8
Jerusalém, igreja do Santo Sepulcro, 10, 21
João Maurício de Nassau-Siegen, 325
John of Gaunt, 150
John of Salisbury, 113
Jones, Inigo, 217, 314-7, 319, 324, 325, 341, 345, 354, 358, *216*
Joseph, padre, 329
Juan Bautista de Toledo, 287
Júlio II, papa, 199, 206, 222, 234
Júlio III, papa, 226
Jumièges, Notre Dame, 52, 63, 71, 95-6, *52*
Juste, Antonio e Giovanni, 294
Justiniano, imperador, 18, 21, 26, 73
Juvara, Filippo, 242

Kalat Seman, igreja, 12
Kampmann, Hack, 427
Karlsruhe, 340
  Dammerstock, 449
Kenilworth, castelo, 150
Kent, igrejas antigas, 30
Kent, William, 354, 355, 364, 370
Kenwood, *ver* Londres
Kew Gardens, 371
Kew Palace, 319
Kilburn, *ver* Londres: St. Augustine
Kilian, Saint, 29
King's Lynn, St. Nicholas, 162, *116*
Klenze, Wilhelm von, 399
Klerk, Michel de, 425, *276*
Klint, P. V. J., 424, *275*
Klosterneuburg, mosteiro, 277
Koja Kalessi, igreja, 21
Korb, Hermann, 338

Kramer, Piet, 425
Kvarnholm, moinho de trigo, 434

La Brède, jardim de Montesquieu, 376n
La Chaise Dieu, 164
Laach, *ver* Maria Laach
Labrouste, Henri, 404, 463
Lacalahorra, castelo de, 285
Landshut, St. Martin, 140
Langeais, fortaleza, 52
Laon, catedral de, 89, 91, 102, 104, 105, *67*, *68*, *80*
Latrobe, Benjamin, 460-1, 462, *293*
Laugier, M.-A., 372, 378
Laurana, Francesco, 294
Laurana, Luciano, 193, 200, 294, *136*
Lausanne, 88
Lavenham, igreja, 161
Le Corbusier, 423, 425, 428-9, 432, 435, 437, 435, 440, 445, 447, 453 *277*, *287*, *288*
L'Enfant, P. C., 340
Le Havre, escritório de Perret, 426
Le Mans, Notre Dame de La Couture, 47
Le Nôtre, André, 322, 340, 355, *230*
Le Puy, 63
Le Raincy, Notre Dame, 426
Le Roi, J.-D., 355
Leão X, papa, 208
Leasowes, jardim, 364
Lebrun, Charles, 322
Lecointe, E.-C., 383
Ledoux, Claude-Nicolas, 378, 379, 381, 382-5, 388, 398, 400, 461, *252*, *253*
Lefuel, H.-M., 463, 467
Leibniz, Gottfried Wilhelm von, 271
Leicester, Thomas Coke, conde de, 354
Leiden, prefeitura de Rhineland, *213*
Lemercier, Jacques, 319, 321, *220*

Leningrado, *ver* São Petersburgo
León, catedral, 168
St. Isidore, 58
Leonardo da Vinci, 175, 183, 187, 200, 201, 202, 228, 285, *142, 143, 205*
Leoni, Giacomo, 353
Lepautre, Antoine, 321
Lepautre, Jean, 342
Lérins, 29
Lescot, Pierre, 304, 305, 314, 320, 328, *208*
Lesueur, J.-B., 400
Letchworth, cidade-jardim, 418
Lethaby, W. R., 407, 467
Levau, Louis, 248, 319-22, 328, 330, 322, 345, *218, 219, 221, 230, 231*
Lever Brothers, 417
Liebknecht, Karl, projeto de um monumento a, 418
Lilienfeld, igreja cisterciense, 140
Limoges, catedral, 122n
 St. Martial, 63
Lincoln, catedral de, 112, 113, 114-7, 121, 125, 149, 152, *75, 85, 86, 92, 95*
Lindisfarne, 29
Lisboa, Divina Providência, 265, 267
Littoria, 427
Livorno, *piazza* de, 317, 339n
Llewellyn Park, 462
London Transport, 435
Londres, Adelphi, 359
 All Saints, Margaret Street, 398
 Arnos Grove, estação de metrô, *283*
 Ascensão, Lavender Hill, 398
 Ashburnham House, 345
 Banco da Inglaterra, 385, *254*; *ver também* Bank of England
 Bank of England, 461
 Banqueting House, Whitehall, 314
 Bedford Park, 417, *265*
 Bolsa de Valores, 396

British Museum, *257*; *ver também* Museu Britânico
Burlington, casa de, 353, 354
Burlington, *villa* de, Chiswick, 353, 355, 364
Christ Church, Newgate Street, 337
Christ Church, Spitalfields, 349, *237*
Christ Church, Streatham, 400
Couty Hall, 415
Covent Garden, 317
Dulwich Gallery, 387
Eltham Lodge, 346
Fenton House, Hampstead, *233*
Finsbury Square, 359
Fitzroy Square, 359
franciscanos, antiga igreja dos, *102*
Greenwich Hospital, 348, 401
Ham, 346
Hampstead, 346
Hampstead Garden Suburb, 418
igreja urbanas, 336-8
Kenwood, 293
Lindsay House, Lincoln's Inn Fields, 317
Mitra, templo de, 15, *12*
Museu Britânico, 393, 396
Palácio de Cristal, 404, *263*
Parlamento, 395-6, *259*
Pentonville, prisão de, 397
Queen's House, Greenwich, 314, 315-6, *216*
Reform Club, 399, *260*
Regent Street, 391
Regent's Park, 317, 391
Roehampton, 346
 condado de Londres, 450, *290*
Selfridge, loja de, 401
Somerset House, 396
St. Alban, Holborn, 398
St. Andrew, Holborn, 337
St. Anne e St. Agnes, 337
St. Antholin, 337
St. Augustine, Kilburn, 398
St. Benet Fink, 337

ÍNDICE REMISSIVO **501**

St. Bride, 337
St. James Garlickhythe, 337
St. James, Piccadilly, 337
St. Magnus, 337
St. Martin, Ludgate Hill, 337
St. Mary Abchurch, 337
St. Mary-le-Bow, 337
St. Mildred, 337
St. Paul, catedral de, 275n, 327, 332, 349, 350, 376, 461, *226, 227*, distrito de, 450n
St. Paul, Covent Garden, 317
St. Peter, Cornhill, 337
St. Stephen, capela de, 154
St. Stephen, Walbrook, 334-6, 338, *228, 229*
St. Swithin, 337
torres, 52, 118
Travellers' Club, 399, *260*
Vanbrugh, castelo, Blackhearth, 363, *240*
Wanstead, casa de campo, 353
Westminster Abbey, 112, 140, 154, 158
  capela de Henrique VII, 154
  tumba de Henrique VII, 295, *202*
Westminster Hall, 158, 163, 387
Whitehall, palácio, 185, 319
Wren, projeto para reconstrução da cidade, 340
Long Melford, igreja, 161
Longhena, B., 345
Longleat, 312, *215*
Loos, Adolf, 414, 467
Lorsch, abadia de, 34-5, *26*
Los Angeles, 439-40
Louis, J.-V., 379, 404n
Louth, igreja, 159
Louvain, prefeitura de, 159
Lucera, castelo, 118
Luís IX, rei da França, 111
Luís XIII, rei da França, 319, 339
Luís XIV, rei da França, 242, 245, 267, 322, 325, 327, 328, 329, 339, 342

Lunghi, Martino, o Moço, 252, *175*
Lutero, 143
Luxemburgo, Rosa, projeto de um monumento a, 423
Luxeuil, 29
Lyon, Sto. Irineu, 28, 55n

Maaskant, H. A., 436n
Machuca, Pedro, 216, *151*
maias, 456
McComb, 462
McKim, Mead & White, 401
Mackintosh, Charles Rennie, 410, 467, 468
Mackmurdo, Arthur H., 410
Maïeul, abade, 46, 47
Maderna, Carlos, 234, 244, 245, 248, 252, 287, *165, 166, 167*
Maillart, Robert, 441
Maintenon, Madame de, 343
Mainz, catedral, 76
Maisons Lafitte, 320, 322
Malatesta, Sigismondo, 188
Malines, 158
Manchester Town Hall, 417
Mander, Karel van, 325n
Mangin, 460
Mansart, François, 317, 319-20, 321, 321n, 325, 341, 373, 345, *217*
Mansart, Jules Hardouin-, 330-2, 339, 342, 343, *224, 225, 230*
Mântua, catedral, 225
  casa de Giulio Romano, 215-6, *150*
  Palazzo del Tè, 216
  S. Andrea, 197-8, 200, 236, *138*
  S. Sebastiano, 197-8, 200, *139*
Manuel I, dom, rei de Portugal, 167
Maquiavel, 183
March, Werner, 427n
Maria Antonieta, rainha da França, 375, 392
Maria de Medici, rainha da França, 318
Maria Laach, abadia, 76

Markelius, Sven, 437, 450
Marlborough, primeiro duque de, 347
Marselha, batistério, 28
 catedral de, 400
 igreja da Major, 294
 Unité d'Habitation, 437
Martel, Carlos, 26
Martellange, Étienne, 317
Martin, Sir Leslie, 450, *290*
Matsys, Quentin, 295
Matthias Corvinus, rei da Hungria, 296
Maupertuis, 384
Maxêncio, imperador, 8
May, Ernst, 431
May, Hugh, 346
Mazarin, cardeal, 319, 328
Mazzoni, Guido, 294, 295
Medici, família, 152, 173, 174, 186, 222-3
Medici, Lorenzo, o Magnífico, 173, 184, 186, 222
Meissonier, Juste-Aurèle, 289, 343
Meledo, Villa Trissino, 221, *153*
Melk, mosteiro, 277, *190*
Menai Bridge, 404n
Mendelsohn, Erich, 423, 425, 429, *273*
Mendoza, família, 294
Mestre Mateo, 76
Métezeau, Clément, 317
Metz, São Pedro, 28
Meunier, fábrica de, 463
México, 263, 456
 igrejas franciscanas, 456
Mey, J. M. van der, 424
Meyer, Adolf, *271*, *272*
Michelozzo di Bartolommeo, 182, 186, 191, 193, *128*, *135*
Michelucci, Giovanni, 427
Middelburg, prefeitura de, 159
Miguel Ângelo, 175, 187, 199, 210, 222-5, 228-35, 241, 246, 251, 257, 332, 348, 352, *148*, *155*, *159*, *160*, *167*

Mies van der Rohe, Ludwig, 423, 431, 433, 435, *274*, *280*, *281*
Milão, 21
 Banco Medici, 186
 Brera (Tintoretto), 225
 catedral de, 168, 186
 Ospedale Maggiore, 185, *131*
 S. Ambrogio, 80, *59*; Canônica de, 136n; *ver também* Sto. Ambrósio
 S. Eustorgio, 186
 S. Lourenço, 21
 S. Maria delle Grazie, 200
 S. Maria presso S. Satiro, 200
 S. Satiro, capela do Santo Sepulcro, 186
 Sforza, capela, 184, *129*
 Sto. Ambrósio, 56
Mills, Robert, 460
Minden, catedral de (primeira), 30n
Mique, Richard, 375, 376
Mismieh, Tychaeum, 17, *13*
Módena, catedral de, 80
Moissac, igreja, 63, 75
Molière, 329
Monkwearmouth, igreja, 30
Monte Cassino, mosteiro beneditino de, 29
Montesquieu, 243, 371, 376n
Monticello, 460
Montuori, Eugenio, 453
Moretti, Luigi, 447
Morris, William, 405, 406, 407, 408, 417
Moscou, catedral da Dormida, 296
 S. Michel, 296
Moser, Karl, 434
Munique, Atelier Elvira, 410, *267*
 Beauharnais Palace, 399
 Biblioteca Nacional, 399
 Führerbau, 427n
 Haus der Deutschen Kunst, 427n
 Königsplatz, 427n

partido nazista, edifício do, 427n
S. João Nepomuceno, 269-70, *186*
Mussolini, Benito, 427
Muthesius, Hermann, 410

Nancy, Place Royale, 343n
Nantes, catedral de, monumentos, 294
Nantucket, 459-60, *292*
Naranco, Sta. Maria de, 42, 55, *31*, *32*
Narbonne, catedral, 122n
Nash, John, 317, 391
Naumburg, catedral, 112
Needham Market, igreja, 163
Nendrum, mosteiro, 29, *21*
Neris, S. Felipe, 229
Nering, Johann Arnold, 338
Nervo, Pier Luigi, 437, 441, 442, 443, 453, *285*
Neumann, Johann Balthasar, 267-9, 271, 281, 289-90, *187*, *188*, *193*, *194*, *195*, *201*
New York City Hall, 462
Newton, Sir Isaac, 271, 326; projeto de um monumento a, 382
Nicolas de Briart, 85
Nicolau V, papa, 206, 231
Nicósia, 456
Niemeyer, Oscar, 437, 438, 444, *286*
Nîmes, ruínas romanas de, 460
St. Paul, 400
Northampton, casa por Behrens, 425
Northumberland, igrejas antigas, 30
Norwich, igrejas, 161
Nova York, Daily News, 425
  Henry Hudson Parkway, *284*
  Lever House, 450, *289*
  McGraw-Hill Building, 425
  Secretariado das Nações Unidas, 437, 450
Nowitzki, Martin, 441, 442, 447
Noyon, catedral de, 89, 90-1, 93-5, 97, 102, *66*

Nuremberg, S. Lourenço, 140, 142-4, 146, *103*
  estádio de, 427n

Occam, William of, 127
Olivetti, Adriano, 437
Oppenord, Gilles-Marie, 289, 343
Orbetello, hangar, 441, *285*
Orígenes, 8
Orléans, 63
Orleansville, igreja, 12
Östberg, Ragnar, 428
Oto, o Grande, 46
Oud, J. J. P., 428, 429, 432
Oudenaarde, prefeitura de, 159
Oxford, catedral de, 105
  Sheldonian Theatre, 326

Paderborn, igreja de Abdinghof, 30n, 35
Pádua, igreja de Carmine, 275n
  Palazzo della Ragione, 159
Paestum, 5, 368, 378, 381, 384, 391
Paganino, *ver* Mazzoni
Pagano, 427
Palladio, Andrea, 217-22, 226, 245, 277, 287, 293, 305, 308, 314, 318, 324, 345, 353-4, 355, 357, *152*, *153*, *154*, *157*
Palmanova, 339
Pampulha, Cassino da, 444
  igreja da, 444, 449, *286*
Paris, 28
  apartamentos por Roux-Spitz, 426
  Arco do Triunfo, 379
  Bagatelle, 376
  Bolsa, 379
  Castel Béranger, 410
  Cidade Universitária, casa da Suíça, 429
  Collège des Quatre Nations, 321, 324, 330, 342, *218*, *219*

Conservatoire des Arts et Métiers, 400
Désert de Retz, 376
École Militaire, 373, *246*
Escola de Cirurgia, 379, 383
Exposição de 1925, pavilhão de l'*Esprit Nouveau*, 429
Exposição de 1937, pavilhão italiano, 427
Feuillants, igreja de, 317
Folie Saint-James, 376
Halle au Blé, 404n
Hospital da Caridade, 379
Hôtel de Beauvais, 342
Hôtel de Bretonvillers, 341
Hôtel de Brunoy, 379
Hôtel de la Vrillière, 341
Hôtel de Matignon, 344, *232*
Hôtel de Salm, 379
Hôtel d'Uzès, 379
Hôtel de Ville, 400
Hôtel Lambert, 342, *231*
Hôtel Lamoignon, 306n, 324
Hôtel Madrid, 301
Institut de France, *ver* Collège des Quatre Nations
Louvre, palácio do (antigo), 118; atual, 245, 305, 327-8, 375, 463, *208*, *223*
Luxemburgo, palácio de, 318
Lycée Condorcet, 379
Madeleine, 400, 462
Maison de François I, 400
Ministério da Marinha, 426
Museu do Mobiliário, 426
Notre Dame, 89, 93-5, 97, 102, 104, 106, 125, 139n, *69*, *70*, *71*
Noviciado, igreja do, 317
Odéon, 379
Ópera, 400, 417, *261*, *262*
Palácio de Bourbon, Conseil des Cinq-Cents, 383
Panthéon, 376-9, *248*, *249*
Place Dauphine, 339n
Place de France, 339
Place de la Concorde, 293, 375
Place de l'Étoile, 339
Place des Victoires, 339n
Place des Vosges, 319, 339n
Place Vendôme, 339n
Pont Neuf, 339n
posto de postagem, 382, *252*
quartel, rue Mouffetard, 399
rua Franklin, 414
rua Ponthieu, garagem, 414
rue des Colonnes, 379
St. Étienne du Mont, 317
St. Eugène, 404
St. Eustache, 317
St. Gervais, 317
St. Joseph des Carmes, 321n
St. Louis des Invalides, 330-2, *224*, *225*
St. Ouen, 463n
St. Paul-St. Louis, 317, 321n
St. Philippe du Roule, 379
St. Séverin, 164
Sta. Clotilde, 398
Ste. Anne, 265
Ste. Chapelle, 122, 134
Ste. Geneviève, *ver* Panthéon
Ste. Geneviève, biblioteca, 404
Ste. Marie des Visitandines, 321n
Sorbonne, igreja, 321, 330, *220*
Théâtre des Champs Élysées, 414
Tulherias, 185, 318; escada, 345
Unesco, prédio da, 437
Val de Grâce, 321
Parker, Barry, 418
Parler, Heinrich, 140
Parler, Peter, 140, 141
Parma, 198
Patrick, Saint, 29
Paulo, o Diácono, 30
Paulo III, papa, 230
Pavia, catedral de, 334
Paxton, Sir Joseph, 404, *263*
Pearson, J. L., 398

ÍNDICE REMISSIVO **505**

Pecock, Reginald, 137
Pedro Damiani, São, 110, 111
Pedro de Pisa, 30
Penshurst Place, 149, 151, 153, *109*
Périgueux, 63
  St. Front, 72-3, 185, 376, *55, 56*
Perrault, Claude, 328, 332, 375, *223*
Perret, Auguste, 412, 414, 426, 428, 441, 467
Perronet, Charles, 378, 387
Persius, Ludwig, 400
Peruzzi, Baldassare, 213, 216, 305, *149*
Pessac, 437
Petersham, 346
Petrarca, 174
Peyre, Marie-Joseph, 379, 381, 382, 385
Philadelphia Savings Fund Society, 425
Philippe Auguste, 118
Piacentini, Marcello, 427
Pick, Frank, 435, 437
Pico della Mirandola, 183
Pienza, 195, 231
Piero della Francesca, 193, 200
*Piers Plowman*, 150
Pio II, papa, 195, 231
Pio V, papa, 230
Piranesi, Giovanni Battista, 380-1, 385, *5*
Pisa, catedral, 80
Pisano, Niccolò, 168
Pistoia, S. Maria delle Grazie, 186
Pitti, família, 173
Platão, 183-4
Plotino, 8
Poelaert, Joseph, 401
Poelzig, Hans, 423
Poitiers, 63
  catedral de, 122n
  palácio ducal, 164
Pompadour, Madame, 376
Pompéia, basílica, *8*

Pope, Alexander, 353, 356, 357, 361, 364
Pöppelmann, M. D., 278, *191, 192*
Port Sunlight, 417
Porta, Giacomo della, 234, 238, *160, 162, 167*
Post, Paul, 325
Potsdam, torre Einstein, 423, *273*
  Friedenskirche, 400
Poulteney, Sir John, 153
Poussin, Nicolas, 319, 329, 364
Poyet, Bernard, 379
Praga, castelo, Vladislav Hall, 141, 296
  catedral de, 140, 141
  Öttingen, projeto da igreja de, 265, 267
Prandtauer, Jakob, 277, *190*
Pratt, Sir Roger, 345, 346
Primaticcio, Francesco, 216, 298, 306n
Prior, E. S., 407, 467
Prior Park, *ver* Bath
Puget, Pierre, 321
Pugin, Augustus Welby N., 271, 395, 396, 404, *259*
Purcell, Henry, 336

Quedlinburg, St. Wipert, 55n
Questel, C.-A, 400

Racine, Jean, 329
Rafael, 199, 200, 207-9, 210, 214, 215, 222, 228, 231, 234, 297, *146*
Rafn, Aage, 427
Rainaldi, Carlo, 247, 248, *169*
Raleigh, Sir Walter, 313
Raleigh (Carolina do Norte), Arena, 441, 443
Ramée, J.-J., 460
Ramiro I, rei das Astúrias, 43
Ravena, mausoléu de Galla Placidia, 18
  S. Apollinare Nuovo, 11, 12-3, 59, *6, 7*

S. Vitale, 18, 19, 31, *14*, *15*, *16*
Sto. Apolinário in Classe, 26
Reculver Cross, 28, 43
Reidy, Affonso, 444, 447
Reims, catedral de (antiga), 38; atual, 89, 95, 97, 101, 103, 104, 105, 109, 111, 112, 114, 125, 65, 76, *81*, *84*
St. Nicaise, 106
Rembrandt, 209, 226, 271
René, rei de Anjou, 294
Rennes, Palácio da Justiça, 318
Renwick, James, 462
Revett, Nicholas, 368
Reynolds, Sir Joshua, 389
Riario, cardeal, 199
Ricardo, Halsey, 407
Ricardo Coração de Leão, rei da Inglaterra, 118, 152
Richardson, Henry Hobson, 406, 412, 464-5, *294*
Richelieu, 319
Richelieu, cardeal, 242, 319, 321, 329
Richmond (Virgínia), Capitol, 460
Ried, Benedict, 141, 296
Rietveld, Gerrit, 429, *278*
Rimini, S. Francesco, 188-9, 193, *133*, *134*
Rio de Janeiro, Ministério da Educação, 445
 Pedregulho, conjunto residencial, 444
Robbia, Andrea Della, 177
Robert, Hubert, 376
Robertson, Sir Howard, 437
Rodez, catedral, 122n
Roehampton, *ver* Londres
Rohault de Fleury, Charles, 399
Rohr, igreja abacial, 269
Roma, basílica de Maxêncio, 8, 10, *4*, *5*
 Barberini, palácio, 245, 257, 320, 322, 334, *165*, *166*; escada, 287
 Cancelleria, 199, *141*
 Capitólio, 231, 257, 306

Caracala, termas de, 6
Casa Dourada de Nero, 208; *ver também* basílica de Maxêncio
Coliseu, 6, 10, 193
Corte de Justiça, 417
Emmanuel II, monumento a, 401
 estação ferroviária, 453
Foro Mussolini, 427
Gesù, 235-6, 238, 239, 252, 317, *161*, *162*, *163*, *164*
Marcellus, teatro de, 213
mausoléus, 13n
Minerva Medica, templo de, 182, *128*
palácios dos imperadores flavianos, 14, *9*
Palatino, 31
Palazzo Massimi, 211, 213-4, 224, 226, 311, *149*
Palazzo Riario, *ver* Cancelleria
Palazzo Venezia, 192
Palazzo Vidoni Caffarelli, 207, 214, *146*
Panteon, 6, 18, 379
Piazza del Popolo, 248
Porta Maggiore, basílica de, 15, *10*, *11*
Propaganda Fide, igreja, 248
S. Agnese, na Piazza Navona, 247, 251, *169*
S. Andrea al Quirinale, 248, *170*
S. Anna dei Palafrenieri, 246, *168*
S. Calixto, catacumba de, 17n
S. Carlo alle Quattro Fontane, 246, 248-51, 252, 254, 257, 334, *171*, *172*, *173*
S. Giacomo al Corso, 248
S. Ignazio, 246
S. João Latrão, 10; batistério, 17
S. Maria de Monserrato, 238
S. Maria della Pace, 251, *174*; claustro, 202
S. Maria della Vittoria, capela Cornaro, 257, *178*

S. Maria di Monte Santo, 248
S. Paulo fora dos muros, 10, 12
S. Pedro (antiga), 10, 12, 17, 30; atual, 13n, 199, 206, 222, 230, 231, 232-5, 241, 244, 245, 254, 271, 332, *145*, *159*, *160*, *167*
S. Pietro in Montorio, Tempietto, 202, 4, 207, *144*
S. Prassede, capela de S. Zeno, 55n
S. Stefano, Rotondo, 17
S. Susanna, 252
SS. Vincenzo ed Anastasio, 252, *175*
Sta. Constancia, 17
Vaticano, Belvedere, 207, 305; escada, 285
Dâmaso, 245, ver também S. Damasus
S. Damasus, 207
Scala Regia, 254-5, *176*, *177*
Sistina, capela, 199, 222, 228
*Stanze*, 199
Villa Giulia, 226, *158*
Villa Madama, 207, 208, 216
Romainmôtier, igrejas antigas, 30n
Ronchamp Notre Dame du Haut, 445, 448, 449, 453, *287*, 288
Roritzer, Konrad, *103*
Rosa, Salvador, 364
Roscoe, William, 391
Rossellino, Bernardo, 231
Rossetti, D. G., 405
Rosso Fiorentino, 216, 298, 302, 311, *206*
Rotterdam, Bergpolder Flats, 436n
Van Nelle, fábrica de, 443
Rouen, St. Maclou, 164, *119*
Rousseau, Pierre, 376, 379
Roux-Spitz, Michel, 426
Rubens, Sir Peter Paul, 325
Rucellai, família, 173, 189
Ruskin, John, 254, 263, 271, 397, 398, 404, 405
Ruthwell Cross, 28, 43

S. Domingo, de Silos, 75
S. Florian, mosteiro, 277
S. Juan de Baños, 42, *30*
S. Maria de Naranco, 42, 55, *31*, *32*
S. Menas, igreja, 12n
S. Pedro de Nave, 58
Saarinen, Eero, 438
Sabaudia, 427
Sacrow, Heilandskirche, 400
Sagebiel, E., 427n
Saintes, 63
Salamanca, catedral de, *104*
Universidade de, *211*
Salem (Massachusetts), 460
Salisbury, catedral de, 113, 114, 115n, 125, 130, 152, *82*, *83*; sala capitular, 119-20, 136, *89*; pilar central, 121
Salônica, S. Demétrio, 12, 12n, 13n
S. Jorge, 17
Salt, Sir Titus, 417
Saltaire, 417
Sammicheli, Michele, 216, 217, 267
San Gallo, Antonio da, 211, 230, 231, *147*, *148*
Sant'Elia, Antonio, 423
Santiago de Compostela, catedral, 63, 76, *48*
São Bertrão (Comminges), 28
São Paulo, casas por Warchavchik, 426
São Petersburgo, Bolsa, 379, *250*
Scamozzi, Vincenzo, 339
Schinkel, Carl Friedrich, 393, 400, *258*
Schlegel, Friedrich, 395
Schönborn, família, 276
Schwabisch Gmünd, Santa Cruz, 140
Scott, M. H. Baillie, 467
Scott, Sir George Gilbert, 397
Selby, abadia de, *96*
Semper, Gottfried, 399
Senlis, catedral, 89
Sens, catedral, 87, 89, 95, 97
Serlio, Sebastiano 216, 217, 245, 246, 287, 305, 307

Sezincote, 392
Sforza, Francesco, 186
Sforzinda, 186, *130*
Shaftesbury, terceiro conde de, 356, 356; sétimo conde de, 417
Shakespeare, William, 313
Shaw, R. Norman, 406-7, 408, 409, 417, *265*
Shenstone, William, 364
Shute, John, 308
Siena, catedral, 134
   igrejas dos frades, 137
   prefeitura de, 159
Siloée, Diego, 285
Simão de Colônia, 165, *120*
Simon de Monfort, 117, 152
Siracusa, Castel Maniaco, 118
Sisto IV, papa, 199
Sisto V, papa, 339
Skellig Michael, 29
Skidmore, Owings & Merrill, 437, 438, 450, *289*
Smeaton, John, 462
Smirke, Sir Robert, 393, 460, *257*
Soane, Sir John, 385-7, 388, 390, 461, *254, 255*
   casa e museu de, 387, *255*
Sohag, mosteiros, 17n, 29
Soufflot, Jacques-Germain, 376, 378, *248, 249*
Southwell Minster, 59, 122, 136, *90*
Spalato, palácio de Diocleciano, 8-9, 367, *2, 3*
Spavento, 198, *140*
Speer, A., 427n
Speier, catedral, 55, 60, 76
   S. German, 30n
Spenser, Edmund, 313
Sperandio, Niccolò, 184, *129*
Spinoza, Baruch, 271
Ssu-Cheng-Liang, 437
St. Benoît-sur-Loire, 58
St. Denis, igreja abacial (de 775), 33n; atual, 75, 81, 83-5, 102, 122, *61*,

*62*; monumentos renascentistas, 294; Valois, capela, 286n
St. Gall, *28*; ver também St. Gallen
St. Gallen, mosteiro, 29, 35-7, 49
St. Gilles, 63, *57*
St. Louis, Wainwright Building, 412
St. Martin du Canigou, 55n
St. Philibert de Grandlieu, 47n
St. Riquier, ver Centula
St. Savin-sur-Gartempe, 72, *53*
St. Thibault, 137
Staal, J. F., 436
Stethaimer, Hans, ver Hans de Landshut
*Stoke-on-Trent Etruria*, 369
Stokes, Leonard, 407
Stoss, Veit, 143
Stowe, 293
Strawberry Hill, 370, 371, 391, *245*
Streatham, ver Londres; Christ Church
Strickland, William, 394, 460, 462
Strozzi, família, 173, 191
Stuart, James, 368
Stubbings, Hungh, 442
Stupinigi, 278
Sturm, Leonhard Christian, 338
Stuttgart, Weissenhof, 431, 439
Suger, abade, 84, 85, 173
Sullivan, Louis H., 412, 465, 467, *269, 295*
Sundahl, Eskil, 434
Swaffham, igreja, *118*
Swift, Jonathan, 353
Sylvestre, Israel, *219*
Syon House, 367, *242, 243*


Talenti, Francesco, 180, 171
Tangier, fortificações, 327
Tarrasa, igrejas, 39
Taut, Bruno, 431
Tecali, igreja franciscana, 456
Telford, Thomas, 404n
Tengbom, Ivar, 427

ÍNDICE REMISSIVO **509**

Teodorico, 11-2; estátua, 31
Teodoro, arcebispo de Canterbury, 29
Teodulfo (Espanha), 30, 38
Teresa, Santa, 229
Terragni, Giuseppe, 425
Tertuliano, 7
Tewkesbury, catedral, 72
Thomas Becket, 54
Thomon, Thomas de, 379, *250*
Thomson, Edward, 427
Thomson, James, 369
Thorpe, John, 309
Tiepolo, G. B., 287
Tigzirt, batistério, 17
Tijen, W. van, 436n
Tintagel, 29
Tintoretto, 210, 225
Tivoli, *villa* de Adriano, 21
    Villa d'Este, 226
Tiziano, 210
Toledo, catedral de, *Transparente*, 259, 263, *179*, *180*
    Hospital da Santa Cruz, 285, 294, *199*
    S. Juan de los Reyes, 285
Tomar, mosteiro, 167, *122*
Tomás de Aquino, Santo, 108, 109, 110
Tomé, Narciso, 259, 271, *179*, *180*
Toro, J. Bernardo, 343
Torrigiani, Pietro, 295, *202*
Tory, Geoffrey, 299
Toulouse, catedral, 63
    igreja dominicana (dos jacobinos), 139
    St. Sernin, 63, 75, *46*, *47*
Tournai, catedral de, 104
Tournus, St. Philibert, 47n
Tours, 28, 30, 63, 65
    catedral, monumento, 294
    St. Martin, 47, 55n, *34*
Town & Davis, 462
Trier, 7, 28, 60
    catedral de, 18n

igrejas do século IV, 12n, 42
    Porta Nigra, 6
Trindade, igreja da, 72; *ver também* Caen: Ste. Trinité
Troost, P. L., 427n
Troyes, St. Hubert, 189
    St. Urbain, 122, 136
Truro, catedral de, 398
Tudense, El, bispo de Tuy, 137
Turim, Salão de Exposição, 441, 443
    Palazzo Carignano, 265
    S. Lorenzo, 265, *183*, *184*
Turmanin, basílica, 26, *20*
Twickenham, jardim de Pope, 357, 364; *ver também* Strawberry Hill
Tyringham, 461

Ulm Münster, 159
Unwin, Sir Raymond, 418
Upjohn, Richard, 462
Urbino, 200
    palácio ducal, 193, 200, *136*
Utrecht, *villa*, por Rietveld, *278*

Valla, Lorenzo, 184
Valladolid, 166, 294
    S. Paulo, 165, 263, *120*
Vallée, Simon de la, 325n
Vällingby, 450
Vanbrugh, Sir John, 347-8, 349, 352, 353, 354, 363-7, 389, *234*, *235*, *236*, *240*, *241*
Vasari, Giorgio, 210, 226, *156*, *158*
Vasquez, F. M., 263, *181*, *182*
Vassé, A.-M., 343
Vaucresson, *villa* de Le Corbusier, 428
Vaudoyer, Léon, 400
Vaux-le-Vicomte, 322, 325, 342, *221*
Velázquez, 209
Vénasque, batistério, 28
Vendôme, 164
Veneza, porta do Arsenal, 187

Cà d'Oro, 187
Cà del Duca, 187
Colleoni, monumento, 253
Doges, palácio dos, 159, 187, *115*
Frari, 138
Piazza e Piazzetta de S. Marcos, 231
Redentore, 217, 226, *157*
S. Giorgio Maggiore, 217, 226; escada, 345
S. Giovani Grisostomo, 198, 337
S. Marcos, 73, 185, 376
S. Salvatore, 198, 199, *140*
SS. Giovanni e Paolo, 138
Verden, igreja, 47n
Verneuil, 319n
Verona, 216
Verrochio, Andrea, 253
Versalhes, 226, 293, 319, 339, 340, 376, *230*; Escalier des Ambassadeurs, 345; jardins, 322, 356-7, 373, 375; Grand Trianon, 343; Petit Trianon, 293, 373, 375, *247*
Vézelay, La Madeleine, 63, 67, 75, *51*
Vicenza, 217
    Palazzo Chiericati, 219, 226, 314, *152*
    Palazzo Valmarana, 306
    Villa Rotonda (Capra), 221, 355, *154*
Vicuna, Portal Salvator, 297
Viena, Ringstrasse, 417
Vienne, igreja, 28
Vierzehnheiligen, 271-2, 275, 276, 278, 343, *187, 188*
Vignola, Giacomo, 226, 235-8, 239, 248, 251, 252, 308, 318, 332, *158, 161, 162, 163, 164, 168*
Vignon, Pierre, 400
Villard de Honnecourt, 87, 105, 110, *63, 64, 65*
Vincent de Beauvais, 108, 110
Vingboons, 325
Viollet-le-Duc, E.-E., 82, 463
Visegrád, castelo, 296

Vitrúvio, 188, 208, 217
Vladislav II, rei da Boêmia, 296
Voltaire, 243, 273, 371
Voysey, C. F. A., 408, 409, 410, 424, 465, 467, *266*
Vredeman de Vries, H., 309

Wagner, Richard, 254
Wailly, Charles de, 379
Wallis, John, 326
Walpole, Horace, 357, 370, 371, 380, 381
Wanstead, *ver* Londres
Warchavchik, Gregori, 426
Washington, plano de L'Enfant para, 340
Wastell, John, 157
Watteau, Jean-Antoine, 343
Webb, John, 319, 346
Webb, Philip, 406, *264*
Wedgwood, Josiah, 369, 409
Weimar, memorial da guerra, 423
Weingarten, mosteiro, 276, *189*
Wells, catedral de, 112, 113, 114, 115, 133, 152, *99*
Weltenburg, igreja da abadia, 269, 270, *185*
Wessobrunn, 289
West Orange (New Jersey), Llewellyn Park, 462
Westminster, *ver* Londres
Whittington, Dick, 153, 158
Wild, J. W., 400
Wilfrid of Hexham, 33n
Willard, Solomon, 462
Wilton, igreja, 400
    Wilton House, 316
Wimpfen, 88
Winchelsea, New, 119
Winchester, catedral de, 52, 96, 149, *39, 40*
Winckelmann, J. J., 290, 368, 372,

Windsor, capela de St. George, 154, *111*
Wolfram von Eschenbach, 108, 111
Wollaton Hall, 312, 362
Wolsey, Cardinal, 303
Wood, John, o Moço, 358-9, *239*
Wood, John, o Velho, 354, 357-9, *238*
Wordsworth, William, 371
Worms, catedral de, 76, *58*
Wren, Sir Christopher, 326-8, 332-8, 340, 348, 349, 350, 362, 376, 401, 461, *226, 227, 228, 229*
Wright, Frank Lloyd, 412, 414, 416, 432, 467
Würzburg, 29

escadaria de Neuman, 287
Wyatt, James, 372
Wyatt, T. H., 400

Yevele, Henry, 158, 163
York, catedral de, 30; sala capitular, 136; igrejas, 161
Young, Edward, 385
Ypres, 159; Salão do Tecido, *114*

Zacatecas, catedral de, 458, *291*
Zagalia, 186, 186n, *132*
Zehrfuss, 437